G000054876

Frank Corless

Department of Education, Southampton University

Ralph Gaskell

Roehampton Institute, London

KENT COUNTY COUNCIL
KENT EDUCATION COMMITTEE
HOMEWOOD SCHOOL
TENTERDEN

HODDER AND STOUGHTON

LONDON SYDNEY AUCKLAND TORONTO

Acknowledgments

The authors and publishers wish to thank the following for permission to use extracts: 'Pitié pour nos forêts' (p. 2) and 'Commandements de la forêt' (p. 3) (Ministère de l'Agriculture de France); 'Incendie maîtrisé à Saint-Raphael' (p. 4) (*Le Matin*, 11/8/1979); 'Le Démon incendiaire de Séron' (p. 14) (*Nouvel Observateur*, 27/8/1979); 'L'Astrofric' (p. 22) by Reiser; 'Le Weekend de Sophie' (p. 26) by Christian Bretagne (*Elle*, 11/12/1978); 'C'était vraiment dimanche' (p. 33) from *L'Etranger* by Albert Camus (Gallimard); 'Je suis Mesrine' (p. 36) (*L'Express*, 5/6/1978); 'Quelle bavure!' (p. 42) (*France-Soir*, 10/5/1978); 'Les Naufragés de la neige' (p. 50) (*France-Soir*, 24/1/1981); 'La Montagne a tué deux fois' (p. 55) (*France-Soir*, 23/12/1980); *La Neige en deuil* (p. 56) by Henri Troyat; 'Brigitte a déjà oublié . . .' (p. 59) (*Ouest-France*); 'Brigitte (3 ans) de La Roche-sur-Yon . . .' (p. 59) (*Ouest-France*); '65 jours entre ciel et mer' (pp. 60, 66–8) (*Ouest-France*, 11/2/1966); 'Parents, on vous aime . . .?' (p. 70) (*L'Express*, 14/6/1976); *Les Plumes du corbeau* (p. 72) by Jehanne Jean-Charles; 'Une éducation forte' (p. 76) from *Vipère au poing* by Hervé Bazin; 'Les Problèmes du rang de naissance' (p. 77) (*Elle*, 30/10/1978); 'Ma mère ouvre mon courrier' (p. 78) (*O.K.*); 'Soirée désastre' (p. 86) (*Girls*, 22/8/1980); 'La Musique ouvre les portes' (p. 90) and 'Elle est jolie, Dorothée . . .' (p. 95) from *La Clé sur la porte* by Marie Cardinal; 'Les Français et le mariage' (p. 103) (*L'Express*, 9/2/1976); 'Avez-vous le conjoint qu'il vous faut?' (p. 104) by Sempé; 'A l'orientation' (p. 108) from *Les Petits enfants du siècle* by Christiane Rochefort (Grasset, 1961); 'L'Atelier 76' (pp. 138–9) from *Elise ou la vraie vie* by Claire Etcherelli (Denoël, 1967); 'La Télé-drogue?' (pp. 143–4) (*L'Express*, 10/1/1977); 'Comme sur des roulettes' (p. 154) and 'Pour rouler longtemps et sans fatigue' (p. 156) (*Antirouille*, 4/1977); 'Promenades' (p. 157) (Office du Tourisme, Guingamp); 'La France qui campe' (p. 165) (*Paris-Match*, 28/8/1976); 'Campeurs: afin de rendre . . .' from *Close-up France I* by J. Crittenden and M.-P. Moine (Mary Glasgow, 1981); two extracts (p. 172) from *Camping Caravaning France 1982* (Michelin Guide, 1982); 'La Ville' (p. 174) brochure from L'Office du Tourisme, Le Havre; 'Jugez vos vacances' (p. 177) (*L'Express*, 28/8/1978); France-Inter for transcripts of 4 radio transmissions: 'Les Conséquences d'un fléau traditionnel', 'Le Cri de la forêt', 'La Mort d'un ennemi public' and 'Le Mythe Mesrine'.

Thanks are also due to the following for supplying photographs: Image Bank (cover), Hansgerd Zürcher (p. 1), Photographie Giraudon (Bibliothèque Royale) (p. 11), Aldus Archive (p. 19), Rex Features (pp. 35, 38, 39), Steve Philipson (p. 44), Mike Reece (p. 47), Topham Picture Library (pp. 50, 89, 96, 97, 100, 105, 126, 128, 141, 149, 154, 159, 167, 169), Hubert Fesaix (pp. 58–60, 63, 67), Jean–Jacques Bourgeois (p. 69), IBM (p. 123), Mark Powell (pp. 131, 148, 149), Renault (p. 151), French Government Tourist Office (p. 174).

Thanks are also due to the Language Centre and the Wolfson Unit, Southampton University, for use of their facilities.

Every effort has been made to trace copyright holders of material reproduced in this book. Any rights not acknowledged here will be acknowledged in subsequent printings if notice is given to the publishers.

British Library Cataloguing in Publication Data

Corless, Frank
Signes du temps: vécu.
1. French language—Text-books for foreign speakers—English
I. Title II. Gaskell, Frank
448 PC2112

ISBN 0-340-32573-9

First published 1986
Third impression 1987
Fourth impression 1988

Copyright © 1986 Frank Corless and Ralph Gaskell

All rights reserved. No part of this publication may be reproduced or transmitted in any form or by any means electronic or mechanical, including photocopying, recording, or any information storage and retrieval system, without permission in writing from the publisher or under licence from the Copyright Licensing Agency Limited. Further details of such licences (for reprographic reproduction) may be obtained from the Copyright Licensing Agency Limited, 33–34 Alfred Place, London WC1E 7DP.

Typeset by Macmillan India Ltd., Bangalore 25
Printed in Great Britain for
Hodder and Stoughton Educational,
a division of Hodder and Stoughton Ltd,
Mill Road, Dunton Green, Sevenoaks, Kent TN13 2YE,
by St Edmundsbury Press Ltd, Bury St Edmunds, Suffolk.

Table des Matières

VÉCU: A USER'S GUIDE

What is Vécu?

Vécu is a foundation French course for students at the post-GCSE level stage. Based on real-life texts and recordings, **Vécu** offers a French view of preoccupations common to young people living in any modern society: personal relationships, earning a living, leisure activities and so on. It seeks to show that, beneath differences of language and culture, there lie shared interests and similar experiences. **Vécu** is designed for specialist and non-specialist learners alike. It is suitable for both new and traditional A-level syllabuses.

Vécu consists of this book, a cassette containing all the relevant recordings and a ***Livret*** which provides transcriptions of recordings and other materials for learning activities. Teachers are authorised to duplicate any item in the ***Livret*** as required.

What is it for?

Vécu, then, offers advanced learners opportunities to explore interests and concerns which they share with young French people. At the same time, it seeks to help students extend their knowledge of the French language and their skill in using it. For **Vécu** will, we believe, enable students

- to understand and respond appropriately to what they hear and read
- to communicate with each other and with the teacher in a variety of ways and for a variety of purposes, so as to be able to use French more confidently in real life
- to carry out a range of writing tasks which offer scope for personal reflection and expression, and provide insights into differing varieties of written French.

With these aims in view, **Vécu**

- provides thorough practice of grammatical items and patterns which students are likely to have met but will need to review
- introduces and practises further items and patterns which permit a more sensitive and flexible use of French
- presents and practises some of the fundamental ideas (*notions*) and social uses (*functions*) which feature in everyday French
- demonstrates and practises basic intonation patterns
- creates regular opportunities for students to collect, practise and use appropriate items of vocabulary.

Organisational skills play a vital part in learning a language and in using it in the real world. **Vécu** offers students the chance to develop these skills: to pick out key facts, to make notes, to evaluate arguments, to draw conclusions and so on.

How is it set out?

Vécu consists of twelve *dossiers*, or collections of material, each of which focusses on a particular theme. Apart from some introductory activities whose purpose is to open up the theme of a *dossier*, the material is of two types: (1) recordings and printed texts for *extensive* use and (2) those intended for *detailed* study.

Activities accompanying texts for *extensive* use are presented in the following way.

- *Points de repère* The initial approach, or overview, is designed to establish the form, character and purpose of a text, to help students identify the essential information or ideas it contains.
- *Activités* A series of tasks first enables students to investigate the facts, structure and implications of the text and to learn some of the language it contains. They then use the insights achieved, and the language learned, as a basis for discussion and/or writing.

Activities accompanying texts for *detailed* study focus more sharply on both content and language. After the *Points de repère* (see above), these activities are organised in three phases.

- *Découverte du texte* This set of activities is intended to help students to explore in detail the meanings of a text, to examine its linguistic fabric, to collect and learn some items of its language.
- *Exercices* This phase enables students to systematise their knowledge and increase their control of some aspects of the language contained in or implied by the text: grammatical items, intonation patterns, vocabulary clusters, functions or notions.
- *Activités* The final activities offer students the chance to reapply the language they have learned and the knowledge they have acquired to say or write something considered and coherent.

How may it be used?

Each text in **Vécu** is, then, the starting point for a carefully devised sequence of activities. In presenting these activities to student users of the course, we recommend ways of carrying them out. Teachers will, of course, use **Vécu** with their classes in the way *they* think best. However, we have tried to offer clear guidance as to how they may involve students in the process of their own learning.

Every class of reasonable size offers a range of groupings for learning and teaching. **Vécu** makes use of these various groupings for quite specific purposes, as this short description shows.

- *Travail individuel* Students work by themselves, identifying and collecting facts or items of language, making notes, writing exercises or assignments.
- *Travail à deux, Travail en groupe* Students work in pairs or, when several heads are better than two, in small groups, comparing notes, investigating the detail of a text, carrying out interactive activities, exchanging information or opinions, pooling ideas.
- *Mise en commun* Students work together as a class under the teacher's guidance, checking or comparing what they have discovered, sharing their insights.
- *Exercice oral* Students engage as a whole class in teacher-directed practice of some specific feature of the language. This will often follow a presentation or review by the teacher of the language principle in question.
- *Discussion* This type of activity, usually involving the whole class, concentrates less on the information in a text and more on the general issues it raises. Students can thus draw on their existing knowledge, understanding and ideas as a basis for the expression of opinion.

It should be noted that many activities in **Vécu** take place in two or three carefully interlinked stages. *Travail individuel* or *Travail à deux* will often lead to a *Mise en commun*. An *Exercice oral* will often develop from or prepare for *Travail individuel* or *Travail à deux*.

Vécu guides the various stages of the learning process, first leading students carefully into each text. As teachers present a recorded item to the whole class, they may think it useful, in the early stages, to let students follow the gapped transcription of it from the ***Livret***. It may then be helpful if the text is replayed, a section at a time, so that students have a chance to identify key facts, make notes or answer questions.

As their confidence and experience grow, students can be asked to start work on a printed text or recording at home, using the *Points de repère* and some of the *Découverte* activities. (Teachers will judge for themselves whether, in particular cases, information and ideas asked for in the *Points de repère* are to be written down or simply noted mentally and then checked orally.) Independent preparation and written follow-up, based on material in the *Exercices* or *Activités* sections, will lead to a more economical and efficient use of classroom time.

What formal help does it offer to the student?

Vécu helps students to systematise their knowledge of *language principles* in several ways.

- The *A compléter, à noter et à mémoriser* box, which accompanies each text studied in detail, guides students to collect and learn significant expressions, verb constructions and examples of formal relationships.
- Each exercise devoted to a new language principle—a grammatical item or category, an intonation pattern, a notion or a function—incorporates a clear presentation of it, with examples. These 'principles' sections are marked off by black triangles: ▶ . . . ◀ . Students may find them a useful basis for their own notes; teachers may find them a convenient starting point for an introduction or review of the items in question.
- The *Résumé grammatical* (pp. 179–216) sets out in reference form all the language principles dealt with in the book. It exemplifies each point and refers, where relevant, to the section of the book where it is explained more fully and practised.
- The *Tableau de verbes* (pp. 217–219) presents the key forms of regular and common irregular verbs.
- The *Programme de révision* (pp. 221–232) offers systematic practice of forms, patterns and principles which students may know already or have encountered, albeit in a random way, in the course of their work. We signal the point at which students may conveniently check and revise a given category in this way:

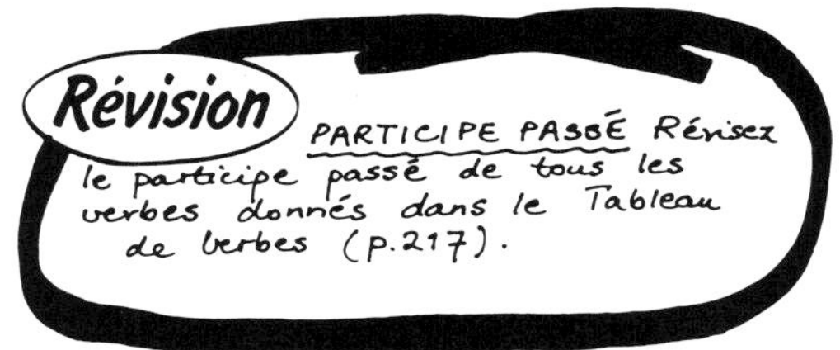
Révision
PARTICIPE PASSÉ Révisez le participe passé de tous les verbes donnés dans le Tableau de verbes (p.217).

- The *A traduire* texts (***Livret***) offer students a way of testing and reinforcing what they have learned *after* they have completed their work on each main text.

Any real-life spoken or written text is likely to contain unfamiliar *vocabulary items*. As students develop their skill in listening and reading, they will no doubt learn to tolerate some uncertainty and discover that they can often deduce sense from form or context. Vocabulary difficulties can, however, impede understanding, so **Vécu** offers help in two ways:

- Each main printed text, and the gapped transcription of each recorded one, is followed by a *vocabulary box* which glosses in English a limited number of words indicated in the text in this way: *maîtrisé*.°
- The *Vocabulaire* (pp. 233–250) gives English equivalents of over 3000 words used in the book and the recordings.

In order to give a focus to their vocabulary learning, students will find it useful to note, preferably in context and perhaps under thematic headings, words and expressions as they meet them. **Vécu** encourages systematic learning of vocabulary by means of regular exercises on word clusters; it also encourages students to use the words and expressions they have learned in a variety of other activities.

What will it equip students to do?

In the final analysis, a language is learned so that it can be used in an assured and confident manner. **Vécu** will, we hope, help students to accumulate working vocabulary in French, to systematise their knowledge of grammatical items and principles, to articulate a sentence, to express an intention or an idea appropriately. But such knowledge and such skills are ultimately means to an end: using the French language purposefully.

Teachers will give as much attention as they think appropriate, or necessary, to the particular skills required for examinations: controlled comprehension activities, translation, summary, answering written questions and so on. Indeed, for all these **Vécu** offers plenty of scope. But what matters most, finally, is how students can use the language they have learned. In **Vécu**, the activities point the way towards genuine performance in speech and writing: discussion, anecdote, debate, argument or commentary; the exchange of facts or ideas; the conveying of feelings, impressions or experience. In examinations and, even more, in the real world, the proper measure of students' linguistic ability is what they can *do* with their French.

In conclusion—and these are the last two English sentences you will read until the grammar section—we would like to thank David Nott for his help and encouragement in the early stages of this project, as well as all those teachers who have tried out our materials in the classroom. And we would particularly like to express our warm gratitude to Jane Clements for her impeccable typing; to Geneviève Fontier, Monique David, Astrid Berrier and Pierrick Picot who have read our manuscript with such care and attention to detail; to those many French friends, colleagues and students who have so generously contributed recordings of their voices and samples of their handwriting; and finally to Heather Corless who has helped our work forward in a multiplicity of ways.

PROTÉGER LA FORÊT

Les media (télévision, radio, journaux) diffusent des informations. Mais, en même temps, ils nous tiennent au courant des grandes questions d'actualité, comme la protection de la nature. Partout dans le monde, les scientifiques et les mouvements écologiques déplorent la destruction de la forêt.

PITIÉ POUR NOS FORÊTS

ACTIVITÉS

1. La protection de la forêt

Pour quelles raisons faut-il sauvegarder la forêt? La photo présentée à la page 1 évoque deux aspects de la forêt: sa beauté, sa tranquillité.

Travail à deux* ⟶ *Mise en commun Regardez avec un(e) partenaire cette photo. Notez par écrit ce que la forêt offre à l'homme et au monde naturel. Comparez ensuite vos notes avec celles des autres étudiants. Le professeur écrira vos idées au tableau.

2. Préparation d'une brochure

(a) Le ministère français de l'Agriculture publie un dépliant intitulé *Pitié pour nos forêts*. A la première réunion de la commission chargée d'élaborer ce document, le secrétaire a noté les idées des participants sur les avantages de la forêt. Pour y mettre de l'ordre, le président de la commission propose à ses collègues trois rubriques:

- la forêt et l'homme
- la forêt et les éléments
- la forêt et la vie.

Travail à deux* ⟶ *Mise en commun Trouvez avec un(e) partenaire, parmi les notes du secrétaire (ci-dessous), celles qui correspondent à chacune des trois rubriques proposées.

Comparez vos idées avec celles des autres étudiants.

Avantages de la forêt

- beauté, tranquillité, détente
- production du bois
- refuge pour oiseaux, animaux
- protection du sol contre l'érosion (vent, pluie)
- récoltes naturelles (champignons, fruits)
- suppression des inondations, obstacle aux avalanches
- possibilités d'activités sportives (camping, randonnées, etc.)
- milieu naturel pour insectes, fleurs, plantes rares
- source d'oxygène, d'air pur.

(b) Pour composer les deux premiers volets du dépliant, le président de la commission propose, à la réunion suivante, de faire accompagner d'images et d'un texte explicatif les trois rubriques déjà adoptées. Il distribue à ses collègues les **pages proposées** et des **questions à considérer** (à droite).

Travail individuel* ⟶ *Mise en commun Complétez maintenant le texte qui accompagnera les images du deuxième volet. Référez-vous aux notes du secrétaire (a) et aux questions du président de la commission.

Début possible:

La forêt fournit le bois. Elle nous donne des récoltes naturelles de fruits, de champignons . . .

Comparez ensuite vos idées avec celles des autres étudiants.

PAGES PROPOSÉES

MINISTÈRE DE L'AGRICULTURE ET DU DÉVELOPPEMENT RURAL

pitié pour nos forêts

PROVENCE CÔTE D'AZUR
LANGUEDOC–ROUSSILLON
CORSE

● LA FORÊT ET L'HOMME

La forêt fournit . . .

● LA FORÊT ET LES ÉLÉMENTS

● LA FORÊT ET LA VIE

La forêt est fragile. Elle est dégradée par les hommes, souillée par les déchets, détruite par le feu, les parasites, l'atmosphère polluée des villes.

QUESTIONS À CONSIDÉRER

● Qu'est-ce que la forêt donne à l'homme?

Qu'est-ce qu'elle fournit? Que nous donne-t-elle?
Quels plaisirs offre-t-elle au citadin?
Quelles possibilités présente-t-elle?

● Comment la forêt défend-elle contre les effets du mauvais temps?

Contre quoi protège-t-elle le sol?
Qu'est-ce qu'elle supprime?
Et à quoi fait-elle obstacle?

● Comment la forêt favorise-t-elle et protège-t-elle la vie?

La forêt est une source essentielle de vie. En quoi?
De quoi est-elle le refuge?
A quoi sert-elle de milieu naturel?

3. Obliger/interdire: *Commandements de la forêt*

▶Le dépliant explique ce que l'on **doit** et **ne doit pas** faire pour sauvegarder la forêt. Pour exprimer l'**obligation** et l'**interdiction**, on emploie l'**impératif** ou l'une des formules suivantes:

Obliger

Il faut (absolument) . . .
Il est essentiel de . . .
Il est obligatoire de . . .

Interdire

Il ne faut pas . . .
Il est défendu de . . .
Il est (formellement) interdit de . . .

(a) Si on voulait vraiment sauvegarder la forêt:

- on ne détruirait pas les jeunes plants
- on n'abandonnerait pas de déchets
- on respecterait les reboisements
- on n'allumerait pas de feu
- on ne mutilerait pas les végétaux
- on respecterait le silence
- on ne fumerait pas
- on ne quitterait pas les chemins et les sentiers.

Exercice oral Avec le professeur, transformez ces recommandations en **prescriptions**: choisissez pour chacune une formule d'**obligation** ou d'**interdiction** qui convienne.

Exemples:

*Respect**ez** les reboisements.*

***Il est essentiel de** respecter les reboisements.*

***Ne** mutil**ez pas** les végétaux.*

***Il est défendu de** mutiler les végétaux.*

Regardez une dernière fois les formules d'obligation et d'interdiction et les recommandations citées plus haut. Ensuite, reprenez **de mémoire** cet exercice.

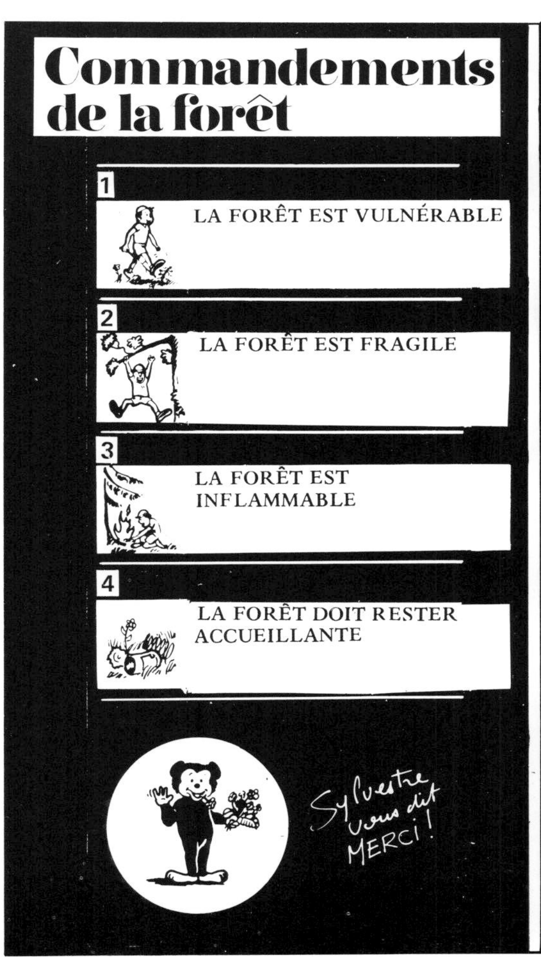

(b) La fin du dépliant (à gauche) présente les *Commandements de la forêt*.
Travail individuel ⟶ Mise en commun Complétez par écrit le texte du volet de gauche: choisissez pour chaque image, parmi les prescriptions que vous venez de composer, les **deux** qui vous semblent convenir le mieux. Comparez ensuite votre document complété avec celui des autres étudiants.

2

POINTS DE REPÈRE

Quand, à l'époque de la grande chaleur (*la canicule*), le vent du nord-ouest (*le mistral*) commence à souffler sur la Provence, les conséquences sont souvent graves pour la région.

Travail individuel* ——> *Mise en commun Lisez attentivement le reportage ci-dessous, tiré du journal *Le Matin*, et notez brièvement par écrit ce que vous apprenez sur:

- **l'incident principal**
  - nature
  - endroit
  - moment de l'année
  - réactions des habitants
  - difficultés pour les sauveteurs
- **les conséquences de l'incident**
  - résultats de l'action des pompiers
  - dégâts (naturels/matériels)
  - victimes.

Comparez les informations que vous avez relevées avec celles des autres étudiants.

INCENDIE MAÎTRISÉ À SAINT-RAPHAËL

La canicule et le mistral: Saint-Raphaël, saturé de touristes, grille au soleil. Soudain, quartier de l'Armitelle, le feu éclate.° En quelques minutes, la forêt est embrasée.° Violemment attisé° par le vent, l'incendie progresse très rapidement dans les pinèdes° asséchées° depuis fin juin. Villas et campings sont menacés. Chez les habitants, c'est la panique. Affolés,° les gens quittent leur maison ou leur tente et vont s'entasser sur° les routes. Les secours° tardent à° arriver: les routes sont encombrées de° gens et de voitures. Enfin, après plusieurs heures de lutte,° les pompiers réussissent à maîtriser les flammes.

Hier matin l'incendie était éteint,° mais la zone restait sous surveillance active. Au total, plus de 300 hectares ont été réduits en cendres.° Il n'y a pas eu de victimes, ni de dégâts° matériels. Seul un camion de pompiers° a été détruit, mais ses occupants avaient eu le temps de prendre la fuite.°

● **maîtriser** bring under control **éclater** break out **embrasé** ablaze **attiser** fan **pinède** (f) pine wood **asséché** dried up **affolé** panic-stricken **s'entasser sur** cram on to **secours** (m pl) rescue (services) **tarder à** be a long time in **encombré de** packed with **lutte** (f) struggle **éteindre** put out, extinguish **cendres** (f pl) ashes **dégâts** (m pl) damage **pompier** (m) fireman **prendre la fuite** escape

DÉCOUVERTE DU TEXTE

1. Analyse des faits: la causalité

Les faits rapportés dans ce texte consistent en une série d'**effets**: certaines de leurs **causes** sont clairement exprimées, d'autres sont sous-entendues.

Travail à deux* ⟶ *Mise en commun Relisez le texte, puis complétez avec un(e) partenaire le tableau (à droite) en fournissant ensemble les **causes**, implicites ou explicites. Comparez ensuite les causes que vous avez proposées avec celles des autres étudiants.

EFFETS	CAUSES
Saint-Raphaël était saturé de touristes.	C'était le moment des vacances.
La ville grillait.	
La forêt s'est embrasée en quelques minutes.	
L'incendie a progressé rapidement.	
Chez les habitants, c'était la panique.	
Les gens sont allés s'entasser sur les routes.	
Les secours ont tardé à arriver.	
Le lendemain matin, le feu était éteint.	
La zone restait sous surveillance active.	
Malgré la destruction d'un camion de pompiers, il n'y a pas eu de victimes.	

2. Vocabulaire: les incendies

(a) Le reportage suivant décrit un autre incendie qui a eu lieu en Provence.

Travail individuel En consultant l'article *Incendie maîtrisé à Saint-Raphaël*, faites une liste des mots et expressions qui manquent au reportage suivant. Ensuite, mémorisez-les.

VIOLENT INCENDIE PRÈS DE SAINT-TROPEZ

Environ deux cents hectares de pins ont été _______ — _______ par un incendie mercredi soir dans la région de la Croix-Valmer, près de Saint-Tropez (Var). Le feu a _______ vers cinq heures dans une de ces _______ qui étaient _______ depuis début juillet. Violemment _______ par le mistral qui soufflait depuis trois jours, les flammes ont progressé rapidement: en moins d'une heure la forêt entière était _______. Le feu a détruit trois maisons isolées, mais il n'y a pas eu de victimes car leurs habitants avaient eu le temps de _______ — _______. Après _______ _______ de _______, les pompiers ont réussi à _______ les flammes. Ce matin, l'incendie était _______, mais les services de lutte contre le feu demeurent en alerte.

(b) ***Travail à deux*** Complétez oralement ensemble ce reportage **sans consulter votre liste de mots et d'expressions**.

(c) ***Exercice oral*** Avec l'aide du professeur, essayez de reconstituer le reportage **à partir de votre liste de mots et d'expressions seulement.**

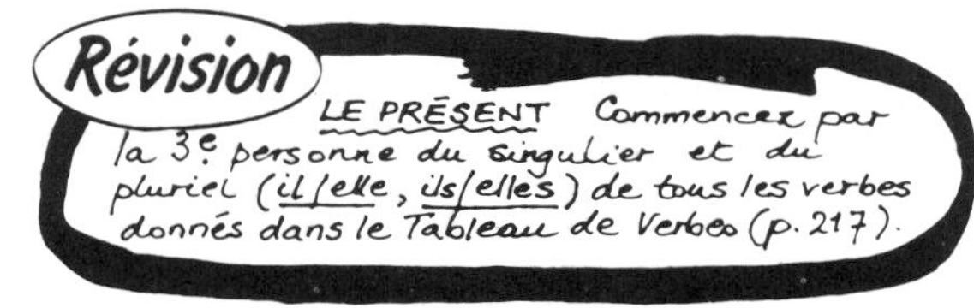

Révision
LE PRÉSENT Commencez par la 3e personne du singulier et du pluriel (il/elle, ils/elles) de tous les verbes donnés dans le Tableau de Verbes (p. 217).

À COMPLÉTER, À NOTER ET À MÉMORISER

Expressions et structures
- une ville saturée __ touristes
- des routes encombrées __ gens
- __ soleil (cp. *sous la pluie*)
- __ quelques minutes (= *avant la fin de quelques minutes*)
- depuis ___ juin (cp. *depuis début août, mi-janvier*)
- __ total plus __ 300 hectares
- il n'y a pas eu __ victimes

Constructions verbales
- ils ne tardent pas __ arriver
- ils réussissent __ maîtriser le feu
- ils avaient eu le temps __ prendre la fuite

Formes

feu (m) ⟶ pl
violemment ⟶ adj
matériel ⟶ f

Noms et verbes
- progresser ⟶ les _______ (m) du feu
- menacer ⟶ sous la _______ des flammes
- panique (f) ⟶ les habitants ont _______
- s'affoler ⟶ l' _______ général
- s'entasser ⟶ un _______ de véhicules
- encombrer ⟶ l'_______ (m) des routes
- réussir ⟶ la _______ des pompiers
- détruire ⟶ la _______ d'un camion
- fuite (f) ⟶ les occupants ont ___

EXERCICES

1. Rapports de temps: le passé composé et l'imparfait

▶ Dans la narration au passé, on emploie normalement le **passé composé** pour une **série d'événements** et l'**imparfait** pour les **circonstances** qui l'accompagnent. ◀

Pour rendre son récit plus vivant, l'auteur du reportage *Incendie maîtrisé à Saint-Raphaël* a employé le présent au premier paragraphe.
Travail individuel Récrivez ce paragraphe au passé: employez, selon les cas, le **passé composé** ou l'**imparfait**.

Début:
La canicule et le mistral: Saint-Raphaël, saturé de touristes, ***grillait*** *au soleil . . .*

2. Le passif (passé composé)

▶ Comparez ces deux phrases:

Le feu a détruit un camion de pompiers. ⟶ Un camion de pompiers **a été détruit par** le feu.

Dans la phrase de droite, l'**objet** de la première phrase (*le camion*) est devenu le **sujet**, et le verbe est au **passif** (*a été détruit*). On emploie ainsi le passif pour accentuer les **conséquences** d'une action.
(N'oubliez pas l'accord du participe au passif si le sujet est au féminin ou au pluriel:

Trois cents hectares ont été **réduits** en cendres.) ◀

Dans les récits de faits divers (crimes, accidents, incendies, etc.), on emploie souvent le **passif du passé composé.** La carte ci-dessous (et les notes qui l'accompagnent) présente des incendies de forêt qui ont eu lieu au même moment que celui de Saint-Raphaël.
Exercice oral ⟶ ***Travail individuel*** Avec l'aide du professeur, mettez au **passif** (comme dans leur contexte original) les phrases inscrites dans les cadres.

Exemple (Ginasservis):
Bilan provisoire: les flammes ont ravagé 2 500 hectares de pins. ⟶ *Bilan provisoire à Ginasservis: 2 500 hectares de pins* ***ont été ravagés par*** *les flammes.*

Composez ensuite par écrit ces mêmes phrases. (N'oubliez pas l'accord du participe passé.)

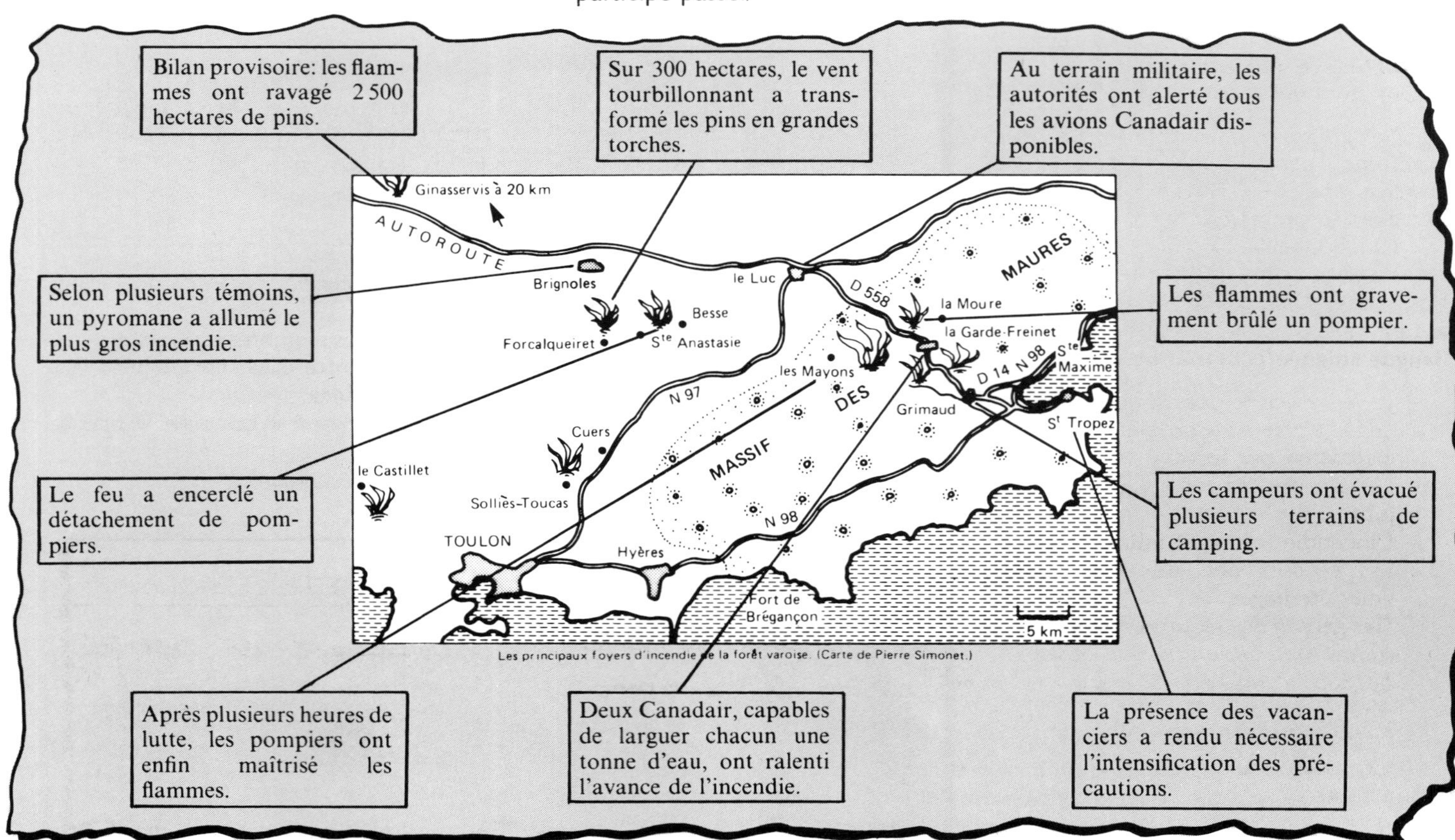
Bilan provisoire: les flammes ont ravagé 2 500 hectares de pins.
Sur 300 hectares, le vent tourbillonnant a transformé les pins en grandes torches.
Au terrain militaire, les autorités ont alerté tous les avions Canadair disponibles.
Selon plusieurs témoins, un pyromane a allumé le plus gros incendie.
Les flammes ont gravement brûlé un pompier.
Le feu a encerclé un détachement de pompiers.
Les campeurs ont évacué plusieurs terrains de camping.
Après plusieurs heures de lutte, les pompiers ont enfin maîtrisé les flammes.
Deux Canadair, capables de larguer chacun une tonne d'eau, ont ralenti l'avance de l'incendie.
La présence des vacanciers a rendu nécessaire l'intensification des précautions.
Ginasservis à 20 km
AUTOROUTE
Brignoles
le Luc
Besse
Forcalqueiret
Ste Anastasie
D 558
la Moure
MAURES
la Garde-Freinet
les Mayons
DES
D 14
N 98
Ste Maxime
N 97
Grimaud
St Tropez
Cuers
MASSIF
le Castillet
Solliès-Toucas
N 98
TOULON
Hyères
Fort de Brégançon
5 km
Les principaux foyers d'incendie de la forêt varoise. (Carte de Pierre Simonet.)

3. L'interrogation

▶ Les reportages de crimes, d'accidents, d'incendies sont, en quelque sorte, une série de réponses à des **questions** sous-entendues. Regardez par exemple le début du texte *Violent incendie près de Saint-Tropez* (*Découverte*, 2):

> Environ deux cents hectares de pins ont été réduits en cendres par un incendie **mercredi soir** . . .

Les mots **mercredi soir** constituent la réponse à une question posée sur le **moment** de l'incident. Cette question, comme beaucoup d'autres, pourrait se poser de trois façons: avec **est-ce que**, avec une **inversion** ou, en langue familière, **sans structure interrogative.**

1. **Quand est-ce que** *l'incendie a eu lieu?* (***langue courante***)
2. **Quand** *l'incendie* **a-t-il** *eu lieu?* (***langue soignée***)
3. *L'incendie a eu lieu* **quand***?* (***langue familière***)

Quand la question porte sur le sujet de la phrase, on emploie **Qui (est-ce qui)** . . . ? pour les **personnes** ou **Qu'est-ce qui** . . . ? pour les **choses**:

> **Qui (est-ce qui)** a pris la fuite?
> **Qu'est-ce qui** a été détruit par le feu? ◀

(a) Les phrases qui suivent sont basées sur le reportage *Incendie maîtrisé à Saint-Raphaël.*
Exercice oral ⟶ ***Travail individuel*** Retrouvez avec le professeur les questions qui auraient pu donner lieu à ces phrases. Les mots en caractères gras indiqueront le genre de question à poser (*Quand? Où? Pourquoi?* etc.). Variez autant que possible la forme des questions (**langue soignée**/**courante**/**familière**).

- Le feu a éclaté **quartier de l'Armitelle**.
- Le feu a progressé rapidement **parce qu'il était attisé par le vent**.
- Les pinèdes étaient asséchées **depuis fin juin**.
- L'incendie menaçait **villas et campings**.
- Les secours ont été ralentis **par des embouteillages**.
- **Des gens et des voitures** encombraient les routes (*une seule question possible*).
- Le feu a été maîtrisé **par les pompiers.**
- Le feu a détruit **300 hectares** de pins.
- **Les sauveteurs** demeurent en état d'alerte.

Composez maintenant par écrit, en **langue soignée** si possible, la question qui correspond à chacune de ces phrases.

(b) La première phrase de *Violent incendie près de Saint-Tropez* (*Découverte*, 2) implique toute une série de questions:

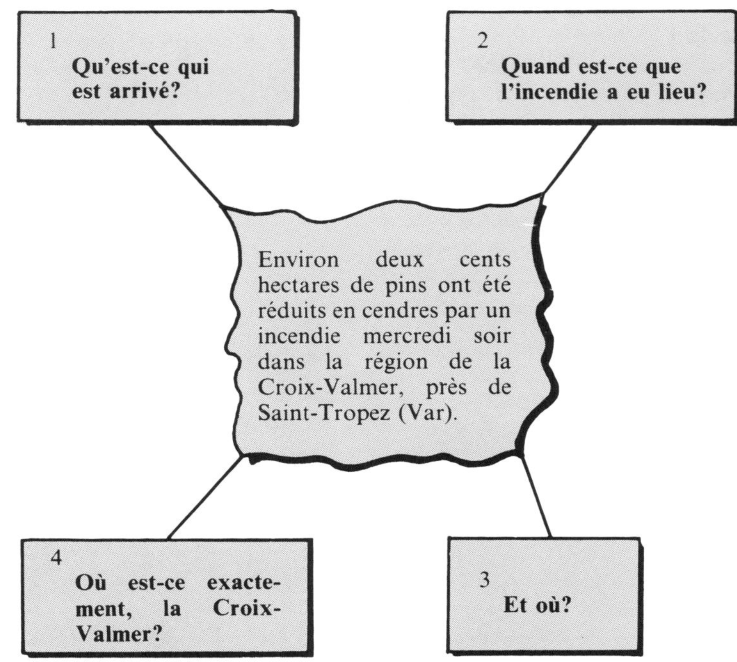

1
Qu'est-ce qui est arrivé?
2
Quand est-ce que l'incendie a eu lieu?
Environ deux cents hectares de pins ont été réduits en cendres par un incendie mercredi soir dans la région de la Croix-Valmer, près de Saint-Tropez (Var).
4
Où est-ce exactement, la Croix-Valmer?
3
Et où?

Travail à deux ⟶ ***Exercice oral*** Relisez le reportage *Violent incendie près de Saint-Tropez*. Composez ensemble, en variant les formules, le plus de questions possibles. Posez-les ensuite au professeur, qui essaiera de répondre sans consulter le texte.

4. Rapports entre noms et verbes: *Comment sauver la forêt*

(a) Comment prévenir les incendies de forêt? Comment lutter contre le feu d'une manière plus efficace?
Les opinions qui suivent (p. 8) ont été exprimées par les membres du Comité pour la Protection de la Forêt Provençale. Certaines d'entre elles représentent des mesures de **prévention**, les autres des moyens de **lutte**.
Travail à deux ⟶ ***Mise en commun*** Classez ensemble ces opinions de la manière indiquée ci-dessous.
Comparez ensuite vos notes avec celles des autres étudiants.

PRÉVENTION	LUTTE
1. intensifier la lutte contre le camping sauvage	1. construire des coupe-feu
2.	2. aménager des réserves d'eau

Il faudra aussi intensifier la lutte contre le camping sauvage.

Il sera nécessaire de construire des coupe-feu, d'aménager des réserves d'eau et d'installer des pistes d'accès à la forêt.

Le seul moyen, c'est d'accroître la flotte des avions Canadair.

Augmenter le nombre de pompiers et de militaires disponibles, voilà la première chose à faire.

Le plus simple serait d'entretenir la forêt par le nettoyage des sous-bois.

Ce qu'il faut faire d'abord, c'est créer des zones de protection de la forêt.

Il est évident que l'on devrait développer le réseau des guetteurs.

Il faut réinstaller les hommes – bergers et paysans – dans la forêt.

Je crois qu'on ferait bien d'établir des milices anti-pyromanes dans toutes les communes de la région.

▶ En français, beaucoup de **verbes** peuvent se transformer en **noms**. Ces formes nominales figurent souvent dans des documents officiels. ◀

(b) Chacune des opinions que vous venez de classer contient un/des verbe(s).
Travail à deux* ⟶ *Mise en commun En employant, s'il le faut, un dictionnaire, trouvez ensemble le **nom** qui correspond à chacun des verbes. Ensuite, vérifiez-les avec le professeur.

Exemple:
intensifier ⟶ ***intensification (f)***

(c) Pour mobiliser la population provençale, le Comité de Protection a envisagé de lancer un tract, *Comment sauver la forêt provençale* (à droite).
Exercice oral* ⟶ *Travail individuel Relisez les notes que vous avez déjà prises (a) et les noms que vous avez trouvés (b). Ensuite, fournissez, avec l'aide du professeur, les mesures de **prévention** et de **lutte** qui manquent au tract.
(N'oubliez pas de faire les changements grammaticaux nécessaires.)

Exemples:

intensifier **la** *lutte contre le camping sauvage* (article défini) ⟶	***intensification de la*** *lutte contre le camping sauvage*
construire ***des*** *coupe-feu . . .* (article indéfini) ⟶	***construction de*** *coupe-feu . . .*

Composez ensuite par écrit les deux listes d'éléments qui manquent au tract.

★ COMMENT SAUVER ★ LA FORÊT PROVENÇALE

Au cours de l'été 1979, plusieurs milliers d'hectares de pinèdes et de garrigues se sont envolés en fumée. La forêt ne repoussera plus avant trente ou cinquante ans.
Le cauchemar que nous venons de vivre doit être le dernier.
Il faut que le gouvernement renforce sérieusement les moyens de prévention et de lutte contre les incendies.
Voici les mesures que nous préconisons:

prévention	lutte
•	•
•	•
•	•
•	•

Ecrivez au président de la République pour lui demander de mobiliser tous les moyens possibles. 

Notre forêt provençale brûle. Aidez-nous à la sauver.

ACTIVITÉ

Conversation téléphonique et reportage: incendie à Sainte-Anastasie

(a) Les notes suivantes ont été prises par un journaliste parisien au cours d'une conversation téléphonique avec le correspondant provençal de son journal.

Exercice oral Le professeur (le journaliste) vous posera des questions sur l'incendie à Sainte-Anastasie à partir de ces notes. Répondez pour le correspondant provençal. (N'oubliez pas de transformer les noms en verbes.)

Exemple:

– *Qu'est-ce qui est arrivé au juste?*
– *Trois cents hectares de pins et de mimosas* ***ont été totalement détruits****.*

Ste-Anastasie (Var) - hier - incendie - destruction totale de 300 h. de pins/mimosas. Commencement du feu - 14h - pinède près de Forcalqueiret. Transformation des pins en grandes torches: vent tourbillonnant. Alerte donnée très tôt: intervention rapide de 200 pompiers; mobilisation des 2 'Canadair' en attente terrain militaire du Luc. Efforts inutiles: aucun ralentissement du feu - 22h premières maisons de Ste-A. sous menace des flammes.
Suppression des flammes: plus de 12 h de lutte. Réduction en cendres de quelques maisons isolées, destruction de 5 voitures - pas de victimes: départ à temps des habitants du village.
Pompier: « diminution du vent. Sans ça extinction du feu impossible. Vent + sécheresse: arrêt des flammes impossible. »

(b) Vous trouverez ci-dessous le début et la fin du reportage écrit par le journaliste parisien.

Travail individuel Complétez ce reportage à partir des notes présentées ci-dessous (à gauche). Utilisez, si vous voulez, ces mots et expressions:

au début de l'après-midi immédiatement à la tombée de la nuit il n'a fallu pas moins de 12 heures pour . . .	fort heureusement mais car

VILLAGE DE SAINTE-ANASTASIE MENACÉ PAR LES FLAMMES

A Sainte-Anastasie (Var) trois cents hectares de pins et de mimosas ont été totalement détruits hier par un incendie de forêt.

«Heureusement que le vent est tombé, a déclaré un des pompiers. Sans ça, on n'aurait pas pu éteindre le feu. Quand il y a le vent et la sécheresse, il est pratiquement impossible d'arrêter les flammes.»

LES CONSÉQUENCES D'UN FLÉAU TRADITIONNEL

POINTS DE REPÈRE

Au cours d'un reportage radiophonique sur des incendies de forêt, l'envoyé spécial de France-Inter a parlé de l'étendue et des conséquences du désastre.

Travail individuel/à deux ⟶ Mise en commun Avec ou sans partenaire, écoutez une première fois l'enregistrement en regardant la transcription 'à trous' (*Livret*, p. 1). Les titres suivants correspondent aux sujets abordés par l'envoyé spécial. Arrangez-les dans l'ordre du reportage.

- **Le reboisement des zones brûlées**
- **L'étendue du désastre**
- **Un fléau traditionnel de l'été**
- **Les conséquences de nouveaux incendies**

Comparez vos conclusions avec celles des autres étudiants.

est le principal ennemi de la Forêt. L'incendie parcourt chaque année 25 000 ha dans les régions méditerranéennes.

En été 1979, en particulier, 50 000 à 60 000 ha y ont brûlé: (*pourçentage de la surface forestière, comparaison avec Paris*).

La forêt est lente à se reconstituer: (*temps qu'il lui faut pour retrouver un aspect normal*). Et si le feu passe trop souvent au même endroit (*conséquences de cette fatalité*). Rien n'empêche le ruissellement de la terre; (*ce qui apparaît bientôt*).

Pour empêcher que la forêt méditerranéenne se transforme en (*ce que risque de devenir le paysage*), il faut lutter non seulement contre le feu mais encore contre les hommes. L'inconscience des promeneurs, l'imprudence des campeurs sont causes de nombreux incendies.

ACTIVITÉS

1. Le reportage en détail

Travail individuel/à deux Dans la transcription 'à trous', inscrivez d'abord chacun des titres que vous venez de classer dans le cadre qui convient. Ensuite, avec ou sans partenaire, complétez le texte en réécoutant l'enregistrement.

2. Extrait de dépliant: *Le feu, principal ennemi de la forêt*

Un autre volet du dépliant *Pitié pour nos forêts* (ci-dessus, à droite) parle de la destruction causée par les incendies.

Travail individuel Avec votre transcription complétée sous les yeux, écoutez de nouveau l'enregistrement. Ensuite, mettez la transcription de côté et complétez le texte de ce volet: suivez les indications fournies entre parenthèses.

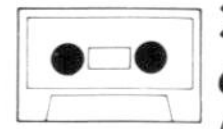

3. Communiqué radiophonique: *Le cri de la forêt*

(a) Le communiqué que vous allez entendre a été diffusé par France-Inter au moment des grandes vacances.

Travail individuel/à deux Avec ou sans partenaire, écoutez ce communiqué, puis complétez la transcription 'à trous' (*Livret*, p. 2).

Qu'est-ce qui mange tout: les animaux, les gens...

(b) ***Travail individuel*** En vous basant sur les *Commandements de la forêt* (*Activités*, 3, p. 3), composez un communiqué radiophonique du même type mais où l'ennemi, cette fois, c'est l'homme.

MYSTÉRIEUSES PUISSANCES

A en juger par les horoscopes, ou les histoires d'épouvante, à l'écran et dans les magazines, beaucoup de gens cherchent dans les media un élément de mystère, un frisson qui manque à leur vie quotidienne.

LE TROISIÈME DÉCAN DE CANCER

Les enfants nés entre le 12 et le 22 juillet sont rêveurs,° sensibles,° imaginatifs et possèdent des dons° créateurs. Intuitifs, ils dirigent leur vie d'une façon indépendante et souvent surprenante. Ils ont le goût° des émotions fortes plutôt que des activités intellectuelles, mais on leur reproche d'être quelquefois de mauvaise humeur° et trop susceptibles.° Ils se laissent guider par la sensibilité: c'est là le secret de leur réussite. Travailleurs acharnés,° enthousiastes, ils aiment les responsabilités. On les considère comme consciencieux et ils sont respectueux de la hiérarchie. Attachés aux traditions et à la famille, ils tiennent à° la stabilité mais, à cause de leur imagination, ils trouvent la vie quotidienne trop banale. Tendres, indépendants, romantiques, ce sont des tourmentés en amour.

● **rêveur(-euse)** dreamy **sensible** sensitive **don** (m) gift **goût** (m) taste **de mauvaise humeur** bad-tempered **susceptible** touchy **acharné** relentless **tenir à** value

4

ÊTES-VOUS SUPERSTITIEUX?

ACTIVITÉS

1. Les astres et vous

(a) Tout le monde connaît son signe du zodiaque, même les personnes qui ne s'estiment pas superstitieux. Mais la date de naissance d'un individu permet-elle vraiment de deviner son caractère? Le portrait *Le troisième décan de Cancer* (p. 11) prétend présenter la personnalité de tout individu né entre le 12 et le 22 juillet.

Travail à deux* ⟶ *Mise en commun Avec un(e) partenaire, classez par écrit tous les mots et expressions qui montrent, dans ce portrait, le **caractère** et les **goûts** des individus en question, de la façon indiquée ci-dessous. Comparez ensuite vos notes avec celles des autres étudiants.

LEURS TRAITS DE CARACTÈRE	CE QU'ILS AIMENT
ils sont rêveurs, sensibles	ils ont le goût des émotions

CE QU'ILS N'AIMENT PAS	COMMENT LES AUTRES LES VOIENT
plutôt que des activités	on leur reproche d'être

(b) Le tableau *Quel caractère?* décrit douze caractères type, établis selon les signes du zodiaque.

Travail individuel Choisissez, n'importe où dans les trois colonnes de *Quel caractère?*, les mots et expressions qui décrivent le mieux votre personnalité. Faites-en une liste de la manière indiquée ci-dessus (à droite).

MON CARACTÈRE	CE QUE J'AIME	CE QUE JE N'AIME PAS
aimable obstiné	la liberté le soleil	la violence les reproches

QUEL CARACTÈRE?

	(i) **CARACTÈRE**: *Ce qu'il est (et ce qu'on dit de lui)*	(ii) **GOÛTS**: *Ce qu'il aime*	(iii) **GOÛTS**: *Ce qu'il n'aime pas*
1	méthodique, raisonnable, logique, (ennuyeux, on peut compter sur lui)	la loi, l'ordre, les vêtements sobres, la musique classique	l'insécurité matérielle, les maladies, l'agitation émotionnelle
2	aimable, généreux, fidèle, (tout lui réussit, sujet aux fous rires/crises de larmes)	les confidences, la confiance des autres, les idéaux, protéger les faibles	les critiques et les reproches, se sentir exclu ou inutile
3	susceptible, tendre, méfiant, solitaire, tourmenté, (profond, il ne réagit pas)	les montagnes, les hauteurs, les gens qu'il connaît bien	les situations nouvelles, le changement, être jeune
4	subtil, changeant, impétueux, (pas toujours franc, mais fascinant)	des expériences inattendues, les nouveaux visages, les folies, les vêtements bizarres	les gens ennuyeux, la stabilité et la monotonie, la sécurité
5	spontané, enthousiaste, imprudent, souvent amoureux, (dynamique, brutal)	l'aventure et les obstacles, la justice, la musique rock	les bonheurs tranquilles, le calme, la routine et les habitudes
6	rêveur, imaginatif, inquiet, pessimiste, (ami constant, trop sensible)	son enfance, les souvenirs, être rassuré, histoires/films tendres, tristes	la violence, la colère, les mots durs, les difficultés
7	sensuel, gourmand, obstiné, (légèrement masochiste, un air mystérieux)	écouter les autres, les petites souffrances, l'amour, la bonne cuisine	beaucoup parler, l'effort et la fatigue, les gens pratiques
8	raffiné, élégant, impressionnable, (facile à vivre, quelquefois lâche)	la satisfaction, le calme, l'harmonie, l'approbation, étoffes/mélodies douces	les cris, les disputes, les désaccords, les dissonances
9	solide, doué de bon sens, stable, (franc et dévoué, rancunier: ne pardonne pas)	les enfants, la nature, la morale, habits traditionnels, musique 'folk'	les pays étrangers, les voyages, la cuisine exotique
10	doué d'imagination et d'originalité, (se moque des conventions, excentrique)	la liberté, les problèmes du monde, la vitesse, le rythme	la loi, la morale, les conventions, l'hypocrisie
11	courageux, persistant, exigeant, un peu vaniteux, (possessif, jaloux, sûr de lui)	l'effort, les entreprises difficiles, la réussite, le soleil, les pays tropicaux	l'échec, ceux qui s'opposent à lui, la pitié, la douceur
12	capable du meilleur et du pire: excès, sacrifices, (admirable ou inquiétant)	les caractères forts, les goûts extrêmes, les sensations, la musique latino-américaine	les erreurs ou les faiblesses des autres, les gens simples

2. Demander/donner une opinion (sur quelqu'un). Demander/dire ce que l'on apprécie/n'apprécie pas. 'Si' affirmatif

▶ Pour demander à quelqu'un **son opinion** sur lui-même, ou pour **donner son opinion** sur soi-même, on peut s'exprimer de cette façon:

– **Quel caractère as-tu?**	– **Moi, je suis . . .**
– **Comment est-ce que tu te vois?**	– **Je crois que je suis . . .**
– **Qu'est-ce que tu penses de toi?**	– **J'ai l'impression d'être . . .**

Pour **demander** à quelqu'un ce qu'il **apprécie** ou **n'apprécie pas**, ou pour **exprimer ses goûts** à soi, on peut dire:

– **Qu'est-ce que tu aimes (faire)?**	– **J'aime (bien, assez) . . .**
– **Quelles sont tes préférences (en . . .)?**	– **J'adore . . .**
– **Qu'est-ce qui t'intéresse?**	– **Je n'aime pas (du tout) . . .**
– **A quoi est-ce que tu es attaché(e)?**	– **Je déteste . . .**

Pour **répondre affirmativement** à une **question** formulée **au négatif**, il faut employer **si**:

– Tu **n'** aimes **pas** l'effort**?**
– **Si**, j'aime les entreprises difficiles. ◀

Vous avez déjà analysé votre propre personnalité (*Activités*, 1).
Travail à deux Interrogez maintenant votre partenaire sur son **caractère** et ses **goûts** et répondez à votre tour à ses questions: choisissez parmi les formules ci-dessus. Notez ses réponses de la manière indiquée à droite.
Ensuite, regardez ensemble le tableau *Quel caractère? (Activités*, 1): choisissez le caractère type (Caractère 1, 2 ou 3, etc., **horizontalement**) qui correspond le mieux à votre personnalité et à celui de votre partenaire. Consultez maintenant la clef (p. 21). Avez-vous choisi l'un et l'autre le caractère qui correspond à votre signe du zodiaque?

SON CARACTÈRE	CE QU'IL/ELLE AIME	CE QU'IL/ELLE N'AIME PAS

3. Un portrait astrologique

Dans les journaux et les magazines, les astrologues s'adressent souvent directement à leurs lecteurs comme dans le portrait présenté à droite.
Travail individuel Lisez attentivement ce portrait. Faites particulièrement attention aux expressions soulignées (**opinions**, **goûts**). Puis composez de la même manière un portrait de votre partenaire.

Si vous êtes né(e) entre le 12 et le 22 juillet vous êtes rêveur(-euse) et sensible. Vous avez de l'imagination et vous possédez des dons créateurs. On vous trouve très indépendant(e) et on est souvent frappé par votre originalité. Vous aimez les émotions fortes et le travail intellectuel ne vous intéresse pas beaucoup. Ce qu'on trouve de bien chez vous, c'est votre enthousiasme mais on vous reproche d'être quelquefois de mauvaise humeur: on vous considère comme un peu trop susceptible. Mais en fait, à votre avis, c'est la sensibilité qui compte. Vous êtes attaché(e) au travail, à l'ordre et aux traditions. Vous adorez votre famille mais vous n'appréciez pas toujours la vie quotidienne que vous trouvez trop banale. On a l'impression que vous êtes romantique de nature mais que l'amour vous fait souffrir.

LE DÉMON INCENDIAIRE DE SÉRON

POINTS DE REPÈRE

Le surnaturel attire toujours l'intérêt du grand public. Cet article du *Nouvel Observateur* raconte des incidents mystérieux qui ont eu lieu dans une ferme des Hautes-Pyrénées.

Travail individuel* ⟶ *Mise en commun Relevez brièvement dans l'article ce que nous apprenons sur:

- **le cadre** – la ferme, sa situation géographique
- **les personnages** – les habitants de la ferme
  – les habitants de la commune
  – les enquêteurs de toutes sortes
- **le mystère** – ce qui se passe à Séron
- **les suspects** – habitants de la ferme et autres.

Comparez ensuite vos notes avec celles des autres étudiants.

■ Nous bavardions° dans la 'maison vieille' du mystère qui, depuis une quinzaine, hantait° cette ferme des Hautes-Pyrénées. Il y avait là, dans le désordre de la pièce, le fils cadet° des Lahore, Roger, et deux gendarmes de garde avec leur machine à écrire° installée sur un bureau improvisé.

Au milieu de la cour boueuse° la mère Lahore, Marie-Louise, triait° du linge° blanc; près d'elle, par terre, des tissus° et des vêtements calcinés.° De l'autre côté, Edouard, le père, parlait avec le curé. Dans les chambres de la 'villa' moderne, le benjamin° Jean-Marc et Michèle, une jeune bonne à tout faire° placée chez les Lahore par les services sociaux, passaient l'encaustique.° Après quatre jours sans incidents, la vie reprenait son cours. Il était 16h 30, le vendredi 17 août.

Soudain une voix d'homme affolée a traversé la cour: «Le feu, nom de Dieu! Ça recommence!» Le maire qui passait en voiture avait vu la fumée s'échapper d'une fenêtre de la villa. Sur une chaise un bleu de travail° et une nappe° rouge s'étaient mis à brûler. Comme ça. Sorcellerie? Magie noire? Pour la quatre-vingtième fois en moins de deux semaines, le feu attaquait les Lahore.

Le curé était venu une semaine plus tôt pour bénir° chaque pièce de cette maison ensorcelée° dont les armoires et les tiroirs° des meubles prenaient feu tout seuls. «Le Malin se cache dans les oreillers° et les matelas,° avait dit le curé, si vous brûlez tout ce qui est plume, il s'enfuira.» La famille a brûlé dans la cour ce qu'il fallait brûler, mais les incendies ont continué. Impuissant,° le curé s'est retiré dans son jardin fleuri et son église austère. Il a laissé la place aux exorcistes, aux voyants,° aux sourciers,° munis de° prières, de cartes, de baguettes.° Puis vint l'homme de science. Petit, barbu,° en sandales et chemisette.° Ce professeur de parapsychologie a fait subir° des tests à la famille, mais il n'a rien trouvé. L'un après l'autre, tous ces individus sont repartis, leurs dons vaincus° par l'inexplicable.

Ici dans les Pyrénées, entre Lourdes et Tarbes, on ne croit ni au mauvais œil ni aux sortilèges.° Toutes les nuits, des hommes de Séron veillent° à côté des seaux° d'eau et des extincteurs. Mais le feu est toujours un personnage en quête° d'auteur: ni Dieu, ni Diable. Un homme? Une femme? Cette fille blonde de dix-neuf ans, Michèle, dont les vêtements ont plusieurs fois pris feu sur elle et qui hurlait° un soir: «Je ne suis pas une sorcière»? Le père à l'air tellement inoffensif, la mère qui, dit-on, fait de bonnes affaires avec ces enfants des services sociaux? Le plus jeune fils, vingt-cinq ans, employé à l'université de Créteil, arrivé en vacances quelques jours avant le premier incendie? Roger, le cadet, un routier° barbu au regard tourmenté? Ce voisin, ami de Roger, qui a 'pris les choses en main' et semble toujours présent?

Quelles jalousies, quelles passions secrètes, quelles obsessions, quelles rancunes° ont pu faire éclater plus de trente feux en une journée? Un homme, lui, se tait.° Celui qui a le pouvoir d'éteindre les feux: le juge d'instruction° chargé de l'affaire.

● **bavarder** chat **hanter** haunt **cadet(te)** second, younger **machine** (f) **à écrire** typewriter **boueux(-euse)** muddy **trier** sort **linge** (m) laundry **tissu** (m) cloth **calciné** burnt to a cinder **benjamin** (m) youngest **bonne** (f) **à tout faire** maid **(passer) l'encaustique** (f) polish **bleu** (m) **de travail** (workman's) overalls **nappe** (f) tablecloth **bénir** bless **ensorcelé** bewitched **tiroir** (m) drawer **oreiller** (m) pillow **matelas** (m) mattress **impuissant** powerless **voyant** (m) clairvoyant **sourcier** (m) water diviner **muni de** equipped with **baguette** (f) twig, rod **barbu** bearded **chemisette** (f) short-sleeved shirt **subir** undergo **vaincre** defeat **sortilège** (m) spell **veiller** keep watch **seau** (m) bucket **en quête de** in search of **hurler** howl **routier** (m) truck driver **rancune** (f) grudge **se taire** keep silent **juge** (m) **d'instruction** examining magistrate

DÉCOUVERTE DU TEXTE

1. L'article en détail: le mystère de Séron

Le journaliste n'explique pas tout de suite le sujet de son article. Le mystère y règne d'abord, comme à la ferme. Au premier paragraphe, par exemple, nous apprenons où, et à quel moment, le mystère a commencé, mais non pas de quel mystère il s'agit.

Travail individuel Expliquez précisément, en complétant le tableau (à droite) ce que nous apprenons du mystère dans chacun des quatre premiers paragraphes.
Racontez ensuite, **en suivant l'ordre chronologique**, en deux ou trois phrases, les faits du mystère tels que nous les connaissons.

Début possible:
Le feu a éclaté pour la première fois à . . .

(i) PARAGRAPHE	(ii) CE QUE NOUS APPRENONS
Au premier paragraphe. .	le mystère avait commencé il y a . . . .
Au	les incidents s'étaient arrêtés. . . . .
. . . .	un bleu de travail et une nappe se sont . . . .
. . . .	soixante-dix-neuf autres incidents avaient eu lieu en . .
. . . .	les armoires et les tiroirs prenaient. . . . .

2. Contenu explicite et implicite: pour chasser le démon

De nombreuses mesures ont été prises pour écarter ou pour éclaircir le mystère. Certaines sont racontées directement, d'autres ne sont que suggérées.

Travail individuel Essayez d'expliquer ce qu'ont fait, selon le journaliste ou selon vous, les personnes suivantes. Composez des phrases commençant par les mots indiqués. Consultez soigneusement le texte:

Le curé . . .
La famille . . .
Les hommes du village . . .
Les gendarmes . . .
Des exorcistes . . .
Des voyants . . .
Le spécialiste en parapsychologie . . .

À COMPLÉTER, À NOTER ET À MÉMORISER

Expressions et structures

- depuis une ________ (= *15 jours)*
- le fils ____ *(vient après l'aîné)*
- ____ terre (≠ *en l'air)*
- ____ l'autre côté de la cour
- le ________ (= *le plus jeune)* de la famille
- il passe ____ voiture (cp. _ *bicyclette,* _ *moto)*
- ____ moins ____ deux semaines
- des voyants munis ____ cartes
- __' ____ après __' ________ (= *successivement)* ils sont repartis
- le père __ __' ____ (= *qui paraît)* inoffensif (cp. *il a l'air inoffensif)*
- un routier ____ regard tourmenté
- plus ____ trente feux

Constructions verbales

- il a vu la fumée s' ________ d'une fenêtre
- ils s'étaient mis ____ brûler
- il a laissé la place ____ exorcistes
- il a fait subir des tests ____ la famille
- on ne croit pas ____ mauvais œil

Formes

vieux ⟶ f
boueuse ⟶ m
blanc ⟶ f
social ⟶ pl
sorcière (f) ⟶ m
inoffensif ⟶ f
secret ⟶ f

Noms et verbes

- trier ⟶ elle faisait le ____ du linge
- reprendre ⟶ la ________ de leurs activités
- sorcellerie (f) ⟶ la ferme est ________
- venir ⟶ la ________ du curé
- bénir ⟶ il a donné sa ________
- prière(f) ⟶ il allait ________ pour eux
- vaincre ⟶ la ________ de l'inexplicable
- extincteur (m) ⟶ il sert à ________ les incendies
- hurler ⟶ les ________ (m) de la jeune fille
- obsession (f) ⟶ quelle idée paraît l' ________?

3. Ironie et insinuation: l'attitude du journaliste

L'auteur veut influencer la manière dont les lecteurs voient, dans ce drame, certaines **entités** (institutions, etc.) ou leurs **représentants**.

Travail à deux ⟶ Mise en commun
Complétez le tableau (à droite): cherchez ensemble dans le texte, pour le **caractère attribué** à chaque **représentant** ou **entité** une **indication** qui le confirme.
Comparez ensuite vos notes avec celles des autres étudiants.

ENTITÉ	'REPRÉSENTANT'	CARACTÈRE ATTRIBUÉ	INDICATIONS DANS LE TEXTE
l'Eglise	curé	inutile	
l'Etat/la commune	maire	consterné	
les sciences occultes	voyants, etc.	inefficaces	
la parapsychologie	spécialiste	bizarre	
la justice	juge d'instruction	efficace	
le village	les hommes	raisonnables	
la famille	père	trompeur	
	mère	intéressée	
	Roger	louche	
	Jean-Marc	inoccupé	
l'entourage	le voisin	importun	
	Michèle	instable	

4. Vocabulaire: le surnaturel

(a) Le fait divers *Mort d'un sorcier* raconte un autre incident où le surnaturel joue un rôle important.

Travail individuel Recopiez les mots suivants dans l'ordre nécessaire pour compléter le fait divers. Ensuite mémorisez-les.

> bénir – démon – don – ensorcelés – exorciste – guérisseurs – hantés – inexplicables – impuissants – magie – malchance – malheurs – mauvais œil – occultes – prières – sorcellerie – sorcier – sort – sourciers – voyants

(b) ***Travail à deux*** Avec un(e) partenaire, complétez oralement ce fait divers **sans regarder ni votre liste de mots ni le cadre plus haut**.

(c) ***Exercice oral*** Avec l'aide du professeur, essayez de reconstituer oralement ce reportage **en ne consultant que votre liste de mots**.

Mort d'un sorcier

Un dimanche matin à Hesloup (Orne) on trouve Jean Camus, 49 ans, mort dans sa ferme, tué d'une balle de carabine. Le bruit commence à courir. « C'est à cause de la s__________ ». La police finit par arrêter un voisin Michel Hérisson, maçon, qui avoue avoir tué Camus pour supprimer le m______ ______. Le père Camus, mort il y a quelque temps, avait été connu comme s______ de m___ blanche et Jean avait hérité du d___. Lorsqu'une série de m________ i__________ a frappé leur famille, les Hérisson se croyant e__________, h ______ par un d_____, ont tout essayé pour chasser la m_________. On a même demandé au prêtre e________ du diocèse de venir prononcer des p______ et de b_____ la maison. Finalement, i__________, ils en ont conclu que c'était le mauvais œil. «C'est un s____ qu'on nous jette », disaient-ils.

Le déclic est venu un samedi soir lors d'une émission de télévision sur les sciences o________, consacrée aux dons surnaturels des v_____, aux talents des s________ et aux remèdes des g__________. Brusquement on a arrêté la télé, s'est réuni en conseil de famille et a décidé de tuer Camus. Les Hérisson sont partis en voiture. En revenant ils étaient contents. Ils chantaient.

EXERCICES

1. Pronoms personnels: le, la, les, lui, leur

▶ Sur l'instigation du curé, les Lahore ont détruit leurs matelas et leurs oreillers, c'est-à-dire:

Le curé est venu **les** voir.
Il **leur** a donné ce conseil.

Savez-vous employer ainsi les **pronoms** dits **personnels: le, la** ou **les** (remplaçant un **nom objet direct**), **lui** ou **leur** (remplaçant **à** + **nom de personne**)? Normalement ces pronoms se placent ainsi:

– temps simples: devant le verbe
– temps composés: devant l'auxiliaire (*être*/*avoir*)
– verbe + infinitif: devant l'infinitif.

Lorsque le sens l'exige, après *faire*, *laisser*, *voir*, etc., le pronom se place avant le verbe principal ou son auxiliaire:

Il **leur** a fait brûler leurs matelas.

(N'oubliez pas l'accord du participe passé précédé de **la** ou **les**:

Il **les** a incités à brûler leurs matelas.)◀

Pour répondre de façon naturelle à des questions, sur les événements de Séron par exemple, on a souvent besoin de **pronoms personnels.**

Exercice oral ⟶ ***Travail individuel*** En consultant le texte, composez oralement, sous la direction du professeur, des réponses à ces questions. Employez chaque fois un **pronom personnel.**

Exemple:
Les gendarmes ont-ils installé leurs affaires dans la villa?
Non, ils ***les*** *ont install****ées*** *dans la 'maison vieille'.*

1. Les gendarmes ont-ils installé leurs affaires dans la villa?
2. Mme Lahore était-elle en train de laver le linge dans la cour?
3. Qu'avait-on fait aux vêtements qui étaient par terre?
4. Est-ce Mme Lahore qui parlait au curé?
5. Qu'est-ce que le maire a fait remarquer aux gens qui étaient dans la cour?
6. Qu'est-ce que le curé était venu faire dans toutes les pièces de la ferme?
7. Le curé a-t-il suivi les exorcistes à la ferme?
8. Qu'est-ce que le spécialiste en parapsychologie a fait faire à la famille?
9. Lequel des 'experts' a réussi à éclaircir le mystère?
10. Quand est-ce que le benjamin de la famille avait commencé ses vacances?

Rédigez maintenant vos réponses par écrit **sans consulter le texte.**

2. L'imparfait. Pronoms accentués: moi, toi, lui, etc.

▶ **L'imparfait** s'emploie souvent pour expliquer ce qui **se passait** lorsqu'un incident a eu lieu. ◀

(a) Un matin à onze heures, après l'arrivée du commandant de la gendarmerie de Tarbes, un autre incendie se déclare dans une chambre de la ferme des Lahore. Une fois l'incendie éteint, le commandant procède à une reconstitution exacte de l'événement.

Exercice oral Répondez aux questions posées dans le tableau (à droite): précisez, à l'**imparfait**, ce que faisaient, selon elles, toutes ces personnes au moment de l'incendie.

Exemple:

Madame Lahore ***coupait*** *un poulet dans la cuisine.*

▶ Quand un pronom personnel ne se rattache pas directement au verbe, on emploie la forme forte du pronom (**pronom accentué: moi, toi, lui, elle, nous, vous, eux, elles**). Remarquez, par exemple, les cas suivants:

après une **préposition:** ses vêtements ont pris feu **sur elle**
pour **souligner le sujet: un homme, lui,** se tait
pour un **double sujet: lui et Michèle** passaient l'encaustique
devant un **relatif:** c'est **lui qui** a pris les choses en main
avec '**aussi**': ils sont partis, **eux aussi.** ◀

AU MOMENT DE L'INCENDIE: RECONSTITUTION

Dans le verger:

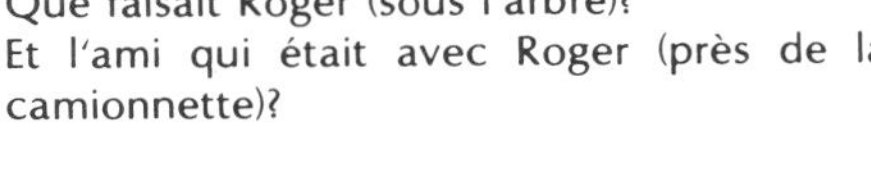

Que faisait Roger (sous l'arbre)?
Et l'ami qui était avec Roger (près de la camionnette)?

Dans la cuisine:

Que faisait Mme Lahore?
Et Michèle (derrière Mme Lahore à l'évier)?
Et le curé (en face de Mme Lahore)?

Dans le salon:

Que faisait le brigadier (debout)?
Et ses gendarmes (assis devant le brigadier)?

Dans la cour:

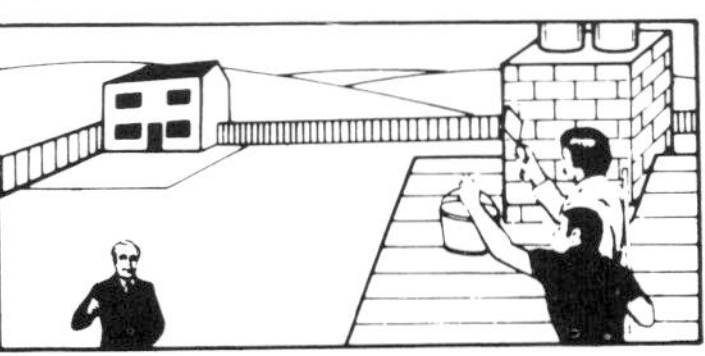

Que faisait M. Lahore?
Et Jean-Marc (derrière M. Lahore)?
Et le maire (sous M. Lahore et Jean-Marc)?

(b) ***Exercice oral*** Répondez aux questions ci-dessous en consultant les images ci-dessus (à droite). Employez chaque fois au moins un **pronom accentué.**

Exemples:

– *Est-ce que Mme Lahore épluchait des pommes de terre?*
– *Non,* ***Mme Lahore, elle,*** *coupait un poulet,* ou bien
– *Non, c'est* ***elle qui*** *coupait un poulet.*

– *Et le curé qu'est-ce qu'il faisait?*
– *Il prenait un café* ***en face d'elle*** *dans la cuisine.*

– *Et Michèle, où était-elle?*
– ***Elle aussi*** *était* ***avec eux*** *dans la cuisine.*

Est-ce que Mme Lahore épluchait des pommes de terre?
Et le curé, qu'est-ce qu'il faisait? Et Michèle, où était-elle?
Est-ce que M. Lahore était dans la cuisine aussi?
Et Jean-Marc, où était-il? Que faisait le maire?
Est-ce que les gendarmes étaient dans la cour aussi?
Et leur brigadier, où était-il?
Est-ce que Roger était dans la maison?
Est-ce qu'il chargeait la camionnette? Et où était son ami?

(c) ***Exercice oral ⟶ Travail individuel*** Prenez tour à tour le rôle de **Mme Lahore**, du **brigadier**, de **M. Lahore** et de **Roger**. Le commandant (le professeur) vous demandera où vous étiez, avec qui, ce que vous faisiez, etc. Répondez en employant le plus possible de **pronoms accentués.**

Exemples:

– *Vous étiez où, Mme Lahore?*
– ***Moi****, j'étais dans la cuisine.*
– *Et Michèle?*
– ***Elle aussi****. Elle épluchait des pommes de terre* ***derrière moi.***
– *Et le curé?*
– *Il était* ***avec nous****,* ***lui aussi.*** *Il buvait un café* ***en face de moi****.*

Composez maintenant, par écrit, **deux** de ces dialogues.

3. Pronoms relatifs: qui, que, dont

▶ Regardez ces phrases:

Un astrologue (c')est quelqu'un **qui** étudie l'influence des astres.
Une baguette (c')est quelque chose **qu**'un sourcier emploie (**qu**'emploie un sourcier) pour découvrir les sources.
Les tarots (ce) sont des cartes **dont** une cartomancienne se sert (**dont** se sert une cartomancienne) pour prédire l'avenir.

Pour définir la fonction de quelque chose, ou de quelqu'un, on peut employer ainsi un **pronom relatif** comme **qui, que** ou **dont**:

qui (**sujet** du verbe qui suit)
que (**objet** du verbe qui suit)
dont (lorsque le verbe se construit avec **de**).

Si le sujet est un **nom**, **l'inversion** après **que** et **dont** (entre parenthèses dans les exemples à gauche) est préférable, mais elle n'est pas essentielle.◀

(a) Le tableau présenté à droite décrit les **dons** de certaines **personnes** et les **objets** qu'elles emploient en travaillant.
Travail à deux* ⟶ *Exercice oral Trouvez ensemble, dans la colonne (ii) du tableau, le **don** qui correspond à chaque **personne** de la colonne (i). Ensuite, sous la direction du professeur, composez une définition de chaque personne: employez le pronom relatif **qui**.

Exemple:
Un sourcier c'est quelqu'un ***qui*** *découvre les sources.*

Trouvez, dans la colonne (iii) du tableau, l'**objet** qui correspond au **don** de chaque **personne**. Ensuite, avec le professeur, composez une définition de chaque objet: employez d'abord **que,** puis **dont.**

Exemples:
Une baguette c'est quelque chose ***qu****'emploie un sourcier pour découvrir les sources.*
Une baguette est quelque chose ***dont*** *se sert un sourcier pour découvrir les sources.*

(i) PERSONNE	(ii) DON	(iii) OBJET
sourcier	chasser les démons	le zodiaque
astrologue	découvrir les sources	un crucifix
cartomancienne	guérir par des procédés naturels	des potions magiques
exorciste	étudier l'influence des astres	une baguette
sorcière	prédire l'avenir	des herbes médicinales
guérisseur	agir sur la vie des personnes	les tarots

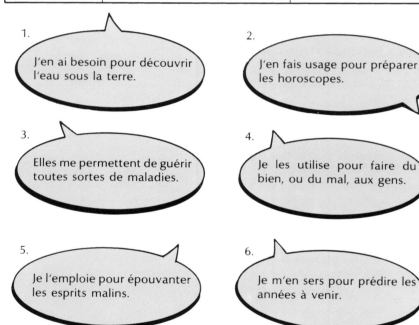

(b) Dans les déclarations à droite, chaque personne du tableau plus haut parle de ce qu'elle utilise en travaillant.
Travail à deux Pour chaque déclaration, composez une phrase précisant **qui** parle de **quoi**. Employez chaque fois le relatif **qui**.

Exemple:
1. *C'est le sourcier* ***qui*** *parle de sa baguette.*

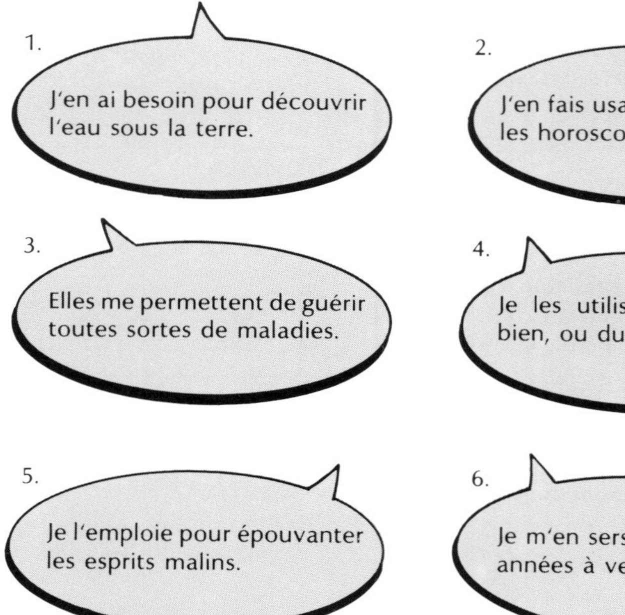
1.
J'en ai besoin pour découvrir l'eau sous la terre.
2.
J'en fais usage pour préparer les horoscopes.
3.
Elles me permettent de guérir toutes sortes de maladies.
4.
Je les utilise pour faire du bien, ou du mal, aux gens.
5.
Je l'emploie pour épouvanter les esprits malins.
6.
Je m'en sers pour prédire les années à venir.

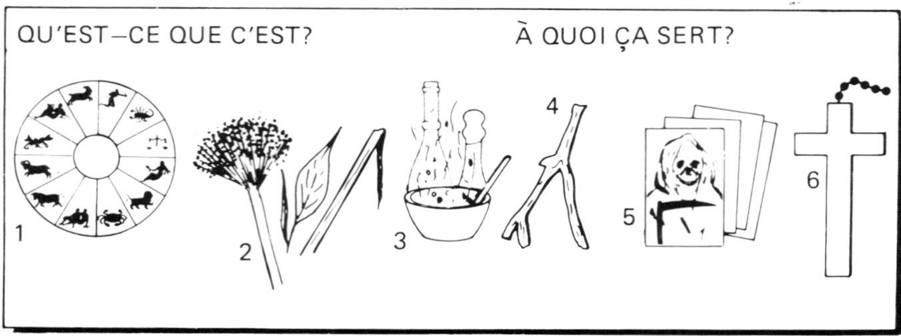
QU'EST–CE QUE C'EST?
À QUOI ÇA SERT?
1
2
3
4
5
6

(c) ***Exercice oral* ⟶ *Travail individuel*** Relisez les déclarations ci-dessus. Ensuite, pour chacun des objets présentés à gauche, composez une phrase, précisant qui l'emploie et pour quelle raison. Employez **qui, que** ou **dont**.

Exemple (croquis 1, déclaration 2):
1. *C'est le zodiaque* ***dont*** *fait usage l'astrologue pour préparer les horoscopes.*

Rédigez ces six phrases par écrit.

4. Le futur

Connaissez-vous bien le **futur**, surtout les formes irrégulières? Cet exercice permettra de le vérifier. Vous composerez votre horoscope pour la semaine prochaine, et celui d'un(e) ami(e).

Travail individuel Rédigez par écrit, au **futur**, des phrases annonçant ce qui se passera dans les jours qui viennent.

Exemple:
*Je **remettrai** de l'ordre dans ma vie et je . . .*

En ce qui vous concerne, expliquez à votre partenaire:

– que vous allez . . (⟶*je*)	remettre de l'ordre dans votre vie et mener une vie raisonnable, faire cependant de nouveaux projets,
– et que votre famille va	être prête à critiquer vos projets et vouloir vous empêcher de faire des bêtises,
– que vous n'allez donc pas . . (⟶*je*).	éviter des conflits avec vos proches,
– c'est pourquoi vous allez . . (⟶*je*) . .	avoir besoin de l'amitié de votre partenaire.

En ce qui concerne votre partenaire, expliquez-lui:

– qu'il/elle va . . (⟶*tu*)	mourir d'envie de changer d'air, courir ainsi des risques, aller vers des problèmes sentimentaux et devoir donc se méfier de ses émotions,
– que ses amis ne vont pas	savoir quels conseils lui donner, ni pouvoir l'aider,
– mais qu'il/elle va . . (⟶*tu*)	résoudre ses problèmes grâce à vous, acquérir de nouvelles expériences, voir se réaliser un rêve qui lui est cher, posséder enfin ce qu'il/elle désire,
– et qu'en général il va	falloir apprécier vos qualités remarquables.

5. La condition probable: si + présent + futur

▶ Selon le curé, **si** les Lahore **brûlent** tout ce qui est plume, ils **chasseront** le Malin.
On emploie cette structure (**si + présent + futur**) pour indiquer qu'un fait (*chasser le Malin*) a de fortes chances de se produire parce que la **condition** (*brûler tout ce qui est plume*) est **probable.** ◀

(a) Vous avez décidé d'inviter des amis chez vous. Que vous consultiez ou non votre horoscope, un tel projet vous réserve quelquefois de bonnes ou de mauvaises surprises. Cela demande donc un peu de réflexion.

Travail individuel Composez huit phrases avec **si + présent + futur**, chacune au sujet d'une différente personne de votre connaissance. Dites à quelle **condition** vous l'inviterez, et la **conséquence** qui s'ensuivra sans doute. Référez-vous, si vous le voulez, au tableau présenté à droite.

Exemple:
Si** Philippe **parle** d'un ton agressif* (**condition**), *ma sœur **sera** intimidée* (conséquence***).

Mémorisez ensuite vos phrases en ne regardant d'abord que le haut (**condition**) et ensuite que le bas (**conséquence**) du tableau.

(b) Vous organisez avec votre partenaire une soirée, chez vous ou chez lui/elle.

Travail à deux **Sans regarder le tableau, ni vos phrases**, dialoguez sur ce qui pourra se passer entre la famille et les invités. Employez des phrases conditionnelles (**si + présent + futur**).

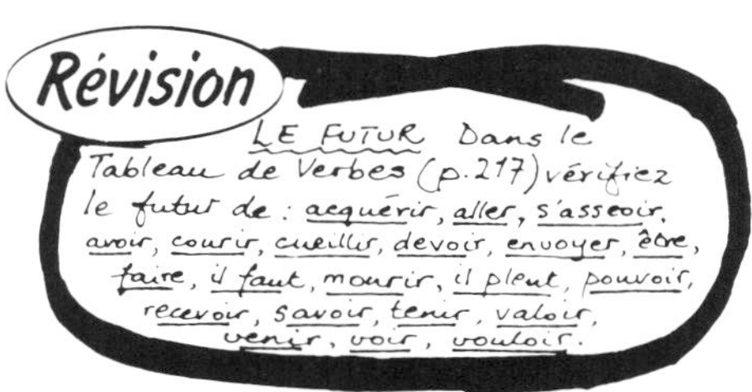

Révision
LE FUTUR Dans le
Tableau de Verbes (p.217) vérifiez
le futur de : acquérir, aller, s'asseoir,
avoir, courir, cueillir, devoir, envoyer, être,
faire, il faut, mourir, il pleut, pouvoir,
recevoir, savoir, tenir, valoir,
venir, voir, vouloir.

QUE SE PASSERA-T-IL SI . . .?

CONDITION: *ce que pourra faire tel ou tel individu*
parler d'un ton agressif/se montrer amical/paraître timide/être respectueux/critiquer/se permettre des familiarités/boire trop/fumer/rire très fort/avoir l'air affecté/parler mal/ne rien dire/exprimer des opinions de gauche, de droite/être trop curieux/s'intéresser (à)/se désintéresser (de)/ranger tout/faire la vaisselle/tout laisser en pagaïe
CONSÉQUENCE: *comment pourra réagir tel ou tel individu*
être . . . charmé/intimidé/touché/impressionné/honteux/ne pas réagir/se mettre en colère/trouver cela drôle/mettre . . . dehors/s' enfermer tout seul/refuser de parler (à)/l'accueillir chaleureusement/ne plus l'inviter/approuver, désapprouver sa conduite/penser du bien (de)/être blessé/se sentir gêné/se disputer/discuter le coup

ACTIVITÉS

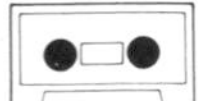

1. Reportage: *La sorcière qui n'existait pas*

(a) Le passage enregistré est la dernière partie d'un reportage radiophonique, diffusé trois semaines après l'article du *Nouvel Observateur*, sur les mystérieux incendies de Séron.
Travail individuel/à deux Avec ou sans partenaire, écoutez cet extrait et complétez la transcription (*Livret*, p. 2).

Le silence est retombé sur la ferme de Séron. L'affaire des mystérieux incendies....

(b) Qui sont, à votre avis, les deux inculpés mentionnés dans l'extrait que vous venez de compléter?
Travail individuel Composez par écrit le début de ce reportage, en suivant à peu près l'ordre chronologique des événements. Consultez l'article *Le démon incendiaire de Séron* et votre analyse de ce texte (*Découverte*, 1, 2). Inventez des détails pour bien relier le début de l'histoire à la fin. Racontez-la en présentant tous les détails essentiels:

– la situation: moment, endroit, personnages, le mystère
– le déroulement des événements
– ce qu'on a fait pour combattre le mal
– les suspects
– la conclusion de l'affaire (détails à inventer).

2. Un horoscope (Faire des prédictions: emploi du futur. Conseiller quelqu'un)

▶ Pour **faire des prédictions** on emploie évidemment le **futur** (*Exercices*, 4). Pour **conseiller** quelqu'un on peut choisir parmi ces expressions:

Essaie/Essayez de . . .
Efforce-toi/Efforcez-vous de . . .
Sois/Soyez sûr(e) de . . .
N'oublie pas/N'oubliez pas de . . .
Il faut . . .

Evite/Evitez de . . .
Il ne faut pas . . . ◀

(a) Les tableaux à droite se composent d'éléments pris dans des horoscopes.
Travail individuel* ⟶ *Travail à deux Préparez pour votre partenaire cinq ou six **prédictions** et **conseils** pour le mois prochain. Aidez-vous des tableaux, si vous le voulez.

Exemple:
*La semaine prochaine tu te sent***iras** *paresseux(-euse)* (**prédiction**), *mais* ***efforce-toi de*** *t'absorber dans ton travail* (**conseil**).

Communiquez ensuite à votre partenaire les prédictions et les conseils que vous aurez préparés.

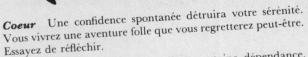

POISSONS
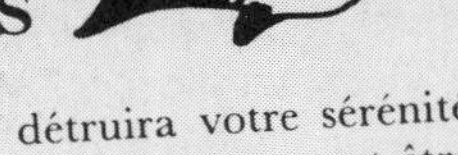

Coeur Une confidence spontanée détruira votre sérénité. Vous vivrez une aventure folle que vous regretterez peut-être. Essayez de réfléchir.

Famille Il faut vous libérer d'une certaine dépendance. N'oubliez pas cependant que 'douceur fait plus que force'. Vous obtiendrez ce que vous désirez.

Travail Il y aura un malentendu dans votre travail. Efforcez-vous de surmonter votre timidité et expliquez-vous. Une affaire avantageuse se présentera. Soyez sûr de la saisir rapidement.

Social Rencontre très agréable qui vous offre de belles perspectives d'avenir. Déception avec un ami. N'hésitez pas à vous lancer dans des discussions intéressantes.

Santé Evitez de vous fatiguer. Agissez en tout avec ordre et méthode. Pour préserver votre santé il ne faut pas abuser de vos forces: détente et loisirs.

PRÉDICTIONS: *ce qu'il/elle fera peut-être*
travailler sans relâche/se sentir paresseux(-euse)/ s'ennuyer/être tendu(e)/être décontracté(e)/ réussir dans ses études/être critiqué(e) par un professeur/ se montrer aimable avec tout le monde/irriter les autres/ chercher la solitude/avoir besoin d'amitié/ avoir du succès auprès des garçons, filles/ne plaire à personne/ se disputer avec tout le monde/s'entendre bien avec ses ami(e)s/ faire une rencontre inoubliable/ne voir personne d'intéressant/ tomber amoureux (-euse)/être déçu(e) par les gens qu'on connaît

CONSEILS: *ce qu'il faut/ne faut pas faire*
dormir longtemps/se reposer/se coucher tard/ céder à l'irritation/minimiser la tension/ cacher ses sentiments/rester calme/perdre son sang-froid/ s'absorber dans son travail/sortir beaucoup/s'intéresser à la famille/ se mettre en colère/reprendre courage/retrouver son enthousiasme/ se montrer amical(e)/dire des mots durs/s'impatienter/ créer une atmosphère agréable/être tolérant(e)/contrôler ses émotions/ mener une vie régulière/boire trop d'alcool/ se faire des illusions/être flatté(e)/se décourager

(b) Un horoscope est un mélange de **prédictions** et de **conseils.** Dans l'exemple à gauche, vous trouverez donc de nombreux verbes au **futur** avec des expressions comportant des **conseils.**
Travail individuel Composez, en 120–130 mots, l'horoscope de votre partenaire pour la semaine prochaine. Inspirez-vous, si vous le voulez, d'exemples authentiques pris dans des journaux ou magazines récents.

VOYAGE DANS LE TEMPS

POINTS DE REPÈRE

Dans le témoignage que vous allez écouter, une auditrice de France-Inter raconte une expérience étrange qu'elle a vécue en Sologne, région située au sud de la Loire.
Travail individuel* ⟶ *Mise en commun Ecoutez une première fois ce récit en entier, sans regarder les activités qui suivent. Ensuite, notez en deux minutes les premiers détails qui vous reviennent à l'esprit.
Pour finir, le professeur vous demandera à tous/toutes de lui rappeler ces détails. Il les notera au tableau en essayant, avec vous, d'y mettre de l'ordre.

ACTIVITÉS

1. Le récit en détail: prise de notes

Travail individuel/à deux Avec ou sans partenaire, réécoutez maintenant l'enregistrement. Prenez des notes d'après les indications ci-dessous; notez des mots-clef plutôt que des phrases, de la manière indiquée à droite:

l'aventure: en 1964 – l'hiver – au mois de janvier – un dimanche matin

- **l'aventure** année – saison – mois – jour
- **la narratrice et son mari** domicile – détails sur les personnes – vêtements – sentiments et réactions
- **la promenade** en voiture (distance) – à pied (durée) – retour
- **la première transformation** paysage avant (temps qu'il faisait) – paysage après (temps qu'il faisait)
- **le village** cadre (rivière, pont) – maisons – église – rues – signes de vie, de mouvement
- **la deuxième transformation** paysage après (temps qu'il faisait)
- **tentatives pour retrouver le village** sur place – archives – disparition – groupe de recherche – savant – traces – canal – refus de participer – danger.

2. Reconstitution orale et écrite

Exercice oral* ⟶ *Travail individuel Ecoutez une dernière fois le témoignage. Ensuite, sous la direction du professeur, reconstituez-le oralement, en détail, en consultant vos notes. Pour finir, reconstituez par écrit cette histoire.

Début possible:
Cet incident extraordinaire a eu lieu en 1964, en plein hiver, au mois . . .

3. Narration: *Une histoire étrange*

Travail individuel Racontez par écrit une histoire, réelle ou imaginaire, au cours de laquelle il se passe quelque chose de bizarre ou d'inexplicable. Vous présenterez par exemple:

- la situation (lieu – moment – cadre, etc.)
- les personnages (domicile – détails sur les personnes, sur leur physique, etc.)
- l'incident/les faits (ce qui se passe de normal et d'anormal – détails descriptifs – émotions et réactions, etc.)
- conclusions ou explications.

QUEL CARACTÈRE?

Clef:

1 = Vierge
2 = Sagittaire
3 = Capricorne
4 = Gémeaux
5 = Bélier
6 = Cancer
7 = Poissons
8 = Balance
9 = Taureau
10 = Verseau
11 = Lion
12 = Scorpion

4. Bande dessinée: *L'astrofric*

Vous trouverez ci-dessous une bande dessinée de Reiser.

Travail individuel* ⟶ *Mise en commun

Lisez attentivement la conversation, puis complétez-la en remplissant les deux dernières 'bulles' à votre manière. Ensuite, comparez votre version avec celles des autres étudiants. (Vous trouverez le dernier dessin, avec paroles, à la page 2 du *Livret*).

EN PRIVÉ, EN PUBLIC

Les media ne sont pas toujours des voies de communication à sens unique. A en croire les émissions à ligne ouverte, ou le courrier du cœur des magazines, de nombreux auditeurs et lecteurs éprouvent le besoin de partager leurs problèmes ou leurs inquiétudes, de les confier à un inconnu, d'entendre une voix qui puisse les aider à sortir de leur isolement.

LA SOLITUDE A DEUX VISAGES

ACTIVITÉS

1. La solitude et vous

On peut aimer ou détester la solitude. Comment l'éprouvez-vous?

Est-ce que vous vous sentez souvent seul(e)? Quand? Où?
Ressentez-vous quelquefois la solitude, même en compagnie d'autres personnes? Avec lesquelles? Quand? Où?
Aimez-vous quelquefois être seul(e)? Quand? Où?
Souffrez-vous de timidité? Est-ce que cela vous isole?
Quand, en particulier? Où?

Travail individuel* ⟶ *Travail à deux En vous référant à ces questions, notez par écrit vos réflexions personnelles sur la solitude. Ensuite, discutez-les brièvement avec un(e) partenaire.

2. La solitude: une jeune Française parle

(a) Dans l'enregistrement que vous allez entendre, une jeune Française, Monique, parle de sa conception personnelle de la solitude.

Travail individuel/à deux* ⟶ *Mise en commun Avec ou sans partenaire, écoutez une première fois le témoignage de Monique. Regardez en même temps la version simplifiée (*Livret*, p. 3) de ce qu'elle dit. A la deuxième écoute, faites une **liste** des mots qui manquent à cette version: *visages – positif – riche – triste – lourd*, etc. Arrêtez la bande quand il le faut. Vérifiez ensuite votre liste avec l'ensemble de la classe.

(b) Les mots que vous venez de noter sont en quelque sorte des mots-clef qui résument l'essentiel des réflexions de Monique.

Travail individuel/à deux* ⟶ *Exercice oral Avec votre liste de mots sous les yeux, repassez l'enregistrement. Arrêtez la bande à la fin de chaque phrase, et essayez, avec ou sans partenaire, de retrouver oralement ce que dit Monique: **ne regardez pas la transcription**. Pour finir, reconstituez, avec l'aide du professeur, l'ensemble du témoignage.

3. La condition réelle: si + présent + présent. *La parole est aux timides*

▶ **Si** Monique **se trouve** avec des gens avec qui elle n'a pas grand-chose à partager, elle **se sent** seule.
On emploie cette structure (**si** + **présent** + **présent**) pour indiquer qu'un fait (*se sentir seule*) a lieu chaque fois qu'une **condition** (*se trouver avec ces gens*) **se réalise**.◀

(a) La timidité peut paralyser, condamner à la solitude. Tout le monde, ou presque, souffre parfois de timidité. Quand en souffrez-vous? Dans quelles **conditions**? *Antirouille*, un magazine pour les jeunes, a posé ces questions à ses lecteurs.

Travail individuel Lisez les déclarations ci-contre, puis résumez-les en complétant les **phrases conditionnelles** qui les suivent.

Exemple (Sylvie):
Si elle est en face de quelqu'un qu'elle aimerait connaître, *elle n'arrive pas à faire un effort pour lui parler.*

La solitude a deux visages: un visage positif, qui peut être très riche, et un autre, plus...

LA PAROLE EST AUX TIMIDES

Chaque fois que je suis en face de quelqu'un que j'aimerais connaître, je suis incapable de lui parler. Je me dis: il suffirait de faire un petit effort. Mais je ne peux pas.

Sylvie

En sortant le soir, je suis beaucoup plus à l'aise que dans la journée. La nuit, tu ne distingues personne. Tu n'es presque plus timide, on te voit moins bien. C'est plus intime, moins froid.

Loïc

Moi, quand on m'adresse la parole, j'ai la tête qui se vide complètement. Je souris bêtement. Au lycée, je n'arrive pas à parler devant les trente personnes de ma classe.

Andrée

Une fois qu'on te croit timide tu as le sentiment de ne plus exister. Quand les grandes gueules parlent de tout le monde sauf moi, j'ai l'impression d'être un zéro.

Paul

A la rigueur, j'arrive à causer avec des gens pas très intéressants. Avec les gens intéressants j'ai peur de raconter des bêtises. Je suis convaincu de ne pas avoir leur attention: je me sens inférieur.

Jean-Michel

Me faire draguer par un garçon, ça me plaît dans la mesure où ça prouve qu'on s'intéresse à moi. S'il y en a un qui me plaît, je l'observe pour voir comment il réagit.

Anne

1. *Sylvie* Si . . . . elle n'arrive pas à faire un effort pour lui parler.
2. *Andrée* Si . . . . sa tête se vide et elle ne trouve rien à dire.
3. *Jean-Michel* Si . . . . il a peur qu'ils ne l'écoutent pas.
4. *Loïc* Si . . . . il a l'impression de se faire moins remarquer.
5. *Paul* Si . . . . il a le sentiment d'être totalement insignifiant.
6. *Anne* Si . . . . il lui semble qu'elle plaît enfin à quelqu'un.

(b) Vous arrive-t-il quelquefois de vous sentir intimidé(e) ou peu sûr(e) de vous? ***Travail individuel* ⟶ *Travail à deux*** Composez par écrit **cinq** phrases conditionnelles (**si** + **présent** + **présent**): précisez dans quelles situations vous avez du mal à vous exprimer, la tête qui se vide, etc. Référez-vous, si vous le voulez, aux questions ci-dessous.

Exemple:
Si j'ai *l'impression que tout le monde m'écoute,* ***j'ai*** *du mal à m'exprimer.*

Partagez ensuite vos réflexions avec un(e) partenaire.

Dans quelles situations avez-vous:
- du mal à vous exprimer?
- la tête qui se vide?
- peur de dire des bêtises?
- le sentiment d'être insignifiant(e)?

Dans quelles situations êtes-vous:
- nerveux(-euse) ou agité(e)?
- mal à l'aise?
- trop conscient(e) des autres?
- confus(e), gêné(e), embarrassé(e)?

8

POINTS DE REPÈRE

Le magazine *Elle* a enquêté sur la condition de 'tous ceux qui vivent seuls, tous ceux que la vie, leur situation économique, la vieillesse, la maladie ou notre indifférence ont enfermé dans leur solitude'. Voici un extrait de l'article qui a résulté de cette enquête.

Travail individuel* ⟶ *Mise en commun Lisez attentivement cet extrait; ensuite, résumez par écrit, en quelques mots, ce que vous apprenez sur:

- **Sophie** – sa personnalité
  – ses amis
  – son domicile
  – sa famille
  – ce qu'elle possède
- **Maryse** – sa personnalité
  – ses amis
- **Les parents de Sophie**.

Vérifiez avec les autres étudiants les détails que vous venez de relever.

LE WEEKEND DE SOPHIE

Le vendredi soir, tous les vendredis soir, après avoir encapuchonné° sa machine à écrire, Maryse dit à Sophie: «Bon week-end». Sophie répond: «Bon week-end». Un rite. Maryse n'attend pas l'ascenseur, descend l'escalier en courant et rejoint,° sur le trottoir d'en face, un garçon. Pas toujours le même.

Sophie traîne,° range° son bureau, sort, revient, déplace° quelques papiers, regarde le téléphone. Et part, enfin. Personne n'attend Sophie dont les weekends ne sont ni bons ni mauvais, ils ne sont rien, ils ne sont pas. Du vendredi soir au lundi matin, Sophie, couchée, somnole,° lit un peu, dort. Sophie est seule.

Il y a bien longtemps qu'elle est seule. Lorsqu'elle pense à son enfance, c'est d'abord sa solitude qui accompagne et ternit° les souvenirs. «Solitude . . . ce n'est pas exactement cela. La solitude c'est quelque chose de noble, c'est un mot de poète; moi je suis simplement seule, isolée. Je ne connais personne, personne ne me connaît. Il y a des jours où je me demande si j'existe».

Sophie n'est pas une vieille dame abandonnée mais une jeune femme solide et ronde, au regard un peu voilé.° Elle vit° dans un petit studio encombré de mille choses inutiles. C'est là, au milieu de ces objets, qu'elle se protège,° comme derrière un rempart. Elle s'exprime° avec effort: «C'est vrai que je ne parle pas beaucoup. J'ai l'impression qu'on ne m'écoute pas. Je parle toute seule quelquefois pour entendre autre chose que la radio . . . ou le silence».

Elevée dans une famille aisée° à quatre personnages, le père, la mère, l'ambition du père, l'amant de la mère, elle n'y a jamais vraiment trouvé sa place. On l'a soignée,° nourrie,° embrassée° même quelquefois, mais jamais écoutée. Cette petite fille, trop peu aimée, est devenue une adolescente qui avait peur de parler et une femme qui n'avait plus grand-chose à dire. Mais il n'y a pas de solitaire de naissance.° Si quelqu'un, un jour, allait à la rencontre de° Sophie, s'il faisait le premier pas° et elle le second, s'il lui parlait et surtout l'écoutait elle serait sauvée.

● **encapuchonner** put the cover on **rejoindre** go and meet **traîner** hang about **ranger** tidy **déplacer** move **somnoler** doze **ternir** tarnish **voilé** misty **vivre** live **se protéger** protect oneself **s'exprimer** express oneself **aisé** well off **soigner** look after **nourrir** feed **embrasser** kiss **solitaire de naissance** born lonely **aller à la rencontre de** go out to meet **pas** (m) step

DÉCOUVERTE DU TEXTE

1. Ce que dit l'article: Sophie et la solitude

L'extrait que vous venez de lire est essentiellement un portrait physique et affectif.

Travail individuel Relevez par écrit tous les éléments du texte qui expriment directement:

- ce que fait Sophie le vendredi soir/le weekend
- comment elle se voit
- comment sa famille l'a traitée
- comment la journaliste la décrit physiquement.

2. Ce que veut dire l'article: les intentions de la journaliste

Le weekend de Sophie est un texte émotif: la journaliste y emploie des détails narratifs et descriptifs pour faire sentir au lecteur la condition morale de Sophie, pour toucher.

Travail individuel ⟶ ***Mise en commun*** Essayez d'interpréter les **intentions** de la journaliste en complétant le tableau présenté à droite.

Comparez ensuite vos interprétations avec celles des autres étudiants.

CE QUE DIT LA JOURNALISTE	CE QUE VEUT DIRE LA JOURNALISTE
Maryse descend l'escalier en courant.	
Sophie traîne, range son bureau, sort, revient.	
Maryse rejoint sur le trottoir un garçon. Pas toujours le même.	
Sophie regarde le téléphone.	
Sophie, couchée, somnole, lit un peu, dort.	
Sophie n'est pas une vieille dame abandonnée.	Etant jeune, elle devrait avoir des amis, mener une vie active
Elle s'exprime avec effort.	
Une famille à quatre personnages: le père, la mère, l'ambition du père, l'amant de la mère.	
On l'a embrassée même quelquefois.	

3. Vocabulaire: un être solitaire

(a) Le portrait ci-dessous décrit quelqu'un 'que la vieillesse a enfermé dans la solitude'.

Travail individuel Recopiez ces mots et expressions dans l'ordre nécessaire pour compléter le texte. N'oubliez pas de faire les changements qui conviennent. Ensuite, mémorisez les mots et expressions.

> déplacer – encombré de – s'exprimer – parler tout seul – se protéger – ranger – rejoindre – un rempart – à la rencontre de – solitaire – somnoler – un studio – ternir – traîner – voiler

Le petit vieillard ________ qui tenait le café en face de mon ______ n'avait presque plus de clients. Le matin on le voyait, seul, __________ des verres sous le comptoir, ________ quelques cendriers. Il ________ dans la salle déserte ________ de chaises et de tables qui servaient à peine, ______ un peu dans un vieux fauteuil de bois. A midi, si par hasard il y avait du monde, il se réfugiait derrière son comptoir comme pour __ ________ derrière __ ________. L'après-midi, devant le café à nouveau désert, on voyait arriver un autre vieillard; c'est alors que le vieux patron ressuscitait, s'animait, allait __ __ ________ __ son ami, le ________ sur le trottoir; on le voyait causer avec vivacité, lui qui, ordinairement, n'avait pas l'occasion de _ ' ______ et finissait par ______ ______. Lorsque, une heure plus tard, son ami le quittait, la solitude s'installait comme avant, ______ son regard, ______ son expression.

(b) ***Travail à deux*** Complétez oralement le texte **sans regarder votre liste de mots et d'expressions**.

À COMPLÉTER, À NOTER ET À MÉMORISER

Expressions et structures

- elle travaille __ vendredi (*normalement*)
- elle travaille ____ ____ vendredis (*toujours*)
- ____ ____ (= *ayant*) encapuchonné sa machine
- elle descend l'escalier __ ______ (= *précipitamment*)
- __ vendredi ____ __ lundi _____ (= *pendant le weekend*)
- les ________ de son enfance sont gravés dans sa ______ (*souvenir ≠ mémoire*)
- quelque chose __ noble (cp. *il n'a rien __ vil*)
- des jours __ (= *au cours desquels*) elle reste seule
- une femme __ (= *qui a le*) regard triste
- elle veut entendre _____ _____ (= *qqc de différent*) que la radio
- elle n'a pas _____ - _____ (= *pas beaucoup*) à dire

Formes

bureau (m) ⟶ pl
vrai ⟶ adv
mille ⟶ deux _____
poète (m) ⟶ f

Constructions verbales
à, de ou **rien?**

- elle attend __ l'ascenseur
- elle répond __ son amie
- Sophie regarde __ son téléphone
- ils n'ont jamais écouté __ Sophie
  cp. *elle ne demande pas* __ *beaucoup, elle cherche* __ *une amitié sincère*
- elle pense __ son enfance (*réflexion*)
  cp. *que pense-t-elle* __ *Maryse?* (*opinion*)

Noms et verbes

- attendre ⟶ son ______ (f) sur le trottoir
- descendre ⟶ la ________ précipitée de Maryse
- sortir ⟶ après la ______ de son amie
- regarder ⟶ elle jette un ______ sur le téléphone
- lire ⟶ les ________ (f) de Sophie
- isoler ⟶ l'________ (m) ternit sa vie
- connaître ⟶ elle n'a pas fait de ____________ (f)
- soigner ⟶ ils ont pris ____ (m) d'elle
- nourrir ⟶ ils lui ont fourni sa ________
- naissance (f) ⟶ elle n'est pas ____ solitaire

EXERCICES

1. La durée: il y a/ça fait . . . que + présent; présent + depuis . . . ; pendant

▶ En parlant de Sophie, la journaliste nous apprend qu'**il y a** bien longtemps **qu**'elle **est** seule.
Pour indiquer la **durée** d'une action ou d'un état qui est **inachevé** au présent, on emploie **il y a . . . que**/**ça fait . . . que** (plus familier) + **présent** ou **présent** + **depuis . . .**:

Il y a/**Ça fait** bien longtemps . . . . . . **qu**'elle **est** seule.
(**durée**) (**action**/**état inachevé**)

Elle **est** seule . . . . **depuis** bien longtemps.
(**action**/**état inachevé**) (**durée**) ◀

(a) Le directeur du Collège d'Enseignement Technique (CET) où Sophie a fait ses études veut savoir ce que sont devenus ses anciens élèves. Il s'informe donc auprès de plusieurs d'entre eux sur leur vie personnelle, leur travail et leur formation professionnelle. Vous trouverez à droite un extrait des notes du directeur.
Exercice oral Répondez aux questions du directeur (du professeur) comme dans les exemples qui suivent. Prenez tour à tour le rôle de chacun des élèves indiqués dans les notes.

Exemples:

Directeur *Qu'est-ce que vous faites maintenant dans la vie, Sophie?*
Sophie *Je suis sténodactylo.*
Directeur ***Il y a**/**Ça fait** longtemps **que** vous **êtes** sténodactylo?*

ou bien:

*Vous **êtes** sténodactylo **depuis longtemps**/**depuis** combien de temps?*
Sophie ***Il y a**/**Ça fait*** *(maintenant)* *deux ans.*

ou bien:

***Depuis** deux ans (maintenant).*

Le directeur pourra aussi demander si chaque élève est marié(e) et depuis quand.

▶ La journaliste nous apprend que Sophie range son bureau **pendant** quelques minutes. On emploie **pendant** pour indiquer **l'espace de temps** pendant lequel une action/un état a lieu (sa **durée**):

Elle range son bureau (**action**/**état**) **pendant** quelques minutes (**espace de temps**). ◀

(b) Le directeur interroge ses anciens élèves sur leur formation professionnelle.
Exercice oral Répondez aux questions du directeur (du professeur) comme si vous étiez ses anciens élèves. Référez-vous aux notes *Que sont-ils devenus?* et employez chaque fois **pendant**.

Exemple:

Directeur *Qu'avez-vous fait pour devenir sténodactylo, Sophie?*
Sophie *J'ai suivi des cours à l'école de secrétariat **pendant** un an.*

(c) Au cours de chaque conversation le directeur aura posé de nombreuses questions.
Exercice oral* ⟶ *Travail individuel Sous la direction du professeur, reprenez quelques-unes de ces conversations. A tour de rôle, posez des questions comme celles proposées à droite (pour le directeur) ou répondez (pour les anciens élèves). A vous d'inventer les détails qui manquent aux notes.

Cherchez à savoir:

- son âge maintenant
- s'il/si elle est marié(e) et depuis quand
- ce qu'il/elle fait dans la vie et depuis quand
- s'il/si elle a suivi une formation, où et pendant combien de temps
- en quelle année il/elle a quitté l'école
- où il/elle habite et depuis quand
- s'il/si elle a des enfants et depuis quand.

Rédigez ensuite **une** de ces conversations par écrit.

Que sont-ils devenus?

NOM	Sophie GODARD	Hélène DUPRÉ	Jean NATHAN	Paul ANGIN	Catherine ROY	Claude LHOTELAIN
ÂGE	22	23	25	27	22	20
MARIÉ(E)/CÉLIBATAIRE	C	M	C	M	M	C
DEPUIS L'ÂGE DE..	–	21	–	19	20	–
PROFESSION	sténodactylo	coiffeuse	comptable	mécanicien	infirmière	au chômage
DEPUIS L'ÂGE DE...	20	21	23	20	21	16
FORMATION PROFESSIONNELLE	école de secrétariat	école de coiffure	faculté universitaire	classes d'apprentissage	école d'infirmières	sans
DE... À...	18-19 ans	19-21 ans	19-23 ans	17-19 ans	18-21 ans	–

2. Pronoms démonstratifs: celui, etc., + de (La comparaison)

▶ *Le weekend de Sophie* met en contraste **la vie de** Sophie et **celle de** Maryse.
Pour éviter de répéter un **nom + de** (possessif), on emploie souvent un **pronom démonstratif (celui, celle, ceux, celles) + de.** ◀

(a) A partir des renseignements que contient le texte, on imagine sans difficultés Sophie et Maryse: deux personnalités différentes, deux modes de vie différents. Comment vous les représentez-vous?
Travail à deux Inventez le portrait de Maryse et celui de Sophie: complétez ensemble le tableau *Comme le jour et la nuit* (à droite). Servez-vous, si vous le voulez, des adjectifs présentés dans le cadre, et n'oubliez pas de les accorder.

▶ Pour **comparer** deux personnes ou deux choses, on peut employer, avec un pronom démonstratif, une conjonction telle que **mais, alors que, tandis que**:

Les weekends de Maryse sont intéressants **alors que** ceux de Sophie sont monotones. ◀

(b) ***Exercice oral ⟶ Travail individuel***
Le professeur vous demandera comment vous vous représentez le **physique**, le **caractère**, la **vie** et les **goûts** de Maryse et de Sophie. Répondez en vous référant à votre tableau complété. Employez chaque fois un **pronom démonstratif + de** et une des **conjonctions** présentées ci-dessus.

Exemple:
- *Comment imaginez-vous le physique de Maryse et* **celui de** *Sophie?*
- *D'abord, les traits de Maryse seraient animés* **tandis que ceux de** *Sophie seraient passifs. Et puis la voix . . .*

Composez maintenant **cinq** phrases pour comparer l'existence de Maryse avec celle de Sophie.

3. Pronoms possessifs: le mien, etc.

▶ En parlant de Maryse la journaliste nous apprend que **sa vie** est intéressante, tandis que Sophie considère **la sienne** comme solitaire et vide.
On emploie un **pronom possessif (le mien, la mienne, les miens, les miennes**, etc.) pour éviter de répéter un nom accompagné d'un possessif (**mon, ma, mes,** etc.) ◀

COMME LE JOUR ET LA NUIT

		MARYSE	SOPHIE
● **Physique**	– traits – voix	animés	passifs
● **Caractère**	– comportement – personnalité		
● **Vie**	– soirées – weekends – amis – vie sentimentale		
● **Goûts**	– vêtements – lectures – cuisine – musique		

ennuyeux – énergique – bruyant – doux – passionné – gauche – assuré – paisible – varié – inexistant – épicé – vide – exubérant – mou (molle) – silencieux – à la mode – irrégulier – romantique – animé – terne – chargé – timide – rythmé – passif – vif – élégant – simple – monotone – insignifiant – alerte – fade – équilibré – nombreux – indifférent – ferme – indolent – curieux – confiant – restreint – démodé – intéressant – réservé

Révision
LE PRÉSENT (suite) Vérifiez nous/vous, puis je, de tous les verbes.
Ensuite DÉMONSTRATIFS (Révision 1).

(a) Sophie se connaît très bien: au cours de son interview avec la journaliste, elle se compare franchement avec Maryse.
Exercice oral ⟶ Travail individuel
Regardez le tableau *Comme le jour et la nuit* que vous avez complété (*Exercices*, 2). La journaliste (le professeur) vous interrogera, comme si vous étiez Sophie, sur votre personnalité, vos soirées, vos weekends, etc. Répondez en employant des **pronoms possessifs**.

Exemples:
- *Vous croyez que votre personnalité est différente de celle de Maryse?*
- *Oui, très différente.* **La sienne** *est exubérante, tandis que* **la mienne** *est plutôt réservée.*
- *Et comment voyez-vous votre vie sentimentale, et* **la sienne?**
- . . .

Rédigez maintenant par écrit une conversation entre la journaliste et Sophie où celle-ci se compare avec Maryse. Employez des pronoms **possessifs (le mien**, etc.) et **démonstratifs (celui**, etc.).

(b) Maryse et Sophie habitent la même petite ville, et leurs familles se connaissent bien. Mais la famille de Sophie, un peu snob, aime se comparer avec celle de Maryse, qu'elle considère comme socialement inférieure.

Exercice oral ⟶ Travail individuel Regardez les dessins à droite; ensuite, sous la direction du professeur, imaginez des remarques que pourrait faire la mère ou le père de Sophie. Employez des **pronoms possessifs** (**le nôtre, le leur**, etc.).

Exemples:

*Leur voiture est vieille, mais **la nôtre** est le modèle de cette année.*
*Notre voiture est une Renault 30. **La leur** n'est qu'une 'deux chevaux' (2 cv).*

Composez par écrit **six** remarques que pourrait faire le père ou la mère de Sophie. Employez le(s) **pronom(s) possessif(s)** qui conviennent.

4. La négation

▶ Dans le texte, Sophie nous apprend qu'elle **ne** connaît **personne**. Les expressions de **négation** sont constituées de **ne** et d'un autre élément: **pas**, **personne**, **rien**, **plus**, **jamais**, **que**, **guère**, **aucun(e)/nul(le)** ou **ni . . . ni**. Vous savez que **ne** se place normalement **avant**, et l'autre élément **après**, le verbe principal (avant et après l'auxiliaire, *avoir*, *être*, dans les temps composés). Mais attention aux cas suivants:

personne après le participe passé: elle **n**'a connu **personne**
personne ou **rien** sujet de la phrase: **personne/rien ne** l'attend
que avant l'élément concerné: elle **n**'entend chez elle **que** le silence
aucun(e)/nul(le) avant le nom concerné: **aucune/nulle** affection **ne** la console
aucun(e) de + nom: **aucune de** ses activités **ne** la distrait. ◀

Exercice oral ⟶ Travail individuel En consultant *Le weekend de Sophie*, répondez aux questions suivantes. Employez chaque fois un **négatif**.

Exemple:

– *Pourquoi Maryse préfère-t-elle prendre l'escalier le vendredi soir?*
– *Parce qu'elle **ne** veut **pas** attendre l'ascenseur.*

1. Pourquoi Maryse préfère-t-elle prendre l'escalier le vendredi soir?
2. Qui est-ce qui attend Sophie après le travail?
3. Selon la journaliste, les weekends de Sophie sont-ils bons ou mauvais?
4. Habite-t-elle encore chez ses parents?
5. Lequel de ses loisirs l'intéresse particulièrement?
6. A qui Sophie se confie-t-elle d'habitude?
7. Sa famille se compose-t-elle réellement de quatre personnes?
8. A quel moment ses parents ont-ils appris à l'écouter?
9. Est-ce qu'ils l'aimaient beaucoup?
10. Pourquoi Sophie a-t-elle pratiquement cessé de parler?

Rédigez maintenant par écrit vos réponses à ces questions; ne consultez pas le texte.

5. La condition possible: si + imparfait + conditionnel

▶ Selon la journaliste, **si** quelqu'un **allait** à la rencontre de Sophie, il la **sauverait**.
On emploie cette structure (**si + imparfait + conditionnel**) pour indiquer qu'un fait (*sauver Sophie*) peut se réaliser parce que la **condition** (*aller à sa rencontre*) est **possible**. ◀

(a) Les rapports personnels sont rarement faciles, même pour Maryse. Un soir, ses amis se réunissent dans une 'boîte'. Certains sont souriants, décontractés; d'autres, comme le montre le tableau (à droite), sont tendus, mal à l'aise.
Travail à deux Choisissez dans la colonne (ii) le **fait** qui, à votre avis, entraînerait chacune des **conséquences** de la colonne (i).

Exemple:
Paul est jaloux parce que Marie-France flirte avec François.

Dialoguez ensuite comme si un(e) ami(e) interrogeait chacune des personnes indiquées (i). Prenez tour à tour le rôle de l'ami(e). Ne regardez pas la colonne (ii).

Exemple:
– *Dis donc, Paul, pourquoi est-ce que tu es jaloux?*
– *Parce que Marie-France flirte avec François.*

(i) CONSÉQUENCE	(ii) FAIT
Paul est jaloux	les garçons passent leur temps à parler d'un match de football
Maryse ne peut pas bavarder avec ses copines	elles ont l'impression qu'il y aura une bagarre
Pierre a l'air de s'ennuyer	Jeanne n'a pas l'air de s'intéresser à lui
Yvonne et Chantal n'ont personne à qui parler	Marie-France flirte avec François
Les jambes de Catherine lui rentrent dans le corps	la musique ne lui plaît pas
David ne se sent plus seul	il ne connaît pas les amis de Maryse
Michèle et Chantal n'arrivent pas à se décontracter	elle porte des chaussures trop justes
Jean-Paul est déprimé	le groupe joue très fort
Mathieu part avant dix heures	on fait vraiment un effort pour lui parler

(b) **Si** les faits présentés dans le tableau **étaient** différents, les conséquences **changeraient**, elles aussi.
Exercice oral ⟶ ***Travail individuel*** Composez, sous la direction du professeur, **neuf** phrases exprimant ce qui se passerait si la situation était différente. Employez **si + imparfait + conditionnel**.

Exemple:
Si *Marie-France* ***cessait*** *de flirter avec François, Paul ne* ***serait*** *plus jaloux.*

Rédigez maintenant les **neuf** phrases par écrit.

6. Pronoms relatifs: dont

▶ En parlant de Sophie, la journaliste nous dit que personne ne l'attend et que **ses** weekends ne sont rien:

Personne n'attend Sophie **dont** les weekends ne sont rien.

Le pronom relatif **dont** s'emploie ainsi pour exprimer la **possession**. ◀

Dans certains magazines, des lecteurs révèlent, dans le courrier du cœur, comme à droite, leurs problèmes personnels.
Exercice oral ⟶ ***Travail individuel*** Sous la direction du professeur, faites une phrase qui exprime le problème mentionné dans chacun de ces extraits. Employez chaque fois **dont** pour remplacer le **possessif** souligné.

Exemple:
Sophie, ***dont*** *les weekends ne sont rien, reste toute seule.*

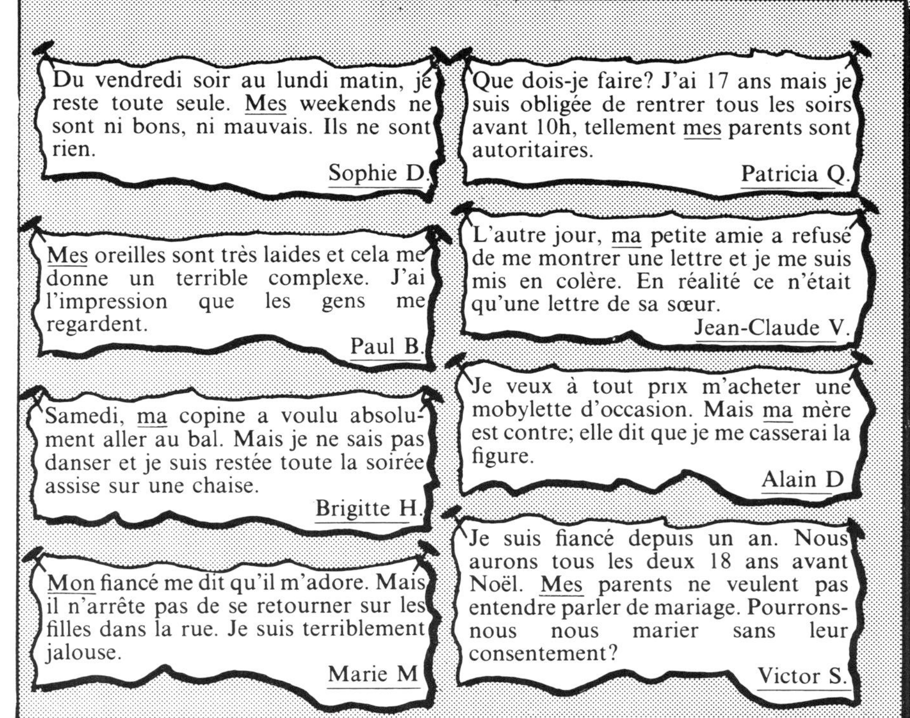

Du vendredi soir au lundi matin, je reste toute seule. Mes weekends ne sont ni bons, ni mauvais. Ils ne sont rien.
Sophie D.

Que dois-je faire? J'ai 17 ans mais je suis obligée de rentrer tous les soirs avant 10h, tellement mes parents sont autoritaires.
Patricia Q.

Mes oreilles sont très laides et cela me donne un terrible complexe. J'ai l'impression que les gens me regardent.
Paul B.

L'autre jour, ma petite amie a refusé de me montrer une lettre et je me suis mis en colère. En réalité ce n'était qu'une lettre de sa sœur.
Jean-Claude V.

Samedi, ma copine a voulu absolument aller au bal. Mais je ne sais pas danser et je suis restée toute la soirée assise sur une chaise.
Brigitte H.

Je veux à tout prix m'acheter une mobylette d'occasion. Mais ma mère est contre; elle dit que je me casserai la figure.
Alain D

Mon fiancé me dit qu'il m'adore. Mais il n'arrête pas de se retourner sur les filles dans la rue. Je suis terriblement jalouse.
Marie M

Je suis fiancé depuis un an. Nous aurons tous les deux 18 ans avant Noël. Mes parents ne veulent pas entendre parler de mariage. Pourrons-nous nous marier sans leur consentement?
Victor S.

Pour finir, rédigez par écrit les huit phrases que vous venez de composer.

ACTIVITÉS

1. Interview et narration: *La routine de Sophie* (La répétition)

▶ Selon l'article d'*Elle*, '**le vendredi soir**, **tous les vendredis soir**, Maryse dit à Sophie: « Bon weekend ».'

Pour indiquer qu'une action **se répète** régulièrement, on emploie des expressions telles que:

le matin, l'après-midi, le soir
tous les jours (sauf . . .)
tous les lundis (matin, après-midi, soir)
le lundi/chaque lundi (matin, etc.)
tous les deux/trois, etc., jours
une/deux, etc., fois par semaine/mois
souvent, régulièrement, toujours.

◀

L'AGENDA DE SOPHIE
OCTOBRE
1 V coiffeur
2 S –
3 D –
4 L Cours de gymnastique
5 M Supermarché
6 M ? Bibliothèque
7 J Laverie. gymnastique
8 V Coiffeur
9 S –
10 D Parents
11 L gymnastique
12 M Supermarché
13 M –
14 J Laverie. gymnastique
15 V Coiffeur
16 S Cinéma
17 D –
18 L gymnastique
19 M Supermarché
20 M ? Bibliothèque
21 J Laverie, gymnastique
22 V Coiffeur
23 S –
24 D Promenade
25 L gymnastique
26 M Supermarché
27 M –
28 J Laverie. gymnastique
29 V Coiffeur
30 S –
31 D –

(a) Pour connaître la vie de Sophie, la journaliste lui aura posé de nombreuses questions, par exemple:

Est-ce que vous allez souvent (chez le coiffeur, etc.)?
Quand est-ce que vous (faites les courses, etc.)?
Vous (sortez, etc.) tous les combien?
Que faites-vous (le matin, le dimanche, etc.)?

L'agenda de Sophie (à droite) montre combien son existence est monotone.

Travail individuel ⟶ ***Travail à deux***
Notez par écrit huit ou neuf questions que la journaliste a peut-être posées à la jeune femme. Référez-vous au texte *Le weekend de Sophie* et à cet agenda.
Imaginez ensuite avec un(e) partenaire la conversation entre Sophie et la journaliste. Basez-vous sur les questions que vous venez de préparer, sur l'agenda de Sophie et sur les formules qui expriment la **répétition** (ci-dessus).

Début possible:

Journaliste	*Parlons un peu d'abord de vos week-ends. Que faites-vous* ***le vendredi*** *après le travail?*
Sophie	*Je ne fais pas grand-chose.*
Journaliste	*Vous n'êtes donc pas pressée de rentrer chez vous?*
Sophie	*Non. Je vais* ***tous les vendredis*** *chez . . .*

Inventez, si vous le voulez, des détails supplémentaires: ce que fait Sophie le matin chez elle, etc.

(b) ***Travail individuel*** Ecrivez deux ou trois paragraphes intitulés *La routine de Sophie*. Employez plusieurs des formules qui expriment la **répétition**.

Début possible:
Tous les vendredis soir*, Sophie quitte le bureau sans enthousiasme. Pour éviter de rentrer trop vite, elle va* ***toujours*** *chez le . . .*

2. Extrait d'article de magazine: *Le weekend de Maryse*

Travail individuel Ecrivez quatre ou cinq paragraphes intitulés *Le weekend de Maryse*: inspirez-vous de l'extrait *Le weekend de Sophie*. Décrivez le logement de Maryse, la façon dont elle passe le weekend, où elle va, les personnes qu'elle voit. Faites allusion aussi à sa famille et à son passé.

9

«C'ÉTAIT VRAIMENT DIMANCHE»

POINTS DE REPÈRE

Dans l'extrait ci-dessous, tiré de *L'Etranger* d'Albert Camus, le narrateur, Meursault, raconte le dimanche qui suit l'enterrement de sa mère.

Travail individuel* ⟶ *Mise en commun Lisez attentivement le texte, puis répondez brièvement par écrit à ces questions:

Où se trouve le narrateur?
Combien de temps, à peu près, se passe-t-il entre le début et la fin de la narration?
Quel est l'état d'esprit du narrateur?
Comment passe-t-il son temps? Pourquoi?
A qui fait-il allusion dans les deux premiers paragraphes?
Ces personnes sont-elles présentes?
Quelles personnes (individus ou groupes) le narrateur voit-il dehors?

Vérifiez avec le professeur vos réponses à ces questions.

Quand je me suis réveillé, Marie était partie. J'ai pensé que c'était dimanche et cela m'a ennuyé:° je n'aime pas le dimanche. Alors, je me suis retourné dans mon lit, j'ai cherché dans le traversin° l'odeur de sel que les cheveux de Marie y avaient laissée, et j'ai dormi jusqu'à dix heures. J'ai fumé ensuite des cigarettes, toujours couché, jusqu'à midi. Puis je me suis fait cuire des œufs et je les ai mangés à même le plat,° sans pain parce que je n'en avais plus et que je ne voulais pas descendre pour en acheter.

Après le déjeuner, je me suis ennuyé° un peu et j'ai erré° dans l'appartement. Il était commode° quand maman était là. Maintenant il est trop grand pour moi et j'ai dû transporter dans ma chambre la table de la salle à manger. Je ne vis plus que dans cette pièce, entre les chaises de paille° un peu creusées,° l'armoire dont la glace est jaunie, la table de toilette° et le lit de cuivre.° Le reste est à l'abandon. Un peu plus tard, pour faire quelque chose, j'ai pris un vieux journal et je l'ai lu. J'y ai découpé° une réclame° des sels Kruschen et je l'ai collée° dans un vieux cahier où je mets les choses qui m'amusent dans les journaux. Je me suis aussi lavé les mains et, pour finir, je me suis mis au balcon.

Ma chambre donne sur la rue principale du faubourg.° L'après-midi était beau. Cependant, le pavé était gras,° les gens rares° et pressés encore. C'étaient d'abord des familles allant en promenade, deux petits garçons en costume marin, un peu empêtrés° dans leurs vêtements raides,° et une petite fille avec un gros nœud° rose et des souliers noirs vernis.° Derrière eux, une mère énorme, en robe de soie° marron,° et le père, un petit homme assez frêle que je connais de vue. Il avait un canotier,° un noeud papillon° et une canne° à la main. Un peu plus tard passèrent les jeunes gens du faubourg, cheveux laqués et cravate rouge, le veston très cintré,° avec une pochette brodée° et des souliers à bouts carrés.° J'ai pensé qu'ils allaient aux cinémas du centre. C'était pourquoi ils partaient si tôt et se dépêchaient vers le tram en riant très fort.

Après eux, la rue peu à peu est devenue déserte. Les spectacles° étaient partout commencés, je crois. Il n'y avait plus dans la rue que les boutiquiers et les chats. Le ciel était pur mais sans éclat° au-dessus des ficus° qui bordent la rue. Sur le trottoir d'en face, le marchand de tabac a sorti une chaise, l'a installée devant sa porte et l'a enfourchée° en s'appuyant des deux bras sur le dossier.° Les trams tout à l'heure bondés° étaient presque vides.

J'ai retourné ma chaise et je l'ai placée comme celle du marchand de tabac parce que j'ai trouvé que c'était plus commode. J'ai fumé deux cigarettes, je suis rentré pour prendre un morceau de chocolat et je suis revenu le manger à la fenêtre. Dans le petit café: « Chez Pierrot », à côté du marchand de tabac, le garçon balayait de la sciure° dans la salle déserte. C'était vraiment dimanche.

● **ennuyer** irritate **traversin** (m) bolster **faire cuire** cook **à même le plat** straight from the dish **s'ennuyer** be/get bored **errer** wander about **commode** convenient **paille** (f) straw **creusé** sagging **table** (f) **de toilette** dressing table **cuivre** (m) (**jaune**) brass **découper** cut out **réclame** (f) advertisement **coller** stick **faubourg** (m) suburb **gras(se)** sticky **rares** few and far between **empêtré** constricted **raide** stiff **nœud** (m) bow **verni** patent leather **soie** (f) silk **marron** brown **canotier** (m) boater **nœud** (m) **papillon** bow tie **canne** (f) walking-stick **cintré** waisted **pochette** (f) **brodée** embroidered pocket handkerchief **carré** square **spectacle** (m) show **éclat** (m) dazzle **ficus** (m) fig tree **enfourcher** sit astride **dossier** (m) back **bondé** crammed **sciure** (f) sawdust

ACTIVITÉS

1. Analyse du texte

Le texte de Camus raconte ce qui se passe à l'**intérieur** de l'appartement, et ce qui se passe à l'**extérieur**. Les deux aspects sont reliés l'un à l'autre par l'observateur, Meursault, par ses impressions et ses réflexions.

Travail en groupe La classe se divisera en au moins deux groupes. Chaque groupe examinera d'abord **un** des sujets ci-dessous, (i) **ou** (ii). Ceci fait, le groupe pourra passer aux **sujets annexes** (iii).

(i) **L'appartement** En relisant ensemble le texte, relevez oralement:

- tout ce que fait le narrateur dans le courant de la journée
- tout ce que voit le narrateur à l'intérieur de son appartement
- toutes les références à d'autres personnes qui se rapportent à l'intérieur de l'appartement.

Mettez maintenant le texte de côté et essayez de retrouver **de mémoire** ces détails.

(ii) **La rue** En relisant ensemble le texte, relevez oralement:

- ce que font les passants, où ils vont, leur physique
- ce que font les habitants de la rue.

Mettez maintenant le texte de côté et essayez de retrouver **de mémoire** ces détails.

(iii) **Sujets annexes** Relevez par écrit dans le texte tous les éléments portant sur:

- le temps qui passe
- le temps qu'il fait
- tout ce qui exprime l'absence, la séparation, le vide.

2. Contrastes et parallèles

Mise en commun ⟶ Discussion Mettez ensemble vos observations sur le texte avec le professeur et les autres étudiants. Ensuite, discutez ces questions:

Quels contrastes et quels parallèles l'auteur établit-il entre ce que fait ou voit le narrateur à l'intérieur, et ce qu'il voit ou entend se passer à l'extérieur?
Quelles impressions générales dégagez-vous du texte?
Y a-t-il une image ou une phrase qui, à votre avis, résume ce qu'est dimanche pour le narrateur?

3. Description: *Une journée ennuyeuse*

Il vous est sans doute arrivé, comme à Meursault, de vous ennuyer. En vous inspirant du texte de Camus, vous évoquerez, individuellement et avec un(e) partenaire, un jour ou un moment d'ennui. Le travail se fera par étapes de la manière suivante.

(a) ***Travail individuel*** Recréez mentalement, avec le plus de précision possible, votre situation, vos impressions, vos émotions, vos gestes. Notez-les, de façon systématique, en énumérant les détails:

- **la situation** — quand cela vous est arrivé – où vous étiez – si vous étiez seul(e) – ce que vous étiez en train de faire – combien de temps cela a duré – si vous étiez conscient(e) du monde extérieur
- **le cadre** — les objets que vous voyiez autour de vous – les sentiments qu'ils vous inspiraient
- **votre activité** — ce que vous avez fait – comment, exactement, vous avez passé le temps
- **le monde extérieur** — si vous aperceviez ce qui se passait dehors – ce que vous entendiez – ce que vous voyiez.

(b) ***Travail à deux*** Demandez maintenant à votre partenaire comment il/elle a vécu le moment qu'il/elle vient de se rappeler. Répondez à votre tour à ses questions. Demandez-lui:

- de décrire l'endroit où il/elle se trouvait, de dire quand et pourquoi il/elle y était
- de raconter tout ce qu'il/elle a fait, et ce qui s'est passé à l'intérieur comme à l'extérieur
- de préciser quelles personnes, présentes ou absentes, ont figuré dans ce moment d'ennui.

(c) ***Travail individuel*** Relisez l'extrait de *L'Etranger* à la lumière de votre analyse du texte (*Activités*, 1). Ensuite, composez quelques paragraphes décrivant le moment d'ennui que vous venez de reconstituer.

UN HÉROS DOUTEUX

Les héros et les scélérats sont souvent créés, en quelque sorte, par les media. C'est le cas, par exemple, de Jacques Mesrine, 'ennemi public n° 1', 'maître du déguisement', qui a réussi de nombreux 'coups' spectaculaires.

10

«JE SUIS MESRINE ...»

«Je suis Mesrine, vous avez sans doute entendu parler de moi.» Le caissier° du casino de Deauville fixe le grand costaud° qui le menace d'un pistolet, et s'évanouit.° C'est le troisième hold-up au cercle de jeux, depuis dix-huit mois. Mais le bandit a sûrement savouré, dans l'émotion de l'employé, un hommage à sa légende.

Mesrine revient en scène

Il est minuit moins dix, ce vendredi 26 mai, lorsque Jacques Mesrine revient en scène. Trois semaines après son évasion° de la prison de la Santé. Mesrine, tout le monde connaît. C'est le tueur qui a longuement raconté ses trente-neuf crimes dans un livre. C'est le truand° qui a déclenché° la colère du président de la République en faisant le mur de sa prison grâce à de troublantes complicités.

Dix minutes avant son entrée au casino de Deauville, Mesrine, ce vendredi soir, s'est présenté au commissariat de la ville. Perruque° rousse° et casquette blanche, il pousse la porte: «Commissaire Dorner, de la brigade des Jeux, clame-t-il, je veux voir l'inspecteur de permanence.—Il est absent.—Je repasserai demain», dit Mesrine, s'éloignant en direction du casino avec un autre homme.

Bravade, calcul, le geste est idiot et inutile. Qu'aurait-il fait de l'inspecteur s'il l'avait trouvé?

Deux inconnus entrent au casino

Le même homme entre au casino, brandissant une carte verte officielle: «J'appartiens au ministère de la Justice, je cherche un tricheur.° » On laisse monter les deux inconnus dans la salle de jeux, au premier étage.

«Notre homme n'est pas là», dit Mesrine, entraînant M. Marzin, le directeur des jeux, à l'écart° afin de lui montrer les pistolets qu'il cache sous sa veste. Très pâle, M. Marzin accompagne les deux hommes à la caisse. Mesrine chuchote° comme une menace: «Je suis Mesrine, vous avez sans doute entendu parler de moi.» Son complice fourre° 70 000 Francs dans un sac en simili-cuir,° tandis que quelque part un doigt appuie sur° une sonnette d'alarme. Décidément, Mesrine joue plus gros qu'il ne gagne. Le butin° compte moins que la renommée . . .

Ils dégainent et tirent

Une voiture de police attend les deux hommes à la sortie. Sans hésiter, ils dégainent° et tirent. En deux minutes, un passant est blessé à la jambe, une jeune fille a la poitrine perforée. Pour sauver sa peau, Mesrine, qui se vante de° n'avoir jamais voulu de mal aux femmes ou aux enfants, tire n'importe où. Les deux truands sont blessés. Ils sautent dans une Simca Rallye blanche, volée dans l'Eure. Ils disparaissent. Sur le front de mer, les enquêteurs retrouvent une crosse° éclatée° de pistolet et des débris de verre de montre. L'un des gangsters est blessé à la main. Des barrages° sont mis en place par les gendarmes dans le Calvados et dans l'Eure. Ils explosent sous les roues de la voiture folle. A Cormeilles, une «voiture relais» les attend. Ils abandonnent la Simca transpercée de balles et tachée de sang. Samedi, à 2 heures du matin, ils franchissent° un barrage à Orbec. Ils abandonnent la deuxième voiture à La Folletière-Abenon.

Leur refuge: une ferme isolée

Cette fois, les deux bandits traqués partent à pied dans la nuit. A l'aube,° dimanche matin, un homme qui promène son chien dans le bois de Ferrières aperçoit deux personnages hirsutes° et visiblement mal en point.° Ils suivent une ligne SNCF désaffectée° pour percer le brouillard. Une estafette° de la gendarmerie arrive. Mesrine sent le danger. Il marche dans une rivière et repère° une ferme isolée en pleins champs, à Saint-Aubin-le-Vertueux.

Il est 6 heures du matin: le couple de cultivateurs s'éveille à peine quand les deux hommes forcent leur porte. D'abord, affalés° sur des chaises, ils récupèrent. Ils sont blessés: Mesrine à la main et à la hanche,° son complice à la jambe. Ils demandent des vêtements et des vivres,° puis obligent le couple à les emmener en voiture. Aplatis° à l'arrière, ils guident leurs otages. Mesrine connaît bien la région. Il fait prendre à son chauffeur forcé des chemins de traverse. Enfin, sur la RN 13 entre Chauffour et Jeufosse (Yvelines), ils descendent.

La chance du diable

Avant de laisser partir ses prisonniers, Mesrine leur a lancé: « Laissez – nous douze heures avant de prévenir° la police, sinon . . . »

Il est 10 heures, les braves gens ont eu peur. Ils ne donnent l'alerte que dimanche soir, à 22 heures. Trop tard pour retrouver la piste.° D'autant que Mesrine a la chance du diable: quand ses otages l'ont déposé dans la campagne, près de Chauffour, il est passé à quelques centaines de mètres du méchoui° annuel des gendarmes de Mantes-la-Jolie, à Mousseaux. Il est vrai que le sort° aurait pu tourner, puisqu'un habitant du bord de la Seine, à Jeufosse, les aperçoit par hasard, vers midi, dans ses jumelles:° les deux hommes se laissent dériver° vers Port-Villez. Et l'on signale une barque° volée à Jeufosse. Deux heures plus tard, des témoins° croient voir Mesrine et son complice à Pressagny-l'Orgueilleux.

Leurs traces sont perdues

Finalement, les traces des deux hommes sont perdues. Ils sont blessés et à bout de fatigue. Mais Mesrine a des amis à Mantes-la-Jolie. Il y a habité à son retour du Canada. Même si le milieu° se méfie de° lui, il est devenu une telle vedette° qu'il doit en imposer aux petits malfrats.° Dans ce monde-là, Mesrine fait rêver et fait peur.

● **caissier** (m) cashier **costaud** (m) tough **s'évanouir** pass out **évasion** (f) escape **truand** (m) crook **déclencher** arouse **perruque** (f) wig **roux (rousse)** ginger **tricheur** (m) cheat **entraîner à l'écart** take to one side **chuchoter** whisper **fourrer** stuff **simili-cuir** (m) imitation leather **appuyer sur** press **butin** (m) loot **dégainer** draw (gun) **se vanter de** pride oneself on **crosse** (f) butt **éclater** splinter **barrage** (m) road block **franchir** go through **aube** (f) dawn **hirsute** dishevelled **mal en point** in bad shape **désaffecté** disused **estafette** (f) van **repérer** spot **s'affaler** slump **hanche** (f) hip **vivres** (m pl) food **s'aplatir** flatten oneself **prévenir** tip off, inform **piste** (f) trail **méchoui** (m) barbecue **sort** (m) fate **jumelles** (f pl) binoculars **dériver** drift **barque** (f) rowing boat **témoin** (m) witness **milieu** (m) underworld **se méfier de** be suspicious of **vedette** (f) 'personality' **malfrat** (m) crook

ACTIVITÉS

1. L'article en détail: un coup audacieux

(a) Le 8 mai 1978, Jacques Mesrine s'est évadé du quartier de haute sécurité de la prison de la Santé. Quelques semaines plus tard, il a réussi l'exploit décrit dans l'article «*Je suis Mesrine . . .* ».

Travail individuel* ⟶ *Mise en commun Lisez attentivement l'article et, à l'aide du tableau ci-dessous, résumez les étapes principales de ce coup. Notez par écrit, de la manière suivante, l'**événement** (ii) et l'**endroit** (iii) qui correspondent à chaque **moment** (i).

MOMENT	ÉVÉNEMENT	ENDROIT
Vendredi 26 mai, minuit moins dix:	Mesrine et son complice attaquent le casino de Deauville; ils partent dans une Simca blanche qu'ils abandonnent	à Cormeilles.

(i) MOMENT	(ii) ÉVÉNEMENT	(iii) ENDROIT
Vendredi 26 mai, minuit moins dix:	● le couple de cultivateurs les dépose sur la RN 13	● à Saint-Aubin-le-Vertueux.
Samedi 27 mai, deux heures du matin:	● Mesrine et son complice attaquent le casino de Deauville; ils partent dans une Simca blanche qu'ils abandonnent	● à Jeufosse.
Dimanche 28 mai, à l'aube:	● Mesrine vole une barque; un habitant voit les deux hommes dans ses jumelles	● à Cormeilles.
Dimanche, six heures du matin:	● des témoins croient voir Mesrine et son complice	● à la Folletière-Abenon.
Dimanche, vers dix heures:	● on les voit sur la ligne SNCF désaffectée dans le bois	● entre Chauffour et Jeufosse.
Dimanche, vers midi:	● à Orbec, ils franchissent un barrage de gendarmerie et abandonnent une deuxième voiture	● à Pressagny-l'Orgueilleux.
Dimanche, deux heures plus tard:	● Mesrine et son complice se réfugient dans une ferme isolée	● de Ferrières.

Comparez maintenant vos notes avec celles des autres étudiants.

(b) Les images ci-dessous correspondent aux étapes principales de l'exploit que vous venez de résumer.

Travail à deux* ⟶ *Exercice oral A l'aide de votre tableau et de ces images, recomposez ensemble, au **passé composé**, l'essentiel de l'histoire.

Début possible:

Le vendredi 26 mai, à minuit moins dix, Mesrine et son complice ***ont attaqué*** *le casino de Deauville . . .*

Ensuite, **en ne regardant que les images**, reprenez l'exercice avec le professeur.

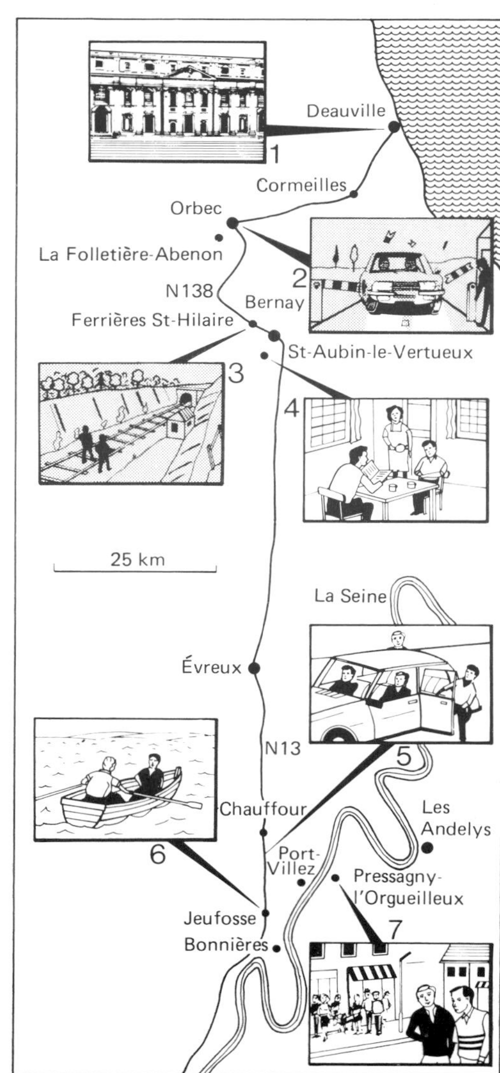

2. Vocabulaire: le hold-up et la fuite

(a) ***Travail individuel*** En vous référant au texte, s'il le faut, trouvez dans la colonne (ii) du tableau présenté à droite le groupe de mots qui accompagne chaque verbe de la colonne (i). Faites une liste des phrases ainsi complétées et mémorisez-les.

Exemple:
Il fourre 70 000 Francs dans un sac en simili-cuir.

(b) ***Travail à deux*** Avec un(e) partenaire, complétez oralement le résumé suivant: choisissez pour chaque blanc, parmi les expressions que vous venez de mémoriser, celle qui convient le mieux. **Ne consultez pas la liste de phrases que vous venez d'établir.**
(N'oubliez pas de faire les changements grammaticaux nécessaires.)

Le 26 mai, à 23 heures 50, Mesrine, avec un complice, arrive au casino de Deauville. Il ______ __ ______ ______ du ministère de la Justice et demande à voir M. Marzin, le directeur des jeux. Quelques instants plus tard, Mesrine ____ ______ ____ ________ _____ _____ sa veste et se dirige vers la caisse où son complice ______ ______ ______ ____ __ ____ en simili-cuir. Mais quelque part un doigt ______ ____ ____ ________ _' ______: une voiture de police attend les deux hommes à la sortie du casino. Sans hésiter, ils ________ __ __________ _ tirer. Blessés eux-mêmes, les deux truands ______ _____ ____ ________ ______ dans l'Eure et disparaissent. A Orbec, deux heures plus tard, ils réussissent à ________ _ ______ ____ __ ______ ____ les gendarmes.
Le lendemain matin, les deux fugitifs forcent la porte d'une ferme isolée. Transi, ______ _ __ _____ __ _ __ hanche, Mesrine demande des vêtements, des vivres, puis il ______ le cultivateur et sa femme _ ____ ______ __ voiture. En descendant, entre Chauffour et Jeufosse (Yvelines), Mesrine ____ ________ __ __ ___ ________ la police avant dix heures du soir, sinon . . . Un peu plus tard, des témoins croient voir les deux hommes à Pressagny-l'Orgueilleux, mais finalement les enquêteurs ________ ____ ______ __ Mesrine et de son complice.

(i)	(ii)
il fourre	dans une voiture volée dans l'Eure
il les oblige	à la main et à la hanche
il saute	un barrage mis en place par les gendarmes
on perd	70 000 Francs dans un sac en simili-cuir
il brandit	et commence à tirer
il leur recommande	les pistolets cachés sous sa veste
il lui montre	de ne pas prévenir la police avant 10 heures du soir
on appuie	les traces de Mesrine et de son complice
il dégaine	la carte verte du ministère de la Justice
il est blessé	à les emmener en voiture
il franchit	sur une sonnette d'alarme

3. Extrait d'un article: *Le roman noir de Jacques Mesrine*

Travail individuel Relisez votre tableau complété (*Activités*, 1) et les phrases que vous venez de composer (*Activités*, 2). Ensuite, complétez de mémoire cet extrait, tiré d'un résumé de la carrière de Mesrine, qui a paru dans un journal français:

UN COUP AUDACIEUX

En s'évadant de la Santé, Mesrine a ridiculisé l'autorité judiciaire. Mais de nouveau libre, il lui fallait des moyens d'existence.
Le 26 mai, c'est-à-dire quelques semaines plus tard, à minuit moins dix, au casino de Deauville, deux hommes sont entrés, correctement vêtus. L'un des deux, Jacques Mesrine . . .

. . . à Pressagny-l'Orgueilleux, mais les traces de Mesrine et de son complice ont été définitivement perdues.
Fin juin, eut lieu l'attaque de la succursale de l'agence de la Société générale du Raincy.

LA MORT D'UN ENNEMI PUBLIC

POINTS DE REPÈRE

Cet enregistrement présente un fait divers qui a soulevé beaucoup d'émotion parmi les Français: la mort de l'ennemi public, Jacques Mesrine.
Travail individuel* ——> *Mise en commun Ecoutez une ou deux fois l'enregistrement avec la transcription à trous (*Livret*, p. 4) sous les yeux. Ensuite, mettez de côté votre transcription. Le professeur repassera la bande; il l'arrêtera plusieurs fois pour vous permettre de noter ce que vous aurez retenu sur:

- **Jacques Mesrine** — son âge, son domicile, ses actes criminels, son amie
- **l'incident principal** — ce qui a été fait, par qui
- **le quartier de Paris** — lieu précis
- **le moment** — jour, heure
- **les conséquences** — pour Mesrine, pour son amie, pour son complice.

Comparez vos notes avec celles des autres étudiants.

DÉCOUVERTE DU TEXTE

1. Le reportage en détail

Travail individuel Ecoutez de nouveau la bande et relevez les informations essentielles en complétant la transcription à trous. Arrêtez la bande quand il le faut.

2. Renseignements précis et imprécis

Comme il doit travailler vite, un reporter de la radio ou un journaliste ne peut pas tout vérifier. Parmi les renseignements fournis dans ce reportage – comme dans d'autres textes de ce genre – certains sont **précis** (ce qui a été fait, où, quand) et d'autres **imprécis** (le nombre de policiers mobilisés, par exemple).
Travail à deux* ——> *Mise en commun Complétez ensemble le tableau à droite en faisant remarquer ce qui est **imprécis** dans chaque renseignement de la colonne (i). Les expressions suivantes vous seront peut-être utiles:

On ne sait pas au juste . . .
Il est impossible de dire (précisément) . . .
On ignore (si) . . .

. . . est incertain(e)/imprécis(e)
. . . est difficile à déterminer

. . . peut-être . . .
. . . environ . . .
. . . à peu près . . .

RENSEIGNEMENT	CE QUI EST IMPRÉCIS
Mesrine a été abattu par une cinquantaine de policiers.	leur nombre exact est incertain
Ils étaient cachés dans plusieurs véhicules banalisés.	
Ils étaient sur ses traces depuis quarante-huit heures.	
Mesrine revendiquait trente-six meurtres.	
L'état de son amie est considéré comme très grave.	
Mesrine s'était évadé de la Santé il y a dix-huit mois.	
Bauer était l'un des derniers complices de Mesrine.	
Bauer a été arrêté quelques heures seulement après l'action de la porte de Clignancourt.	
Mesrine a mobilisé une partie extrêmement importante des services de police et de gendarmerie.	

Comparez ensuite vos appréciations avec celles des autres étudiants.

3. Vocabulaire: l'action policière

(a) ***Travail individuel*** En consultant la transcription que vous avez complétée, faites une liste des mots qui manquent à ce résumé. Ensuite, mémorisez-les.

> Hier, à trois heures et quart de l'après-midi, porte de Clignancourt à Paris, Jacques Mesrine a été ______ par une cinquantaine de ___________ qui étaient cachés dans plusieurs véhicules ___________. Les _____-______ de la Police Judiciaire suivaient Mesrine, qui ___________ trente-six _____ - _____, depuis quarante-huit heures. Lorsque les _______ sont intervenus, Mesrine n'a pas eu le temps de ______ un pistolet: ______ de balles, il s'est écroulé sur le volant de sa voiture. Quelques heures seulement après la mort du ______, l'un de ses derniers ______-_____, Charlie Bauer, a été ______ près de la gare St-Lazare. En _________ plus tard l'appartement de Mesrine, les policiers ont retrouvé des documents et une importante somme d'argent.

(b) ***Travail à deux*** Complétez oralement ensemble le résumé **sans consulter ni votre liste de mots ni la transcription**.

(c) ***Exercice oral*** Avec l'aide du professeur, essayez de reconstituer le résumé **à partir de votre liste de mots seulement**.

À COMPLÉTER, À NOTER ET À MÉMORISER

Expressions et structures
- 15h 15 ⟶ *trois heures et quart de l'après-midi*
  20h 30, lh 05, 12h 30 ⟶ ? (*de même*)
- une ___________ (≃ 50) de policiers
- ils étaient ___ ___ traces (= *ils le suivaient*)
- il part _ weekend
- __ _____ __ (= *conduisant*) sa BMW
- il ____ un pistolet de sa poche
- il est mort criblé __ balles
- son état est considéré _____ grave
- il s'est évadé __ _ _ 18 mois
- Bauer était _' __ ___ complices de Mesrine
- nous l'avons entendu _____ _ _' _____ (= *il y a peu de temps*)

Constructions verbales
- il s'apprêtait __ partir
- il n'a pas eu le temps __ tirer
- elle a échappé __ la mort
- la police s'est débarrassée __ lui

Formes
- central ⟶ pl
- avec prudence ⟶ adv
- directeur (m) ⟶ f
- criminel ⟶ f

Noms et verbes
- directeur (m) ⟶ celui qui _______ les opérations
- revendiquer ⟶ sa ___________ des 36 meurtres
- partir ⟶ son _______ en weekend
- intervenir ⟶ l' ___________ (f) des policiers
- action (f) ⟶ ils ont ____ avec préméditation
- fouiller ⟶ ils ont fait la _______ de l'appartement
- craindre ⟶ les _______ (f) de la police
- évasion (f) ⟶ il s'est ______ de la Santé
- arrêter ⟶ l' ___________ (f) de Bauer
- se débarrasser ⟶ bon _______!

EXERCICES

1. Rapports de temps: l'imparfait + quand . . . /lorsque . . . + le passé composé

▶ Un témoin de la mort de Mesrine a dit à un journaliste:

> «Je **regardais** tranquillement par la fenêtre **quand** des hommes armés **ont surgi** d'un camion bâché.»

Si une action au passé est inachevée au moment où une autre action a lieu, on emploie l'**imparfait** pour l'**action inachevée** (*je regardais*) et le **passé composé** pour la deuxième action (*des hommes ont surgi*). ◀

(a) Les croquis à droite montrent ce que faisaient d'autres témoins quand cette série d'événements a eu lieu.

Exercice oral Sous la direction du professeur, décrivez au **présent** ce que vous voyez dans chaque groupe de deux croquis.

Exemple (n° 5):

> *Il y a une ménagère qui* ***regarde*** *par la fenêtre. Des hommes armés* ***surgissent*** *d'un camion bâché.*

1. *la concierge*

2. *une voisine de Mesrine*

Vous identifierez ensuite celle des deux actions illustrées qui était inachevée lorsque l'autre action a eu lieu.

3. *un homme d'affaires*

(b) ***Travail à deux*** ⟶ ***Travail individuel*** A partir de ces groupes de croquis, composez oralement avec un(e) partenaire la déclaration de chaque témoin. Employez l'**imparfait** (pour l'action inachevée) + **quand . . ./lorsque . . . + le passé composé** (pour l'autre action).

4. *un garçon de café*

Exemple (n° 5):

> «*Je* ***regardais*** *par la fenêtre* ***quand*** *des hommes armés* ***ont surgi*** *d'un camion bâché.*»

5. *une ménagère*

Rédigez ensuite par écrit la déclaration de chaque témoin.

6. *un inspecteur de la brigade antigang*

2. La mise en relief: c'est . . . qui, c'est . . . que

▶ En ce qui concerne l'action de la porte de Clignancourt, **c'est** le commissaire Bouvier **qui** a dirigé les opérations.
Si on veut **mettre en relief** le **sujet** d'une phrase, on peut employer **c'est** . . . **qui** (relatif):

Le commissaire Bouvier a dirigé les opérations. ⟶ **C'est** le commissaire Bouvier **qui** a dirigé les opérations.

Si on veut détacher et **mettre en relief** un **autre élément** de la phrase, on peut employer **c'est** . . . **que** (conjonction ou relatif):

Jacques Mesrine a été abattu porte de Clignancourt à 15h 15 par une cinquantaine de policiers.
⟶ **C'est** à 15h 15 **que** Jacques Mesrine a été abattu . . .
⟶ **C'est** porte de Clignancourt **que** Jacques Mesrine a été abattu . . .
⟶ **C'est** par une cinquantaine de policiers **que** Jacques Mesrine a été abattu . . . ◀

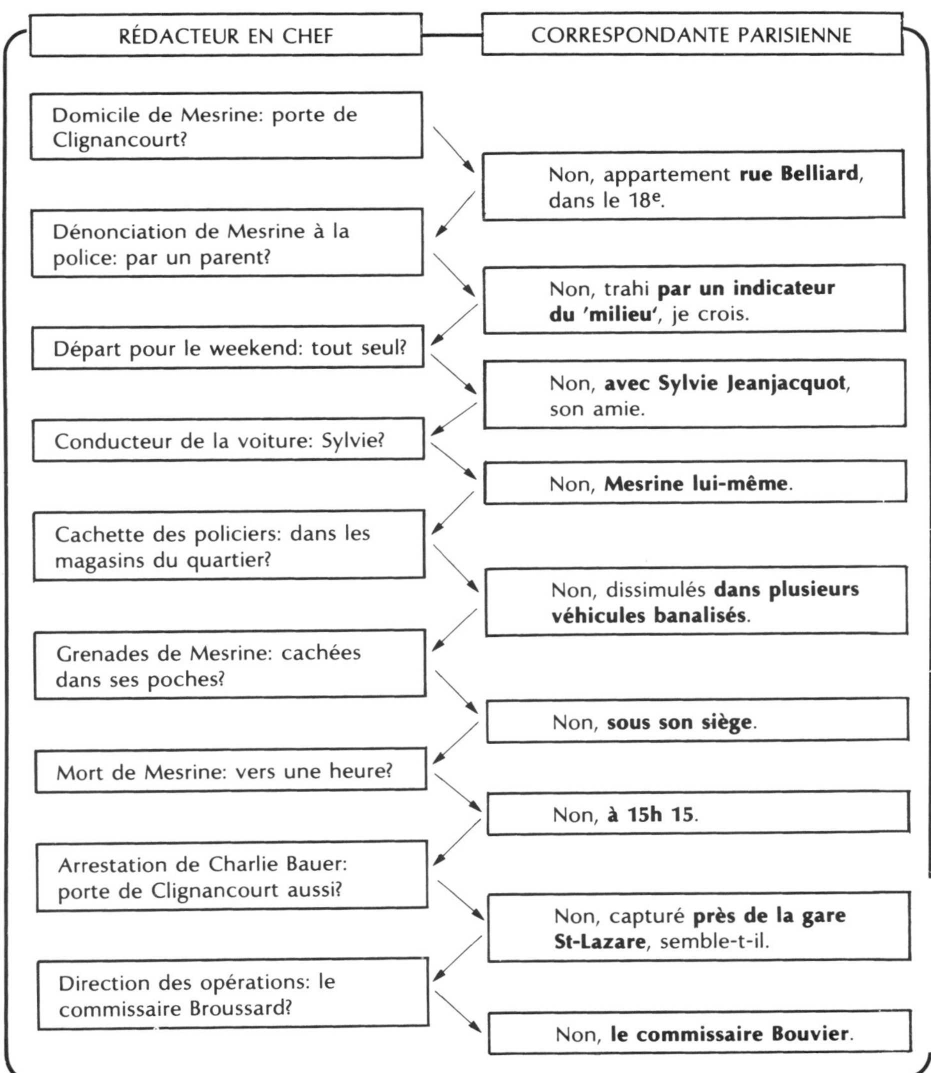

(a) Le rédacteur en chef d'un journal belge vient de recevoir, de plusieurs sources, les premières nouvelles, incomplètes et confuses, de la mort de Mesrine. Il téléphone à sa correspondante à Paris en vue de compléter et de corriger ses informations.

Travail individuel* ⟶ *Exercice oral D'après le schéma ci-dessous (à gauche), notez par écrit les questions du rédacteur belge. Posez-les ensuite au professeur: il répondra pour la correspondante parisienne en **mettant en relief** chaque élément de phrase en caractères gras. (**L'interrogation: Exercices**, 3, p. 7).

Début possible:

Rédacteur	*Est-ce que Mesrine occupait un appartement porte de Clignancourt?*
Correspondante parisienne	*Non,* **c'est** *rue Belliard, dans le 18e,* **qu**'*il avait son appartement.*

(b) ***Travail à deux*** En prenant chacun l'un des deux rôles, reconstituez avec un(e) partenaire cette conversation entre le rédacteur en chef et la correspondante parisienne. La conversation finie, changez de rôle et répétez l'exercice.

3. La durée: imparfait + depuis . . .

▶ **Au moment de l'action de la porte de Clignancourt**, les inspecteurs du commissaire Bouvier **étaient** sur les traces de Mesrine **depuis** 48 heures.
Pour indiquer la **durée** d'une **action inachevée** à un moment donné dans le **passé**, on emploie l'**imparfait + depuis** . . . :

Au moment de l'action de la porte de Clignancourt, (**moment dans le passé**)	ils **étaient** sur ses traces (**action inachevée**)	**depuis** quarante-huit heures. (**durée**) ◀

(a) Le soir du vendredi 2 novembre, un journaliste, qui veut s'assurer de certains faits, interroge le commissaire Bouvier sur les détails de la dernière 'cavale' de Jacques Mesrine.
Exercice oral* ⟶ *Travail à deux Le journaliste (le professeur) vous posera des questions basées sur les détails du tableau ci-dessous: il emploiera l'**imparfait + depuis** . . . Vous répondrez pour le commissaire Bouvier.

Exemple:
Journaliste ***Depuis*** *quand/combien de temps* ***était****-il en liberté, Mesrine?*
Bouvier ***Depuis*** *le mois de mai 1978./* ***Depuis*** *18 mois.*

LA DERNIÈRE CAVALE DE MESRINE

lundi 8 mai 1978	– **Evadé de la Santé, Jacques Mesrine est de nouveau en liberté**
juillet 1978	– Sylvie Jeanjacquot commence à vivre avec Mesrine
mai 1979	– Il loue un studio rue Belliard, sous le nom de Paul Toul
mercredi 24 octobre	– Ayant reçu un appel téléphonique, les inspecteurs de la PJ savent maintenant que Paul Toul est Jacques Mesrine
samedi 27 octobre	– Après avoir découvert sa 'planque', ils commencent à la surveiller
mercredi 31 octobre	– Ils se mettent à filer Mesrine en vue de sa capture
vendredi 2 novembre (en début de matinée)	– Leur embuscade préparée, ils attendent le départ de Mesrine
vendredi 2 novembre 1979 [15h 15]	– **Mort de Jacques Mesrine, porte de Clignancourt**

Reprenez maintenant l'exercice avec un(e) partenaire en jouant tour à tour les deux rôles.

(b) ***Travail individuel*** Rédigez maintenant par écrit **sept** phrases, avec l'**imparfait + depuis** . . . , qui auraient pu paraître dans le reportage du journaliste. Basez-vous sur les détails présentés dans le tableau ci-dessus.

Exemple:
Jacques Mesrine ***était*** *en liberté* ***depuis*** *18 mois.*

4. Le passé simple

▶ Dans un récit écrit, le **passé simple** remplace normalement le **passé composé**. Il s'emploie surtout à la 3ᵉ personne (**il/elle, ils/elles**). Connaissez-vous ces formes? (*Grammaire*, 38, p. 191.)◀

(a) Le 8 mai 1978, le commissaire Devos, nouveau chef de la Brigade anti-banditisme, eut affaire à un fameux client: Jacques Mesrine s'évada de la prison de la Santé.
Travail individuel* ⟶ *Exercice oral En lisant attentivement l'extrait ci-dessous d'un article sur la vie de Mesrine, identifiez tous les verbes employés au **passé simple**. Rédigez une liste de ces verbes au **passé composé**.

Quelle bavure!

Lundi 10h Mesrine sortit de sa cellule faire u promenade surveillée dans la cour. A 10h 15 u surveillant appela Mesrine à haute voix et l'amen au parloir où l'attendait une de ses avocate Souriant, Mesrine demanda au «maton» d'alle chercher dans son dossier un papier que lui deman dait son avocate. En son absence Mesrine saut tout à coup sur une table devant son avocate e ouvrit une grille d'aération. Il en sortit trois pistolets, une corde, un grappin et une bombe anesthésiante. Lorsque le gardien revint au parloir Mesrine avait un pistolet à la main.

Braquant son arme sur le gardien Mesrine l'obligea à l'accompagner dans le couloir. Là, il rejoignit François Besse, qui s'y trouvait comme par hasard, avec deux autres gardiens. Un deuxième pistolet changea de main. Besse tint en échec les gardiens, Mesrine prit leurs clefs et libéra Carman Rives. Puis les détenus obligèrent les gardiens à se déshabiller et mirent leurs uniformes. Enfermant leurs otages dans une cellule les gangsters se précipitèrent hors du quartier de haute surveillance.

Dans la cour ils maîtrisèrent un quatrième gardien avec la bombe anesthésiante, ainsi qu'un ouvrier qui posait des barreaux à certaines fenêtres. Les fuyards s'emparèrent de son échelle avec l'aide de laquelle ils franchirent le mur. Le grappin solidement accroché ils descendirent vers la liberté. Mesrine et Besse s'enfuirent en courant, mais malencontreusement le fusil de Rives, volé à un gardien, se prit dans une plaque fixée au mur. Rives lâcha prise. Il tomba sur un tas de gravats. Deux policiers de garde à l'extérieur accoururent. L'un d'eux abattit Rives d'une balle de 7,65 à bout portant.

A 10h 40 la Police Judiciaire fut prévenue de cette spectaculaire évasion.

Le professeur vous interrogera maintenant, surtout au **passé composé**, sur le déroulement de cette évasion.

(b) Le lendemain de son évasion de la Santé, ces dessins racontèrent, dans un journal français, l'exploit de Mesrine.

Exercice oral* ——> *Travail individuel Relisez l'extrait *Quelle bavure!*. Ensuite, reprenez oralement le récit **de mémoire**, au **passé composé**, à partir des dessins.

Pour finir, avec les dessins sous les yeux, reconstituez le récit par écrit, au **passé simple**, comme dans l'article sur la vie de Mesrine. Référez-vous à votre liste de verbes au passé composé. Ne regardez pas l'extrait *Quelle bavure!*.

1. *Des armes dans une cache*

2. *Un gardien en otage*

3. *Libération de Rives*

4. *Déguisés en gardiens*

5. *Une bombe anesthésiante*

6. *Franchir le mur*

7. *Mesrine et Besse libres*

8. *Mort du 3e homme*

5. Pronoms: y, en

▶ Au parloir de la Santé, Mesrine a ouvert le conduit d'aération, **en** a sorti (**du conduit**) un véritable arsenal qu'on avait pu **y** cacher (**dans le conduit**). Puis il s'est évadé. Personne ne l'**en** avait cru capable (**de s'évader**), mais il **y** a réussi (**à s'évader**).

En remplace **de** (du, des, etc.) + nom/infinitif

Y remplace **à** (au, aux, etc.) + nom de chose/infinitif ou une expression de **lieu** (**dans**, etc.). ◀

(a) Les questions posées à droite se réfèrent à l'évasion de Mesrine (*Exercices*, 4).

Exercice oral En vous basant sur les dessins, et sur l'extrait *Quelle bavure!*, répondez oralement à ces questions. Employez dans chaque réponse **y** ou **en**.

Exemple:
- *Est-ce que Mesrine est entré dans sa cellule à dix heures?*
- *Non, il **en** est sorti.*

1. Est-ce que Mesrine est entré dans sa cellule à dix heures? (*Non, il . . .*)
2. Est-il allé tout de suite au parloir? (*Non, il . . .*)
3. Mesrine et son avocate ont-ils parlé du dossier avant ou après le départ du gardien? (*Ils . . .*)
4. Comment Mesrine a-t-il profité de l'absence du gardien? (*Il . . .*)
5. Les gangsters sont-ils sortis avec précaution du quartier de haute surveillance? (*Non, ils . . .*)
6. Y avait-il beaucoup de gardiens dans la cour? (*Non, il . . .*)
7. Mesrine n'a-t-il pensé à s'évader que ce matin-là, 8 mai? (*Non, il . . .*)
8. Les gangsters avaient-ils réfléchi à leurs moyens d'évasion? (*Oui, ils . . .*)
9. La Police Judiciaire a-t-elle été prévenue de l'évasion longtemps après? (*Non, elle . . .*)
10. Combien d'autres prisonniers Mesrine a-t-il pu libérer? (*Il . . .*)

(b) ***Travail individuel*** Répondez par écrit aux questions sans regarder l'extrait *Quelle bavure!*.

6. Donner son opinion

(a) Mesrine avait souvent dit: «On ne m'aura pas vivant.» Nous savons qu'il était armé d'un pistolet et de deux grenades, mais l'action de la police, porte de Clignancourt, pouvait-elle se justifier?

Travail à deux* ⟶ *Mise en commun Lesquelles de ces déclarations (à droite), prises dans des journaux français, sont **pour** l'action de la police et lesquelles sont **contre**? Classez-les oralement ensemble, puis comparez vos conclusions avec celles des autres étudiants.

(b) Les déclarations que vous venez de classer ont été faites par les personnes présentées ci-dessous.

Travail à deux* ⟶ *Mise en commun Essayez ensemble de déterminer laquelle de ces personnes aurait fait chaque déclaration. Justifiez au besoin votre choix.
Comparez ensuite vos solutions avec celles des autres étudiants.

« La police a outrepassé ses droits en tuant Mesrine avec préméditation. »

« Il aurait été impossible de le prendre vivant. »

« Mesrine était prêt à tuer à tout moment. Les policiers avaient le droit de se défendre. »

« Il aurait pu y avoir des blessés, des gosses peut-être. »

« C'était un assassin: il a eu ce qu'il méritait. »

« Les policiers nous ont rendu service en supprimant un ennemi public. »

« La police a préféré l'efficacité au droit. »

« Les inspecteurs n'avaient pas le droit de tirer sans sommation. »

« Il ne fallait prendre aucun risque pour arrêter un homme que nous savions armé. »

« Ils ne lui ont laissé aucune chance: c'est honteux. »

Suzette Bourgeois, 25 ans, maîtresse d'école

Marc Viguier, 39 ans, assistant social

Jean-Paul Terrier, 40 ans, ouvrier spécialisé

Antoinette Perrin, 50 ans, directrice de lycée

Françoise Roche, 19 ans, étudiante en sociologie

Gérard Morisot, 50 ans, ancien militaire

Monique Le Goff, 22 ans, fiancée à un policier

Sophie Henriot, 27 ans, avocate stagiaire

Maurice Laborde, 43 ans, député gaulliste

Henri Guérin, 48 ans, porte-parole de la Police Judiciaire

▶ Quand on fait une déclaration, on la présente souvent sous forme d'**opinion** en employant l'une de ces formules:

A mon avis . . ./ A mon sens . . .
Pour moi . . .
Personnellement, je . . .
Mon opinion, c'est que . . .
Je trouve/pense, moi, que . . .
J'ai l'impression que . . .
Il me semble (bien) que . . . ◀

(c) ***Exercice oral* ⟶ *Travail individuel*** Le professeur vous demandera tour à tour, comme si vous étiez les personnes présentées ci-dessus, de donner votre opinion sur l'action de la police. Répondez en employant chaque fois une formule d'**opinion**.

Exemple:
Suzette Bourgeois: «**A mon avis,** *il aurait pu y avoir des blessés, des gosses peut-être.* »

Composez ensuite par écrit l'**opinion** qu'auraient pu exprimer **cinq** des personnes en question. Ne regardez pas les déclarations imprimées plus haut (a).

ACTIVITÉS

1. Interview avec le commissaire Bouvier

Un reporter de France-Inter a enregistré une interview avec le commissaire Bouvier sur la mort de Mesrine.

Travail individuel En vous basant sur le texte sonore et sur les exercices 2, 3, 6, rédigez leur conversation.

2. Conférence de presse et reportage radiophonique: *Agression à la prison de Fresnes*

(a) En février 1981, à la prison de Fresnes, un jeune condamné à mort, Philippe Maurice, a grièvement blessé un de ses gardiens. Un reporter de France-Inter a assisté à une conférence de presse donnée par le directeur central de la Police Judiciaire (PJ). Vous trouverez ci-dessous ses notes sur l'agression.

Exercice oral A partir de ces notes, interrogez le professeur (le directeur central de la Police Judiciaire) comme si vous étiez les journalistes présents.

Exemples:

A quelle heure est-ce que l'incident a eu lieu?
Où exactement?

15h 05 - quartier des condamnés à mort (Fresnes) - gardien grièvement blessé ← jeune assassin, PM.

Heure de la promenade quotidienne - PM, pistolet, tiré sur Jacques Bouvier - deux balles (ventre, pied gauche) - PM désarmé ← collègues de JB.
- Gardien blessé, 42 ans, marié, trois enfants, transporté (hélicoptère) → hôpital Henri-Mondor (Créteil), état préoccupant.

Autorités pénitentiaires: double enquête (déroulement du drame, identité de celui/celle → arme à PM).

PM, 25 ans, fils d'agent de police - a tué il y a 15 mois policier parisien - Condamné à mort oct. dernier.

(b) **Travail individuel** Ecrivez, comme si vous étiez le reporter de France-Inter, le texte de son reportage.

Début possible:

« C'est à 15h 05 aujourd'hui, à la prison de Fresnes, qu'un jeune condamné à mort, Philippe Maurice, a grièvement blessé un de ses gardiens . . . »

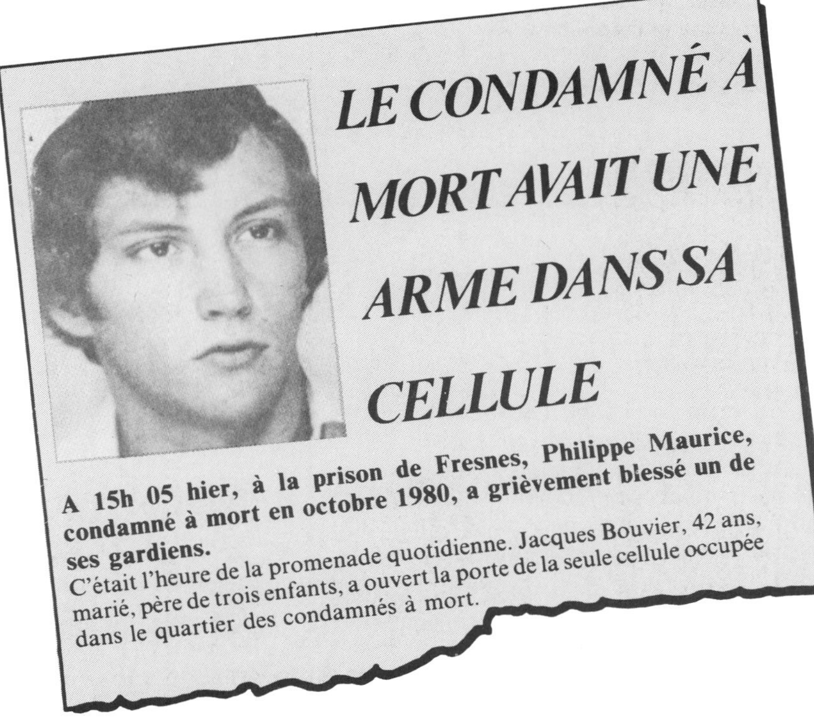

LE CONDAMNÉ À MORT AVAIT UNE ARME DANS SA CELLULE

A 15h 05 hier, à la prison de Fresnes, Philippe Maurice, condamné à mort en octobre 1980, a grièvement blessé un de ses gardiens.

C'était l'heure de la promenade quotidienne. Jacques Bouvier, 42 ans, marié, père de trois enfants, a ouvert la porte de la seule cellule occupée dans le quartier des condamnés à mort.

Révision PARTICIPE PASSÉ Révisez le participe passé de tous les verbes donnés dans le Tableau de verbes (p. 217).

LE MYTHE MESRINE

POINTS DE REPÈRE

L'extrait de reportage radiophonique que vous allez écouter met l'accent sur le caractère de Jacques Mesrine.

Travail individuel* ⟶ *Mise en commun Ecoutez une ou deux fois l'enregistrement avec le résumé à trous (*Livret*, p. 5) sous les yeux. Ensuite, sans regarder le résumé, essayez de noter le plus possible d'informations sur:

- **le caractère de Mesrine (qualités, défauts)**
- **sa première arrestation**
- **son lieu de séjour préféré à l'étranger, son moyen de transport préféré**
- **Mesrine et les policiers**
- **sa vie 'en cavale'**
- **Mesrine et les gardiens de prison.**

Pour finir, le professeur notera au tableau les détails que vous retrouverez ensemble.

ACTIVITÉS

1. Du texte oral à un texte écrit

(a) ***Travail individuel/Travail à deux*** Avec ou sans partenaire, écoutez de nouveau l'enregistrement, puis complétez le résumé à trous. Arrêtez la bande quand il le faut. (Faites attention aux temps des verbes.)

(b) ***Travail à deux* ⟶ *Mise en commun*** Le texte que vous venez de compléter est composé d'une série d'exemples qui illustrent les traits de caractère de Mesrine: ils sont résumés dans les phrases ci-dessous. Avec un(e) partenaire, mettez les phrases dans l'ordre qui suit celui de l'enregistrement:

- Il prenait le plus possible de précautions.
- Il menait une vie disciplinée.
- C'était un criminel peu ordinaire.
- Il dominait ses adversaires sur le plan psychologique.
- Il avait l'esprit systématique.
- Intelligent, il savait tirer des leçons de ses échecs.
- Il savait prendre des risques.

Vérifiez l'ordre des phrases avec le professeur et l'ensemble de la classe.

2. Extrait d'article: *Le mythe Mesrine*

L'appréciation *Le mythe Mesrine* (ci-dessous) a paru dans un quotidien français le lendemain de la mort de Jacques Mesrine.

Travail individuel Ecoutez de nouveau l'enregistrement avec votre résumé complété (*Activités*, 1) sous les yeux. Ensuite, en regardant le moins possible le résumé, complétez le deuxième et le troisième paragraphes de l'article. Illustrez chaque trait de caractère mentionné d'un ou deux exemples pris dans l'enregistrement ou dans les autres textes sur Mesrine que vous avez étudiés. Utilisez, si vous le voulez, les mots et expressions suivants:

d'abord ensuite aussi également finalement	Mesrine l'assassin l'ennemi public ce truand singulier ce gangster chevronné
toujours habituellement quand il le pouvait il avait l'habitude de	par exemple pour ne prendre qu'un exemple on n'a qu'à citer le fait que la preuve en est que

Le mythe Mesrine

«Qu'importe la sentence, elle ne sera que la conséquence de l'existence que j'ai choisi de mener.»

La sentence, c'était la mort, violente, fatale et inéluctable: la longue cavale de Jacques Mesrine a pris fin hier à 15h 15, porte de Clignancourt. Qui était cet homme qui pendant dix-huit mois a mobilisé une partie importante des services de police et de gendarmerie? Un cambrioleur et un assassin, bien sûr. Mais Mesrine était un peu plus que tout cela: c'était un criminel peu ordinaire.

C'était d'abord un homme intelligent qui savait tirer des leçons de chacun de ses échecs. Le 8 mars 1973, par exemple . . .

- *son esprit systématique*
- *sa capacité de prendre des précautions.*

Mesrine savait également prendre des risques . . .

- *sa vie disciplinée*
- *le fait qu'il dominait psychologiquement ses adversaires.*

En fin de compte, cependant, ce soi-disant redresseur de torts, ennemi des riches et protecteur des pauvres, était un assassin, un homme dangereux prêt à tout. Il avait déclaré plusieurs fois que lors de la confrontation finale, *«ce serait à qui dégainerait le premier.»* Les policiers l'ont pris au mot et ils ont eu raison. Jacques Mesrine a nargué les forces de l'ordre pour la dernière fois.

La pluie et le beau temps

Pour le lecteur, l'auditeur ou le téléspectateur moyen, les media sont souvent des sources d'informations pratiques: sur leur travail, leur budget ou leur ménage, sur leurs loisirs ou leurs vacances. On a souvent besoin, par exemple, pour des raisons personnelles ou professionnelles, de consulter le bulletin de la météo pour savoir quel temps il va faire.

13

ACTIVITÉS

LA MÉTÉO AU FIL DES SAISONS

1. La langue de la météo

(a) La météo, la prévision météorologique, a sa langue à elle qui varie selon les saisons. Parmi les expressions présentées à droite, par exemple, lesquelles appartiennent à l'**été**, lesquelles à l'**hiver**, lesquelles aux deux saisons **sans distinction**?

Travail à deux ⟶ Mise en commun Avec un(e) partenaire, vérifiez, s'il le faut, le sens de ces expressions. Ensuite, classez-les de la manière indiquée à droite.

Comparez ensuite votre classement avec celui des autres étudiants.

des tempêtes de neige	il fait très lourd
de la chaleur et de l'humidité	des rafales de vent
un ciel couvert/nuageux	la neige commence à fondre
quelques rayons de soleil	un temps orageux
moins 10 (degrés) sous abri	une tendance au brouillard
les nuages se dispersent	des nuages s'accumulent
des températures élevées	une chaleur accablante
une petite accalmie	des chutes de neige
des orages éclatent	un ciel très chargé de nuages
de la neige mêlée de pluie	de la grêle et de fortes pluies
un temps plus doux	le beau temps persiste
de belles éclaircies	des passages nuageux

Expressions 'météorologiques'

PLUTÔT L'HIVER	ÉTÉ OU HIVER SANS DISTINCTION	PLUTÔT L'ÉTÉ
des tempêtes de neige	un ciel couvert/nuageux	de la chaleur et de l'humidité

(b) Des deux bulletins météorologiques présentés dans le *Livret* (p. 6), le premier a été diffusé en hiver, le deuxième en été.

Travail individuel/à deux Ecoutez l'enregistrement, puis complétez ces bulletins avec ou sans partenaire. Modifiez, s'il le faut, les expressions que vous venez de classer (a). Ensuite, répondez par écrit aux questions ci-dessous.

Vue d'avion la France est aujourd'hui bien blanche. Dans l'Est, c'est hier...

Selon le premier bulletin quel est l'état de la neige aujourd'hui, 22 février:

- dans l'Est?
- sur la Région Méditerranéenne?
- dans l'Ouest?
- en Bretagne?
- en Normandie?
- dans le Nord?

Aujourd'hui en fin d'après-midi une chaleur accablante partout en France, mais des orages...

Selon le deuxième bulletin, quel temps fera-t-il demain, 12 juillet:

- dans le Nord-Ouest?
- dans le Bassin Parisien?
- sur les montagnes de la moitié sud du pays?
- sur la Côte d'Azur?
- dans l'Ouest?

2. Vocabulaire de la météo: hier, aujourd'hui et demain (Temps des verbes)

(a) Au lieu d'écouter la météo à la radio, on consulte souvent une carte météorologique dans un journal, comme celles présentés ci-contre (en haut), marquées **hier**, **aujourd'hui**, **demain**.

Travail individuel ⟶ Exercice oral Trouvez ces informations sans les écrire; selon la carte de gauche, quel temps a-t-il fait hier:

- en Bretagne et en Normandie?
- en Lorraine et Alsace?
- sur les Alpes?
- sur les Pyrénées?
- sur le Massif Central?
- sur les côtes de l'Atlantique?
- sur les côtes de la Manche?
- sur le Bassin Parisien?
- dans le Jura?

Ensuite, sous la direction du professeur, posez tour à tour des questions, et donnez des réponses, sur:

- le temps qu'il **a fait hier** dans telle ou telle région
- le temps qu'il **fait aujourd'hui** dans les mêmes régions
- le temps qu'il **fera demain**.

Exemples:
- *Quel temps* ***a****-t-il* ***fait hier*** *sur les Alpes?*
- *Il y* ***a eu*** *des orages avec de la grêle.*
- *Est-ce qu'il* ***pleuvra demain*** *en Bretagne?*
- *Non, le soleil* ***reviendra*** *et il* ***fera*** *beau.*

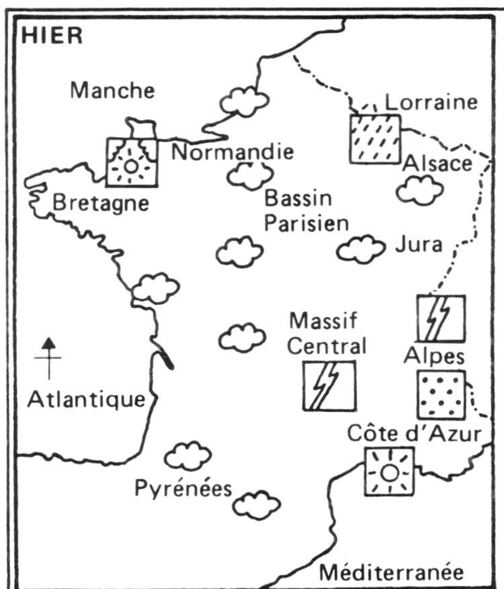

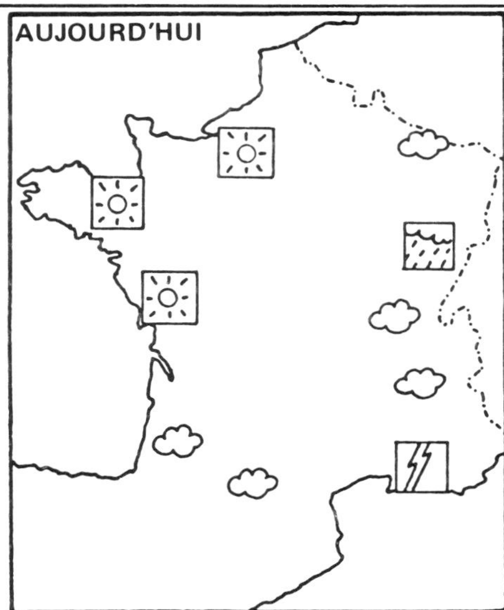

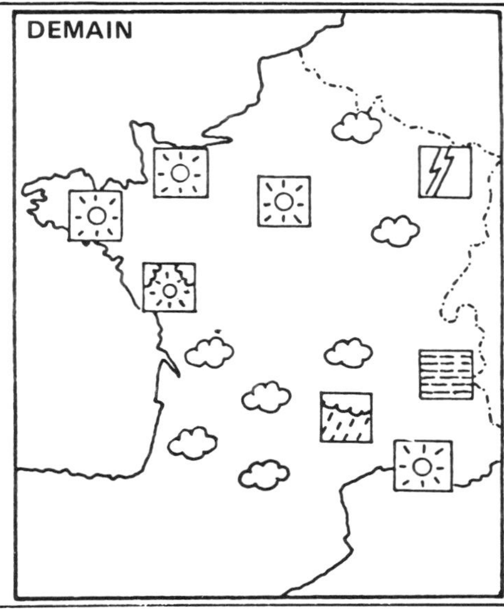

soleil — averses — neige
couvert — éclaircies — grêle
pluie — orages — brouillard

(b) ***Travail individuel* ⟶ *Travail à deux*** Votre partenaire et vous compléterez chacun(e) une des cartes météorologiques (*Livret*, p. 6). L'un(e) d'entre vous choisira **hier**, l'autre **demain**. Sur votre carte, dans chaque case, dessinez un ou deux symboles de votre choix. **Ne regardez pas la carte de votre partenaire**. Ensuite, interrogez-le/la sur le temps qu'il **a fait**/**fera** selon lui/elle dans chaque région. Essayez de dessiner la même carte que lui/elle. Pour finir, comparez vos cartes avec les siennes.

3. Vocabulaire de la météo: des mots qui vont ensemble

(a) Vous avez peut-être remarqué que, dans les bulletins météorologiques, il y a des noms et des verbes qui vont souvent ensemble.

Travail à deux* ⟶ *Mise en commun Dans le tableau (à droite), cherchez oralement, dans la colonne (ii), le ou les **verbes** qui peuvent s'employer avec chaque **nom** de la colonne (i).

Exemple:
*Le soleil **apparaît**/**revient**.*

Comparez ensuite votre classement avec celui des autres étudiants.

(i)	(ii)
le soleil	s'accumulent/se dispersent
les températures	persiste/se généralise
les chaussées/les routes	se développent/sont prévues
des éclaircies/des chutes de neige	est épargnée par la neige
des nuages	sont basses/élevées
la neige/le beau temps	sont dégagées/bloquées
le mistral	éclatent
des orages	apparaît/revient
une région	continue à souffler
du verglas	s'améliore/se gâte
le temps	se forme sur les routes

(b) ***Travail individuel*** En vous reportant au tableau ci-dessus (à droite), complétez par écrit les bulletins qui suivent. Modifiez, s'il le faut, les phrases que vous venez de composer oralement (a).

Aujourd'hui le ciel est couvert partout en France. Mais demain sur les côtes de l'Atlantique le temps va ____'________; ____ ________ se développeront dans l'après-midi les nuages ____ ________, le soleil ________ et les températures seront assez ______. Après-demain ce beau temps va se ________ sur la moitié ouest du pays.

Hier on a relevé des températures très ______ dans le Bassin Parisien et le Nord-Est; attention donc ce matin au ______ qui se forme sur ____ ______. Hier après-midi quelques chutes de neige se ____ ________ sur le Massif Central et sur les Alpes. Pendant la soirée la neige a ________ sur les Alpes, où de nombreuses routes sont déjà ________. Pour le moment, seules la Bretagne et la Normandie sont ________ par cette offensive du froid et les ________ y sont supérieures à zéro.

POINTS DE REPÈRE

Chaque hiver en France, la neige, ou l'imprudence, fait de nombreuses victimes. Mais voici le récit, vrai, de deux jeunes randonneurs, portés disparus dans la neige pendant trois semaines, qui ont réussi à survivre.

Travail individuel* ⟶ *Mise en commun Lisez attentivement l'article de *France-Soir* qui suit, puis répondez par écrit à ces questions:

- Qui sont Hervé et Patricia Ranville (âge, métier, domicile)?
- Pourquoi n'ont-ils pas hésité à repartir le 31 décembre?
- Apprenons-nous quelles précautions ils avaient prises avant leur départ?
- Pourquoi leur expédition a-t-elle mal tourné?
- Combien de temps sont-ils restés dans leur tente?
- Qu'ont-ils fait pour tenir le plus longtemps possible?
- Pourquoi n'ont-ils pas quitté la tente?
- Combien de jours ont-ils mis pour atteindre Servoz?
- Dans quel état y sont-ils arrivés?

Comparez maintenant vos réponses avec celles des autres étudiants.

Les Naufragés de la Neige

Sauvés après 22 jours en montagne par – 15°.

Chamonix. Vendredi 23 janvier.

«Nous sommes Hervé et Patricia Ranville. Depuis le 31 décembre on doit nous chercher dans la montagne. Pouvez-vous prévenir° la gendarmerie de Chamonix que nous sommes sains et saufs° ?»

L'odyssée des naufragés° de la neige, deux instituteurs° de Vernouillet (Yvelines), disparus dans les Alpes depuis 22 jours, s'est terminée jeudi après-midi dans le petit village de Servoz (Haute-Savoie). Epuisés° mais rayonnants° de joie, Hervé (23 ans) et Patricia (22 ans) ont frappé vers 17 heures à la porte d'un chalet. Ils avaient les doigts et les orteils° gelés,° mais ils étaient vivants.

Au prix d'efforts de chaque instant, d'un courage tenace, d'une foi° inébranlable° l'un dans l'autre, ils avaient surmonté° la fatigue, le froid, la faim et la soif.

Le 31 décembre, vers la fin d'une randonnée,° skis aux pieds, dans le massif du Mont Blanc, les instituteurs quittent le refuge du Tour, non loin d'Argentières. Ils y ont passé la nuit, et après un solide petit déjeuner, ils se mettent en route. La météo annonce deux jours de beau temps et ils partent tranquillement avec quatre jours de vivres.° Heureusement pour eux, ils sont bien équipés.

Au cours de l'après-midi, contre toute attente,° le ciel se couvre. Il commence à neiger dru.° Patricia et Hervé sont bientôt pris dans une terrible tempête de neige. A la tombée de la nuit, ils réussissent à monter leur tente et ils attendent de meilleures conditions météorologiques. Ils bivouaquent ainsi dix jours en économisant leurs vivres. Avec leur provision de gaz, ils font fondre de la neige pour boire.

«Quand on entend les avalanches descendre de tous les côtés, dit Hervé, pas question de quitter notre coin à peu près abrité.° »

Sept jours plus tard, dans une éclaircie de quelques minutes, un vrombissement° dans les airs. Ils sortent de la tente juste à temps pour voir passer un hélicoptère: trop tard, on ne les a pas vus. La tempête reprend° tout de suite et va durer.

Alors, le 10 janvier, en pleine tempête, ils prennent finalement la décision de lever le camp° et de rebrousser chemin.° Douze jours de marche pour rejoindre un village. Chaque jour, ils se forcent à marcher plusieurs heures de suite avant de se reposer° encore une fois dans la neige. Les jeunes gens s'affaiblissent;° au bout de quelques jours, ils finissent par se débarrasser de° leur appareil-photo, de leur corde de 40 mètres. A un moment, dans une éclaircie soudaine, Patricia hurle de joie, elle a trouvé des traces de ski toutes fraîches. Mais hélas, ce sont les leurs: ils tournent en rond°. Le dernier jour, ils se remettent en route à 5 heures du matin. Douze heures plus tard, ils atteignent Servoz, ses chalets, son confort.

Aujourd'hui, à l'hôpital de Chamonix, il leur reste à soigner° leurs gelures,° à classer dans leur tête les mille éclats° de leur aventure, avant de repartir, un jour prochain sans doute, sur de nouveaux sentiers difficiles.

● **prévenir** inform **sain(e) et sauf(sauve)** safe and sound **naufragé** (m) castaway **instituteur** (m) primary teacher **épuisé** exhausted **rayonnant** radiant **orteil** (m) toe **gelé** frostbitten **foi** (f) faith **inébranlable** unshakeable **surmonter** overcome **randonnée** (f) hike **vivres** (m pl) food **attente** (f) expectation **neiger dru** snow heavily **abrité** sheltered **vrombissement** (m) throbbing sound **reprendre** start again **lever le camp** strike camp **rebrousser chemin** retrace one's steps **se reposer** rest **s'affaiblir** become weaker **se débarrasser de** get rid of **tourner en rond** go round in circles **soigner** treat **gelures** (f pl) frostbite **éclat** (m) fragment

DÉCOUVERTE DU TEXTE

1. Le déroulement du récit

(a) En interrogeant les instituteurs, le journaliste a sans doute noté chaque **incident** de leur aventure et le **moment** où il a eu lieu.

Travail individuel* ⟶ *Mise en commun Complétez, comme si vous étiez le journaliste, les notes présentées à droite. Relevez dans le texte le **moment** qui correspond à chaque **incident**, ou sa **durée**.

Comparez ensuite vos notes avec celles des autres étudiants.

(b) Pour rendre son récit plus vivant, le journaliste emploie le présent. En réalité, les instituteurs et lui auront utilisé le **passé composé** pour parler de ces incidents.

Exercice oral* ⟶ *Travail individuel Le professeur (le journaliste) vous interrogera sur la série d'événements présentée dans les notes (à droite). Répondez, au **passé composé**, comme si vous étiez les instituteurs.

Début possible:

Journaliste	*C'est bien la veille du Jour de l'An que vous* ***avez quitté*** *le refuge?*
Instituteur(s)	*C'est ça, nous* ***sommes repartis*** *. . .*

Résumez maintenant le récit par écrit, au **passé composé**. Incorporez-y chacun des **onze incidents** (a) et le **moment** où il a eu lieu, ou bien sa **durée**. Ne consultez pas le texte.

Début possible:

Le 31 décembre, après un solide petit déjeuner*, les deux instituteurs* ***ont quitté*** *. . .*

Hervé et Patricia Ranville

1. départ du refuge (le 31 déc., après un solide petit déjeuner)
2. détérioration du temps : neige
3. tente dressée
4. leur bivouac
5. passage d'un hélicoptère
6. reprise de la tempête
7. camp levé
8. appareil et corde laissés dans la neige
9. traces de ski
10. départ le dernier jour
11. arrivée à Servoz

À COMPLÉTER, À NOTER ET À MÉMORISER

Expressions et structures

- on nous cherche ____ __ montagne (= *en montagne*)
- nous sommes _____ __ _____ (= *indemnes*)
- ils avaient ___ doigts gelés
- ils ont fait preuve d' __ courage tenace et d' ___ foi inébranlable
- __ _____ __ (= *pendant*) l'après-midi
- _____ toute __________ (= *alors qu' ils ne s'y attendaient pas*)
- à la ______ __ __ nuit (= *au tomber du jour*)
- juste _ temps ____ (= *pas trop tard pour*) voir passer un hélicoptère
- ils décident de _________ ______ (= *revenir sur leurs pas*)
- ils se reposent ______ ___ ____ (= *de nouveau*) dans la neige

Constructions verbales

- ils ont frappé __ la porte
- ils se mettent __ route
- il commence __ neiger dru
- ils font ______ de la neige pour boire
- ils sortent __ la tente
- ils se forcent __ marcher
- ils se débarrassent __ leur appareil
- elle hurle __ joie
- il leur reste __ se soigner

Formes

- sauf ⟶ f
- instituteur (m) ⟶ f
- beau ⟶ f
- heureux ⟶ adv
- appareil-photo (m) ⟶ pl
- fraîche ⟶ m
- hôpital (m) ⟶ pl
- nouveau ⟶ f

Noms et verbes

- disparaître ⟶ leur ______________ (f) dans la montagne
- épuiser ⟶ dans un état d' ____________ complet
- refuge (m) ⟶ ils se sont _________ dans leur tente
- attente (f) ⟶ on ne _ _________ pas à une tempête ce jour-là
- abriter ⟶ ils n'ont pas quitté leur ____ (m)
- vrombissement (m) ⟶ l'hélicoptère est en train de _______
- passer ⟶ le _______ d'un hélicoptère
- se reposer ⟶ un _____ de quelques heures
- s'affaiblir ⟶ leur ________________ croissant

2. Vocabulaire: une aventure

Au cours d'un voyage d'exploration au Sahara, la land-rover de Jean-Pierre et Sylvie Jacquier, géologues, tombe en panne à plusieurs jours de marche du village le plus proche.

Travail individuel Racontez brièvement leur aventure au **passé composé**: employez le vocabulaire dans le cadre ci-dessous (à droite), en le modifiant s'il le faut. Ajoutez aussi des **mots** ou des **expressions temporelles:** *au cours de l'après-midi, à la tombée de la nuit*, etc.

Début possible:

Les naufragés du Sahara

Le 10 septembre*, vers la fin d'un voyage d'exploration au Sahara, la land-rover de Jean-Pierre et Sylvie Jacquier, géologues,* ***est tombée en panne****.* ***Après*** *un solide repas,* ***ils se*** *. . .*

tomber en panne – se mettre en route à pied – des vivres – une provision de – monter une tente – bivouaquer – lever le camp – rebrousser chemin – plusieurs heures de suite – jours de marche – tourner en rond – s'affaiblir – se débarrasser de – hurler de joie – contre toute attente – rayonnant – épuisé – sain et sauf – prévenir

EXERCICES

1. La narration: le passé simple et l'imparfait

▶ En français écrit, dans un récit sans contact avec le présent, on emploie normalement le **passé simple** pour chacun des **événements** qui constituent le fil de la narration. Pour les **circonstances**, qui existent déjà ou se poursuivent, on emploie l'**imparfait**. ◀

(a) L'incident raconté dans *Les rescapés de l'autoroute* (à droite), comme l'aventure des instituteurs, a eu lieu au mois de janvier, sous la neige. Raconté ici au présent, ce récit a été en réalité rédigé au **passé simple** et à l'**imparfait.**
Exercice oral Notez au tableau, sous la direction du professeur, les verbes qui composent le **fil de la narration**:

Exemples:
1. Ils arrivent 2. M. Boselli interroge 3. . . . .

(b) ***Travail individuel*** Récrivez le récit au **passé** en essayant de retrouver les temps verbaux (**passé simple** ou **imparfait**) du récit original.

2. Le passif du passé simple

▶ Dans la narration en langue écrite, on emploie souvent le **passif du passé simple** pour souligner les conséquences d'une action pour les personnes ou choses concernées:

Les naufragés **furent hébergés, nourris et soignés.** ◀

LES RESCAPÉS DE L'AUTOROUTE

Jeudi 7 janvier, 18 heures, M. et Mme Boselli, Parisiens, remontent en GS vers la capitale. Ils arrivent au péage de Tours. Il neige. M. Boselli interroge l'employé dans sa cabine sur l'état de la chaussée. «Ça roule. Pas de problème.» Mais très vite la situation se gâte. Depuis quelque temps déjà la neige s'épaissit. La GS cependant trouve par un heureux hasard un chasse-neige qui ouvre la route. Une file de voitures se forme bientôt derrière le chasse-neige: la vitesse ne dépasse pas 30 km/h, mais au moins on roule. Au bout de deux heures, hélas, une des premières voitures dérape et bloque la circulation. Le chasse-neige poursuit son lent chemin. La neige tombe de plus en plus dru sur une centaine de voitures bloquées. Le vendredi matin, les sinistrés se trouvent toujours sans secours; il est impossible de s'aventurer à pied. La situation n'est guère rassurante. En fin de matinée, un cultivateur, du haut de son tracteur, voit cette étrange file de véhicules. Il donne l'alerte au village. Mais les chemins sont difficiles à dégager. Ce n'est qu'à 17 heures que les derniers 'naufragés de l'autoroute' atteignent Baudreville où ils sont hébergés, nourris et soignés pendant trois jours: le petit bourg est lui-même touché par la tempête puisqu'il est privé d'eau et d'électricité. Ce n'est que lundi que l'on reprend contact avec le monde extérieur.

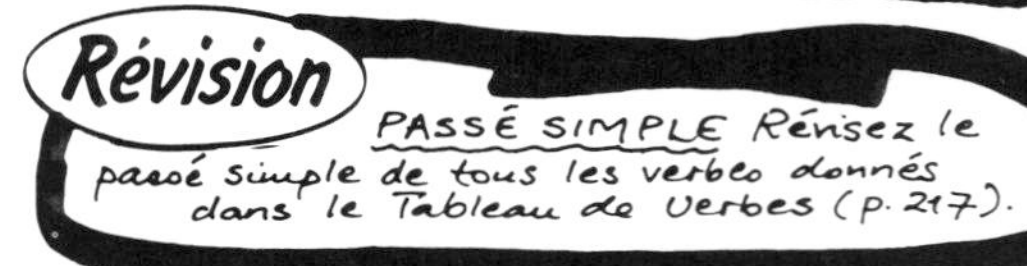
Révision
PASSÉ SIMPLE Révisez le passé simple de tous les verbes donnés dans le Tableau de Verbes (p. 217).

La carte *Alerte blanche* et les notes qui l'accompagnent, révèlent, pour trois jours de janvier particulièrement rigoureux, le bilan de la neige établi plus tard par le service météorologique d'un journal national.
Travail individuel Composez par écrit, au **passif du passé simple**, dix phrases basées sur la carte et les informations.

Exemple:
La collecte du lait ***fut empêchée*** *dimanche, en Normandie, par l'état des routes.*

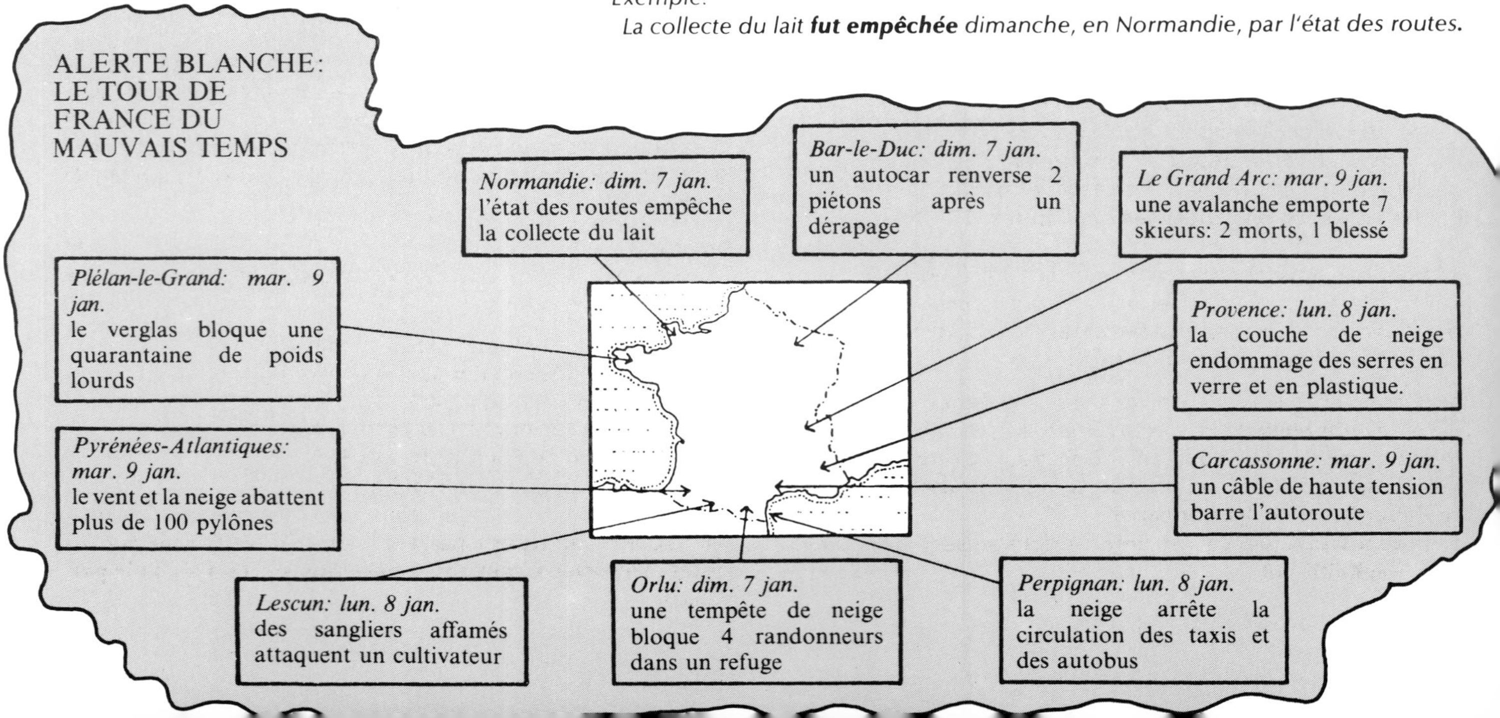

ALERTE BLANCHE: LE TOUR DE FRANCE DU MAUVAIS TEMPS

Normandie: dim. 7 jan.
l'état des routes empêche la collecte du lait

Bar-le-Duc: dim. 7 jan.
un autocar renverse 2 piétons après un dérapage

Le Grand Arc: mar. 9 jan.
une avalanche emporte 7 skieurs: 2 morts, 1 blessé

Plélan-le-Grand: mar. 9 jan.
le verglas bloque une quarantaine de poids lourds

Provence: lun. 8 jan.
la couche de neige endommage des serres en verre et en plastique.

Pyrénées-Atlantiques: mar. 9 jan.
le vent et la neige abattent plus de 100 pylônes

Carcassonne: mar. 9 jan.
un câble de haute tension barre l'autoroute

Lescun: lun. 8 jan.
des sangliers affamés attaquent un cultivateur

Orlu: dim. 7 jan.
une tempête de neige bloque 4 randonneurs dans un refuge

Perpignan: lun. 8 jan.
la neige arrête la circulation des taxis et des autobus

3. Le plus-que-parfait. Commencer/finir par + infinitif

▶ 'Ils **avaient surmonté** la fatigue et le froid', nous raconte le journaliste.
Il emploie ainsi (voyez à droite) **le plus-que-parfait** pour indiquer que l'aventure de Patricia et Hervé **précède un événement au passé** (leur arrivée à Servoz).

Ils **avaient surmonté** la fatigue et le froid. ←	Jeudi ils **ont frappé** à la porte à Servoz. ←	Aujourd'hui ils **sont** à l'hôpital.
(*action précédente*)	(*événement au passé*)	(*temps de la narration*)
Plus-que-parfait	**Passé composé**	**Présent** ◀

(a) Un vendredi au mois de juillet, il y a quelques années, la ville d'Auch, dans le Sud-Ouest, a été dévastée par une inondation. Ce soir-là, à une conférence de presse dirigée par le préfet du département, un reporter a pris les notes présentées à droite.
Exercice oral A partir de ces notes, reconstituez oralement ce qui est arrivé au préfet et à la ville d'Auch.

Début possible:
A neuf heures et quart du matin, le préfet a reçu dans son bureau un coup de téléphone disant qu'un camping était inondé. Il est donc parti . . . .

(b) Pour composer ses notes, le reporter aura posé, et entendu poser, de nombreuses questions au préfet et au commandant de la gendarmerie à Auch, présent lui aussi.
Exercice oral* ⟶ *Travail individuel Le reporter (le professeur) vous interrogera comme si vous étiez le **préfet**, ou le **commandant de la gendarmerie.** Répondez aux questions indiquées ci-dessous en employant chaque fois **le plus-que-parfait.** Consultez les notes présentées à droite.

Exemple:
Reporter *Monsieur le préfet, pourquoi avez-vous quitté votre bureau à 9h 15?*
Préfet ***J'avais reçu** un coup de téléphone disant qu'un camping était inondé.*

Le reporter demande pourquoi:

- le préfet a quitté son bureau (9h 15)
- il a appelé un hélicoptère (10h 20)
- il est reparti pour Auch (11h)
- Auch a été submergé (13h)
- la ville a été laissée 'comme un champ de bataille' (14h)
- les deux jeunes ont construit un radeau (14h 25)
- le gendarme a obtenu un canot (15h)
- les pillards ont pu pénétrer dans la maison (16h 45)
- les militaires ont arrêté les deux frères (17h 10).

Rédigez maintenant par écrit, comme si vous étiez le reporter, neuf phrases contenant les informations que vous venez d'obtenir. **Ne consultez pas les notes du reporter**. Employez chaque fois **le plus-que-parfait.**

▶ Dans *Les naufragés de la neige*, Hervé et Patricia se débarrassent **enfin** de leur appareil-photo: 'ils **finissent par se débarrasser** de leur appareil'. Si on voulait dire qu'ils s'en débarrassent **d'abord**, on pourrait écrire: 'ils **commencent par se débarrasser** de leur appareil'.
Les verbes **commencer** et **finir** se construisent ainsi avec **par + infinitif**. ◀

9h15 Coup de téléphone. Préfet → Camping inondé.
10h Au camping P. propose utilisation de canots pour évacuer campeurs.
10h20 Courant devenu trop fort. P. appelle hélicoptère.
10h45 Hélicoptère commence évacuation.
11h-12h Retour de P. en voiture à Auch.
12h10 Rivière sort de son lit.
12h15 Vague de 10m. traverse Auch.
13h Ville submergée, maisons détruites, voitures entraînées par eau, arbres/poteaux abattus.
14h Eau commence à baisser, ville laissée "comme un champ de bataille".
14h Premiers secours: habitants s'organisent, cherchent dans maisons personnes bloquées, évacuations, soins.
14h25 Voyant vieille femme sur toit, 2 jeunes construisent radeau.
14h50 Jeunes sauvent vieille femme.
15h Entendant crier un bébé, gendarme obtient canot.
15h50 Gendarme évacue enfant.
16h Arrivée convoi militaire, soldats se dispersent.
16h45 4 militaires chassent pillards dans maison abandonnée par propriétaires.
17h10 Soldats arrêtent 2 frères dans camionnette, objets volés dans magasins.
18h Soldats montent la garde sur maisons abandonnées

(c) Les notes du reporter ci-dessus indiquent ce qu'ont fait **d'abord** et **enfin** certaines personnes ou certaines choses.
Exercice oral* ⟶ *Travail individuel En vous référant à ces notes, dites au professeur ce qu'ont **commencé** ou **fini par faire** les personnes ou les choses ci-dessous (*le préfet, la rivière*, etc.)

Exemple:
*Au camping, à 10 heures, le préfet **a commencé par proposer** l'utilisation de canots.*

le préfet au camping (10h, 10h 20)
la rivière à Auch (12h 10, 14h)
les habitants à Auch (14h)
deux jeunes à Auch (14h 25, 14h 50)
le gendarme à Auch (15h, 15h 50)
les soldats à Auch (16h, 18h).

Composez maintenant par écrit **six** phrases basées sur les notes: **trois** avec **commencer par**, **trois** autres avec **finir par.**

4. Voir/entendre + infinitif

▶ Dans *Les naufragés de la neige*, les instituteurs '**voient passer** un hélicoptère'.
Les verbes comme **voir** et **entendre** (vision et audition) sont souvent **suivis** ainsi **d'un infinitif**. Pour éviter que l'infinitif ne termine la phrase, on emploie souvent une inversion:
Ils voient **passer un hélicoptère** (inversion).
Ils entendent **les avalanches descendre** de tous les côtés (sans inversion). ◀

Dans un village de province, au moment des **circonstances** (i) présentées dans le tableau (à droite), vous et d'autres **témoins** (ii), vous avez **vu** et **entendu se passer** les choses décrites dans la colonne (iii).
Exercice oral* ⟶ *Travail individuel Un reporter (le professeur), vous interrogera sur ce que vous avez vu et entendu, vous et les autres témoins. Répondez, d'après le tableau, en employant **voir/entendre + infinitif:**

Reporter *Qu'avez-vous vu le matin de l'inondation?*
Vous *Nous avons **vu** la rivière **déborder** (Nous avons **vu déborder** la rivière).*

UN VILLAGE FRAPPÉ PAR LE MALHEUR

(i) CIRCONSTANCES	(ii) TÉMOINS	(iii) VU ET ENTENDU
Le matin de l'inondation au mois de mai	votre ami(e) et vous	– le torrent grondait dans la montagne – la rivière a débordé – l'eau a envahi les rues du village.
Le jour de la tempête de neige	propriétaires de la vieille maison	– la neige a obscurci les fenêtres – elle s'est amoncelée sur le toit – le toit a craqué.
Quand il a grêlé si fort, un après-midi, l'an dernier	fermière	– des grêlons sont tombés de plus en plus gros – ils ont abattu les plantes au jardin – les grêlons fouettaient les carreaux.
Au moment de l'orage, hier soir	vous-même	– une pluie torrentielle est tombée – des éclairs ont illuminé le paysage – le tonnerre éclatait sans cesse.

A partir du tableau, composez maintenant par écrit **cinq** phrases avec **voir/entendre + infinitif.**

5. L'interrogation directe et indirecte: Qu'est-ce qui . . . ? Qu'est-ce que . . . ?/ Que + inversion ⟶ ce qui/ce que (Plus–que–parfait)

▶ Pour écrire *Les naufragés de la neige*, le journaliste aura posé à Patricia et à Hervé Ranville des questions telles que:

«**Qu'est-ce qui** vous a permis de tenir 22 jours? »
«**Qu'est-ce que** vous avez fait pour tenir 22 jours?»

En **interrogation directe**, on emploie **Qu'est-ce qui . . . ?** (sujet) et **Qu'est-ce que . . . ?** (objet) pour poser une question sur une ou des **choses.**
Remarquez que l'on peut remplacer **Qu'est-ce que . . . ?** par **Que + inversion**:

«**Qu'avez-vous** fait pour tenir 22 jours? » ◀

(a) Les phrases qui suivent rendent compte de ce qui est arrivé au cours de l'aventure de Patricia et d'Hervé.
Exercice oral A partir de ces phrases, posez, comme si vous étiez le journaliste, les questions qu'il faudrait pour découvrir les informations en caractères gras. Le professeur répondra pour Patricia et Hervé. Employez **Qu'est-ce qui . . . ?** ou **Qu'est-ce que . . . ?/Que + inversion.**

Exemple (première phrase):
– ***Qu'est-ce que** vous êtes partis faire dans la montagne?*
– *Une randonnée de ski.*

1. Huit jours avant la tempête, les instituteurs sont partis faire **une randonnée de ski** dans la montagne.
2. Le 31 décembre, ils ont mangé **un solide petit déjeuner** avant de partir.
3. **La météo** les a encouragés à partir tranquillement.
4. **Des nuages** leur ont annoncé l'approche de la tempête.
5. Quand la tempête a commencé, ils ont décidé de **monter leur tente.**
6. **Leur provision de vivres** leur a permis de survivre.
7. **La persistance de la tempête** les a obligés à lever le camp après dix jours.
8. Ils ont dû abandonner en chemin **leur appareil-photo et leur corde.**

▶ Pour rapporter une question en **interrogation indirecte**, on transforme **Qu'est-ce qui . . . ?** et **Qu'est-ce que . . . ?/ Que + inversion** en **ce qui** et **ce que**:

«**Qu'est-ce qui** vous **a** permis de tenir? » ⟶ Il leur a demandé **ce qui** leur **avait** permis de tenir.
«**Qu'est-ce que** vous **avez** fait/**Qu'avez-vous** fait pour tenir?» ⟶ Il a voulu savoir **ce qu**'ils **avaient** fait pour tenir. ◀

Le **plus-que-parfait** remplace ainsi le **passé composé**; la **troisième personne**, *il(s)/elle(s)* etc., remplace la **première** et la **deuxième personnes.**

(b) ***Travail individuel*** Composez par écrit **six** phrases exprimant ce que le journaliste *a demandé, a voulu savoir, n'a pas compris, se demandait*, ou ce que les instituteurs *ont dit, expliqué, raconté*, ou *rapporté*. Employez **ce qui, ce que**.

Exemple (première phrase):
*Le journaliste n'a pas compris **ce qu**'ils **étaient partis** faire dans la montagne.*

ACTIVITÉ

D'un texte littéraire à un article de presse
(a) Voici le récit d'un accident de montagne, tiré d'un article de journal.
Travail individuel* ⟶ *Travail à deux Lisez cet article en tenant compte des **composantes du texte** dans la colonne (i) du tableau présenté à droite. Ensuite, avec un(e) partenaire, complétez la colonne (ii) du tableau, **article de presse**: relevez dans le texte les éléments qui correspondent à chaque composante.

LA MONTAGNE A TUÉ DEUX FOIS

Un groupe de skieurs emporté par une avalanche

C'est la première avalanche tragique de la saison blanche. A la veille des vacances de Noël, la montagne a fait six victimes: deux morts et quatre blessés.

Hier, en début d'après-midi, huit randonneurs de haut niveau, connaissant bien la montagne et ses risques, skiaient dans un couloir de neige à 2 000 mètres d'altitude au-dessus des Arcs (Haute-Savoie). Les chutes de neige du week-end et un brutal redoux favorisaient la formation de masses de neige instables. Soudain, l'une d'elles est partie sous les skis d'un membre du groupe, provoquant une coulée qui a emporté les sept autres randonneurs, le premier skieur n'ayant pas eu le temps d'avertir ses compagnons.

Des gendarmes de haute montagne qui avaient assisté de loin à l'avalanche sont vite arrivés sur le lieu de l'accident. Ils ont dégagé d'abord deux garçons, un autre ayant pu s'en sortir indemne par ses propres moyens avant l'arrivée des secours. Puis ils ont libéré deux filles dont une, gravement blessée, a été transportée par hélicoptère à l'hôpital de Grenoble. Mais il fallut près de deux heures avant que les sauveteurs parviennent à dégager les deux derniers prisonniers de la masse de neige. On a tout essayé pour les ranimer, mais ils avaient hélas cessé de vivre.

Des montagnards victimes de la montagne? On n'ose crier à l'imprudence: on préfère parler de fatalité. Les services de la météorologie avaient pourtant averti les skieurs des risques d'avalanches dans tout le massif alpin.

STRUCTURE D'UN ARTICLE DE PRESSE

(i) COMPOSANTES DU TEXTE		(ii) ARTICLE DE PRESSE	(iii) TEXTE DE TROYAT
INTRODUCTION	– moment de l'année	veille des vacances de Noël	(trois semaines après Pâques)
	– nature de l'accident	avalanche a fait 6 victimes	avalanche a tué 2 alpinistes
	– victimes	deux morts, quatre blessés	deux morts
SITUATION ET PERSONNES	– jour et heure	hier, en début d'après-midi	(hier, vers midi)
	– ce que faisaient les victimes	ils skiaient dans . . .	ils escaladaient une paroi . . .
	– personnes concernées		
	– niveau d'expérience		
	– lieu/situation géographique		
L'ACCIDENT	– origines météorologiques		
	– déroulement		
	– réactions/absence de réaction des skieurs/alpinistes		
SECOURS ET SOINS	– les rescapés qui ont pu se dégager		
	– ceux qui ont été dégagés (indemnes/blessés/morts)		
	– soins de réanimation		
	– évacuation		
	– durée de l'opération de sauvetage		
CONCLUSION	– à qui la faute/qui a couru des risques inutiles		

(b) Voici le récit d'un autre accident, tiré du roman *La neige en deuil* d'Henri Troyat.

Travail individuel Lisez attentivement ce texte (à droite) en tenant compte des **composantes du texte**, colonne (i) du tableau (p. 55). Ensuite, complétez la colonne (iii) du tableau: relevez si possible des informations dans le texte de Troyat, ou inventez, s'il le faut, des détails supplémentaires: heure, date, lieu, etc. (comme ceux qui sont entre parenthèses dans le tableau).

(c) ***Travail individuel*** A partir des éléments relevés (ou inventés) dans le texte de Troyat, colonne (iii) du tableau, composez un article de presse intitulé *La montagne a tué deux fois*. Respectez la structure de l'article déjà analysé (a).

Isaïe Vaudagne, ancien guide de haute montagne, 'un des plus sûrs de la région', se rappelle, en feuilletant son almanach, un accident qui s'est produit plusieurs années auparavant, au printemps. Ce jour-là son frére, lui et trois clients escaladaient une paroi dans le massif alpin.

Une caravane de trois personnes, conduite par lui, avec Marcellin comme porteur, avait été prise sous une coulée de neige. Isaïe avait hurlé l'ordre à tous de se plaquer contre la paroi. Trop tard. Là-haut, une lourde masse scintillante basculait dans le vide et cachait le ciel. Soufflée par l'avalanche, toute la cordée avait roulé sur la pente qui menait au glacier et s'était arrêtée, ensevelie, au bord des premières crevasses. Marcellin et Isaïe avaient pu se dégager sans trop de peine et s'étaient mis, aussitôt, à creuser l'épaisse nappe blanche qui emprisonnait les clients. L'un d'eux, légèrement recouvert, était indemne. Les deux autres, écrasés sous quatre mètres de neige compacte, avaient péri étouffés. Isaïe se rappelait sa rage devant les corps inanimés: le rhum versé dans les bouches, les mouvements de respiration artificielle, les gifles appliquées sur les joues molles et froides. Le rescapé, un jeune Anglais, riait nerveusement et agitait ses mains telles des marionettes. Il semblait à Isaïe que ces éclats de rire, il les entendait toujours, mêlés à la plainte du vent.

LE DRAME LE PLUS CRUEL

POINTS DE REPÈRE

L'incident tragique, dont vous allez écouter le reportage, comporte, avec des informations, des conseils pour ceux qui partent faire de l'alpinisme en été.

Travail individuel* ⟶ *Mise en commun Ecoutez une première fois l'enregistrement, avec la transcription à trous (*Livret*, p. 7) sous les yeux. Essayez de retenir le plus possible des informations suivantes:

- moment
- nombre de victimes
- conditions météorologiques
- ceux qui sont tombés les premiers
- pourquoi les autres alpinistes se sont décrochés
- longueur de la chute
- conséquences
- opérations de sauvetage (qui? quand?)
- précautions qu'on aurait dû prendre.

Ensuite le professeur vous demandera de donner le plus possible de ces détails sans regarder la transcription; il les écrira au tableau.

ACTIVITES

1. Le reportage en détail

Travail individuel/à deux Avec ou sans partenaire, complétez la transcription à trous en écoutant l'enregistrement.

2. Interview: un sauveteur raconte

En réalité, ce reportage est fondé sur des interviews menées, sur place et par la suite, par un correspondant de France-Inter.

Exercice oral En reprenant les indications (*Points de repère*), le professeur (le correspondant) vous posera des questions. Vous répondrez comme si vous étiez une des personnes sur place qui ont aidé au sauvetage.

Début possible:

- *A quel moment est-ce que vous vous êtes rendu compte qu'il se produisait un accident?*
- *J'escaladais la paroi non loin de là et j'ai entendu un cri.*
- *Et l'accident, vous l'avez vu? . . .*

Chamonix le 21 juillet
Vers 14h, avant-hier, nous avons reçu, ici à Chamonix, un message radio transmis par un de nos collègues dans le massif du Mont Blanc. Nous sommes tout de suite partis en hélicoptère pour

3. Compte rendu de l'accident

Au cours de l'enquête sur l'accident, on a demandé à chacun des sauveteurs d'en rédiger un compte rendu.

Travail individuel Décrivez par écrit l'accident, et l'opération de sauvetage, comme si vous étiez un des gendarmes de haute montagne de Chamonix. Commencez votre compte rendu, si vous le voulez, de la manière indiquée ci-dessus.

QU'EST-CE QU'UNE INFORMATION ?

La station d'épuration responsable de la pollution de l'Issole ?

Ainsi que nous l'avons relaté en page départementale, dans notre édition d'hier, cinq à six mille truites sont mortes, victimes d'une importante pollution ayant contaminé 1.4 kilomètres de la rivière

secteur, situé en aval de la s aucune vie ne subsiste, il fa au moins trois ans pour re-peupler correctement cette zone.
En ce qui co

Huit jours après les violences

100 VOYOUS ATTAQUENT le commissariat d'Armentièr

ARMENTIERES, 8 septembre.

Trois gardiens de la paix blessés, neuf manifestants arrêtés et qui, hier soir, étaient toujours en garde à vue, des dégâts importants : c'est le bilan de l'attaque «sauvage» du commissariat de police d'Armentières (Nord). la nuit dernièr voyous la plup

Les deux garçons sont conduits dans les locaux la police qui se trouvent rez-de-chaussée de l'ho ville. Leur interrogat commence. C'est alors centaine de jeunes de dix-huit à vingt environ, se ra vant le

Le père a poignardé l'amoureux de 17 ans

Arnauld DINGREVILLE

Il aimait trop sa fille, une gamine de treize ans. Il ne supportait pas qu'elle sorte avec un petit ami. Dimanche à minuit, il s'est battu avec le garçon. De trois coups de couteau, il a tué Eric G....... dix-sept ans.

« Ma fille était trop jeune » a-t-il déclaré

il n'a pas trouvé de travail il décidé de devancer l'approche devait partir au mois de vier pour faire son dans la marine.» En il est responsable loisirs qu'il amé camarades. C'es

Electrocuté par sa canne à pêche

Adrien Duvillard blessé

CHAMONIX — L'ancien champion de ski, Adrien Duvillard, a été légèrement blessé, hier matin, dans l'accident de son avion, en Haute-Savoie. L'appareil survolait un alpage à 1.650 mètres d'altitude au-dessus de la commune de Combloux, lorsqu'un incident technique provoqua un piqué. Un gardien de troupeau a vu

J'étais dans un train « rapide »

20 h de Briançon à Paris

Bernard PIVETEAU

Dix heures de retard. Un voyage qui a duré vingt heures trente pour faire huit cents kilomètres : de la gare de Mondauphin-Guillestre, près de Briançon, à Paris-Bercy. C'est le temps que j'ai mis avec l'express « 5790 » pour traverser « la France en blanc.»
Tout avait commence samedi alors que, sous la neige, nous attendions, à Mondauphin, le

UN ENFANT TUÉ SUR CE M

Près de Valenciennes, le «circuit des neiges» a fait une v

VALENCIENNES, mardi.
«Mais pourquoi est-ce arrivé à cette voiture? se lamente M. Charles Leroux. Il y en avait des vides sur mon manège ...
Le propriétaire du «Circuit des neiges» est effondré. A la ducasse de Wallers-Aremberg (Nord), près de Valenciennes, une des vingt-deux voitures de son manège a brisé son arbre de roue, s'est disloquée et le jeune Adam Magda, 14 ans, a été tué

Il était 22 heures, dim soir. Toute la famille sauf le père, mineur s'entassait dans du «Circuit des mère, Arlette son fils Adam 21 ans et ci. Denis Le

De nouvelles hausses de l'essence et du fuel

Le super à 4,60 F

Jacques de DANNE

à partir du 10 septembre

Nouvelle augmentation du prix des produits pétroliers. Dès le 10 septembre prochain, l'essence, le fuel et le gazole vont voir leurs tarifs révisés à la hausse, dans une proportion de six à neuf centimes par litre.

naire passera de 4,20 F à 4,29 F le litre.
Le fuel et le gazole, pour leur part, augmenteront de six cent-

terminée. Loin s'en faut. On doit s'attendre, dans les mois à venir, à de nouvelles hausses.
Selon le BIP (B l'industrie pétro

et de 12 centimes par li fuel et de gazole.
Une fois encore, le gou ment à choise de prendre charge cette différence p pas mettre en danger un

DE L'INCIDENT À L'INFORMATION

«qu'est-ce qui fait qu'un incide n'importe quel incident devient un événement une information?»

oui euh l'événement est quelquefois par lui-même une information de par son importance le le dérangement qu'il occasionne au... public...

«est-ce que vous pourriez nous donner un exemple précis?»

un exemple précis euh supposons euh un accident euh grave un accident mortel euh d'un cycliste qui se fait renverser par une voiture...

ACTIVITÉS

1. De l'incident à l'information: un journaliste parle

(a) Pour quelles raisons tel ou tel **incident** devient-il un 'événement' digne d'être une **information**? Dans l'enregistrement que vous allez entendre, un journaliste d'*Ouest-France* nous confie ses réflexions.

Travail individuel* ⟶ *Mise en commun Ecoutez une première fois cet enregistrement avec la transcription à trous (*Livret*, p. 8) sous les yeux. Ensuite, notez vos réponses à ces deux questions:

> Quel est le sujet de cette conversation?
> Quels sont les deux incidents que décrit le journaliste?

Comparez vos réponses avec celles des autres étudiants.

(b) Les deux incidents dont parle le journaliste illustrent ce qu'est, selon lui, un événement qui devient une information.

Travail individuel En écoutant la bande, complétez la transcription à trous.

(c) De façon instinctive, le journaliste met en évidence certains des facteurs qui guident sa conduite professionnelle.

Travail à deux* ⟶ *Mise en commun Relisez avec un(e) partenaire la transcription que vous venez de compléter et notez vos réponses à ces questions:

> Quels sont, d'après le journaliste, les facteurs qui font qu'un incident est par lui-même un événement, une information? (*sa première réplique*)
> Qu'est-ce qui fait que son premier exemple ne constitue pas un événement? (*sa deuxième réplique*)
> Qu'est-ce qui fait que le deuxième incident dont il parle constitue un événement? (*sa deuxième réplique*)

Discutez vos idées avec le professeur et l'ensemble de la classe.

2. De l'incident à l'information: quelques critères

(a) Dans sa première réplique, le journaliste répond en termes très généraux à la question qu'on lui pose. D'après certains spécialistes, il y a des facteurs précis qui font que tel ou tel **incident** devient un événement, une **information**:

- l'incident est dramatique
- l'incident est récent
- l'incident se rapporte à une question d'actualité
- l'incident sort de l'ordinaire
- l'incident touche la vie de beaucoup de lecteurs
- l'incident touche la vie d'une personnalité connue
- l'incident a été suivi en exclusivité par un seul journaliste
- l'incident a donné lieu à des photos exceptionnelles.

Le titre et le début d'un reportage donnent souvent une bonne idée de la raison pour laquelle tel ou tel incident a paru dans le journal.

Travail à deux* ⟶ *Mise en commun Lisez ensemble les débuts de reportages à la page 57. A votre avis, lequel/lesquels des facteurs présentés ci-dessus a/ont fait que chacun des incidents dont ils parlent est devenu une information? Notez vos idées sur cette question; discutez-les ensuite avec le professeur et l'ensemble de la classe.

(b) Les facteurs présentés ci-dessus (a) s'appliquent aussi aux informations télévisées.

Travail individuel* ⟶ *Discussion Essayez de vous rappeler quatre ou cinq incidents qui, au cours de la dernière semaine, ont figuré aux informations télévisées. Notez par écrit ces exemples, puis présentez-les à l'ensemble de la classe: le professeur en dressera une liste au tableau.

Pour finir, identifiez ensemble le/les facteurs qui, dans chaque cas, a/ont fait que l'incident en question est devenu une information. Ajoutez au besoin d'autres critères à la liste de facteurs déjà présentée.

3. «C'est un miracle.»

(a) Le journaliste a donné l'exemple de la petite fille qui tombe du septième étage, parce que c'est un incident sur lequel il avait lui-même fait une enquête. Dans cette partie de l'enregistrement, il parle des différentes étapes de son enquête.

Travail individuel/à deux Avec ou sans partenaire, écoutez cet extrait, puis remettez les étapes de l'enquête (ci-dessous) dans l'ordre qui suit celui de l'enregistrement. Arrêtez et repassez la bande quand il le faut.

- Il s'est rendu aussitôt sur les lieux.
- Il a photographié la maison.
- Il a fait son travail de journaliste à ce moment-là.
- Il déjeunait chez des amis.
- Il est allé tout de suite à l'hôpital pour prendre des nouvelles de la gosse.
- Il a appris tout à fait par hasard ce qui s'était passé.
- Il a vu les parents et les voisins.
- Il a réagi en professionnel de l'information.
- Il a rendu visite à la petite fille dans sa chambre d'hôpital.

(b) Son enquête terminée, le journaliste a écrit un article qui, accompagné de photos, a paru le lendemain dans *Ouest-France*. Quelques jours plus tard, le journal a publié une photo de la petite fille dans sa chambre d'hôpital.

Travail individuel Rédigez, en la complétant, la légende de la photo (ci-dessous) à partir des renseignements contenus dans l'article du journaliste.

BRIGITTE (3 ans)
de La Roche-sur-Yon
tombe du 7e étage

De petite fille connue seulement de ses parents – ils habitent au numéro 103 du HLM de la cité de Forges – et de ses voisins, Brigitte Gautier est devenue hier le sujet de conversation des Yonnais bouleversés par cette chute qui aurait pu et dû, selon les lois naturelles, être mortelle.

Tomber de 30 mètres sur une dalle de ciment et n'avoir qu'une fêlure au bassin!

Des voisins de M. et Mme Gautier ne pouvaient cacher leurs larmes lorsqu'hier nous leur parlions de Brigitte. Ses petits amis et voisins d'immeuble, les enfants de M. et Mme Meradet étaient bouleversés. « *Nous n'avons pas dormi de la nuit*, disaient-ils. *Seule Nadine, compagne de jeux de Brigitte et de quelques mois son aînée, ne se rendait pas compte de ce qui s'était passé . . . ni surtout de ce qui aurait pu être* ».

Brigitte Gautier avait été choyée par ses parents le 8 octobre dernier pour sa fête. C'en sera une bien plus grande lorsque, dans quelques jours, elle rentrera de l'hôpital.

Ouest-France, 8 octobre

____ A DÉJÀ OUBLIÉ
SA ____ DU 7me ____

Quoi de plus émouvant que le sourire de cette ____ ____ âgée de ____ ___ qui, il y a ____ jours, est ____ du _ ___ d'un ____ sur une ____ _ ____. Alors que cette ____ aurait _ ___ ____, la radio n'a révélé qu'une ____ _ ____. Brigitte ____ a quitté hier _ ' ____ et retrouvé son petit lit. Sa maman pourra bientôt oublier cette minute atroce où . . . (*à vous de compléter cette dernière phrase*)

Ouest-France, 20 octobre

4. Reportages: échange de renseignements

(a) En faisant son enquête sur Brigitte Gautier, le journaliste est allé voir les parents et les voisins de la petite fille. Il leur aura sans doute posé de nombreuses questions, car tout reportage, comme vous le savez déjà (*Exercices*, 3, p. 7), est basé sur les réponses à des questions telles que:

QUOI?	*Qu'est-ce qui est arrivé?*
OÙ?	*Où est-ce que l'incident a eu lieu?*
QUAND?	*Quand est-ce que cela s'est passé?*
QUI?	*De qui s'agit-il?*
nom?	*Comment s'appelle-t-il/elle?*
âge?	*Il/Elle a quel âge?*
métier, etc?	*Que fait-il/elle dans la vie?*
POURQUOI?	*Pourquoi est-ce que l'incident s'est produit?*
COMMENT? et après?	*Comment les faits se sont-ils déroulés?*
ET POUR FINIR?	*Comment l'incident s'est-il terminé?*

Le professeur vous distribuera, à vous et à votre partenaire, un fait divers différent: un de ceux qui paraît dans le Livret (p. 9) ou un autre.

Travail individuel* ⟶ *Travail à deux Mémorisez les questions présentées à gauche. Ensuite, lisez attentivement votre article et soulignez les renseignements qui correspondent à ces questions.

Pour finir, interrogez votre partenaire sur son article en lui posant des questions du même ordre: notez par écrit ses réponses. Répondez à votre tour à ses questions.

(b) ***Exercice oral*** Communiquez maintenant au professeur les renseignements que vous venez d'acquérir. Il vous interrogera sur l'article de votre partenaire en reprenant les questions que vous avez posées entre vous.

VENDREDI 11 FÉVRIER 1966

OUEST France

0,30 F

Justice et Liberté

BRETAGNE - NORMANDIE - MAINE - ANJOU - POITOU

Directeur général honoraire : Paul HUTIN-DESGRÉES   Directeur général : Louis ESTRANGIN

VENDÉE-EST

Gros comme une mouche
L'HELICOPTERE DE LA RELEVE

Vu de la vedette «Capitaine-Mourain» de la gendarmerie, l'hélicoptère qui va relever les deux gardiens du phare des Barges n'est pas plus gros qu'une mouche. L'opération très délicate sera pourtant menée à bien en dépit de l'état de la mer et des vagues qui battaient la petite jetée.
(Photo H. Fesaix)

L'un des deux gardiens du phare des Barges (Vendée):
65 JOURS ENTRE CIEL ET MER

UNE OPÉRATION DÉLICATE

POINTS DE REPÈRE

Dans l'extrait que vous allez entendre, enregistré en mai 1981, le journaliste d'*Ouest-France* parle d'un incident qu'il a couvert dans une vedette de sauvetage au large de la côte vendéenne.

Travail individuel* ——→ *Mise en commun Lisez la légende de la photo (p. 60, en bas), puis écoutez une première fois l'enregistrement avec la transcription à trous (*Livret*, pp. 10–11) sous les yeux. Ensuite, le professeur le repassera, en arrêtant plusieurs fois la bande; cette fois, sans regarder la transcription, notez, dans n'importe quel ordre, ce que vous aurez retenu sur:

- **la situation**
  - date approximative
  - endroit
  - temps qu'il faisait
  - personnes en question (où elles étaient/depuis quand)
- **l'opération**
  - intention
  - moyen de transport choisi
  - difficultés
- **la participation du journaliste**
  - situation par rapport à l'opération principale
  - compagnons
  - leur rôle
  - rôle du journaliste
  - conséquence pour le journal.

Comparez vos notes avec celles des autres étudiants.

(i) NARRATION ORALE	(ii) NARRATION ÉCRITE
euh j'ai . . . eu l'occasion de partici-per il y a . . . une dizaine d'an-nées / à un petit à un fait divers / un fait divers qui était le suivant (ll.2–4)	
et cette opération-là / je l'ai couverte . . . entièrement euh en photos / texte et photos évidem-ment (ll.32–34)	j'ai couvert entièrement cette opération en texte et photos
après avoir euh sérieusement euh/ comment travaillé la question quand même (ll.36–37)	
et j'avais pris place/dans une petite vedette de sauvetage/une vedette euh SNS/avec deux gendarmes euh spécialisés (ll.39–42)	
et j'avais entre autres une des pho-tos qui était curieuse/qui représen-tait euh l'arrière du bateau/bien dans le plan euh en quelque sorte euh horizontal par rapport à la photo/ . . . et à quarante-cinq de-grés/la ligne d'horizon (ll.59–61, 65–66)	

DÉCOUVERTE DU TEXTE

1. Le témoignage en détail

Travail individuel/à deux Avec ou sans partenaire, écoutez encore une fois l'enregistrement et relevez les informations essentielles en complétant la transcription à trous.

2. La narration orale et écrite

(a) Le journaliste nous dit qu'il a participé à ce fait divers **«il y a . . . une dizaine d'années»**. En réalité, cette opération a eu lieu **quinze ans plus tôt**, en février 1966. En racontant oralement les faits, sans pouvoir les vérifier, le témoin modifie inconsciemment certains détails.

Travail individuel* ——→ *Mise en commun Voici certains détails tirés de son article qui a paru dans *Ouest-France*. Dans son témoignage oral, ces détails sont-ils les mêmes ou différents? Relevez dans votre transcription ce que dit le journaliste dans chaque cas:

- il a participé *en février 1966* à un fait divers (ll.2–3)
- les gardiens devaient rester au phare *pendant un mois* (l.12)
- l'un des deux gardiens n'avait pas été relevé *depuis 65 jours*, l'autre *depuis 24 jours* (l.13)
- il y avait au pied du phare *une petite jetée* (ll.15–16)
- il a passé de ce reportage *cinq photos* dans le journal (ll.53–55).

Comparez vos idées avec celles des autres étudiants.

(b) Si le journaliste s'exprimait par écrit, il n'y aurait pas les hésitations, les ruptures, les reprises de son témoignage oral.

Travail à deux* ——→ *Mise en commun Complétez la colonne (ii) du tableau (à gauche) en transposant en **langue écrite** les éléments d'information donnés en **langue orale** dans la colonne (i).

Comparez ensuite votre tableau complété avec celui des autres étudiants.

3. Vocabulaire: une opération délicate

(a) ***Travail individuel*** Relisez la transcription que vous avez complétée: faites une liste des mots et expressions qui manquent au résumé suivant. Ensuite, mémorisez-les.

A cause de ___ ___ qui durait depuis une vingtaine de jours, les services officiels ont décidé d'envoyer ___ ___ de la Protection Civile pour ___ deux ___ ___ ___ qui étaient prisonniers en pleine mer depuis plus de 60 jours.

L'hélicoptère a dû ___ ___ sur la jetée au pied ___ ___ avec le rotor ___ - ___ et à chaque fois qu'une ___ ___ venait ___ la jetée il a dû se relever de quelques mètres.

Cette opération s'est effectuée sous la surveillance d' ___ ___ ___ ___ SNS où il y avait un journaliste et deux gendarmes habillés ___ ___ ___ ___ ___-___. Comme il y avait ___ ___ ___ autour du phare, la vedette n'a pas pu en approcher à moins de 200 mètres.

La ténacité et le sang-froid du pilote ont permis d'achever l'opération sans accident.

(b) ***Travail à deux*** Complétez oralement ce résumé **sans consulter ni votre liste de mots et d'expressions ni la transcription**.

(c) ***Exercice oral*** Avec l'aide du professeur, essayez de reconstituer le résumé **à partir de votre liste de mots et d'expressions seulement.**

4. Qu'est-ce qu'une information?

Pour quelles raisons cet incident est-il devenu une information? Quels facteurs ont influencé la décision du journaliste ou du rédacteur en chef?

Travail individuel* ⟶ *Discussion Consultez la liste de facteurs qui a déjà été présentée (p. 58). Lesquels de ces facteurs – ou quels autres – sont intervenus dans l'incident des gardiens de phare? Relisez votre transcription et notez vos idées. Ensuite, discutez vos conclusions avec le professeur et l'ensemble de la classe.

À COMPLÉTER, À NOTER ET À MÉMORISER

Expressions et structures

- ___ exemple
- il a participé _ cet incident
- __ quelque ___ (= *pour ainsi dire*) prisonniers
- __ pied __ phare
- ils se sont précipités ___ le phare
- il y avait 40 mètres _ faire
- il a ___ ___ (= *s'est installé*) dans la vedette
- __ ___ de plongée (= *habillé pour la plongée*)
- _'__ était pilote _' ___ plongeur (= *le premier . . . le second*)
- _ moins __ deux cents mètres __ phare
- __ cas __ il y ___ (= *si par hasard il y avait*) un pépin
- il a pris _'excellentes photos
- ___ rapport _ (= *relativement à*) la photo

Formes

officiel ⟶ f	sérieux ⟶ adv
gardien (m) ⟶ f	plongeur (m) ⟶ f
prisonnier (m) ⟶ f	curieux ⟶ f
rouleau (m) ⟶ pl	vertical ⟶ pl
évident ⟶ adv	

Noms et verbes

- participer ⟶ la ___ du journaliste
- durer ⟶ la ___ de leur veille
- envoyer ⟶ l' ___ (m) d'un hélicoptère
- relever ⟶ la ___ des gardiens
- submerger ⟶ la ___ de la jetée
- autorisation (f) ⟶ on l'a ___ à y aller
- s'habiller ⟶ l' ___ (m) d'un plongeur
- approcher ⟶ à l' ___ (f) de la vedette
- promenade (f) ⟶ ils se sont ___ en bateau
- photo(graphie) (f) ⟶ il a ___ l'operation

EXERCICES

1. L'intonation déclarative

▶ Ecoutez encore une fois l'enregistrement à partir de «et il y avait au pied du phare» (l.15) jusqu'à «pouvait se poser . . . l'hélicoptère» (l.17). Cette partie du texte (à droite) illustre bien la 'musique' de l'**intonation déclarative**. Dans la phrase déclarative normale, la voix monte à la fin de chaque groupe rythmique et descend à la fin de la phrase. ◀

(a) ***Exercice oral*** Sous la direction du professeur, répétez par groupes rythmiques l'extrait du texte mentionné ci-dessus. Ensuite, mémorisez la phrase présentée à droite en la prononçant. N'oubliez pas d'en respecter **l'intonation déclarative.**

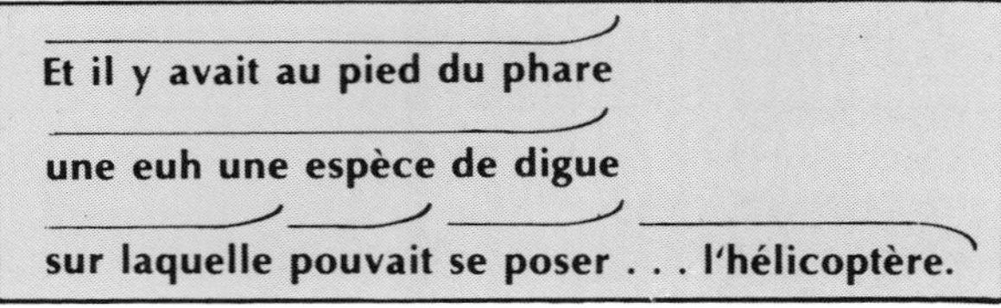

Il y avait une espèce de digue
sur laquelle on pouvait poser l'hélicoptère.

(b) Les Le Goux ont passé les vacances en Bretagne dans une villa qu'ils avaient louée. Peu après leur retour, un ami a demandé aux différents membres de la famille s'il y avait quelque chose qu'ils avaient spécialement apprécié dans la villa ou dans ses environs. Le tableau ci-dessous (à droite) présente leurs réponses.

Exercice oral Répétez ensemble la question et la réponse présentées à droite en respectant l'intonation indiquée.

Prenez ensuite, tour à tour, le rôle de chaque membre de la famille et répondez aux questions de l'ami (du professeur). N'oubliez pas de respecter l'intonation indiquée dans l'exemple.

(c) ***Travail à deux*** Reprenez l'exercice avec un(e) partenaire en jouant tour à tour le rôle de l'ami.

Ami ***Il y a quelque chose que vous avez spécialement apprécié là-bas?***

M. Le Goux ***Oui. Il y avait une piste sablonneuse sur laquelle on pouvait jouer aux boules.***

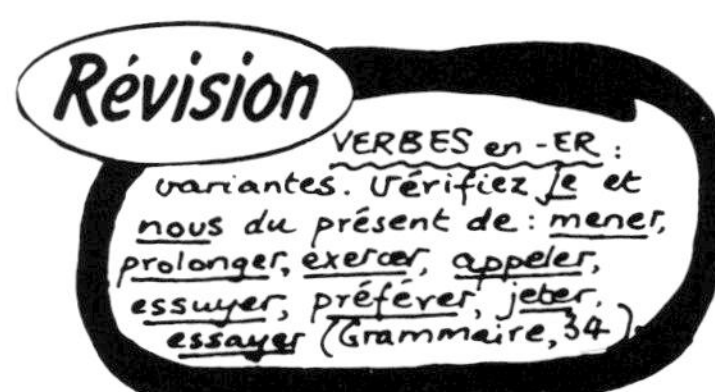

VACANCES EN LOCATION

PERSONNE	ÉLÉMENT APPRÉCIÉ	RAISON
Monsieur Le Goux	une piste sablonneuse	on pouvait y jouer aux boules
Madame Le Goux	une belle falaise	elle pouvait y promener le chien
Alain Le Goux	un genre de balcon	on pouvait s'y étendre au soleil
Claire Le Goux	une place bordée d'arbres	on pouvait y danser le soir
Grand-père Le Goux	un vieux banc rustique	il pouvait y fumer la pipe
Claude Le Goux	une petite plage	on pouvait y jouer au football

2. Le conditionnel du passé

▶ Si la mer n'avait pas été mauvaise, les gardiens du phare **seraient retournés** en bateau aux Sables-d'Olonne à la fin de leur mois de veille.
On emploie ainsi le **conditionnel du passé** pour parler d'une possibilité qui ne s'est pas réalisée dans le passé.◀

Exercice oral ⟶ ***Travail individuel*** Sous la direction du professeur, posez entre vous les questions suivantes et inventez, à partir du texte sonore, des réponses qui conviennent.

Exemple:
– *Qu'est-ce qui se serait passé s'il n'y avait pas eu de tempête?*
– *Les gardiens* ***auraient quitté*** *le phare à la fin de leur mois de veille.*

Qu'est-ce qui se serait passé:
1. s'il n'y avait pas eu de tempête?
2. s'il n'y avait pas eu d'hélicoptère dans la région?
3. s'il n'y avait pas eu de jetée au pied du phare?
4. si une des vagues avait atteint l'hélicoptère?
5. si le journaliste n'avait pas eu d'autorisation?
6. s'il n'était pas parti dans la vedette?
7. s'il y avait eu un 'pépin' au cours de l'opération?
8. si la vedette s'était approchée du phare à moins de 200 mètres?
9. si le journaliste n'avait pas assisté à cette opération?

Rédigez maintenant par écrit vos réponses à ces questions.

3. Pronoms relatifs: préposition + lequel, etc.

▶ Le journaliste nous apprend qu'il y avait au pied du phare **une digue sur laquelle** on pouvait poser l'hélicoptère.
Après une **préposition**, on emploie ainsi le **pronom relatif lequel**, etc., surtout pour représenter une chose:

la digue sur laquelle on pouvait poser l'hélicoptère
les journaux (**m**) **parisiens auxquels** il a envoyé son article
le micro au moyen duquel il a enregistré leur témoignage.

La forme du pronom relatif varie selon le **nombre** et le **genre** du nom. Avec **auquel**/**auxquel(le)s** et **duquel**/**desquel(le)s** la préposition se combine au pronom.
(On peut employer **où** au lieu de **sur lequel, dans lequel**, etc.:

Il y avait une digue **où** on pouvait poser l'hélicoptère.)◀

(a) Les déclarations présentées à droite ont été faites par ceux qui ont participé à l'incident raconté dans le texte sonore *Une opération délicate*.
Travail individuel* ⟶ *Exercice oral Lisez attentivement ces déclarations. Ensuite, en les modifiant, inventez, sous la direction du professeur, une phrase pour accompagner chacun des croquis ci-dessous. Incorporez dans vos phrases les **prépositions** en caractères gras + **lequel**, etc.

Exemple (n° 1)
*Voici le phare **dans lequel** André Girard a passé plus de 60 jours.*

(b) ***Travail individuel*** Rédigez maintenant ces huit phrases par écrit.

J'ai passé plus de 60 jours **dans** le phare des Barges.

André Girard,
gardien de phare

Je suis arrivé au phare **dans** un bateau de la gendarmerie nationale.

Raymond Bo
gardien de p

J'ai téléphoné **à** la base de La Rochelle.

Marius Lenoir,
fonctionnaire

Nous avons effectué la relève des gardiens **au moyen d**'un hélicoptère «Bell».

Raymond Dupres
pilote d'hélicopté

J'ai dû descendre **sur** une jetée presque submergée par les vagues.

René Millot,
mécanicien

J'ai arrêté la vedette **près d**'une bouée à cloche.

Pierre Lammer,
pilote de vedett

J'ai dû faire attention **aux** récifs pour mon collègue qui pilotait la vedette.

Maurice Micallef,
homme-grenouille

J'ai pris d'excellentes photos **avec** mon appareil Nikon.

Hubert F
journalis

4. La fréquence

(a) Dans l'article rédigé par le journaliste d'*Ouest-France*, nous apprenons que chaque jour André Girard, gardien chef du phare, jouait aux cartes avec son compagnon. Le tableau *La vie d'un gardien de phare* (ci-contre) présente d'autres exemples de ses activités pendant les quatre semaines de veille.
Exercice oral Sous la direction du professeur, décrivez ce que vous voyez dans chaque croquis de la colonne de gauche du tableau.

Exemple:
Le gardien de phare vérifie la condition des lanternes.

▶**Chaque jour**, selon le journaliste, André Girard jouait aux cartes avec son compagnon. **Chaque jour** appartient à une série d'expressions qui marquent la **fréquence**, telles que:

chaque jour/tous les jours
normalement/d'habitude
souvent
quelquefois/de temps en temps
rarement
ne . . . jamais

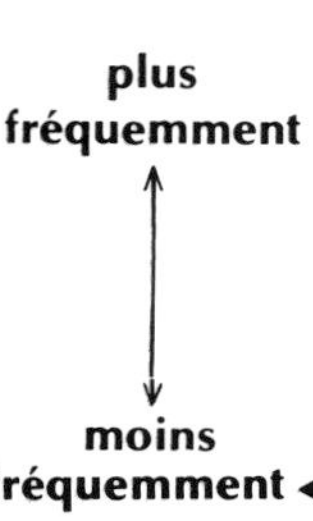

(b) ***Travail individuel*** En vous basant sur le tableau à droite, rédigez par écrit une série de phrases sur les activités du gardien de phare. Incorporez dans chacune une expression de **fréquence** appropriée.

Exemple:

Le gardien/Il vérifie la condition des lanternes ***tous les jours****.*

(c) Un journaliste (le professeur) interroge André Girard sur ses activités pendant les quatre semaines de veille.

Exercice oral Répondez pour André Girard en vous basant sur le tableau *La vie d'un gardien de phare*. Employez des expressions de fréquence qui conviennent. **Ne consultez pas les phrases que vous venez de rédiger.**

Début possible:

Journaliste	*En quoi consiste votre travail pendant cette période de veille?*
André Girard	*Eh bien, par exemple, je dois vérifier* ***tous les jours*** *la condition des lanternes.*
Journaliste	*Ah bon? Et c'est tout ce qu'il y a comme entretien? . . .*

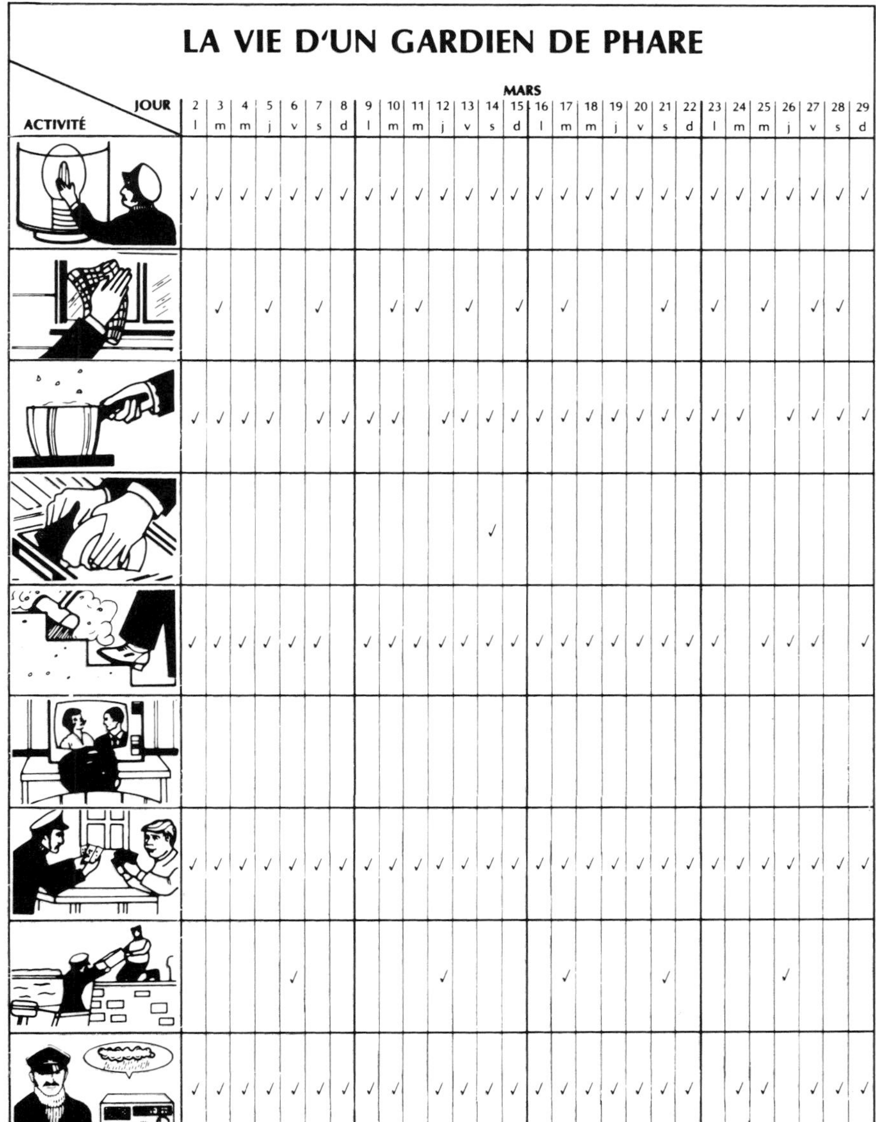

LA VIE D'UN GARDIEN DE PHARE

JOUR / ACTIVITÉ	MARS 2 l	3 m	4 m	5 j	6 v	7 s	8 d	9 l	10 m	11 m	12 j	13 v	14 s	15 d	16 l	17 m	18 m	19 j	20 v	21 s	22 d	23 l	24 m	25 m	26 j	27 v	28 s	29 d
	✓	✓	✓	✓	✓	✓	✓	✓	✓	✓	✓	✓	✓	✓	✓	✓	✓	✓	✓	✓	✓	✓	✓	✓	✓	✓	✓	✓
		✓		✓		✓			✓	✓		✓		✓		✓				✓		✓		✓		✓	✓	
	✓	✓	✓	✓		✓	✓	✓	✓		✓	✓	✓	✓	✓	✓	✓	✓	✓	✓	✓	✓	✓		✓	✓	✓	✓
													✓															
	✓	✓	✓	✓	✓	✓		✓	✓	✓	✓	✓	✓	✓	✓	✓	✓	✓	✓	✓	✓	✓		✓	✓	✓		✓
	✓	✓	✓	✓	✓	✓	✓	✓	✓	✓	✓	✓	✓	✓	✓	✓	✓	✓	✓	✓	✓	✓	✓	✓	✓	✓	✓	✓
					✓						✓					✓				✓					✓			
	✓	✓	✓	✓	✓	✓	✓	✓	✓		✓	✓	✓	✓	✓	✓	✓	✓	✓	✓	✓		✓	✓		✓	✓	✓

ACTIVITÉ

Extrait de journal intime

Au début du mois de février, André Girard, gardien chef du phare, commence un journal intime pour tuer le temps.

Travail individuel Ecrivez, comme si vous étiez André Girard, la première page de ce journal intime. Vous pouvez parler:

- de vos réflexions sur votre période de présence (depuis le 8 décembre)
- du temps qu'il fait, de la condition de la mer
- du travail que vous avez fait au cours de la semaine précédente (*Exercices*, 4)
- de ce que vous faites pour passer le temps (*Exercices*, 4)
- de votre moral (ennui, repas sans variété, radio quelquefois en panne)
- de ce que vous ferez dès votre retour à la maison.

Début possible:

Le 1er février. Voici maintenant plus de 50 jours que je suis au phare. Presque deux mois de présence continue! J'attendais la relève le 8 janvier, mais Pierre Yvonnou s'était cassé la jambe et il était incapable de prendre le relais.

18

POINTS DE REPÈRE

Voici l'article d'*Ouest-France* écrit par le journaliste dont vous avez déjà étudié le témoignage. Ici, le titre en tête de chaque paragraphe a été supprimé.
Travail individuel* ⟶ *Mise en commun Lisez attentivement l'article, puis pour chaque case numérotée trouvez, dans cette liste, le titre qui convient:

- **Trois rotations**
- **La relève impossible**
- **Les vivres embarqués**
- **Une mission délicate**
- **Le moral en baisse**
- **Un coup de téléphone.**

Comparez vos solutions avec celles des autres étudiants.

65 JOURS ENTRE CIEL ET MER

1.

Il est arrivé au phare des Barges le 8 décembre 1965. Un bateau l'y a déposé, avec des caisses° de vivres. Il a retrouvé là un compagnon et relayé° le troisième homme. Et puis, plus rien: chaque jour, l'entretien,° le foyer,° le temps que l'on tue avec son compagnon de veille,° une belote,° la radio, quand elle marche. Aujourd'hui, elle est en panne.°

André Girard devait rester aux Barges pendant un mois. C'est le régime.° Ils sont trois à se relayer à tour de rôle: un mois de phare et 15 jours de terre et on repart. Le 8 janvier, rien! Et pour cause: son remplaçant, Pierre Yvonnou s'était cassé une jambe. André Girard devait «rempiler° ». D'ailleurs, le temps ne permettait pas aux bateaux d'approcher pour la relève.

2.

Le 16 janvier, pourtant, la mer s'est calmée. Un bateau a pu entrer dans l'étroit goulet° du phare. Un homme en est descendu: Raymond Bouhier, 43 ans. Le compagnon d'André Girard a regagné la terre. On a dit au gardien chef: «Encore quelques jours et on t'amène quelqu'un pour prendre le relais ».

Depuis, la mer n'a pas permis. Aucun pilote n'a voulu risquer de fracasser° la carcasse de son bateau contre la jetée des Barges et André Girard a vu passer les jours et les nuits, interminables. Le moral baissait.° La perspective du record absolu de présence continue dans le phare n'y faisait rien. Ce sont des records dont on aime parler, mais après coup. Le pain commençait à manquer et les menus en conserves° n'amélioraient° pas la situation.

3.

Hier matin encore la mer était mauvaise. Pour relever André Girard et son compagnon, il ne restait qu'une solution: l'hélicoptère. La Protection civile a pris l'affaire en mains. Un coup de téléphone de la préfecture de la Vendée, à la base de la Protection civile de La Rochelle, a suffi. A 13 h., la silhouette rouge d'un hélicoptère se profilait dans le ciel des Sables-d'Olonne. Aux commandes,° M. Raymond Dupressoire, chef de base, accompagné de M. René Millot, mécanicien. Un tour de reconnaissance autour du phare. Deux silhouettes agitaient les bras. Enfin !

Il fallait attendre la basse mer,° à 13 h. 25, pour que l'aire d'atterrissage° de fortune° établie sur la jetée des Barges, soit praticable.

4.

Le Q.G.° de l'opération, c'était le grand espace situé derrière le centre de marée aux Sables. L'hélicoptère se posa. Les caisses de vivres étaient prêtes: des petits pois, des pommes de terre, de la viande, du pain et du pâté pour le chat. Prêts aussi les deux hommes de la relève: MM. François Debayle et Yves Leberre.

On embarqua les vivres et le «Bell » décolla° avec ses deux occupants de la base de La Rochelle.

➔

Sous l'œil vigilant des gendarmes

En un saut de puce,° l'hélicoptère atteignait facilement le phare, mais la petite vedette de la gendarmerie, le «Capitaine-Mourain», eut beaucoup de mal à prendre la mer, afin d'assurer la sécurité de l'opération délicate de transbordement° des hommes et du matériel.

A bord, deux hommes d'équipage° et un journaliste étaient quelque peu ballottés° par une forte houle°; mais les gendarmes Lammer, pilote, et Micallef, homme-grenouille, connaissaient leur métier.

La vedette ne put approcher à moins de 200 mètres du phare, mais tout le monde faisait confiance au pilote de l'hélicoptère qui, comme dans un ballet bien réglé, descendait au maximum avant de remonter sur la crête des vagues, pour redescendre et remonter au rythme de la mer.

Au deuxième voyage, on a pu apercevoir de la vedette l'homme de la relève descendre rapidement, puis le phare et tout le paysage disparurent derrière un mur d'eau, et quand la vedette se retrouva sur un «sommet», l'hélicoptère repartait sans avoir pu débarquer les vivres.

Finalement la ténacité et le sang-froid du pilote permit d'achever l'opération sans casse.°

5.

A 13 h. 32, l'appareil° réapparaissait près du centre de marée. Il n'avait pas fallu cinq minutes. Le mécanicien était resté là-bas. André Girard avait pris sa place.

Un peu ému,° il descendit de l'hélicoptère, son baluchon° sous le bras. Il serra des mains. Le visage était fatigué, mais heureux.

Dommage pour la légende, il n'était pas barbu! Il se fraya un passage° à travers la foule et courut embrasser sa femme venue l'attendre. Tout simplement, c'était fini. Et maintenant? «Un mois à la maison, pour retaper° le moral».

Deuxième rotation: c'était au tour de M. Yves Leberre, premier relayeur. Au retour, Raymond Bouhier, compagnon d'André Girard: «C'est la première fois que je monte en hélicoptère, mais je n'ai pas eu le temps de m'en apercevoir. On est comme dans un fauteuil». Pour lui, qui n'a passé que 24 jours aux Barges, le travail continue. Hier soir, il gardait la tour d'Arundel dans le port des Sables.

Un troisième voyage pour déposer François Debayle, et reprendre le mécanicien. A 13 h. 50, l'opération était terminée. Elle n'avait duré que 20 minutes.

6.

Apparemment, tout s'était passé sans histoires. La rapidité de l'opération le laissait croire à la foule massée derrière le centre de marée.

En mer, il y avait du vent et les embruns° balayaient la jetée des Barges où se posait l'hélicoptère. M. Raymond Dupressoire a plus de 600 missions. Pourtant, ici, c'était une mission délicate, réclamant° une certaine concentration: «Au deuxième voyage, un embrun est venu sur le «Bell» et j'ai cru que le moteur allait être noyé.° Il a fallu faire tellement rapidement que je n'ai pas pu déposer les vivres. De plus l'aire d'atterrissage était plutôt restreinte.° Mission délicate, mais mission accomplie.»

Raymond Bouhier (casquette) vient de débarquer de l'hélicoptère: **« C'est la première fois que je monte en hélicoptère, mais je n'ai pas eu le temps de m'en apercevoir. On est comme dans un fauteuil ».**

● **caisse** (f) crate **relayer** take over from **entretien** (m) maintenance **foyer** (m) housework **veille** (f) tour of duty **belote** (f) belote (card game) **en panne** out of order **régime** (m) regulations **rempiler** fill the gap **goulet** (m) narrows **fracasser** smash **baisser** slump, get lower **conserves** (f pl) tinned food **améliorer** improve **commandes** (f pl) controls **basse mer** (f) low tide **aire** (f) **d'atterrissage** landing pad **de fortune** improvised **QG** (**quartier** (m) **général**) HQ **décoller** take off **appareil** (m) aircraft **ému** moved **baluchon** (m) bundle, pack **se frayer un passage** push one's way **retaper** buck up **embruns** (m pl) spray **réclamer** demand **noyer** drown **restreint** skimpy **saut** (m) **de puce** short hop **transbordement** (m) transfer **équipage** (m) crew **ballotter** toss about **houle** (f) swell **casse** (f) damage, mishap

ACTIVITÉS

1. Les faits en détail

Travail individuel* ⟶ *Mise en commun Relisez l'article *65 Jours entre ciel et mer* et notez par écrit ce que vous apprenez sur:

- **André Girard** — date de son arrivée au phare – durée de son séjour – causes de sa présence prolongée – ce qu'il allait faire après la relève
- **Raymond Bouhier** — date de son arrivée au phare – durée de son séjour – ce qu'il a fait après la relève
- **la vie du gardien de phare** — activités quotidiennes – problèmes posés par le manque de contact avec la base
- **la solution** — moyen de transport adopté – moment choisi (raison de ce choix)
- **les trois rotations** — occupants/contenu de l'appareil à chaque aller et retour – difficultés affrontées par le pilote – durée d'une rotation/de l'opération toute entière.

Comparez vos notes avec celles des autres étudiants.

2. Vocabulaire: la vie du gardien de phare

(a) ***Travail individuel*** Recopiez les mots et expressions ci-dessous dans l'ordre nécessaire pour compléter le résumé de l'article qui suit. N'oubliez pas de faire les changements grammaticaux qui conviennent. Ensuite, mémorisez les mots et expressions.

regagner la terre – un compagnon de veille – une caisse de vivres – une aire d'atterrissage – un menu en conserves – déposer – un remplaçant – les embruns – le moral baisse – faire le ménage et l'entretien

Le 8 décembre, un bateau _ ______ André Girard au phare des Barges avec des ______ __ ______. Il y est resté sans _________ pendant plus de deux mois. Chaque jour il a ____ __ ______ __ _' ________, il a tué le temps avec son ________ __ _____. Peu à peu le _____ ________; le pain manquait, les _____ __ _________ devenaient insupportables. Mais enfin, soixante-cinq jours plus tard, malgré la tempête et les _______ qui balayaient _' _____ _' __________ de fortune établie sur la jétée, André Girard _ _______ __ _____ dans un hélicoptère de la Protection Civile. C'était fini. Un mois à la maison pour retaper le moral.

(b) ***Travail à deux*** Complétez oralement ce résumé **sans regarder votre liste de mots et d'expressions ni le cadre plus haut**.

(c) ***Exercice oral*** Sous la direction du professeur, reconstituez le résumé **en ne consultant que votre liste de mots et d'expressions**.

3. Reportage d'un quotidien national

Cette histoire des gardiens de phare, très intéressante sur le plan régional, n'aurait peut-être mérité que quelques paragraphes dans un journal national.

Travail individuel Voici le début et la fin de ce fait divers tel qu'il aurait pu paraître dans un quotidien national. Complétez-le d'après les indications données: consultez vos notes sur les faits et votre liste de mots et d'expressions (*Activités*, 1, 2), ainsi que le travail que vous avez déjà fait sur le témoignage du journaliste (*Une opération délicate*).

Un gardien de phare libéré après 65 jours de présence continue

Un hélicoptère de la Protection Civile a mis fin hier à une période d'isolement qui, pour l'un des gardiens du phare des Barges (Vendée), risquait de battre tous les records.

André Girard, 43 ans, marié, trois enfants . . .

- *date de son arrivée au phare*
- *causes de sa présence prolongée.*

Depuis le 16 janvier, rien . . .

- *travail quotidien*
- *activités entreprises pour passer le temps*
- *conséquences du manque de contact avec la base.*

Hier matin il ne restait qu'une solution . . .

- *le moyen de transport choisi*
- *ce qu'ont fait les responsables de la préfecture*
- *le moment choisi.*

A 13 h. 28, le «Bell» décolla, avec des caisses de vivres . . .

- *ce qui a été fait pendant les trois rotations*
- *difficultés pour le pilote.*

De retour aux Sables-d'Olonne, André Girard, un peu ému, a couru embrasser sa femme. Et maintenant? «*Un mois à la maison pour retaper le moral.*»

FAMILLES, JE VOUS HAIS ?

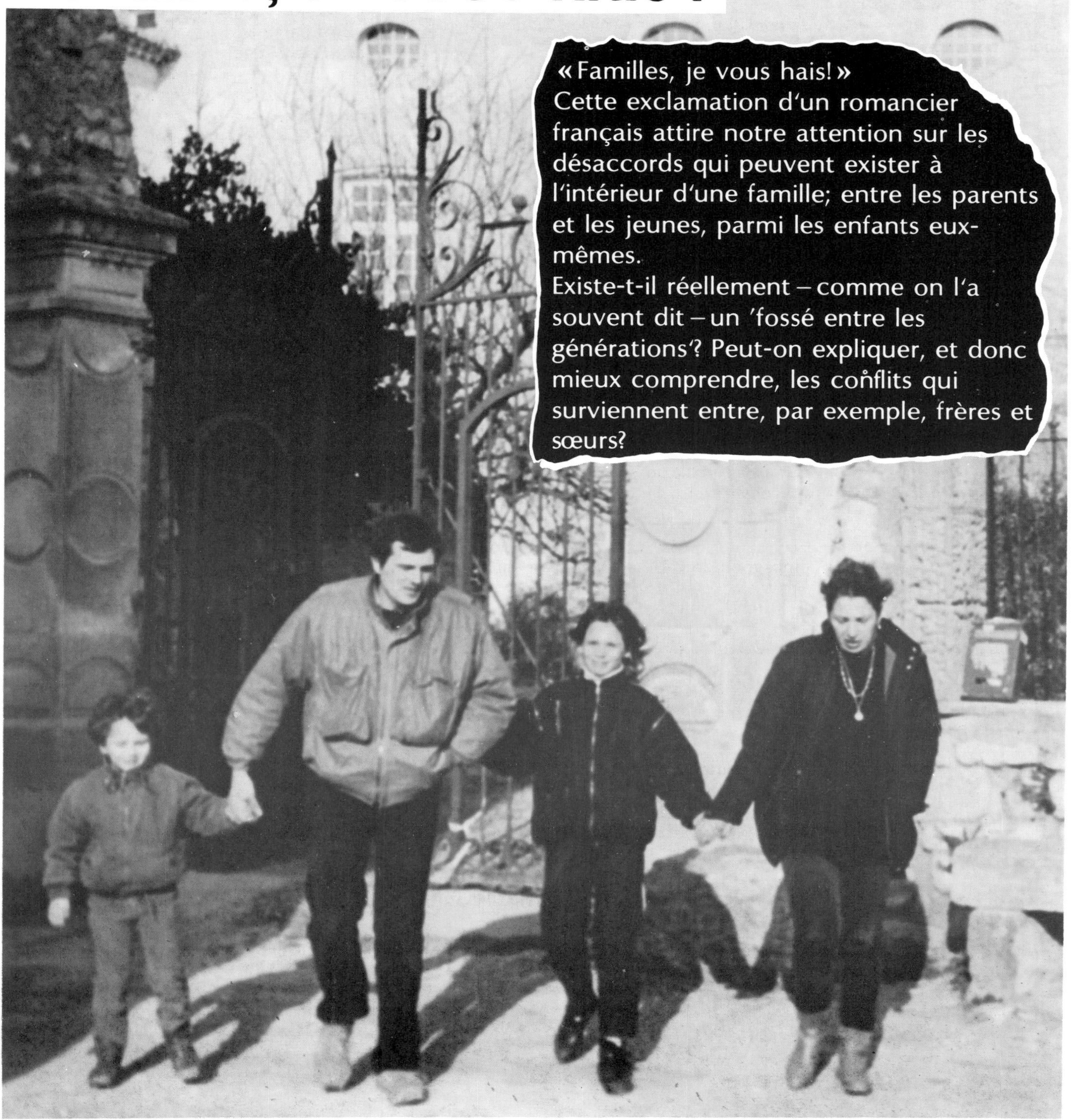

« Familles, je vous hais! »
Cette exclamation d'un romancier français attire notre attention sur les désaccords qui peuvent exister à l'intérieur d'une famille; entre les parents et les jeunes, parmi les enfants eux-mêmes.
Existe-t-il réellement – comme on l'a souvent dit – un 'fossé entre les générations'? Peut-on expliquer, et donc mieux comprendre, les conflits qui surviennent entre, par exemple, frères et sœurs?

LES JEUNES ET LEURS PARENTS

ACTIVITÉS

1. Sondages

(a) Au cours d'un sondage effectué pour *L'Express* il y a quelque temps, on a interrogé des adolescents français sur leurs rapports avec leurs parents. Vous trouverez dans le *Livret* (p. 12) les questions posées par les enquêteurs.

Travail individuel* ⟶ *Travail à deux
Complétez vous-même ce questionnaire en cochant (✓) les cases qui correspondent à vos réponses.
Comparez ensuite vos réponses aux questions posées par les enquêteurs français avec celles d'un(e) partenaire.

Parents, on vous aime...?

1. **Comment vous entendez-vous avec vos parents?**

Très bien	
Assez bien	
Assez mal	
Très mal	

2. **Etes-vous en désaccord avec vos parents?**

	Avec votre mère	Avec vot[re] père
Très souvent		
Souvent		
Parfois		
Rarement		
Jamais		

(b) Les résultats de l'enquête de *L'Express* sont présentés dans le *Livret* (p. 13) en pourcentages.

Travail individuel* ⟶ *Mise en commun
Ce soir, ou pendant le weekend, posez ces mêmes questions à cinq ou six de vos ami(e)s et notez soigneusement leurs réponses.
De retour en classe, groupez les réponses que vous aurez recueillies. Avec l'aide du professeur, exprimez-les en pourcentages. Ensuite, comparez les résultats de votre sondage à ceux de l'enquête de *L'Express*:

Vous entendez-vous mieux ou moins bien avec vos parents, vous et vos ami(e)s, que les jeunes Français?
Etes-vous plus/moins souvent en désaccord avec vos parents?
Les sujets de désaccord sont-ils les mêmes, ou différents?
Les jeunes Français sont-ils plus ou moins susceptibles de rester en contact avec leurs parents?

2. Les jeunes et leurs parents

(a) Vous trouverez ci-contre des réflexions sur les qualités et les défauts de leurs parents exprimées par de jeunes Français.
Travail individuel Lisez attentivement ce qu'ont dit ces jeunes. Notez les **qualités** et les **défauts** mentionnés de la manière suivante:

QUALITÉS	DÉFAUTS
– des parents jeunes et beaux – des parents qui nous aiment	– des parents pas assez ouverts – un père qui joue au père

Ajoutez ensuite à vos notes vos idées sur les qualités et les défauts de vos propres parents ou d'autres parents de votre connaissance.

(b) ***Discussion* ⟶ *Travail individuel*** En vous basant sur les notes que vous venez de prendre, considérez avec le professeur et l'ensemble de la classe les questions suivantes:

Les parents comprennent-ils bien, ou non, leurs enfants à l'heure actuelle?
Les parents sont-ils, à votre avis, trop stricts/trop indulgents avec les adolescents? En quoi?
Que devraient faire les parents pour mieux s'entendre avec leurs enfants?
Le 'conflit des générations' existe-t-il réellement ou non?

Composez maintenant, comme pour un article de magazine, **deux** paragraphes qui rendent compte de votre enquête (*Activités*, 1), des opinions que vous avez classées et des questions que vous venez de considérer.

Conflit des générations?

Selon les résultats de notre enquête, il semble que parents et enfants s'entendent assez

RACONTE-NOUS TES PARENTS

QUESTION: « Alors, ce serait quoi des parents parfaits? »

Ils seraient jeunes et beaux. Qui nous aiment, et ça on l'a. Mais pour que ce soit parfait, il faudrait qu'ils soient plus ouverts avec nous.

Thierry et Véronique

Mon père est presque parfait sauf quand il joue au père.

Sylvie

Des parents parfaits seraient des parents qui évolueraient avec nous.

André

QUESTION: « Et c'est quoi des parents odieux? »

Jacques

Oh, les miens ne sont pas des tyrans, mais ils sont carrément insupportables quand ils se butent . . . quand on leur explique qu'on a besoin d'un vélomoteur parce que le métro et le train, c'est crevant, et qu'ils répondent qu'à notre âge ils n'en avaient pas.

Chantal

A la maison, mon père a toujours été une sorte de tyran. Comme je suis fille unique, il critique tout ce que je fais (et ce que je ne fais pas) et ne me lâche pas d'une semelle. Pour lui, tous les gens de mon âge sont des voyous, et il n'est bien sûr pas question que je les fréquente.

QUESTION: « Est-ce que vous avez de bons parents? »

Mes parents savent se mettre à ma portée, surtout mon père, il a une certaine compréhension vis-à-vis de ses enfants . . . Il dit toujours la vérité. Lorsque j'ai un problème et que j'en discute avec ma mère elle ne me prend jamais au sérieux. C'est en partie pour cela que je vais trouver mon père pour discuter.

Alain

Annick

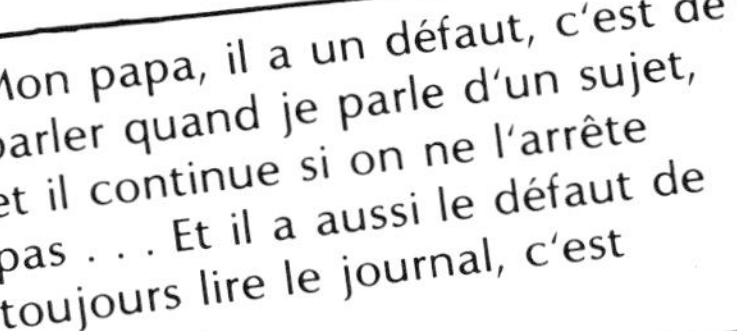

Mon papa, il a un défaut, c'est de parler quand je parle d'un sujet, et il continue si on ne l'arrête pas . . . Et il a aussi le défaut de toujours lire le journal, c'est sa drogue.

Stéphanie

QUESTION: « Quels sont les sujets de désaccord entre vous et vos parents? »

J'ai eu une grave dispute avec mon père, simplement parce que je lui avais dit que j'étais pour les cours d'éducation sexuelle à l'école . . . Quand je rentre une fois plus tard que dix heures, je n'ai plus le droit de sortir le soir pendant une semaine . . . Ma mère refuse que je me maquille avant d'avoir vingt ans . . . C'est idiot.

Bernard

Les parents n'aiment pas les grands sujets de conversation: Dieu, la patrie, la famille, l'amour, la guerre, la mort, le chômage, la sexualité. Ils parlent plus volontiers d'argent. Du loyer qu'ils ont payé. De l'essence qui augmente. La religion, ils en parlent pour s'abriter derrière.

Jean-Pierre

Les parents nous reprochent d'être jeunes. Ils n'aiment pas la musique jeune (« Eteins-moi ça »), ils n'aiment pas les vêtements jeunes (« Va te changer »), ils n'aiment pas le vocabulaire jeune (« S'il te plaît, ne parle pas comme ça devant les invités »), ils n'aiment pas nos amis (« Ils ont une mauvaise influence sur toi »). Ils n'ont pas les mêmes idées que nous et, à travers nous, ils ont peur d'être socialement mal notés.

ÉPISODE FAMILIAL

POINTS DE REPÈRE

Dans le texte ci-dessous, tiré du roman *Les plumes du corbeau*, Jehanne Jean-Charles évoque, à travers les yeux d'un enfant, une scène familiale.
Travail individuel* ⟶ *Mise en commun Lisez attentivement le texte et notez brièvement vos réponses aux questions suivantes:

Quelles sont les personnes qui figurent dans le texte?
Qui raconte cet épisode?
Quels en sont les deux incidents principaux?
Quand est-ce qu'ils ont eu lieu?
Quelles ont été les conséquences de chaque incident pour les deux enfants?
Quel âge a chacun des enfants, à votre avis?

Discutez vos réponses avec le professeur et l'ensemble de la classe.

Cet après-midi, j'ai poussé Arthur dans le bassin.° Il est tombé et il s'est mis à faire glou-glou° avec sa bouche, mais il criait aussi et on l'a entendu. Papa et maman sont arrivés en courant. Maman pleurait parce qu'elle croyait qu'Arthur était noyé.° Il ne l'était pas. Le docteur est venu. Arthur va très bien maintenant. Il a réclamé° du gâteau à la confiture et maman lui en a donné. Pourtant, il était sept heures, presque l'heure de se coucher et maman lui en a donné quand même. Arthur était très content et très fier.° Tout le monde lui posait des questions. Maman lui a demandé comment il avait fait pour tomber, s'il avait glissé° et Arthur a dit que oui, qu'il avait trébuché.° C'est chic° à lui d'avoir dit ça, mais je lui en veux° quand même et je recommencerai à la première occasion.

D'ailleurs, s'il n'a pas dit que je l'avais poussé, c'est peut-être tout simplement parce qu'il sait très bien que maman a horreur des rapportages.° L'autre jour, quand je lui avais serré le cou° avec la corde à sauter° et qu'il est allé se plaindre° à maman en disant: «C'est Hélène qui m'a serré comme ça», maman lui a donné une fessée° terrible et lui a dit: «Ne fais plus jamais une chose pareille!» Et quand papa est rentré, elle lui a raconté et papa s'est mis aussi en colère.° Arthur a été privé de° dessert. Alors, il a compris et, cette fois, comme il n'a rien dit, on lui a donné du gâteau à la confiture: j'en ai demandé aussi à maman, trois fois, mais elle a fait semblant de° ne pas m'entendre. Est-ce qu'elle se doute que° c'est moi qui ai poussé Arthur?

● **bassin** (m) pond **faire glou-glou** gurgle **noyé** drowned **réclamer** ask for **fier (fière)** proud **glisser** slip **trébucher** trip **chic** nice **en vouloir à** have it in for **rapportages** (m pl) tale-telling **serrer le cou à** throttle **corde** (f) **à sauter** skipping-rope **se plaindre** complain **fessée** (f) spanking **se mettre en colère** get angry **être privé de** have to go without **faire semblant de** pretend to **se douter que** suspect

DÉCOUVERTE DU TEXTE

1. Les faits

Pour donner à la narration d'Hélène un air de spontanéité, Jehanne Jean-Charles mélange l'ordre chronologique des incidents.

Travail individuel* ⟶ *Mise en commun
Retrouvez l'ordre chronologique des faits rapportés dans le texte. Rédigez vos notes de la manière indiquée à droite.
Comparez ensuite vos notes avec celles des autres étudiants. L'un(e) d'entre vous dressera au tableau le schéma complet.

L'AUTRE JOUR	CET APRÈS-MIDI-LÀ	CE SOIR-LÀ, VERS 7 H
1. H. a serré le cou à A. avec une corde à sauter. 2. A. est allé se plaindre à Maman		

2. Motifs et attitudes

Comment expliquer les actions/les réactions des participants à cet épisode familial? Pour certains éléments, la narratrice donne elle-même une explication; pour les autres, c'est au lecteur d'en fournir une.

Travail à deux* ⟶ *Mise en commun
Complétez ensemble le tableau présenté à droite.
Comparez ensuite vos explications avec celles des autres étudiants. Essayez de préciser l'attitude d'Hélène envers Arthur et celle des deux parents envers leurs enfants.

FAITS	MOTIFS ET ATTITUDES
Hélène a poussé Arthur dans le bassin; quelques jours avant, elle lui avait serré le cou avec la corde à sauter.	
Papa et Maman sont arrivés en courant.	
Maman pleurait.	Elle croyait qu' Arthur était noyé
Maman a donné du gâteau à Arthur presque à l'heure de se coucher.	
Arthur était très content et très fier.	
Maman a demandé à Arthur s'il avait glissé.	
Il n'a pas dit qu'Hélène l'avait poussé.	
Quand Hélène a demandé du gâteau, Maman a fait semblant de ne pas l'entendre.	

3. Votre famille et vous

Exception faite du geste violent d'Hélène, les rapports à l'intérieur de sa famille n'ont rien d'anormal.

Travail individuel* ⟶ *Discussion Comparez votre situation personnelle avec celle des deux enfants. Notez vos réflexions en tenant compte des questions suivantes:

Avez-vous des frères ou des sœurs?
Sont-ils/elles plus jeunes/plus âgé(e)s que vous?
Etes-vous l'aîné(e)/êtes-vous le ou la deuxième/êtes-vous au milieu/êtes-vous le ou la plus jeune?
Avez-vous quelquefois l'impression que vos parents ont un enfant préféré, vous ou un(e) autre?
Vous rappelez-vous certains moments où la manifestation de la préférence parentale a provoqué du ressentiment?
Si vous êtes enfant unique, quels sont les avantages et les inconvénients de votre situation?

En vous basant sur vos réflexions personnelles, étudiez maintenant avec le professeur et l'ensemble de la classe la question des rapports familiaux. Notez les éléments essentiels de la discussion.

À COMPLÉTER, À NOTER ET À MÉMORISER

Expressions et structures
- ils sont arrivés __ courant
- du gâteau _ __ confiture (cp. *un sandwich au fromage*)
- _ l'heure __ se ________
- elle lui en a donné _______ ____ (= *malgré cela*)
- je lui __ ____ (= *j'ai du ressentiment contre lui*) quand même
- _ __ première occasion (= *dès que l'occasion se présente*)
- la corde _ sauter (cp. *du papier à écrire*)
- papa s'est ____ __ colère (= *s'est fâché*)
- il a été ______ __ dessert (= *on a refusé de lui en donner*)
- elle __ ______ que c'est moi (= *elle soupçonne que c'est moi*)

Constructions verbales
- tout le monde posait des questions __ Arthur
- elle a horreur __ rapportages
- il est allé se plaindre __ maman
- j'ai demandé du gâteau __ maman
- elle a fait semblant __ ne pas m'entendre

Formes
gâteau (m) ⟶ pl
fier ⟶ f
chic ⟶ f
pareille ⟶ m

Noms et verbes
- crier ⟶ les ____ (m) d'Arthur
- réclamer ⟶ les ____________ (f) du petit garçon
- rapportages (m) ⟶ il a ________ à maman ce qu'elle avait fait
- se plaindre ⟶ les ________ (f) d'Arthur

EXERCICES

1. Du discours indirect au discours direct: temps des verbes

▶ Selon Hélène, Maman a demandé à Arthur 'comment **il avait fait** pour tomber, s'**il avait glissé** et Arthur a dit que oui, qu'**il avait trébuché.**'

En réalité, la mère et son fils se seraient sans doute exprimés de la manière suivante:

Maman *Comment* ***as-tu fait*** *pour tomber?* ***Tu as glissé****?*
Arthur *Oui, c'est ça,* ***j'ai trébuché****.*

En **discours indirect** (après *il a dit que . . . , elle a demandé si . . .* , etc.), le **plus-que-parfait** (troisième personne) remplace ce qui, en **discours direct**, a été dit au **passé composé** (première ou deuxième personne); l'**imparfait** remplace le **présent**, le **conditionnel** remplace le **futur** et **de + infinitif** remplace l'**impératif**:

« Comment **as-tu fait** pour tomber? » ⟶ Elle lui a demandé comment **il avait fait** pour tomber.
« **Tu te sens** mieux? » ⟶ Elle lui a demandé s'**il se sentait** mieux.
« **Tu** n'**auras** pas de gâteau! » ⟶ Elle lui a dit qu'**il** n'**aurait** pas de gâteau.
« **Va** jouer! » ⟶ Elle lui a dit **d'aller** jouer. ◀

La narration d'Hélène comporte, ou sous-entend, plusieurs questions et réponses.

Travail à deux ⟶ ***Travail individuel*** Dans chacune des phrases qui suivent, retrouvez oralement, comme dans l'exemple ci-dessus (*Maman, Arthur*), les paroles des deux interlocuteurs. Prenez chacun(e) l'un des deux rôles.

– Maman a demandé à Arthur comment il avait fait pour tomber, s'il avait glissé. Arthur a dit que oui: il avait trébuché.
– Maman a demandé à Arthur s'il se sentait mieux maintenant. Arthur a répondu que oui et qu'il voulait du gâteau à la confiture.
– Maman a demandé à Hélène si elle avait vu tomber le petit. Hélène a répondu que non, mais qu'elle l'avait entendu crier de l'autre bout du jardin.
– Hélène a demandé à Maman de lui donner aussi du gâteau. Mais Maman lui a dit d'aller jouer avec ses poupées: elle voulait discuter avec Papa.
– Arthur a demandé à Maman si elle savait qu'Hélène lui avait serré le cou avec la corde à sauter. Maman a dit à Arthur de ne plus jamais faire une chose pareille: elle avait horreur des rapportages et il aurait une bonne fessée.
– Maman a demandé à Papa s'il savait ce que son fils avait fait ce jour-là, qu'il avait accusé Hélène de lui avoir fait mal. Papa a répondu que c'était honteux et qu'Arthur serait privé de dessert.

Rédigez maintenant par écrit chaque groupe de deux répliques.

2. Pronoms personnels objets directs et indirects, y, en (Accord du participe passé)

Vous souvenez-vous de l'emploi des **pronoms personnels objets** directs et indirects **le, la, les, lui, leur** (*Exercices*, 1, p. 16) et des **pronoms y, en** (*Exercices*, 5, p. 43)?

Exercice oral ⟶ ***Travail individuel*** Répondez aux questions suivantes en employant chaque fois un de ces **pronoms**.

Exemple:
– Est-ce qu'Arthur est tombé dans le bassin après avoir trébuché?
– Non, Hélène l'a poussé.

1. Est-ce qu'Arthur est tombé dans le bassin après avoir trébuché?
2. Qui est-ce qui a entendu les cris d'Arthur?
3. Est-ce que les parents étaient auprès du bassin à ce moment-là?
4. Est-ce que Papa, Maman et le docteur ont posé leurs questions à Hélène?
5. Est-ce qu'Arthur a dit la vérité aux adultes?
6. Est-ce qu'Arthur a demandé du gâteau à la crème à sa mère?
7. Est-ce que Maman a donné du gâteau à Arthur et aussi à Hélène?
8. Est-ce qu'Hélène avait serré le cou à Arthur avec une cravate?
9. Est-que Maman écoutait volontiers les rapportages des deux enfants?
10. Est-ce que Maman avait donné la fessée à Hélène?
11. C'est Hélène qui avait été privée de dessert?

Rédigez maintenant par écrit vos réponses à ces questions. (N'oubliez pas d'accorder, s'il le faut, le participe passé.)

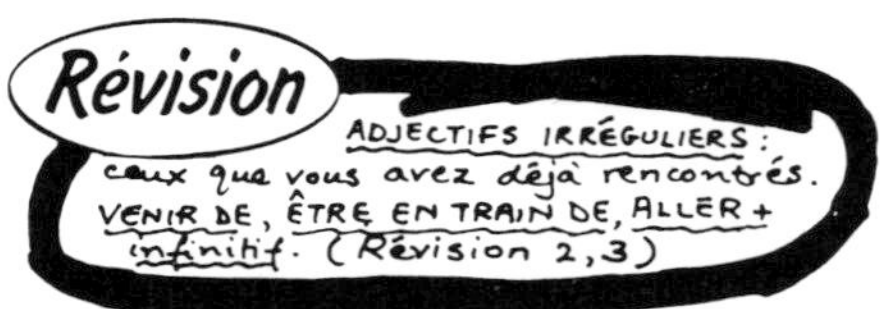

Révision
ADJECTIFS IRRÉGULIERS:
ceux que vous avez déjà rencontrés.
VENIR DE, ÊTRE EN TRAIN DE, ALLER + infinitif. (Révision 2,3)

3. Pronoms avec l'impératif

▶ Voyant Arthur dans le bassin, Maman a peut-être crié à son mari: « Mon enfant se noie! **Sauve-le**! » Après avoir retiré Arthur du bassin, Papa a sans doute rassuré sa femme et sa fille, en disant par exemple: « **Ne vous effrayez pas**, il est sain et sauf. »

Avec l'**impératif affirmatif**, les **pronoms personnels objets** et les **pronoms y, en** suivent le verbe. **Me, te** se transforment en **moi, toi**. (S'il y a deux pronoms, l'objet **direct** précède l'objet **indirect**. **Y, en** se placent en dernière position):

Ecoutez-moi! Donne-le-moi! Allez-vous-en!

Dans le cas de l'**impératif négatif**, les **pronoms** précèdent le verbe dans l'ordre normal:

Ne me regardez pas! Ne le touchez pas! Ne lui en parle plus! ◀

(a) Dans chacune des images qui suivent, l'une des personnes dit à l'autre/aux autres de faire ou de ne pas faire quelque chose.

Exercice oral Sous la direction du professeur, choisissez chacun(e) une de ces images. Décrivez-la aux autres étudiants, qui essaieront d'identifier l'image que vous aurez choisie.

Exemple (quatrième image):

Une femme est assise sur un siège. Deux enfants sont près d'elle. La petite fille tient un ballon et le petit garçon est en train de hurler.

(b) ***Travail à deux*** ⟶ ***Travail individuel*** En regardant bien les images, complétez oralement les bulles avec des **impératifs** (**affirmatifs** ou **négatifs**) accompagnés de **pronoms**. Ces verbes vous seront peut-être utiles: *rendre, passer, montrer, quitter, déranger, s'approcher de.*

Exemple (quatrième image):

« *Mais voyons, c'est le ballon de ton frère.* ***Rends-le-lui!*** »

Rédigez ensuite par écrit les impératifs que vous venez de formuler.

4. Il faut que + subjonctif (recommander)

▶ Regardez cette phrase:

Il faut que vous **téléphoniez** chez le docteur.

Pour **recommander** à quelqu'un de faire quelque chose, on peut employer ainsi **il faut que** + **subjonctif**.
La forme de la première et de la deuxième personne du pluriel du **subjonctif** (présent) – **nous, vous** – est identique à celle de l'**imparfait** (indicatif). Mémorisez cependant ces cinq exceptions:

nous **ayons**/vous **ayez** (*avoir*), nous **soyons** (*être*), nous **fassions** (*faire*), nous **puissions** (*pouvoir*), nous **sachions** (*savoir*). ◀

(a) Au cours d'une deuxième visite chez Arthur et Hélène, le docteur, qui croit comprendre la conduite de la petite fille, **recommande** à la mère des enfants ce qu'il est nécessaire de faire pour remédier à la situation.

Travail à deux ⟶ ***Exercice oral*** Dans la liste présentée ci-dessous, choisissez ensemble **huit recommandations** que le docteur, à votre avis, donnerait à la mère. Ensuite, mettez-vous à la place du docteur: expliquez à la mère (au professeur) ce qu'il est nécessaire de faire. Employez chaque fois **il faut que** + **subjonctif.**

Exemple:

Il faut que *vous* ***lisiez*** *des histoires à Hélène.*

Je vous conseille, madame, de
- lire des histoires à Hélène
- l'emmener faire les courses au supermarché
- lui donner un peu d'argent de poche
- inviter ses petites amies à la maison
- être disponible pour jouer avec elle de temps en temps
- sortir le plus souvent possible avec les deux enfants
- encourager la petite à participer aux travaux de ménage
- dire à Hélène pourquoi elle se sent jalouse
- prendre le temps tous les jours de parler avec elle
- faire attention à toutes ses questions
- permettre à la petite fille de se coucher après son frère
- avoir confiance en elle.

(b) ***Travail individuel*** Rédigez maintenant par écrit vos huit phrases, et inventez **deux** autres **recommandations** qui auront la même forme (**il faut que** + **subjonctif**). Ensuite, mémorisez les dix phrases.

(c) Plus tard, la mère des deux enfants explique à son mari ce qu'a dit le docteur, car le père, lui aussi, doit suivre ses **recommandations**.

Exercice oral Mettez-vous à la place de la mère: expliquez à votre mari (au professeur) ce qu'il est nécessaire de faire. Ne regardez ni la liste ci-dessus ni les phrases que vous avez composées. Employez chaque fois **il faut que** + **subjonctif**.

Exemple:

Il faut que *nous* ***lisions*** *des histoires à Hélène.*

5. La comparaison

▶ Si les parents d'Arthur et d'Hélène comparaient les qualités de leurs deux enfants, ils pourraient dire qu'Arthur est **plus sage que** sa sœur mais qu'en revanche Hélène a **plus de vivacité que** lui.
Dans une **comparaison positive**, on emploie ainsi **plus . . . que** avec un **adjectif**, ou **plus de . . . que** avec un **nom**. ◀

(a) Le tableau présenté à droite donne les noms de cinq groupes de deux enfants, avec une indication de ce que les parents pensent de leurs traits de caractère.
Travail à deux Dans chaque groupe d'enfants (*Arthur* et *Hélène*, etc.), **comparez** le premier enfant au deuxième, puis le deuxième au premier, en parlant du premier trait de caractère indiqué (1). Employez **plus + adjectif + que** ou **plus de + nom + que**. Imaginez des dialogues comme le suivant:

Mère *Tu sais, Arthur est beaucoup **plus sage que** sa sœur.*
Père *C'est vrai, mais Hélène a **plus de vivacité que** lui.*

▶ Si les parents d'Arthur et d'Hélène comparaient leurs enfants en parlant des traits de caractère qu'ils ne possèdent pas, ils pourraient dire:

« Hélène n'est **pas aussi patiente qu'**Arthur. »
est **moins patiente**

ou bien:

«Hélène n'a **pas autant de patience qu'**Arthur. »
a **moins de patience**

Dans une **comparaison négative**, on emploie ainsi **pas aussi . . ./moins . . . que** avec un **adjectif** ou **pas autant de . . ./moins de . . . que** avec un **nom.** ◀

(b) ***Travail à deux*** Dans chaque groupe, **comparez** les deux enfants en parlant cette fois du deuxième trait de caractère indiqué (2). Imaginez des dialogues comme le suivant et commencez en parlant d'Hélène, puis de Jean, de Sylvie, de François et enfin de Chantal. Variez les formules (ci-dessus) que vous emploierez:

Père *Hélène n'a **pas autant de patience qu'**Arthur.*
Mère *C'est vrai, elle est **plus impulsive que** lui.*

Le pour et le contre

		← →		
Arthur	(1) sage (2) patient (patience)	← →	vive (vivacité) (1) impulsive (2)	*Hélène*
Marc	(1) brillant (2) autonome (autonomie)	← →	intuitif (intuition) (1) soumis (2)	*Jean*
Simone	(1) jolie (2) persévérante (persévérance)	← →	charmante (charme) (1) changeante (2)	*Sylvie*
Serge	(1) courageux (2) audacieux (audace)	← →	habile (habileté) (1) timide (2)	*François*
Alain	(1) assidu (2) ambitieux (ambition)	← →	spontanée (spontanéité) (1) modeste (2)	*Chantal*

6. Ordonner (emploi du futur)

▶ Au lieu de dire: « Ne fais plus jamais une chose pareille! », la mère d'Arthur aurait pu lui dire: « Tu ne ***feras*** plus jamais une chose pareille! »
On peut employer ainsi le **futur** pour donner des **ordres** ou des **instructions.** ◀

Dans son roman *Vipère au poing*, Hervé Bazin décrit comment M. et Mme Rézeau, après un long voyage, vont s'occuper de nouveau de l'éducation de leurs enfants, laissés à une institutrice.
Travail individuel Récrivez le texte présenté ci-dessous en exprimant les **instructions** de M. Rézeau – comme l'a fait Bazin lui-même – au **futur**.

Début:
« *Vous vous* ***lèverez*** *tous les matins à cinq heures, reprit mon père . . .* »

Une Education Forte

« Levez-vous tous les matins à cinq heures, reprit mon père. Faites aussitôt votre lit, lavez-vous, puis rendez-vous à la chapelle pour entendre la messe. Allez ensuite apprendre vos leçons dans la salle d'étude. A huit heures, prenez le petit déjeuner . . .
– En silence! coupa Mme Rézeau.
– Reprenez le travail à neuf heures et, avec un quart d'heure de récréation aux environs de dix heures, continuez jusqu'à l'heure du déjeuner. Au premier son de la cloche, allez vous laver les mains. Au second coup, entrez dans la salle à manger. »

ACTIVITÉS

1. Conversation avec le docteur

(a) Le lendemain matin, la mère d'Arthur et d'Hélène parle de nouveau avec le docteur. Celui-ci veut découvrir exactement ce qui s'est passé entre les deux enfants afin de bien la conseiller.

Travail individuel En vous référant au texte original et aux deux tableaux que vous avez complétés (*Découverte*, 1 et 2), rassemblez par écrit ce que vous pensez avoir été:

- les questions du docteur
- les réponses de la mère.

(b) ***Travail à deux*** Avec un(e) partenaire, relisez vos notes. Ensuite, sans consulter vos papiers, inventez la conversation entre le docteur et la mère en jouant chacun(e) l'un des deux rôles.

Début possible:

Docteur	*A quel moment avez-vous compris qu'il se passait quelque chose hier?*
Mère	*Quand j'ai entendu crier Arthur . . . vers quatre heures, je pense . . . J'ai regardé par la fenêtre et j'ai vu le petit dans le bassin . . .*

2. Article de magazine: *Les problèmes du rang de naissance*

L'extrait présenté à droite est le début d'un article destiné aux parents. Il traite des rapports entre les enfants d'une même famille.

Travail individuel Lisez attentivement cet extrait et notez brièvement les renseignements qu'il nous donne sur:

- les attitudes de l'aînée
- les attitudes de la sœur plus jeune
- la solution du conflit.

Ensuite, en imitant ces deux paragraphes, présentez, en 100 à 150 mots, les réussites, les frustrations, les conflits de deux autres enfants – réels ou imaginaires – appartenant à une même famille (à la vôtre par exemple, ou à celle d'Arthur et d'Hélène).

Pour finir, inventez une conclusion qui convienne. Référez-vous aux notes que vous avez déjà prises sur les rapports familiaux (*Découverte*, 3).

LES PROBLÈMES DU RANG DE NAISSANCE

Caroline (15 ans) a une sœur Sophie (16 ans). Mais les deux soeurs se jalousent. Caroline se sent écrasée par Sophie. Celle-ci, en effet, est surdouée, elle a toujours eu envie d'être considérée comme supérieure, elle a une grande maturité, elle est brillante, elle le sait. Elle est aussi très jolie. Vers 15 ans, Caroline, la cadette, commence à se désintéresser de sa scolarité. Obsédée par l'image de sa sœur, elle tente en vain de l'égaler. C'est une idée fixe. Elle est d'une intelligence normale mais sa créativité est bloquée. Elle pense que sa sœur accapare toute l'attention et réussira toujours mieux qu'elle. Par jalousie inconsciente, elle rétrécit le champ de ses intérêts, piégée par sa peur de l'échec. Elle s'imagine que ses parents se détournent d'elle. Ceux-ci ont en effet beaucoup d'exigences sur le plan intellectuel. L'aînée est à la hauteur de ces exigences, donc elle règne.

Devant l'écroulement scolaire de Caroline, les parents font appel à une psychologue. Celle-ci, après avoir bien étudié l'histoire des deux sœurs, appelle Sophie, la plus grande, et lui demande de parler à Caroline après lui avoir expliqué que sans le vouloir elle écrasait sa sœur: «Rapproche-toi d'elle, dis-lui que tu n'es pas sa rivale, mais son amie, sortez ensemble.» Sophie avait du cœur, elle a accepté. Elle a parlé à sa sœur. Les résultats furent spectaculaires. Les notes à l'école ont remonté en flèche.

21

POINTS DE REPÈRE

La lettre ci-dessous a été écrite par Clarisse V. et envoyée à un magazine pour adolescentes qui l'a publiée.

Travail individuel* ⟶ *Mise en commun Lisez attentivement cette lettre et notez brièvement vos réponses à ces questions:

Quels renseignements le texte donne-t-il sur Clarisse (âge, domicile, etc.)?
Pour quelle raison a-t-elle écrit la lettre?
De quel incident parle-t-elle en particulier?
Qu'est-ce que sa mère a fait par la suite?

Comparez vos réponses avec celles des autres étudiants.

MA MÈRE OUVRE MON COURRIER

Je suis révoltée, révoltée et scandalisée, car je vais avoir seize ans dans quatre mois et ma mère continue à avoir cette détestable habitude d'ouvrir tout mon courrier.° Je dis «continue» car cela dure, en effet, depuis que je suis en âge de recevoir des lettres, c'est-à-dire trois ans environ. La première fois, je m'en souviens,° c'était à l'occasion d'un petit concours° que j'avais fait et où j'avais eu la chance de gagner° quelques échantillons° de produits de beauté offerts par une grande marque.° Bref, j'étais à l'école quand la grosse enveloppe arriva à la maison et, quand je rentrai pour déjeuner, ma mère me tendit° la lettre ouverte; elle avait même déjà utilisé le lait démaquillant° et le fond de teint° qu'elle contenait. Non seulement elle avait lu cette lettre, où l'on m'expliquait que je faisais partie des heureuses gagnantes, etc., etc., mais, en plus, elle ne m'avait même pas laissé la joie de découvrir — et de prendre possession *moi-même* de — mes petits cadeaux. Après tout, c'était bien à moi qu'ils étaient destinés,° non? Et c'était moi qui avais fait et gagné ce concours, alors? Quand je le lui fis remarquer, elle éclata° d'un rire bruyant° et se moqua de° moi: «Dis donc, ce n'est pas une lettre d'amoureux,° non? Tu ne vois pas que c'est la même lettre photocopiée qu'ils ont envoyée à tout le monde; je ne vois pas pourquoi je ne l'aurais pas lue! La belle affaire vraiment! Et pour tes produits de beauté miraculeux, je t'interdis° de te les mettre sur la peau,° ce n'est pas de ton âge. Moi, j'en ferais un meilleur usage°» . . . A force de° cris et de larmes, j'avais finalement récupéré° mon bien° — dans un état° lamentable, il est vrai — mais en y repensant, je crois que ce n'était pas tant° pour les produits que parce que je trouvais absolument scandaleux que l'on prenne ainsi possession d'une chose aussi personnelle qu'une lettre qui vous est adressée. Mais cela, je n'ai pas pu le faire comprendre à ma mère qui, par la suite,° a eu une attitude similaire à chaque fois que je recevais une lettre à la maison. Peu importait° l'expéditeur,° elle les ouvrait toutes systématiquement. Evidemment, je n'avais jusqu'à récemment reçu que des lettres anodines,° d'amies, de parents, de mes correspondantes° (j'en ai une en Angleterre, une en Allemagne) ou de camarades de classe; mais pourquoi devrait-elle ainsi lire tous mes petits secrets, et surtout tous les secrets de ceux (et celles surtout) qui m'écrivent?

Clarisse V., Grenoble

● **courrier** (m) mail **se souvenir de** remember **concours** (m) competition **gagner** win **échantillon** (m) sample **marque** (f) brand **tendre** hold out **lait (m) démaquillant** cleansing lotion **fond** (m) **de teint** foundation cream **destiné à** addressed to **éclater (de rire)** burst out (laughing) **bruyant** loud **se moquer de** make fun of **amoureux** (m) sweetheart **interdire** forbid **peau** (f) skin **faire usage de** make use of **à force de** by dint of **récupérer** recover **bien** (m) property **état** (m) state **tant** so much **par la suite** from then on **peu importait** no matter who . . . was **expéditeur** (m) sender **anodin** harmless **correspondant(e)** (m, f) penfriend

DÉCOUVERTE DU TEXTE

1. Les faits

Pour bien comprendre les sentiments de Clarisse, il faut d'abord distinguer dans sa lettre les faits essentiels de la situation.

Travail individuel* ⟶ *Mise en commun

Relisez la lettre, puis résumez exactement ce qui est arrivé entre Clarisse et sa mère, en complétant le tableau présenté à droite.

Vérifiez ensuite avec le professeur et l'ensemble de la classe les faits que vous venez de relever.

CLARISSE	SA MÈRE
1. a fait un concours 2.	*Il y a trois ans* 1. a ouvert une lettre adressée à sa fille 2.
Depuis ce moment-là	

2. Les sentiments de Clarisse: le ton de sa lettre

(a) On voit que la conduite de Mme V. a vivement blessé sa fille: la langue utilisée par Clarisse dans sa lettre révèle bien la force de ses sentiments.

Travail individuel* ⟶ *Mise en commun

Dans le tableau présenté à droite, récrivez en **style neutre**, colonne (ii), les éléments de phrase pris dans la lettre, colonne (i).

Comparez ensuite vos phrases simplifiées avec celles des autres étudiants.

Pour finir, discutez avec le professeur la signification de la manière dont Clarisse s'exprime, colonne (i):

Quels étaient les sentiments de Clarisse il y a trois ans?
Quels sont ses sentiments au moment où elle écrit?
Qu'est-ce qu'elle reprochait à sa mère il y a trois ans?
Qu'est-ce qu'elle lui reproche encore?

(b) ***Travail à deux*** Relisez ensemble ce résumé de la lettre et la colonne (i) du tableau présenté à droite. Ensuite, remplacez les éléments en italique en retrouvant oralement les mots et expressions employés par Clarisse dans sa lettre. Ne consultez ni le tableau ni le texte.

Je suis révoltée, car je vais avoir 16 ans et ma mère *a l'habitude* d'ouvrir mon courrier. La première fois, c'était il y a trois ans, lorsque j'ai reçu des échantillons de produits de beauté que *j'avais gagnés* à la suite d'*un concours:* ma mère a ouvert l'enveloppe et *elle a utilisé* certains des produits qu'elle contenait. *Elle a lu* ma lettre *et* elle *ne m'a pas permis* de *découvrir mes cadeaux*. *Ils m'étaient adressés* parce que j'avais gagné ce concours. *Ayant protesté*, j'ai enfin repris mes cadeaux, mais en y repensant, je crois que *je n'acceptais pas* qu'*on ouvre une lettre* adressée à quelqu'un d'autre.

(i) CE QU'A ÉCRIT CLARISSE	(ii) STYLE NEUTRE
– je suis révoltée, révoltée et scandalisée	– je suis révoltée
– ma mère continue à avoir cette détestable habitude d'ouvrir mon courrier	
– j'avais eu la chance de gagner des produits de beauté à l'occasion d'un petit concours	
– elle avait même déjà utilisé le lait démaquillant	
– non seulement elle avait lu cette lettre, mais, en plus, elle ne m'avait même pas laissé la joie de prendre possession *moi-même* de mes petits cadeaux	
– après tout, c'était bien à moi qu'ils étaient destinés, non?	
– à force de cris et de larmes, j'avais finalement récupéré mon bien	
– je trouvais absolument scandaleux que l'on prenne ainsi possession d'une chose aussi personnelle qu'une lettre	

3. L'attitude de Mme V.

A première vue, Clarisse se plaint simplement du fait que sa mère ouvre son courrier. Mais il s'agit peut-être de choses plus fondamentales.

Travail individuel* ⟶ *Mise en commun Notez vos réponses à ces questions:

Pourquoi, selon vous, la mère de Clarisse a-t-elle fait ce qu'elle a fait?
Pourquoi continue-t-elle, à votre avis, à ouvrir le courrier de sa fille?
Que dirait Mme V., pour justifier sa conduite, à quelqu'un qui n'appartiendrait pas à la famille?
Qu'est-ce que vous auriez fait à sa place?

Discutez maintenant vos idées avec le professeur et l'ensemble de la classe. Notez les points essentiels de la discussion.

À COMPLÉTER, À NOTER ET À MÉMORISER

Expressions et structures

- seize ans ____ quatre mois (= *d'ici quatre mois*)
- je suis __ âge __ (= *assez âgé pour*) recevoir des lettres
- je m' __ souviens
- _ l'occasion _'un petit concours
- la joie __ découvrir mes cadeaux
- je le lui ___ remarquer (= *je le lui rappelai*)
- _ force __ cris et __ larmes (= *ayant beaucoup crié et pleuré*)
- en _ repensant (= *pensant de nouveau à cela*)
- ___ ________ l'expéditeur (= *quel que soit l'expéditeur*)
- ___ __ suite (= *après cela*)

Constructions verbales

- elle continue __ avoir cette habitude
- avoir l'habitude __ ouvrir mon courrier
- j'avais eu la chance __ gagner des produits de beauté
- je ______ partie ___ gagnantes
- prendre possession __ mes cadeaux
- elle éclata __ un rire bruyant
- elle se moqua __ moi
- je __ interdis __ te les mettre sur la peau
- je n'ai pas pu __ faire comprendre __ ma mère

Formes

grosse → m
cadeaux (m pl) → sing
bruyant → adv
amoureux (m) → f
belle → m
miraculeux → adv
meilleur → adv
personnelle → m
expéditeur (m) → f
récemment → adj

Noms et verbes

- ouvrir → l' ________ (f) de son courrier
- arriver → l' ______ (f) de l'enveloppe
- contenir → elle avait utilisé son ______
- découvrir → la ________ de ses cadeaux
- destiner → l'adresse du __________
- faire remarquer → je lui en fis la _______
- se moquer → les ________ (f) de sa mère
- envoyer → l' _____ (m) d'une lettre photocopiée
- interdire → l' __________ (f) de Mme V.
- expéditeur → celui qui a ______ la lettre

EXERCICES

1. Vocabulaire: produits de beauté (Servir à/se servir de)

(a) Clarisse a gagné, entre autres choses, un lait démaquillant. Le lait démaquillant **sert à** enlever le maquillage. **A quoi servent** les produits de beauté qui figurent dans les publicités ci-dessous?

Travail individuel → ***Travail à deux*** En consultant ces publicités, notez par écrit l'usage de chaque produit de beauté mentionné dans le cadre.

Exemple:

Le rouge à lèvres ***accentue la teinte et les contours des lèvres.***

Ensuite, avec un(e) partenaire, posez tour à tour des questions et donnez des réponses au sujet de ces produits. Dans chaque question et chaque réponse, employez **servir à**.

Exemple:

- ***A quoi sert*** *le rouge à lèvres?*
- ***Il sert à*** *accentuer la teinte et les contours des lèvres.*

1. le rouge à lèvres 2. la crème de jour 3. le vernis à ongles 4. la crème dépilatoire 5. la crème solaire 6. le shampooing 7. l'ombre à paupières

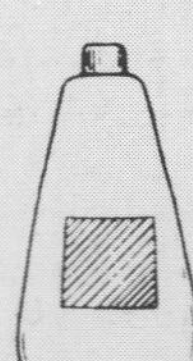

Cheveux gras, cheveux las?
Le shampooing qui lave en profondeur **FRAÎCHEUR DU MATIN** rend vos cheveux plus souples et plus lisses.

Les nouvelles ombres NACRE mettent en valeur les yeux d'une femme. Les verts et les violets, les bleus et les

bruns: quinze coloris étonnants. Demandez les nouvelles ombres de Jeanne de Saint-Pierre à votre parfumeur.

Plus vous attrapez de coups de soleil, moins vous bronzez facilement. **SURBRONZE**, qui associe la guanine à des substances filtrantes, protège la peau, non seulement en surface mais aussi de l'intérieur, comme si elle était déjà bronzée.

SURBRONZE

FORMULE SECRÈTE

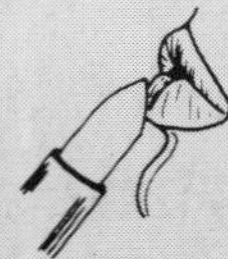

Un nouveau rouge à lèvres
Un nouveau brillant à lèvres
Un nouveau conditionneur à lèvres
Accentuez la teinte et les contours de vos lèvres avec
FORMULE SECRÈTE

DÉPIL

Pour enlever vos poils ou duvets superflus, le docteur C.V.Lebrun a conçu un traitement que vous pouvez appliquer à domicile. En toute sécurité. DÉPIL: en vente chez les meilleures esthéticiennes.

HYDRIL

Vous désirez garder une peau jeune? Essayez **HYDRIL**. Légère et douce, la crème de jour **HYDRIL** freine l'évaporation excessive d'eau qui fait perdre à votre peau sa souplesse.

Rouges, rosés, cuivrés, ils brillent. Faciles à employer, rapides à sécher, ils brillent pour embellir vos mains. Employez les vernis à ongles **ÉMAIL**

(b) **De** quels produits **se servent** les femmes – d'après les publicités présentées ci-contre (en bas) – pour 'se faire une beauté'?

Exercice oral Sans regarder ni vos notes ni les publicités, essayez d'expliquer maintenant au professeur **de** quoi une femme **se servirait** si elle voulait:

- accentuer ses lèvres
- embellir ses mains
- bronzer facilement
- mettre en valeur ses yeux
- se laver les cheveux
- enlever des poils superflus
- garder une peau jeune.

Exemple:

Pour accentuer ses lèvres, elle ***se servirait d****'un rouge à lèvres.*

2. Conditionnel du passé (porter un jugement)/Condition irréelle: si + plus-que-parfait + conditionnel du passé

▶ Si la mère de Clarisse se plaignait à une amie du comportement de sa fille difficile, l'amie lui dirait peut-être: « Je te l'avais bien dit. Moi, **j'aurais respecté** son indépendance. **Je n'aurais pas ouvert** l'enveloppe. »
On peut employer ainsi le **conditionnel du passé** pour **porter un jugement** sur une action accomplie par une autre personne. ◀

(a) Chacun des parents qui figurent dans le tableau « *Je te l'avais bien dit. . .* » (à droite) se plaint de la conduite de son fils/sa fille à un(e) voisin(e) qui est déjà au courant de la situation. Le tableau explique pourquoi ces parents **se plaignent** (i) et **la cause** (ii) de l'incident en question.

Travail à deux ——→ Travail individuel Dialoguez de la manière suivante, en prenant tour à tour le rôle du voisin/de la voisine. Employez chaque fois le **conditionnel du passé** pour **porter un jugement** sur l'action du parent:

M. Fabre *Oh là là! Thierry a dit qu'il ne partirait pas en vacances avec nous.*

Voisin(e) *Je te l'avais bien dit. Moi,* ***je l'aurais autorisé*** *à passer le weekend en camping avec ses copains.*

Rédigez ensuite par écrit ce que dit le voisin/la voisine dans chaque cas.

« Je te l'avais bien dit . . . »

PARENT	(i) PLAINTE	(ii) CAUSE
M. Fabre	Son fils Thierry a dit qu'il ne partirait pas en vacances avec ses parents.	M. F. ne l'avait pas autorisé à passer le weekend en camping avec ses copains.
Mme Lebel	Sa fille Charlotte a passé deux jours à bouder dans sa chambre.	Mme L. ne lui avait pas permis de sortir avec un garçon de sa classe.
Mme Cartier	Son fils François (13 ans) a crevé avec un couteau les pneus de son vélo.	Mme C. avait donné une fessée au garçon parce qu'il avait été insolent.
M. Morin	Son fils Paul n'est pas allé en classe ce jour-là.	Le soir précédent, M. M. avait été trop occupé pour aller à un match de foot avec le garçon.
M. Simon	Sa fille Elisabeth a refusé de manger au dîner.	M. S. ne l'avait pas laissée téléphoner au garçon qu'elle avait rencontré en Angleterre.
Mme Picard	Sa fille Anne-Marie n'a pas voulu sortir avec elle et son mari.	Mme P. s'était moquée de la nouvelle robe de sa fille.

▶ **Si** la mère de Clarisse **avait** mieux **compris** sa fille, elle **aurait respecté** son indépendance.
On emploie cette structure (**si** + **plus-que-parfait** + **conditionnel du passé**) pour indiquer qu'un fait (*respecter son indépendance*) n'a pas eu lieu parce que la **condition** (*comprendre sa fille*) **ne s'est pas réalisée.** ◀

(b) ***Travail individuel*** Relisez attentivement le tableau ci-dessus et essayez d'en mémoriser les faits. Ensuite, cachez la colonne (ii) (**cause**) et écrivez une phrase qui résume chaque incident. Employez chaque fois **si** + **plus-que-parfait** + **conditionnel du passé.**

Exemple:

Si *M. Fabre* ***avait autorisé*** *Thierry à passer le weekend en camping avec ses copains, son fils* ***n'aurait pas dit*** *qu'il ne partirait pas en vacances avec ses parents.*

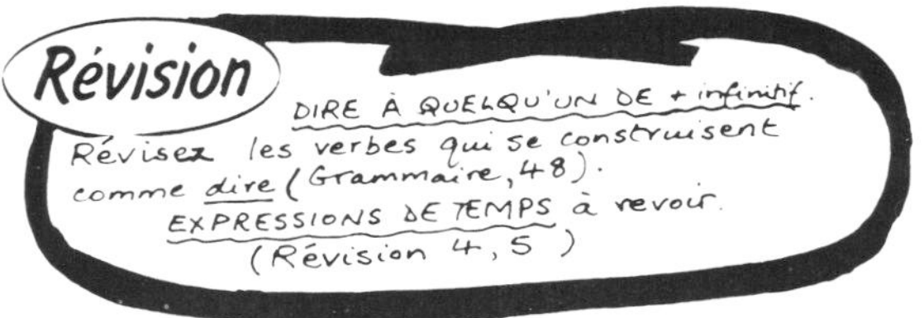

Révision
DIRE À QUELQU'UN DE + infinitif.
Révisez les verbes qui se construisent comme dire (Grammaire, 48).
EXPRESSIONS DE TEMPS à revoir.
(Révision 4, 5)

3. Interdire

▶ Mme V. dit à Clarisse: « Et pour tes produits de beauté, **je t'interdis de** te les mettre sur la peau. »
Elle aurait pu également exprimer son **interdiction** en disant:

«. . . **je te défends de** / **je ne t'autorise pas à** te les mettre sur la peau. »

ou bien:

«. . . **tu ne** te les mett**ras (fut.) pas** sur la peau: **c'est compris?** » ◀

Pour fêter la fin du bac, Alain, 18 ans, veut organiser une boum chez lui. Son père semble d'abord favorable, mais la discussion des détails révèle des problèmes inattendus. Le schéma présenté à droite donne l'essentiel de leur conversation.

Travail à deux A partir du schéma, développez la conversation entre Alain et son père en jouant chacun(e) l'un des deux rôles. Le père emploiera une variété de formules d'**interdiction**.

Début possible:

Père	*Tu comptes inviter combien de personnes?*
Alain	*Une trentaine. J'allais inviter tous mes copains, garçons et filles.*
Père	***Tu n'inviteras pas** plus de vingt personnes: **c'est compris?** Et qu'est-ce que vous allez faire pour manger?*

Après un premier essai, changez de rôle et répétez l'exercice.

4. Vouloir que + subjonctif (exprimer ses souhaits)

▶Au lieu d'interdire à sa fille d'employer ses produits de beauté, Mme V. aurait pu exprimer **ses souhaits** en employant **vouloir que** + **subjonctif**:

«Et pour tes produits de beauté, **je ne veux pas que** tu te les **mettes** sur la peau. »

Le singulier (**je, tu, il/elle**) et la troisième personne du pluriel (**ils/elles**) du **subjonctif** (présent) peuvent normalement se former à partir de la troisième personne du pluriel (**ils/elles**) de l'**indicatif**:

ils **mettent** (**indicatif**) ⟶ je **mette,** tu **mettes,** il/elle **mette,** ils/elles **mettent.** (**subjonctif**) ◀

La boum

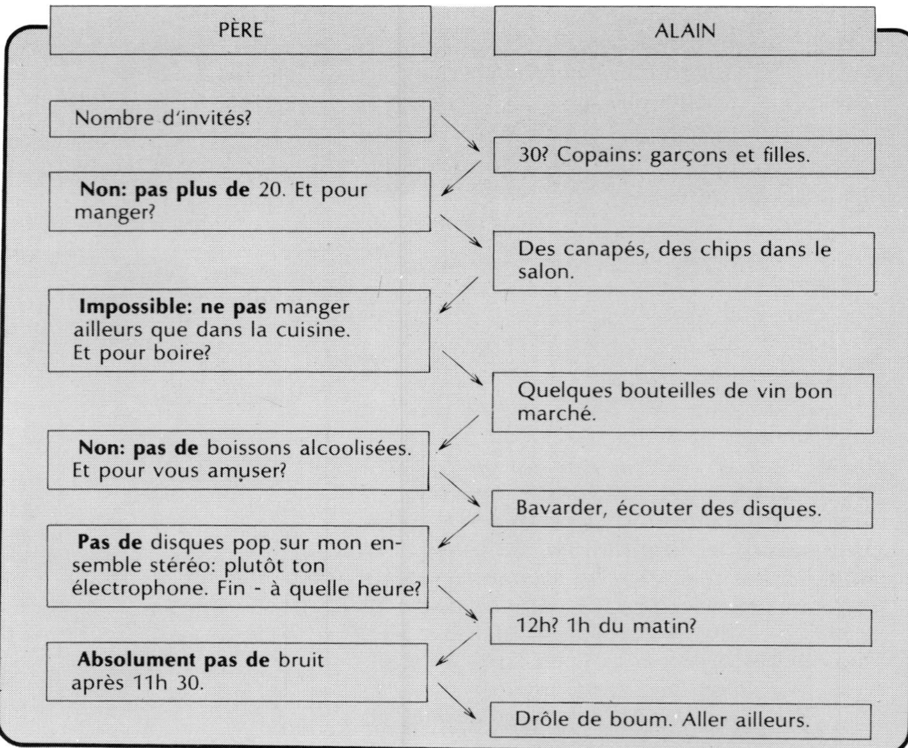

PÈRE
ALAIN
Nombre d'invités?
30? Copains: garçons et filles.
Non: pas plus de 20. Et pour manger?
Des canapés, des chips dans le salon.
Impossible: ne pas manger ailleurs que dans la cuisine. Et pour boire?
Quelques bouteilles de vin bon marché.
Non: pas de boissons alcoolisées. Et pour vous amuser?
Bavarder, écouter des disques.
Pas de disques pop sur mon ensemble stéréo: plutôt ton électrophone. Fin - à quelle heure?
12h? 1h du matin?
Absolument pas de bruit après 11h 30.
Drôle de boum. Aller ailleurs.

(a) Clarisse se brouille de plus en plus souvent avec sa mère, qui ne cesse pas de surveiller étroitement la conduite de sa fille. Exaspérée, Clarisse explique à son amie Marie-Jo les **souhaits** de sa mère en ce qui concerne sa conduite.

Exercice oral ⟶ ***Travail individuel*** A partir des remarques de Mme V. (ci-contre, en haut), imaginez, sous la direction du professeur, ce que Clarisse dit à Marie-Jo. Employez chaque fois **elle veut que/elle ne veut pas que** + **subjonctif**.

Exemples:

Elle veut que *je lui* ***montre*** *toutes les lettres que je reçois.*
Elle ne veut pas que *je* ***perde*** *mon temps avec une petite pipelette comme toi!*

Rédigez ensuite par écrit les phrases que vous avez composées ensemble.

Tu me montreras toutes les lettres que tu reçois.
Tu ne partiras pas en vacances avec tes copines.
Tu me diras où tu vas chaque fois que tu sors en ville.
Tu ne prendras jamais d'argent dans mon porte-monnaie.
Tu ne perdras pas ton temps avec une petite pipelette comme Marie-Jo.
Tu liras des magazines plus sérieux, ma fille.
Tu ne sortiras pas toute seule avec un garçon.
Tu finiras tes devoirs avant de sortir le soir.
Tu n'écriras pas à ce garçon à Londres, même pour perfectionner ton anglais.

(b) Au cours de leur conversation, Clarisse dit sans doute à Marie-Jo ce que, pour sa part, elle veut ou ne veut pas que sa mère fasse.
Travail à deux ⟶ ***Mise en commun*** Inventez **cinq souhaits** qu'exprime Clarisse par rapport à sa mère. Employez chaque fois **je veux que/je ne veux pas que** + **subjonctif**.
(Si vous voulez employer un de ces sept verbes irréguliers, *aller, avoir, être, faire, pouvoir, savoir, vouloir*, consultez le *Tableau des verbes*, pp. 217–219).

Exemple:
Je ne veux pas qu'*elle* **continue** *à ouvrir mon courrier.*

Comparez ensuite vos souhaits avec ceux des autres étudiants.

ACTIVITÉS

1. Conversation: Clarisse et sa mère

(a) A l'origine de la dispute entre Clarisse et sa mère, il y a la conversation qui a eu lieu le jour de l'arrivée des produits de beauté.
Travail individuel Relisez les deux premières colonnes de la lettre de Clarisse: imaginez (et notez) ce que la jeune fille et sa mère ont pu se dire lorsque Clarisse est rentrée.

(b) ***Travail à deux*** Comparez vos notes avec celles de votre partenaire. Ensuite, en jouant chacun(e) l'un des deux rôles, essayez de reconstituer la conversation.

Grenoble, le 7 avril

Madame,
Je me permets de vous écrire pour demander conseil. J'ai une fille, âgée de seize ans, qui devient de plus en plus difficile et insolente. Tout cela a commencé il y a trois ans environ

2. Lettre à un magazine: Mme V. se plaint

Comme Clarisse devient de plus en plus difficile, Mme V. décide d'écrire au magazine *Parents* pour demander conseil. Vous trouverez en bas (à gauche) le début de sa lettre.
Travail individuel Complétez cette lettre comme si vous étiez Mme V. Réemployez les informations contenues dans la lettre de Clarisse, et consultez aussi les notes que vous avez prises sur l'attitude de sa mère (*Découverte*, 3).

Vous pouvez utiliser:

– J'ai essayé d'expliquer que . . .	– Je ne supporte plus . . .
– J'ai tenté en vain de . . .	– Je suis exaspérée par . . .
– J'ai pris la peine de . . .	– Je ne sais plus comment . . .
– Je voulais simplement lui montrer que . . .	– Je trouve très inquiétant(e) son/sa . . .

Et pour la formule finale:

Recevez, Veuillez agréer,	Madame,	l'expression de l'assurance de	mes sentiments distingués.

22

«IL N'Y A PAS TROP À SE PLAINDRE...»

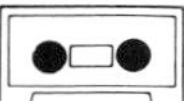

POINTS DE REPÈRE

Dans la conversation que vous allez entendre, notre enquêtrice demande à deux témoins quels sont les sujets de désaccord entre parents et jeunes.
Travail individuel* ⟶ *Mise en commun Ecoutez une première fois la bande, puis notez en quelques mots ce que vous aurez retenu sur:

- les témoins: noms, liens de parenté
- les sujets de désaccord mentionnés
- la nature des rapports entre les témoins.

Comparez ensuite vos idées avec celles des autres étudiants.

Oui, __ ______ __ la façon de s'habiller il y a eu ______ ______ ______, enfin pas vraiment graves. Je __ ______ par exemple qu'il y a quelques années, je voulais acheter des vêtements qui étaient à la mode, que les copains portaient. Des jeans par exemple. Mais mes parents ______ _' ______ ______, en particulier ma mère qui voulait que je porte des vêtements beaucoup plus discrets, surtout quand j'allais à l'école. Pendant un certain temps c'était ______ ______, mais nous avons fini par trouver __ ______ ______ au problème. Ils m'ont donné une petite allocation pour les vêtements et ils m'ont dit que si je dépensais soigneusement l'argent, il ______ ______ que j'achète ce que je voulais. Mais s'il ne m'en restait plus, je devrais accepter ce qu'ils choisissaient. Cela nous a permis plus ou moins de régler le différend. Oui, __ __ ____-__, il n'y a pas ____ __ __ ______.

ACTIVITÉS

1. La conversation en détail

Travail individuel/à deux* ⟶ *Mise en commun
Avec ou sans partenaire, écoutez de nouveau l'enregistrement et prenez des notes d'après ces indications:

- **premier sujet de désaccord** ce dont il s'agissait
- **causes** la cause générale – la cause précise
- **attitude du père** explication
- **solution** ce qu'ont dû faire les jeunes

- **deuxième sujet de désaccord** ce dont il s'agissait
- **l'exemple** moment – lieu – ce que le garçon a fait et pourquoi – ce qu'il a demandé et quand – réponse du père

- **commentaire du père** raisons pour le voyage – attitude envers la demande du garçon

- **situation chez eux** comparaison avec d'autres familles.

Comparez maintenant les informations que vous avez relevées avec celles des autres étudiants.

2. Vocabulaire: un désaccord et sa solution

(a) Dans la déclaration présentée à droite (en haut), Thierry L. répond à une question de l'enquêtrice sur un autre sujet de désaccord.
Travail individuel Recopiez en liste les mots et expressions suivants dans l'ordre nécessaire pour compléter la déclaration de Thierry. N'oubliez pas de faire les changements grammaticaux qui conviennent. Ensuite mémorisez les mots et expressions.

plutôt gênant – trop à se plaindre – au niveau de – être juste – quelques petits problèmes – de ce côté-là – avoir d'autres goûts – une solution élégante – se rappeler

(b) ***Travail à deux*** Complétez oralement la déclaration de Thierry sans regarder ni votre liste de mots et d'expressions ni le cadre à gauche (en bas).

(c) ***Exercice oral*** Sous la direction du professeur, reconstituez la déclaration de Thierry en ne consultant que votre liste de mots et d'expressions.

3. Extrait d'interview: un désaccord chez vous

Imaginez qu'on vous interroge, vous et un de vos parents, sur les sujets de désaccord chez vous.
Travail individuel En vous inspirant des indications proposées pour la conversation entre Jean et Thierry (*Activités*, 1), et des mots et expressions que vous avez appris (*Activités*, 2), inventez par écrit un extrait de la conversation où vous présenterez:

- un exemple précis
- le point de vue de votre père ou de votre mère
- la solution (s'il y en a une).

TOI ET MOI

C'est dans nos rapports avec les autres, amis, amant ou maîtresse, mari ou femme, que nous découvrons peut-être nos joies les plus intenses, ainsi que nos souffrances les plus aiguës, joies et souffrances qui reposent parfois sur des illusions ou sur des malentendus.

SOIRÉE DÉSASTRE

POINTS DE REPÈRE

Deux personnes qui se trouvent dans la même situation voient les choses différemment. Dans ces témoignages, recueillis par un magazine pour les jeunes, Sylvie et Patrick racontent ce qui s'est passé quand ils se sont rencontrés pour la première fois et, ensuite, lorsqu'ils sont sortis ensemble. Ils sont tous les deux d'accord sur les **faits** essentiels, mais ils ignorent chacun les **impressions** et les **réactions** de l'autre.

Travail individuel* ⟶ *Mise en commun Lisez attentivement les deux versions en les comparant; ensuite, résumez par écrit, en sept ou huit phrases concises, ce qui s'est passé le soir où Sylvie est sortie avec Patrick:

– les préparatifs de Sylvie
– l'attente de Patrick
– l'arrivée au cinéma
– le geste de Patrick au cinéma
etc.

Comparez ensuite votre résumé des **faits** avec celui des autres étudiants.

LA VERSION DE SYLVIE

Lorsque j'ai rencontré Patrick dans une boîte,° je l'ai trouvé fantastique. Pas seulement sympathique,° mais vraiment celui avec qui on a plaisir à être, naturel et chaleureux.° Vous voyez ce que je veux dire.° J'étais vraiment folle° de joie lorsqu'il m'a proposé un rendez-vous. Je ne pus m'empêcher de° parler de lui à tout le monde au lycée et de dire combien il me tardait de° le revoir.

J'ai passé un long moment à me préparer et, quand je descendis, il m'attendait déjà ! Je dois dire que j'avais prévu° d'être juste un peu en retard parce que je trouvais ridicule d'être déjà là à l'attendre quand il arriverait. Je ne voulais pas avoir l'air de me précipiter.° Mais la première chose que je remarquai fut qu'il semblait différent. Il n'était pas aussi bien que je le croyais, et, en me voyant, ne sourit pas et ne parla pas comme je l'avais imaginé.

Nous avions prévu d'aller au cinéma; il me dit que nous ferions mieux d'y aller, sans quoi° nous n'y arriverions jamais à temps. Et il se mit à marcher tellement vite qu'il me fallut presque courir pour le suivre.

Au cinéma il essaya de prendre ma main, et j'eus envie de° pleurer parce que j'étais sûre qu'il faisait ça uniquement° en pensant que c'était ce que j'attendais.

J'étais embarrassée et honteuse.° S'il avait été aussi chaleureux que la première fois, je ne me serais pas fait des idées.° Là, je n'arrivais pas à comprendre pourquoi il m'avait proposé un rendez-vous.

Lorsque le film fut terminé, il me demanda si j'avais envie d'aller manger un hamburger et je dis oui, alors que la seule chose dont j'avais envie était de rentrer à la maison et me convaincre° que rien de tout cela ne s'était passé.

Etant donné la situation, je finis par faire la conversation toute seule, en espérant qu'il allait me répondre quelque chose. Mais il ne dit rien d'autre que oui ou non, en regardant tout autour de lui, comme si se trouver à côté de moi était la dernière chose dont il eût envie !... Je me suis sentie soulagée° lorsque nous nous sommes levés et qu'il m'a ramenée° à la maison. Du moins, à ce moment-là, se mit-il à parler un peu de lui, de ses cours° au collège technique et de ses vacances en camping cet été avec ses copains.°

JE SAVAIS QU'IL NE VOUDRAIT PLUS ME REVOIR

Mais en fait, je voyais bien que tout cela était inutile.° Je savais qu'il ne s'intéressait pas vraiment à moi et qu'il n'aurait aucune envie de me revoir. Il me laissa devant ma porte en me disant qu'il me passerait un coup de fil° un de ces jours. Je savais très bien qu'il n'en avait pas du tout l'intention. Ma mère me demanda si je m'étais bien amusée, je me précipitai dans ma chambre et éclatai en sanglots.° J'avais tellement attendu ce rendez-vous, et tout s'était si mal passé ! Le pire° c'est que je finis par détester Patrick parce que je savais que, quoi qu'il en dise, je n'étais pas assez bien pour lui et cela me rendait malade...

LA VERSION DE PATRICK

J'avais vraiment beaucoup aimé Sylvie la première fois. Elle semblait vraiment drôle° en plus. Je lui ai proposé un rendez-vous parce que cela me semblait vraiment une bonne chose. Je n'y avais pas vraiment réfléchi° sans doute, mais j'étais avec mes copains, je me sentais en forme et je n'avais pas grand'chose à perdre.

La première chose qui me déplut° fut son retard. Elle m'a laissé faire le poireau° un quart d'heure, à tel point que je commençais à me demander si elle ne m'avait pas posé un lapin.° On se sent l'air idiot planté à un coin de rue, à attendre ! Et quand elle s'est décidée à arriver, elle ne s'est même pas excusée. Ça ne m'a vraiment pas plu.

JE NE CROIS PAS M'ÊTRE JAMAIS AUTANT TROMPÉ° SUR UNE FILLE

Je ne l'avais pas vraiment remarqué dans la boîte (peut-être parce que nous étions tous les deux avec des copains), mais Sylvie se révéla° être une de ces filles qui se conduisent° comme si elles vous faisaient une immense faveur en acceptant de sortir avec vous. Par exemple, j'ai essayé de lui prendre la main au cinéma; elle l'a retirée° brusquement comme si elle avait peur d'attraper° quelque chose.

Je ne sais vraiment pas pourquoi ensuite je lui ai proposé d'aller dans un café. Sans doute parce que je la croyais un peu intimidée de se trouver seule avec moi. Je me suis dit que voir des gens autour d'elle la rassurerait° et qu'elle se sentirait plus à l'aise,° davantage° semblable° à ce qu'elle était dans la boîte.

Mais tout ce qu'elle trouva à faire fut de continuer à parler d'elle, de sa famille, de ses amis, des gens que je ne connaissais même pas. Je ne pouvais donc pas vraiment participer, n'est-ce pas ? Sylvie, c'est évident, n'était préoccupée que d'elle-même: je voyais bien que chaque fois que j'essayais de parler de moi ça ne l'intéressait pas. Je ne crois pas m'être jamais autant trompé sur une fille, pensais-je. Elle paraissait chaleureuse et naturelle, et elle se révélait égoïste° et ennuyeuse. De toute façon je ne sais pas ce que je vais faire. En réalité je m'en soucie° peu. Pour moi c'est simplement une soirée ratée.° C'est tout...

● **boîte** (f) club **sympathique** nice **chaleureux(-euse)** warm **vouloir dire** mean **fou(folle)** mad **s'empêcher de** stop oneself **il me tarde de** I'm longing to **prévoir de** plan to **se précipiter** rush **sans quoi** otherwise **avoir envie de** want to **uniquement** only **honteux(-euse)** ashamed **se faire des idées** get ideas **convaincre** convince **soulagé** relieved **ramener** take back **cours** (m) class **copain** (m) mate **inutile** useless **passer un coup de fil à qqn** ring sb up **éclater en sanglots** burst into tears **pire** (m) worst **drôle** funny **réfléchir à** think of **déplaire à** annoy **faire le poireau** be left kicking one's heels **poser un lapin à qqn** stand sb up **se tromper** be wrong **se révéler** turn out to be **se conduire** behave **retirer** withdraw **attraper** catch **rassurer** reassure **se sentir à l'aise** feel at ease **davantage** more **semblable** like **égoïste** selfish **se soucier de** care about **raté** ruined

ACTIVITÉS

1. Les deux versions: impressions et réactions

Sylvie et Patrick voient chacun cet épisode d'une manière différente, et leurs réactions ne sont pas les mêmes.

Travail à deux* ⟶ *Mise en commun Avec un(e) partenaire, relevez par écrit les **impressions** et **réactions** de Sylvie et de Patrick de la façon indiquée ci-dessous.

Comparez ensuite vos notes avec celles des autres étudiants.

La version de Sylvie

	COMMENT SYLVIE VOIT PATRICK	RÉACTIONS DE SYLVIE
PREMIÈRE RENCONTRE	- fantastique pas seulement sympathique	- elle a eu plaisir à être avec lui
	-	-
	-	-
DEUXIÈME RENCONTRE	-	-
	-	-
	-	-

La version de Patrick

	COMMENT PATRICK VOIT SYLVIE	RÉACTIONS DE PATRICK
PREMIÈRE RENCONTRE	-	-
	-	-
	-	-
	-	-
	-	-

2. Vocabulaire des rendez-vous

(a) Dans les deux versions, de nombreuses expressions se rattachent au thème des rendez-vous (sentimentaux). Certaines s'emploient dans n'importe quel texte (emploi **courant**), d'autres surtout dans la conversation (emploi **familier**).

Travail individuel En faisant les changements grammaticaux qui conviennent, recopiez les mots et expressions présentés à droite dans l'ordre nécessaire pour compléter le résumé (ci-dessous) de ce qui s'est passé entre Sylvie et Patrick. Faites attention aux temps des verbes.

> Lorsque Patrick a ______ un ______-____ à Sylvie, elle en a parlé à tout le monde car il lui ______ de le revoir. Mais, le soir de leur rendez-vous, il a dû ____ __ ______ sur le trottoir en croyant qu'elle lui ______ __ _____. A Patrick, qui se ______ déjà moins en ______ que la première fois, Sylvie a donné l'impression qu'elle lui ______ __ ______ en acceptant de le revoir. Finalement, quand il l'a ______ chez elle, Sylvie était sûre qu'il ne s' ________ plus _ elle, même s'il lui a dit qu'il allait lui ______ un ____ __ ____ sans doute un de ___ _____. Quand sa mère lui a demandé si elle s'était ____ _____ Sylvie s'est rendu compte que tout s'était très ___ _____ et elle a _____ __ ________. Pour Patrick c'était simplement une soirée _____.

Emploi courant	**Emploi familier**
bien s'amuser	passer un coup de fil à
éclater en sanglots	un de ces jours
faire une faveur à	poser un lapin à
s'intéresser à	faire le poireau
mal se passer	raté
proposer un rendez-vous à	
ramener	
il (lui) tarde de (*impersonnel*)	
se sentir en forme	

(b) ***Travail à deux*** Complétez oralement le résumé ci-dessus en ne consultant ni votre liste de mots et d'expressions ni le texte.

(c) ***Exercice oral*** Avec l'aide du professeur, essayez de reconstituer le résumé à partir de votre liste de mots et d'expressions seulement.

3. Commentaire: *L'avis de la rédaction*

(a) Une des rédactrices du magazine a commenté pour ses lecteurs le comportement et les motivations de Sylvie et de Patrick ce soir-là. Dans son commentaire la rédactrice:

- met en **contraste** les réactions de Sylvie et celles de Patrick
- essaie d'expliquer les **causes** de leurs malentendus
- exprime sa **certitude** que les choses auraient pu s'arranger
- porte des **jugements** sur leurs actions.

Travail individuel* ⟶ *Mise en commun Lisez attentivement le commentaire *L'avis de la rédaction*, (à droite). Ensuite, complétez le tableau *Comment commenter*: classez les mots et expressions soulignés dans le commentaire selon les rubriques indiquées.

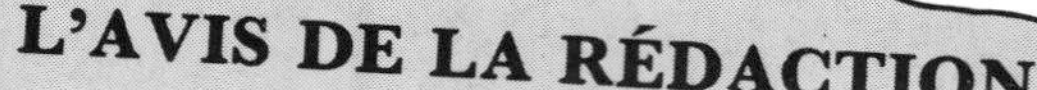

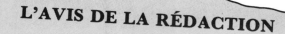

L'AVIS DE LA RÉDACTION

Ce qui saute aux yeux d'abord, c'est que ce soir-là la nervosité a créé des malentendus. Il est évident pourtant que Sylvie et Patrick avaient attendu avec impatience leur rendez-vous.

La première erreur de Sylvie a été d'arriver en retard, tout simplement parce qu'elle ne voulait pas avoir l'air de se précipiter. Et ensuite, elle a eu tort de ne pas s'excuser tout de suite. Car Patrick se sentait déjà tellement froissé, lorsque Sylvie est arrivée, qu'il n'a même pas souri. Il aurait dû quand même essayer d'oublier son retard.

Si Patrick a essayé de prendre la main de Sylvie au cinéma, c'est que cela lui semblait sans doute naturel. Sylvie a cru cependant qu'il faisait cela avec condescendance. Au café, elle se sentait toujours si nerveuse qu'elle a trop parlé d'elle au lieu de faire parler Patrick.

Patrick a pourtant tort de rendre Sylvie responsable de cet échec. Lors de leur première rencontre, la présence de ses amis lui aura donné de l'assurance, tandis que, ce soir-là, il se sentait moins sûr de lui.

Il est clair également que Sylvie a été déçue par l'indifférence de Patrick. Elle s'était certainement imaginé leur rencontre comme une histoire d'amour. On peut aussi lui reprocher de s'être fait une idée beaucoup trop romantique de Patrick.

Tout aurait pu très bien aller entre Sylvie et Patrick si elle avait accepté de le revoir amicalement et simplement, au lieu de construire dans sa tête ce rendez-vous comme un rêve romantique.

Comment commenter

● contraste/ opposition	– cepandant – – –
● cause – effet	– parce que – – –
● certitude/ conviction	– ce qui saute aux – – –
● jugement	– l'erreur de Sylvie – – –

Comparez maintenant votre tableau complété avec celui des autres étudiants. Y a-t-il plus d'une rubrique possible pour certaines expressions?

(b) ***Travail à deux*** Relisez votre tableau *Comment commenter*, puis complétez, de mémoire, la version à trous (*Livret*, p.14) du commentaire de la rédactrice.

4. Récit et commentaire: *Une rencontre décevante*

(a) Il arrive à tout le monde de faire des rencontres décevantes.
Travail individuel Racontez, à la manière de Sylvie, une rencontre, réelle ou imaginaire, qui a mal tourné: une rencontre sentimentale, amicale, professionnelle ou autre.

(b) A vous maintenant de commenter le comportement, les attitudes, les motivations des personnes qui figurent dans le récit d'une autre personne.
Travail individuel Echangez votre récit contre celui d'un(e) autre étudiant(e). Rédigez ensuite votre commentaire à la manière de la rédactrice (*Activités*, 3). Employez au moins **deux** mots ou expressions exprimant chacune des **quatre** fonctions (**contraste, cause-effet**, **certitude**, **jugement**) que vous avez étudiées.

RENCONTRES

POINTS DE REPÈRE

Dans les témoignages que vous allez écouter, trois jeunes nous parlent de rencontres, agréables ou désagréables, qu'ils ont faites en vacances.
Travail individuel/en groupe La classe se divisera en trois groupes (A, B, C): puis chaque groupe, individuellement ou collectivement, écoutera un témoignage différent. Le groupe vérifiera ensuite, avec le professeur, la réponse à ces questions:

De qui s'agit-il? Qu'est-ce qui s'est passé?

Groupe A: « par exemple euh c'était donc à Perros . . . »
Groupe B: « l'année dernière trois Angevins . . . »
Groupe C: « hein moi j'ai été en Grèce . . . »

ACTIVITÉS

1. Les rencontres en détail

(a) ***Travail individuel/en groupe*** Ecoutez de nouveau, individuellement ou en groupe, votre témoignage. Notez les informations essentielles, pour l'incident en question, en composant une fiche de la manière indiquée à droite.
Sans que les autres l'entendent, le professeur interrogera au fur et à mesure chaque groupe sur les informations relevées.

(b) ***Travail en groupe*** Interrogez les autres groupes successivement et composez une fiche semblable pour les deux autres incidents.

(c) ***Exercice oral*** Votre groupe prendra le rôle d'un des deux témoins que vous **n'avez pas écoutés**. Le professeur vous interrogera comme si vous étiez ce témoin: répondez d'après sa fiche.

Début possible:
– *Qui est-ce que vous avez rencontré alors?*
– . . . .
– *Et où est-ce que cela s'est passé?*
– . . . .

GROUPE A/B/C
- témoin: garçon? / fille?
- en compagnie de/seul(e): ________
- moment ou endroit: ________
- personnes rencontrées: ________
- ce qui a provoqué la rencontre: ________
- ce que l'on s'est dit: ________
- ce que l'on a fait par la suite (explicite ou sous-entendu): ________
- conclusion / jugement sur la rencontre: ________

2. Anecdote: une rencontre que vous avez faite

Vous avez peut-être fait vous-même, en vacances par exemple, une rencontre semblable à celles que vous venez d'étudier.
Travail individuel* ⟶ *Travail à deux Complétez, de façon détaillée, une fiche comme celles que vous venez de composer, au sujet d'une rencontre réelle que vous avez faite. Parlez-en ensuite avec un(e) partenaire. Essayez d'expliquer quelle a été pour vous, au moment donné et par la suite, l'importance de cette rencontre.

LA MUSIQUE OUVRE LES PORTES (25)

POINTS DE REPÈRE

Dans le roman de Marie Cardinal *La clé sur la porte*, la narratrice, une femme de quarante ans, présente un groupe d'adolescents: ses trois enfants et leurs amis. Dans l'extrait ci-dessous, la narratrice fait du camping à l'étranger avec son mari et plusieurs de ces jeunes.

Travail individuel* ⟶ *Mise en commun Lisez attentivement ce texte: notez par écrit, d'après les indications à droite, ce que vous apprenez sur la **situation** des campeurs, sur leur **état d'esprit** et sur l'apparence des **intrus**.

Comparez ensuite les informations que vous aurez relevées sur la **situation** avec celles des autres étudiants. Comment évolue l'**état d'esprit** de la narratrice? Comment les **réactions** des jeunes sont-elles indiquées par l'auteur?

- **La situation** Dégagez dans le premier paragraphe les informations que nous donne la narratrice sur:
  - **les campeurs** adultes – adolescents – enfants (nombre, nom, âge, etc.)
  - **le moment** année – saison – heure
  - **l'endroit** pays – paysage – lieu – où se trouvait le groupe, la narratrice
  - **l'incident** les intrus (nombre, âge, ce qu'ils ont fait).
- **Les états d'esprit** Retrouvez dans le texte la manière dont se modifient les sensations, les émotions et les réactions des campeurs au cours de cet incident:
  - **la narratrice** avant l'intrusion – pendant l'incident – un peu plus tard – par la suite
  - **les autres campeurs** de même (si possible).
- **Les intrus** Choisissez dans le texte **trois** mots ou expressions qui évoquent le mieux, pour vous, l'apparence des inconnus ou de leurs machines, tels qu'ils sont ou tels que les campeurs les voient.

Au cours d'un été, nous campions au bord d'un lac canadien. La nuit était tombée, nous avions dîné. C'était l'été où Charlotte était amoureuse d'Alain. Nous étions neuf en tout: Jean-Pierre et moi, six adolescents et Dorothée qui avait douze ans. J'avais sommeil.° Je les ai laissés autour du feu et je suis allée dans la tente. Pendant que je me préparais à me coucher, j'ai entendu une pétarade° formidable. Nous campions dans le creux° d'une grande dune de sable qui descendait jusqu'à l'eau. Je suis sortie et j'ai vu un spectacle incroyable:° trois puissantes° motocyclettes qui absorbaient° la pente° raide° de la dune dans des geysers de sable et un cataclysme° de bruit. La panique m'a prise. Les motos se sont arrêtées à dix mètres de notre campement. C'étaient trois très jeunes hommes, dans les vingt-deux ans, secs,° habillés de cuir° noir, avec de gros dessins colorés sur leurs blousons.° Les machines étaient magnifiques, les flammes faisaient briller leurs chromes par éclats,° les garçons étaient effrayants,° dangereux, les yeux froids dans des visages bardés de° casques° et de mentonnières.° J'étais en retrait,° je voyais la scène. Je m'attendais au° pire. Les enfants, sentant le danger, leurs pensées probablement pleines des récits° quotidiens° de la violence américaine, s'étaient levés. Les motocyclistes restaient immobiles. Jean-Pierre avait fait un pas vers eux.

« *Hello, good evening.* »

Pas de réponse. Ils sont venus près du feu. Tout le monde était debout. Cela a duré un moment. Puis les enfants ont commencé à s'asseoir. Les trois motocyclistes aussi. Grégoire a pris son banjo, Alain sa guitare. Ils se sont mis à gratter.° Charlotte a fredonné:° « *One more blue and one more grey.* » Les trois motocyclistes ont souri. On a passé des oranges. Alors a suivi une des soirées les plus intéressantes que j'aie vécues ces dernières années. Ils ont raconté qu'ils étaient tous les trois électroniciens,° qu'ils habitaient Detroit et que, chaque vendredi soir, ils partaient sur leurs engins° le plus loin possible, à toute vitesse. En général, le soir, ils essayaient de trouver des campeurs avec un feu allumé pour faire cuire leur dîner. Mais c'était difficile. Ils étaient généralement mal reçus. Les campeurs sont souvent armés et sont dangereux. Ils ont parlé de leur vie, de ce qu'ils voulaient, de ce qu'était l'Amérique pour eux.

Le matin, ils ont tenu à° faire la vaisselle° et le ménage° du camp. Ensuite, pour nous remercier, ils ont organisé dans les dunes le plus fantastique carrousel.° Leurs motos dévalaient° les pentes, faisaient naître° des feux d'artifice° de sable en se cabrant° comme des chevaux, puis nous les avons perdus de vue. Ils étaient magnifiques. Je ne sais plus leurs noms. Je les aime beaucoup. C'était la musique qui avait ouvert les portes.

● **avoir sommeil** be sleepy **pétarade** (f) noise of revving engine(s) **creux** (m) hollow **incroyable** incredible **puissant** powerful **absorber** devour **pente** (f) slope **raide** steep **cataclysme** (m) eruption **sec(sèche)** lean **cuir** (m) leather **blouson** (m) bomber jacket **éclat** (m) flash **effrayant** frightening **bardé de** clad in **casque** (m) helmet **mentonnière** (f) chin strap **en retrait** standing back **s'attendre à** expect **récit** (m) story **quotidien(ne)** daily **gratter** strum **fredonner** hum **electronicien** (m) electronics engineer **engin** (m) machine **tenir à** insist on **vaisselle** (f) washing-up **ménage** (m) clearing up, housework **carrousel** (m) display **dévaler** hurtle down **faire naître** create **feu** (m) **d'artifice** firework display **se cabrer** rear up

DÉCOUVERTE DU TEXTE

1. Analyse thématique: les motocyclistes

(a) Pour la narratrice, à la fois impressionnée et intimidée, les motocyclistes évoquent d'abord le **merveilleux**, la **force**, le **danger**.

Exercice oral + Travail individuel Sous la direction du professeur, classez, au tableau, les mots et expressions déjà relevés (*Points de repère: Les intrus*) de la façon suivante:

LE MERVEILLEUX	LA FORCE	LE DANGER
un spectacle incroyable	une pétarade formidable	un cataclysme (de bruit)

Trouvez maintenant dans le texte, individuellement, d'autres expressions qui se rapportent à ces trois thèmes.

Pour finir, complétez, avec l'ensemble de la classe, le classement déjà commencé au tableau.

(b) ***Travail individuel*** ⟶ ***Mise en commun*** Relevez dans les deux derniers paragraphes les détails qui montrent que les motocyclistes sont, malgré tout, des jeunes gens **ordinaires.** Ensuite, comparez vos notes avec celles des autres étudiants. A la fin du texte, les motocyclistes sont-ils, pour la narratrice, ordinaires ou mystérieux, ou les deux en même temps?

2. Interprétation de l'extrait: étrangers et amis

Les campeurs et les motocyclistes se regardent d'abord les uns les autres comme des étrangers. On remarque cependant, à travers leurs gestes et leurs paroles, que la **méfiance** se transforme peu à peu en **camaraderie.**

Travail individuel ⟶ ***Mise en commun*** Relevez dans le texte des exemples de **méfiance** et de **camaraderie** (gestes ou paroles des campeurs et des motocyclistes).

Comparez ensuite vos notes avec celles des autres étudiants:

Comment expliquer la méfiance des campeurs au début de l'incident?

Qu'est-ce qu'ils ont fait pour détendre l'atmosphère?

Comment les motocyclistes ont-ils décrit les campeurs qu'ils avaient rencontrés ailleurs?

Quelles avaient été les réactions des motocyclistes envers ces autres campeurs?

Ne ressemblaient-elles pas aux réactions du groupe de Français au début du texte? En quoi?

3. Vocabulaire: les thèmes de l'extrait

(a) ***Travail individuel*** En consultant au besoin un dictionnaire, transformez de la façon indiquée les mots suivants:

pétarade (f) ⟶ *verbe*
spectacle (m) ⟶ *adj*
puissant ⟶ *nom*
panique (f) ⟶ *verbe*
dessin (m) ⟶ *verbe*
briller ⟶ *adj*
éclat (m) ⟶ *verbe*
effrayant ⟶ *nom*
dangereux ⟶ *adv*

(b) ***Travail individuel*** Recopiez, en les modifiant s'il le faut, les mots que vous venez de trouver (*pétarader*, etc.) dans l'ordre nécessaire pour compléter ce passage. Ensuite mémorisez-les.

Elle se préparait à se coucher quand des détonations formidables ________ (*p. simple*) dans la forêt, puis elle ________ (*p. simple*) en entendant des engins bruyants s'approcher et ________ à quelques mètres de sa tente. Saisie d'______, elle sortit. Elle vit des motos magnifiques monter la pente de la dune, se cabrer en haut, dévaler ____-________ de l'autre côté en ________ dans le sable des courbes ____ ________. Effrayée par la ________ des machines, par leurs chromes (m) ________, par les silhouettes noires des motocyclistes, elle se tenait immobile, n'osant ni avancer ni reculer.

(c) ***Travail à deux*** Complétez oralement ce passage sans regarder votre liste de mots.

À COMPLÉTER, À NOTER ET À MÉMORISER

Expressions et structures

- l'été __ Charlotte était amoureuse
- nous étions neuf __ ____ (*= au total*)
- j'avais ______ (*= envie de dormir*)
- ____ ____ 22 ans (*= d'environ 22 ans*)
- ________ __ (*= vêtus de*) cuir
- avec __ gros dessins
- la soirée la plus intéressante que j' __ vécue (*subjonctif après le superlatif*)
- __ ____ ____ possible (= *aussi loin que*)
- _ toute ________ (*= très vite*)
- __ soir, ils essayaient de trouver des campeurs

Constructions verbales

- je me préparais __ me coucher
- les flammes faisaient ______ les chromes
- je m'attendais __ pire
- ils ont commencé __ s'asseoir
- ils essayaient __ trouver des campeurs
- ils ont parlé __ leur vie
- ils ont tenu __ faire la vaisselle

Formes

canadien ⟶ f
sec ⟶ adv
froid ⟶ nom
quotidien ⟶ adv
immobile ⟶ nom
électronicien (m) ⟶ f
loin ⟶ adj
musique (f) ⟶ adj

Noms et verbes

- bord (m) ⟶ le lac est _____ de dunes
- tomber ⟶ à la ______ de la nuit
- s'arrêter ⟶ des motos à l' ______ (m) devant les tentes
- penser ⟶ ces _______ (f) leur ont traversé l'esprit
- commencer ⟶ le ____________ de la chanson
- sourire ⟶ les ________ (m) des motocyclistes
- suivre ⟶ ils ont tout raconté par la ____
- remercier ⟶ ils ont fait leurs ____________ (m)
- perdre ⟶ à _____ (f) de vue

EXERCICES

1. La simultanéité: en + participe présent

▶ Les motos, selon la narratrice, 'faisaient naître des feux d'artifice de sable **en se cabrant** comme des chevaux'. Cette structure (**en + participe présent**) s'emploie pour dire qu'une personne ou une chose fait deux actions **en même temps** ou pour exprimer la manière dont elle fait quelque chose. Pour souligner la **simultanéité** de deux actions on peut employer **tout en + participe présent**:

> Alain fredonnait **tout en grattant** sa guitare. ◀

(a) Au moment où les motocyclistes ont fait irruption dans le campement, que faisaient les campeurs? Les dessins (à droite) vous le diront. ***Exercice oral* ⟶ *Travail individuel*** Regardez ces dessins, puis prenez tour à tour le rôle de chacune des personnes indiquées: dites ce que vous faisiez à ce moment-là. Employez **(tout) en + participe présent**.

Exemple (la narratrice):

> *Au moment où les motocyclistes sont arrivés, je lisais* ***(tout) en me démaquillant.***

Composez ensuite par écrit, avec **(tout) en + participe présent**, neuf phrases disant ce que faisait chacune de ces personnes au moment où les motocyclistes sont arrivés.

Exemple:

> *A ce moment-là, la narratrice lisait* ***(tout) en se démaquillant.***

(b) Il y a des actions que nous avons l'habitude de faire **en même temps**, ou d'une certaine manière. Est-ce que vous avez l'habitude de bavarder, par exemple, **en regardant** la télévision?
Travail à deux* ⟶ *Exercice oral Dans le tableau *La force des habitudes*, trouvez dans les deux colonnes des éléments qui vont ensemble. Demandez ensuite à votre partenaire s'il/si elle fait telles ou telles choses en même temps. Notez ses réponses et répondez à votre tour. Employez chaque fois **en + participe présent.**

Exemple:

– *Est-ce que tu bavardes* ***en regardant*** *la télévision?*
– *Pas d'habitude. Sauf quand l'émission ne m'intéresse pas.*

Ensuite, rapportez à l'ensemble de la classe une ou deux habitudes de votre partenaire.

La narratrice

Jean-Pierre et Cécile

Grégoire (cigarette) et Philippe

Dorothée (blonde) et Adrienne

Charlotte et Alain

La force des habitudes

bavarder	se lever le matin
hurler	regarder la télévision
ronfler	faire ses devoirs
se sentir encore endormi(e)	voir une araignée
écouter la radio	prendre un bain
chanter	traverser la rue
faire très attention	parler de soi-même
lire le journal	s'habiller
avoir tendance à exagérer	dormir
se regarder dans la glace	prendre son petit déjeuner

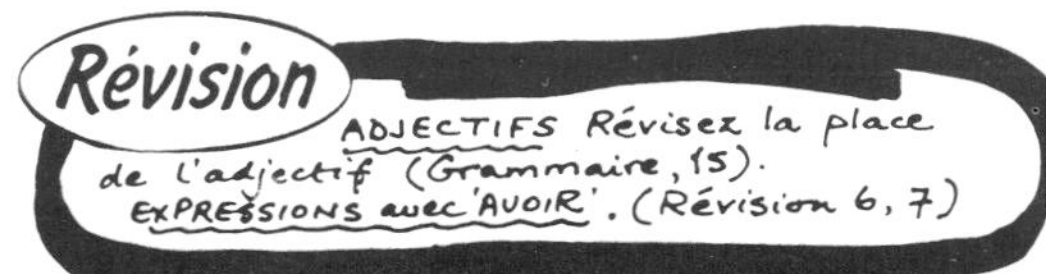

Révision
ADJECTIFS Révisez la place de l'adjectif (Grammaire, 15).
EXPRESSIONS avec 'AVOIR'. (Révision 6, 7)

2. Avoir peur/craindre que + ne + subjonctif

▶ En apercevant les trois motocyclistes, la narratrice est prise de panique:

Elle a peur/craint que les garçons **ne soient** dangereux.

Pour exprimer la **crainte**, on emploie ainsi **avoir peur/craindre que + ne + subjonctif.** (En langue orale on peut omettre **ne**). ◀

(a) Les bulles accompagnant les croquis présentés à droite expriment les **craintes** des campeurs lorsqu'ils aperçoivent les trois motocyclistes.

Exercice oral* ⟶ *Travail individuel Sous la direction du professeur, décrivez ce que craint chaque campeur. Employez **avoir peur/ craindre que + ne + subjonctif.**

(En consultant le *Tableau des verbes*, pp. 217–219, mémorisez d'abord, s'il le faut, le subjonctif présent de ces verbes: *avoir, être, faire, vouloir*).

Exemple:

La narratrice ***craint/a peur qu****'ils* ***ne soient*** *dangereux.*

Ensuite, écrivez vos phrases en les mémorisant.

(b) Imaginez que vous êtes les campeurs. Les motocyclistes sont en train d'arriver.

Exercice oral Sans regarder les bulles ni vos phrases écrites, décrivez vos réactions. Employez **j'ai peur/je crains que + ne + subjonctif**.

3. Décrire quelqu'un

▶ Dans *La musique ouvre les portes*, la narratrice nous dit, en parlant des motocyclistes, qu'ils ont **les yeux froids.**

Ce genre de détail **descriptif** peut s'exprimer de plusieurs façons:

> Ce sont des garçons **aux yeux** froids.
> Ils **ont les yeux** froids.
> **Leurs yeux** sont froids. ◀

(a) Quelques jours après l'incident raconté dans le texte, un jeune Canadien francophone arrive un soir au camp. Ayant été invité à participer à une soirée musicale, il observe avec intérêt les membres du groupe. Sans connaître leurs noms, il interroge Jean-Pierre à leur sujet.

Exercice oral* ⟶ *Travail à deux En vous basant sur le tableau (à droite), interrogez d'abord Jean-Pierre (le professeur), comme si vous étiez le visiteur, sur chacun des jeunes campeurs. Employez tantôt l'une tantôt l'autre des formules **descriptives** ci-dessus.

Qui est le garçon ***aux cheveux*** *roux et* ***au nez*** *retroussé? Et la fille qui* ***a le teint*** *frais?*

Ensuite, dialoguez de la même manière avec un(e) partenaire: prenez tour à tour le rôle du visiteur.

FILLES	*général*	*cheveux*	*yeux*	*traits*	*teint*
Dorothée	mince jolie	blonds raides	noisette	traits réguliers	frais
Charlotte	gentille potelée	blonds ondulés	marron	visage joufflu	coloré
Cécile	élancée	bruns courts	bruns	joues creuses	blême
Adrienne	plus jeune que Cécile	châtains courts	gris clair	menton fuyant	clair
GARÇONS					
Grégoire	petit fort	blonds frisés	bleus	nez aquilin	bronzé
Philippe	grand maigre	noirs en brosse	gris foncé	air résolu	pâle
Alain	de taille moyenne	roux longs	verts ronds	nez retroussé	taches de rousseur

(Remarquez que certains adjectifs, qui sont à l'origine des noms, sont invariables: *noisette, marron*. Les adjectifs composés comme *gris clair, vert foncé* sont également invariables).

(b) Vous pouvez employer les mêmes structures et formules **descriptives** pour des personnes de votre connaissance.
Exercice oral A tour de rôle, **décrivez** un(e) de vos camarades à l'ensemble de la classe. Les autres étudiants doivent essayer de deviner de qui vous parlez.

4. C'est, c'était + nom; il/elle est, il/elle était + adjectif

▶ En parlant des motocyclistes, la narratrice nous dit que **'c'étaient** trois très jeunes **hommes'** et, plus tard, qu' **'ils étaient magnifiques'**.
Pour **décrire** des personnes ou des choses spécifiques, on emploie souvent:

C'est, ce sont **C'était, c'étaient**	} + **nom**
Il/Elle est, ils/elles sont **Il/Elle était, ils/elles étaient**	} + **adjectif.** ◀

Exercice oral* ⟶ *Travail individuel Regardez de nouveau le tableau à la page 93 qui **décrit** les jeunes campeurs (*Exercices*, 3). Sous la direction du professeur, composez des phrases au sujet de chacun de ces garçons et filles; choisissez des adjectifs qui conviennent, surtout dans la colonne de gauche. Employez d'abord **c'est** + **nom**, et ensuite **il/elle est** + **adjectif**.
(Faites attention à la place de l'adjectif: *Grammaire*, p. 183).

Exemples:
Dorothée ***C'est une*** *jolie* ***fille*** *mince et blonde.*
Elle est jolie, mince et blonde.

Composez par écrit, en deux ou trois phrases, le portrait de **quatre** de ces sept jeunes. Employez les détails que fournit le tableau, et des formules **descriptives** (ci-dessus et *Exercices*, 3).

Exemple:
Elle est jolie, Dorothée. C'est une fille mince aux cheveux blonds et raides. Elle a le teint frais et les traits réguliers; ses yeux sont noisette.

5. Il est, Il était + adjectif + que/de . . . C'est, C'était + adjectif

▶ Regardez ces deux phrases:

Il était difficile de trouver des campeurs accueillants.
Il était évident que les campeurs **étaient** méfiants.

Si on veut qualifier un fait de *difficile*, *évident*, etc., on peut employer, **en début de phrase**:

Il est/Il était (*difficile, possible, affolant*, etc.) **de + infinitif.**
Il est /Il était (*évident, certain, probable*, etc.) **que + verbe.**

(En langue orale seulement, on peut employer, en début de phrase, **C'est/C'était** (*difficile/évident*, etc.) **de/que + infinitif/verbe.**) ◀

(a) Vous trouverez ci-dessous des déclarations faites plus tard par les campeurs au sujet de l'arrivée des motocyclistes.
Exercice oral Sous la direction du professeur, modifiez les déclarations en employant, selon les cas, **Il était . . . de + infinitif** ou **Il était . . . que + verbe.**

Exemple:
Il était agréable de se décontracter *ce soir-là autour du feu.*

▶ Regardez cette phrase:

Ils essayaient de trouver des campeurs accueillants; mais **c'était difficile.**

Pour qualifier un fait de *difficile, possible, évident*, etc., on peut employer, pour **récapituler une phrase**:

. . . ; **c'est/c'était** (*difficile, possible, évident*, etc.). ◀

(b) ***Exercice oral*** Relisez les déclarations ci-dessous en essayant de les mémoriser. Ensuite retrouvez, de mémoire, le plus possible de ces phrases: qualifiez-les chaque fois avec **. . . ; c'était** (*agréable, certain*, etc.).

Exemple:
Tout le monde se décontractait autour du feu; ***c'était agréable.***

(c) ***Travail individuel*** Sans regarder les déclarations ci-dessous, composez, par écrit et de mémoire, **six** phrases au sujet des motocyclistes ou des campeurs. Employez deux fois **Il était . . . de + infinitif**, deux fois **Il était . . . que + verbe**, et deux fois **. . . ; c'était . . .**

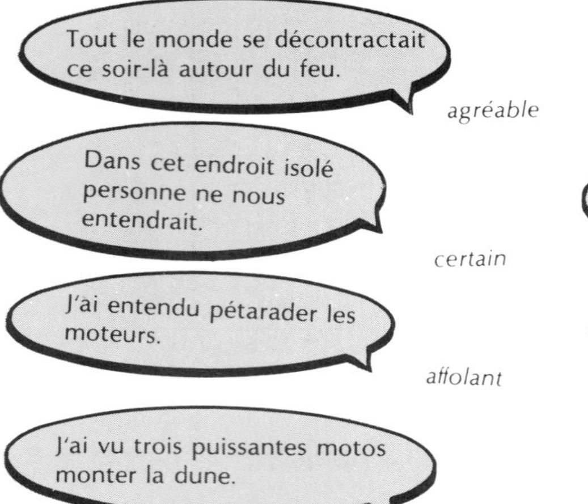

Tout le monde se décontractait ce soir-là autour du feu.
agréable
Dans cet endroit isolé personne ne nous entendrait.
certain
J'ai entendu pétarader les moteurs.
affolant
J'ai vu trois puissantes motos monter la dune.
impressionnant

On a essayé de distinguer les visages dans les casques.
difficile

Je me suis dit qu'il fallait les rassurer.
évident

Nous ne savions pas s'ils seraient violents.
impossible

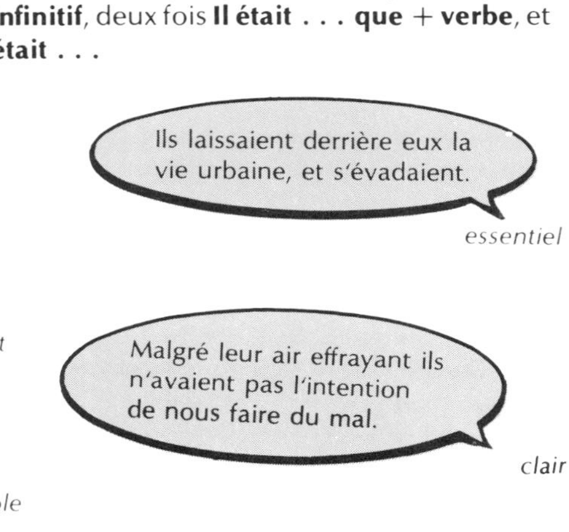

Ils laissaient derrière eux la vie urbaine, et s'évadaient.
essentiel
Malgré leur air effrayant ils n'avaient pas l'intention de nous faire du mal.
clair

6. La distance: à . . . (kilomètres, etc.) de

▶ Selon la narratrice de *La musique ouvre les portes*, 'les motos se sont arrêtées **à** dix mètres **de** notre campement.'
Pour poser une question sur la **distance**, on emploie des structures telles que:

Quelle distance y a-t-il de . . . à . . . ?
Combien de (kilomètres, etc.) y a-t-il de . . . à . . . ?
Où se trouve . . . ?

Pour indiquer la distance, on peut employer:

. . . **se trouve/est à . . . (kilomètres, etc.) de . . .** ◀

(a) Dix jours après l'incident raconté dans le texte, ce même groupe de Français établit son camp dans un endroit isolé du Canada francophone, près de la rivière indiquée sur la carte ci-dessous.
Exercice oral Sous la direction du professeur, posez des questions, et donnez des réponses, sur les **distances** entre les endroits marqués.

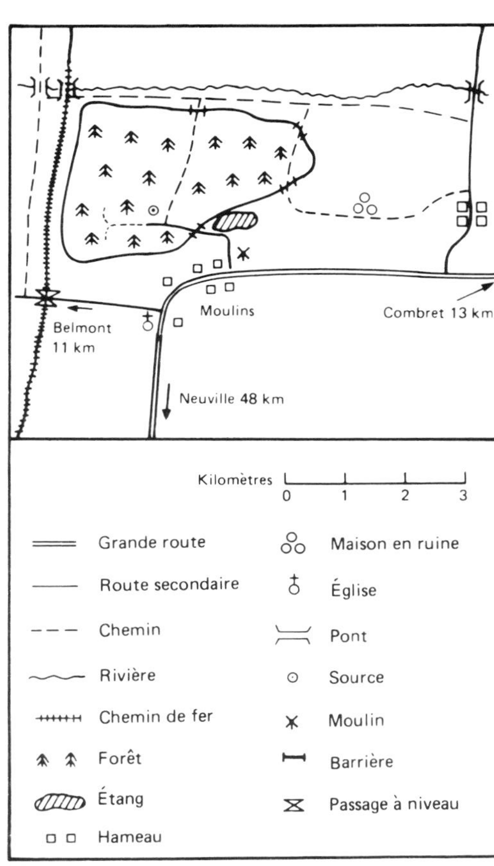

(b) Un soir, en revenant d'une randonnée, les campeurs constatent que plusieurs objets de valeur ont été volés. Une demi-heure plus tard, à Moulins, Jean-Pierre téléphone à la police de Neuville. Il décrit en détail au policier, qui ne connaît pas bien l'endroit, le chemin de Moulins jusqu' à leur camp.
Travail à deux Choisissez chacun(e) un endroit précis pour le camp des Français au bord de la rivière marquée sur la carte. Ensuite, comme si vous étiez Jean-Pierre, expliquez soigneusement au policier (à votre partenaire) comment arriver au camp. Prenez tous/toutes les deux un chemin différent. Insistez sur les détails marqués sur la carte et sur les **distances**.

Utilisez, si vous le voulez, des expressions telles que:

A deux kilomètres de là
A un demi-kilomètre du village
Un kilomètre plus loin

traversez . . .
tournez à gauche/droite
continuez tout droit
vous arriverez à . . .
vous verrez (sur votre gauche/droite) . . .
vous traverserez . . .

ACTIVITÉS

1. Portraits: Dorothée et Grégoire

Dans le texte, la narratrice décrit les motocyclistes de la manière suivante:

C'étaient trois très jeunes hommes, dans les vingt-deux ans, secs, habillés de cuir noir, avec de gros dessins colorés sur leurs blousons . . . les garçons étaient effrayants, dangereux, les yeux froids dans des visages bardés de casques et de mentonnières.

Ce bref portrait est composé d'une série de notations, d'impressions, où figurent surtout:

des adjectifs: *secs, effrayants, dangereux*
des noms: *cuir, dessins, blousons, casques, mentonnières.*

(a) Au début du roman *La clé sur la porte*, la narratrice décrit ses trois enfants. Le portrait qui suit est celui de sa fille cadette, qui a quatorze ans à ce moment-là. Les noms et les adjectifs que vous y trouverez sont surtout présentés sous forme d'**énumérations** (séries, listes de mots).
Travail individuel ⟶ Mise en commun Lisez attentivement ce portrait et relevez **trois** exemples d'**énumérations**:

Elle est jolie, Dorothée. Elle a les cheveux blonds, les yeux noisette, un grain de beauté au coin de l'œil gauche, de grandes jambes, le teint frais, le corps élancé. Elle n'a pas encore fini de pousser. Sportive, nette, rigoureuse, tirée à quatre épingles, ravissante, excellente élève. Elle est née contestataire. Elle conteste tout, systématiquement. Je ne sais pas ce qu'elle deviendra, mais je l'imagine jeune technocrate, belle et intelligente, folle de modes modernes, dans un intérieur bien rangé. Elle peut lire pendant des heures, rester seule dans sa chambre. Elle pique des colères terribles qui font trembler les murs et claquer les portes. Elle a de la justice un sentiment aigu: les discussions avec elle sont épuisantes.

Discutez vos conclusions avec le professeur et l'ensemble de la classe.

(b) Avant de composer le portrait de chacun de ses personnages, Marie Cardinal aura peut-être noté des impressions, dans son carnet, de la façon suivante.

Travail individuel En consultant la fiche de Grégoire, 17 ans, composez celle de Dorothée de la même manière.

GRÉGOIRE			
physique	tempérament	habillement	ce qui l'intéresse
pas grand, fort, puissant, large d'épaules, coiffé à l'afro, yeux bleus, très actif, toujours en bonne santé,	énergique, vif et tendre, affectueux, capable de dormir n'importe où,	décontracté, vêtements de sport, jean et pullover, baskets,	mauvais élève, joue de la guitare et du banjo, veut devenir cinéaste

(c) ***Travail individuel*** Relisez le portrait de Dorothée (a), puis composez celui de Grégoire en 100 à 150 mots: référez-vous à sa fiche ci-dessus.

2. Récit vécu: *Prise de contact*

Vous avez analysé (*Points de repère, Découverte*, 1, 2) le récit d'une rencontre.

Travail individuel Relisez le texte. Ensuite, décrivez par écrit une rencontre, réelle ou imaginaire, au cours de laquelle méfiance, hostilité ou indifférence se transforme en amitié (une rencontre chez vous, dans la rue, à l'école, dans une boîte, etc.). Comme Marie Cardinal, vous présenterez:

- **la situation:** moment – endroit – personnes présentes – ce que l'on faisait – votre état d'esprit
- **les personnes/la personne** que vous alliez bientôt connaître telles(s) que vous les/la voyiez d'abord: attitudes – gestes – comportement – habillement, etc.
- **une confiance et une amitié croissantes:** attitudes physiques – gestes – paroles – expressions
- **les nouveaux amis, le/la nouvel(le) ami(e)** tel(le/s) que vous le(s)/la voyiez à la fin de l'épisode.

QUE PENSEZ-VOUS DU MARIAGE?

Travail individuel/à deux ⟶ Mise en commun Avant de poser à un(e) partenaire les questions suivantes, notez brièvement vos réponses personnelles. Puis demandez-lui:

- s'il/si elle compte se marier un jour,
- si la vie en commun lui fait peur ou non,
- si, en cas de mariage, il/elle se mariera à l'église,
- si, à son avis, un homme et une femme qui veulent vivre ensemble doivent se marier,
- ce qui compte le plus pour le bonheur d'un couple: la même origine sociale, l'égalité intellectuelle, l'argent, les enfants, l'attirance physique, etc.,
- s'il/si elle aimerait avoir des enfants, et, si oui, combien,
- ce qu'il/elle pense du divorce.

Discutez brièvement vos réflexions sur ces questions avec l'ensemble de la classe.

UN MARIAGE DES ANNÉES CINQUANTE

POINTS DE REPÈRE

Dans l'enregistrement que vous allez entendre, un Français d'un certain âge nous confie ses réflexions sur son mariage. ***Travail individuel* ⟶ *Mise en commun*** Ecoutez une première fois ce témoignage, avec la transcription à trous (*Livret*, p. 14) sous les yeux. Ensuite, mettez la transcription de côté et dites au professeur les détails que vous aurez retenus sur:

- **le mariage du témoin**
- **sa carrière.**

DÉCOUVERTE DU TEXTE

1. Le témoignage en détail

Travail à deux/Travail individuel Avec ou sans partenaire, écoutez de nouveau l'enregistrement; relevez les informations essentielles en complétant la transcription. Arrêtez la bande quand il le faut.

2. Résumés: de la langue orale à la langue écrite

(a) Si le témoin, Robert P., avait présenté ses réflexions **par écrit**, il se serait peut-être exprimé comme dans les résumés qui suivent, c'est-à-dire sans hésitations, sans reprises et de façon plus cohérente.

Travail individuel En consultant la transcription (ll. 9–29), complétez ce résumé de ce que dit le témoin sur ses **motivations** envers le mariage: choisissez, dans cette version écrite, l'une ou l'autre de chacune des expressions proposées:

> Robert P. nous raconte qu'en se mariant il a pris une décision (*réfléchie/peu réfléchie*), ses motivations étant plutôt (*réalistes/idéalistes*), ce qui ne l'empêche pas maintenant d'être (*satisfait/insatisfait*) de son mariage. (*Le succès/l'échec*) de ce mariage est dû à son avis (*à la chance/au calcul*), car Robert P. estime que sa femme et lui étaient à l'époque (*bien équipés/mal équipés*) pour le mariage dans la mesure où il n'était fondé essentiellement que sur (*un besoin de communication/des besoins matériels*).

Complétez maintenant cette version de ce que dit Robert P. au sujet de sa **préparation** pour le mariage (ll. 3–8):

> Il constate que, de son temps, ... et . . . . au sujet du mariage étaient moins developpées qu'aujourd'hui sur les plans . . . . : on . . . . rarement ces aspects du mariage, au moins dans la . . . . . . où il . . . .

(b) ***Travail individuel*** Relisez les deux résumés que vous venez de compléter. Ensuite, résumez de façon semblable, à la troisième personne (il), **la carrière** de Robert P. (ll. 30–54):

> ses études – sa première rencontre avec sa femme (classe) – son premier poste (dates) – durée de cet emploi – son deuxième poste – son poste actuel – ses contacts professionnels avec sa femme.

Début possible:

> *Peu de temps après avoir commencé ses études à l'école normale d'instituteurs, Robert P. a rencontré . . .*

3. Vocabulaire: à relever et à retenir

(a) Robert P. rédige par écrit ses réflexions sur son mariage.

Travail individuel Relisez la transcription; établissez une liste des mots et des expressions qui correspondent à ceux soulignés dans cette version écrite:

La réflexion sur la question du (l.4)
mariage était, dans le milieu où (l.8)
je vivais, relativement peu développée,
ce qui explique pourquoi le mariage
que j'ai fait alors était moins raisonné, (ll.9.10)
moins fondé sur la réalité qu'il ne le
serait aujourd'hui. A ce point de vue, (ll.12.14)
je considère le succès de mon mariage
comme étant le résultat du hasard, (l.22)
ou de la chance de toute façon,
car en effet nous avons fait connaissance (ll.27.33)
comme normaliens et nous avons passé
au même moment le baccalauréat. (l.40)

(b) ***Travail à deux*** Reprenez ce résumé en retrouvant oralement les mots et les expressions que vous venez de noter. Ne consultez ni la transcription ni votre liste.

EXERCICES

1. L'intonation déclarative

▶Ecoutez encore une fois l'enregistrement à partir de « nous nous sommes mariés » (l. 41) jusqu'à « deux ans après » (l. 42). Remarquez l'**intonation déclarative** de cette phrase:

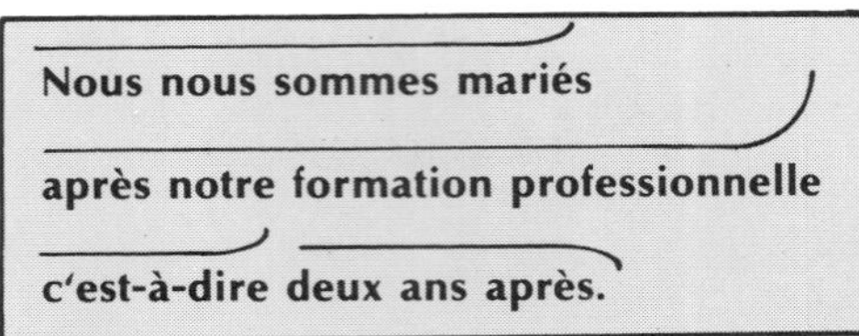

Nous nous sommes mariés
après notre formation professionnelle
c'est-à-dire deux ans après.

Cette déclaration peut se diviser en deux parties (**fait + précision**): la voix monte davantage là où se divise la phrase (*professionnelle*) qu'à la fin des autres groupes rythmiques (*mariés, c'est-à-dire*). ◀

(a) ***Exercice oral*** Sous la direction du professeur, répétez par groupes rythmiques la phrase ci-dessus. Ensuite, mémorisez la phrase en la prononçant. N'oubliez pas d'en respecter l'**intonation déclarative**.

(b) Au cours d'une enquête, on a interrogé plusieurs **témoins** sur leur mariage. Le tableau *Attendre ou ne pas attendre* indique (ii) **où** et **quand** ils ont **connu** leur mari/femme et (iii) **quand** ils se sont **mariés**.

Exercice oral Prenez tour à tour le rôle de chacun des témoins de la colonne (i): répondez aux questions de l'enquêteur (du professeur). Tirez vos réponses de la colonne (ii); n'oubliez pas de respecter l'intonation indiquée dans l'exemple qui suit.

Enquêteur *Vous avez connu votre mari à quel âge?*

Sténodactylo **A quatorze ans au bal du samedi soir.**

Regardez les colonnes (ii) et (iii) du tableau; dialoguez maintenant avec l'enquêteur (le professeur) de la façon suivante. N'oubliez pas dans vos réponses de respecter l'**intonation déclarative** indiquée:

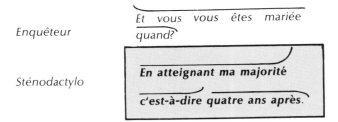

Enquêteur *Et vous vous êtes mariée quand?*

Sténodactylo **En atteignant ma majorité c'est-à-dire quatre ans après.**

(c) **Travail à deux** Reprenez avec un(e) partenaire les deux parties de la conversation avec chaque témoin: colonnes (ii) et (iii) du tableau. Respectez l'intonation indiquée ci-dessus. Prenez tour à tour le rôle de l'enquêteur.

Attendre ou ne pas attendre

(i) TÉMOIN: PROFESSION	(ii) A CONNU SON MARI/SA FEMME: LIEU	ÂGE	(iii) S'EST MARIÉ(E): MOMENT	ÂGE
sténodactylo	au bal du samedi soir	14	en atteignant sa majorité	18
médecin	à l'hôpital	20	lorsqu'il s'est installé	28
journaliste (f)	en première	17	quand elle est devenue rédactrice	25
actrice	en tournée en province	30	avant de quitter la ville	30
viticulteur	aux vendanges	24	aux vendanges de l'année suivante	25
pompier	dans une maison en feu	19	lors d'une grève	21
photographe	au mariage d'un client	22	quand il a changé d'emploi	28
maçon	à l'école maternelle	5	après son service militaire	20

A COMPLÉTER, À NOTER ET À MÉMORISER

Expressions et structures

- je me suis marié à une époque ___ l'information était ______ développée ____ maintenant
- sur le ____ (= *au niveau*) psychologique
- _ __ moment-___ (= *alors*)
  (cp. *en ce moment* = *maintenant*)
- ce désir était-il le facteur essentiel? je ___ crois
- nous sommes ____ ___ ____ (= *l'un et l'autre*) professeurs
- nous ____ ______ connus (*l'un l'autre*)
- le système, alors, était différent ___ système actuel
- 'normalien' était le terme _ _' _____ (= *alors*)
- _' ____-_-____ (= *autrement dit*) deux ans après
- en 1967, ____ à laquelle j'ai quitté l'établissement
- ce qui ____ ___ (= *de telle sorte que*)
- dans le ______ de l'enseignement (= *en ce qui concerne l'enseignement*)

Noms et verbes

- réflexion (f) ——▶ on n'a pas ________ au mariage
- information (f) ——▶ ils se sont ________
- se développer ——▶ le ____________ de leur affection
- contracter ——▶ leur ________ (m) de mariage
- communication (f) ——▶ il faut savoir _________
- rêver ——▶ il confond le ____ et la réalité
- fonder ——▶ les __________ (m) de leur mariage
- formation (f) ——▶ on _____ les instituteurs à l'école normale
- nommer ——▶ il a obtenu sa ________
- enseignant (m) ____ il a ________ dans un lycée

2. Exprimer ses souhaits, ses préférences (emploi du subjonctif)

(a) Comme chaque garçon, chaque fille, vous rêvez sans doute quelquefois à votre partenaire idéal(e). Le sondage (*Livret*, pp. 16–17) vous permettra de préciser vos préférences.

Travail individuel Complétez votre exemplaire du sondage de la manière suivante. Barrez les mentions inutiles, et cochez les cases correspondantes:

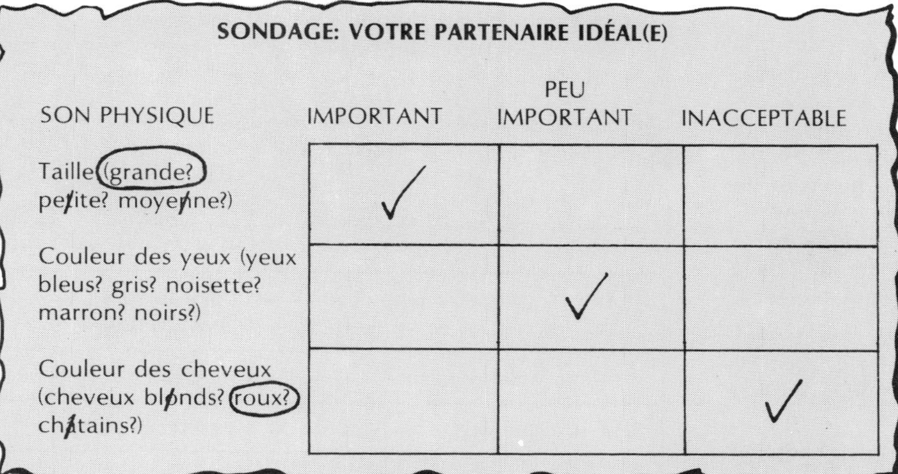

SONDAGE: VOTRE PARTENAIRE IDÉAL(E)

SON PHYSIQUE	IMPORTANT	PEU IMPORTANT	INACCEPTABLE
Taille (grande? ~~petite?~~ ~~moyenne?~~)	✓		
Couleur des yeux (yeux bleus? gris? noisette? marron? noirs?)		✓	
Couleur des cheveux (cheveux ~~blonds?~~ roux? ~~châtains?~~)			✓

▶ Pour exprimer ce qu'on **souhaiterait** ou **préférerait** (dans le sondage = *important*), ce qu'on **n'aimerait pas** (= *inacceptable*) ou **ce** qu'on **accepterait** (= *peu important*), on peut choisir parmi les formules suivantes:

ce qu'on souhaiterait/préférerait

je voudrais que
je préférerais que
j'aimerais bien que **+ subjonctif**
je souhaiterais que

ce qu'on n'aimerait pas

je ne voudrais pas que
je n'aimerais pas du tout que **+ subjonctif**
je détesterais que

ce qu'on accepterait

ça m'est égal que
ça ne me fait rien que **+ subjonctif.**
j'accepterais que ◀

(b) Le professeur aura vraisemblablement, lui aussi, des **préférences** et des **souhaits** en matière de partenaires.

Exercice oral ⟶ ***Travail à deux*** Interrogez le professeur sur son/sa partenaire idéal(e): demandez-lui ce qu'il pense de tel ou tel trait physique ou moral. Il exprimera ce qu'il **souhaiterait, n'aimerait pas** ou **accepterait**.

Exemples:
– *Est-ce que la couleur des yeux vous est important?*
– *Non,* **ça m'est égal que** *mon/ma partenaire* **ait** *les yeux bruns ou gris.*
– *Et la capacité à vous comprendre, ça compte pour vous?*
– *Absolument.* **Je souhaiterais qu'***il/elle* **puisse** *me comprendre.*
– *Que pensez-vous de la jalousie?*
– **Je n'aimerais pas du tout que** *mon/ma partenaire* **soit** *jaloux(-ouse).*

Ensuite, interrogez votre partenaire de la même manière (employez *tu*, *toi*, etc.). Marquez ses réponses sur un autre exemplaire du sondage. Répondez à votre tour à ses questions sur vos **préférences** et vos **souhaits**, en choisissant parmi les formules ci-dessus.

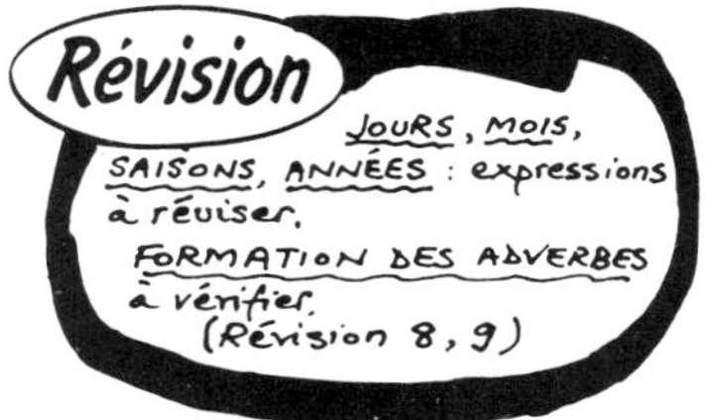

Révision
JOURS, MOIS,
SAISONS, ANNÉES : expressions
à réviser.
FORMATION DES ADVERBES
à vérifier.
(Révision 8, 9)

(c) ***Travail individuel*** ⟶ ***Travail à deux*** Regardez les deux exemplaires du sondage *Votre partenaire idéal(e)* que vous avez complétés: en utilisant les formules présentées à gauche (a), écrivez **deux** paragraphes, l'un pour décrire votre partenaire idéal(e), l'autre pour décrire celui/celle de votre partenaire.

Débuts possibles:

MA PARTENAIRE IDÉALE

Au point de vue physique, je voudrais que ma partenaire soit de taille moyenne et qu'elle ait les yeux bleus et les cheveux blonds. Ça m'est égal que son niveau intellectuel

TON PARTENAIRE IDÉAL

Tu aimerais bien que ton partenaire ait les cheveux châtains et les yeux marron. Tu détesterais cependant qu'il soit plus petit que toi. En ce qui concerne son caractère

Ensuite, comparez avec ceux de votre partenaire les deux paragraphes que vous venez de composer.

3. Trop/assez (de) . . . pour + infinitif

▶ En y repensant, Robert P. estime qu'en 1952 il n'avait pas **assez d'expérience pour se marier**, qu'il était **trop jeune pour comprendre** ce qu'il faisait.
La préposition **pour** s'emploie ainsi pour relier les adverbes de **quantité, trop/assez** (+ **adjectif**) ou **trop de/assez de** (+ **nom**), avec un **infinitif**. ◀

(a) La vie en communauté, comme le mariage, demande certaines qualités personnelles. Nadine et Alain, et plusieurs de leurs amis, louent une grosse maison en banlieue. Ils découvrent ainsi qu'ils possèdent des caractéristiques qui facilitent, ou qui gênent, leur existence en commun.
Travail à deux Déterminez ensemble si chaque **trait de caractère** présenté dans le tableau à droite, colonne (i), répond, ou ne répond pas, au **besoin de la communauté** (ii); puis composez une phrase au sujet de chaque membre de la communauté: employez **trop/assez de + nom + pour + infinitif**.

Exemple:
Christine a ***trop d'indépendance pour s'intégrer*** *dans le groupe.*

Ensuite, à l'aide d'un dictionnaire s'il le faut, notez l'**adjectif** qui correspond à chaque **nom** de la colonne (i). Pour finir, **composez ensemble une deuxième phrase au sujet de** chaque membre de la communauté: employez **trop/assez + adjectif + pour + infinitif.**

Exemple:
Chantal est ***assez souple pour s'adapter*** *à la situation.*

(b) Est-ce que vous êtes faits, vos camarades et vous, pour la vie en communauté?
Travail individuel Composez par écrit **six** phrases, sur des camarades ou vous-même, exprimant des capacités ou incapacités à vivre en groupe. Dans chaque phrase, employez **assez (de)** ou **trop (de) . . . pour + infinitif.**

4. L'opposition: tout en + participe présent

▶ Vous savez déjà que **tout en + participe présent** peut s'employer pour exprimer la **simultanéité** (*Exercices*, 1, p. 92). Vers la fin de son témoignage (ll. 51–52), Robert P. emploie cette structure pour **opposer** l'une à l'autre deux idées:
« Nous ne travaillons plus ensemble, **tout en étant** tous les deux enseignants ». ◀

(a) Un journaliste interroge les membres de la communauté dont il s'agit dans l'*Exercice* 3 sur leur mode de vie. Dans leurs observations (à droite), *La vie en communauté*, des **oppositions** s'expriment de plusieurs façons.
Exercice oral Le journaliste (le professeur) vous interrogera chacun(e) comme si vous étiez Chantal, Christine, etc.; il vous posera chaque fois une question portant sur la partie soulignée de la déclaration. Répondez en employant **tout en + participe présent** pour marquer l'**opposition**.

Exemple:
Journaliste *Alors, Chantal, vous vivez toujours ensemble?*
Chantal *Oui, bien sûr,* ***tout en rencontrant*** *souvent des conflits.*

(i) TRAITS DE CARACTÈRE	→ (ii) BESOINS DE LA COMMUNAUTÉ
Christine: indépendance	→ s'intégrer dans le groupe
Paul: susceptibilité	→ supporter la critique
Chantal: souplesse	→ s'adapter à la situation
François: conservatisme	→ accepter une vie de bohème
Michèle: égoïsme	→ fournir sa part d'efforts
Mathieu: habileté	→ apprendre la menuiserie
Nadine: assurance	→ se moquer du 'qu'en dira-t-on'
Alain: simplicité	→ aimer une existence naturelle

(b) ***Travail individuel*** Rapportez par écrit, en discours indirect et au passé, ce qu'a dit chaque personne interrogée. Employez dans chaque phrase **tout en + participe présent**.

Exemple:
Chantal a dit que les jeunes vivaient toujours ensemble, ***tout en rencontrant*** *souvent des conflits.*

La vie en communauté

Nous vivons toujours ensemble, **même si** nous rencontrons souvent des conflits.

Chantal

Paul et moi, nous faisons de temps en temps des erreurs, **cependant** nous sommes assez bien intégrés.

Christine

Je suis peu doué pour l'artisanat. J'arrive **toutefois** à tisser des vêtements pour les autres.

Paul

5. Le passif/on + actif/verbe pronominal avec une valeur 'passive'

▶ En parlant des problèmes psychologiques et sexuels, Robert P. dit:

> « **On discutait** beaucoup moins ces choses-là, tout au moins dans la sphère où je vivais ».

Il aurait pu dire également:

> « Ces choses-là **étaient** beaucoup moins **discutées** . . . ».
> « Ces choses-là **se discutaient** beaucoup moins . . . ».

Lorsque l'agent (celui qui fait l'action) n'est pas précisé, on peut souvent employer ainsi **on + actif**, le **passif** ou un **verbe pronominal**.
Remarquez cependant que le sens de ces trois formulations n'est pas toujours identique. Comparez:

- la natalité **se réduit/se restreint** (d'elle-même)
- **on réduit/restreint** la natalité (volontairement)
- la natalité **est réduite/restreinte** (constatation d'un fait).

(Avec un sujet humain, un verbe pronominal aura rarement une valeur 'passive'. 'La jeune femme se préparait au mariage' n'a pas le même sens que 'On préparait la jeune femme au mariage'.) ◀

(a) Au cours d'une enquête sur l'évolution du mariage, *Le mariage à travers les années*, un sociologue note les différences qui lui semblent les plus importantes entre le mariage d'**hier**, celui d'**aujourd'hui** et celui de **demain**. Vous trouverez à droite un extrait de ses notes.
Travail individuel* ⟶ *Mise en commun Avec l'aide d'un dictionnaire, trouvez les **verbes** qui correspondent aux **noms** soulignés dans ces notes.
Vérifiez avec le professeur les verbes que vous avez trouvés.

(b) Les notes du sociologue sont basées sur des déclarations faites par des témoins.
Exercice oral Sous la direction du professeur, retrouvez des phrases qu'auraient pu prononcer les personnes interrogées. Employez tantôt le **passif**, tantôt **on + actif**, tantôt un **verbe pronominal**.

Exemples:

> *« Le mariage **était conçu** autrefois comme un échange entre familles. »*
> *« A l'avenir, **on effacera** peut-être la distinction sociale entre homme et femme. »*
> *« L'éducation sexuelle **se développe** actuellement dans nos écoles. »*

(c) ***Travail individuel*** Pour le mariage d'**hier**, choisissez dans les notes du sociologue les **trois** faits qui vous semblent les plus importants. Pour chaque fait composez une phrase: pour le premier avec le **passif**, pour le deuxième avec **on + actif**, pour le troisième avec un **verbe pronominal**.
Ensuite, composez, de la même façon, **trois** phrases pour le mariage d'**aujourd'hui, trois** pour celui de **demain**. Essayez de mémoriser vos phrases en les écrivant.

(d) ***Exercice oral*** Regardez une dernière fois vos neuf phrases. Ensuite, le professeur vous interrogera sur les différences que vous voyez entre le mariage d'hier, le mariage d'aujourd'hui et celui de demain. Répondez, si possible, sans regarder vos phrases. Variez la formulation des réponses (**passif, on + actif, verbe pronominal**).

Exemple:

- *Quelles différences voyez-vous entre le mariage d'hier et celui d'aujourd'hui?*
- *A mon avis, **on concevait** le mariage autrefois comme un échange entre familles.*
- *Et aujourd'hui?*
- . . . .

Bien qu'on n'accepte pas trop de compromis, on s'adapte progressivement à la vie en communauté.

François

Nous partageons les tâches; nous tenons compte **néanmoins** des préférences personnelles.

Michèle

Je n'ai pas l'habitude de travailler en plein air. J'ai **quand-même** l'impression de mener une vie plus naturelle.

Mathieu

Les gens du quartier nous observent constamment **sans** savoir qui est le partenaire de qui.

Nadine

Alors que je fais des choses simples, j'ai un travail qui me tient à cœur.

Alain

LE MARIAGE À TRAVERS LES ANNÉES

HIER
- conception du mariage comme un échange entre familles
- transmission de valeurs morales au moyen du mariage
- aucune préparation du couple au mariage sur le plan sexuel
- maintien du taux de natalité
- exclusion automatique du divorce

AUJOURD'HUI
- développement, dans nos écoles, de l'éducation sexuelle
- pratique du mariage à l'essai
- établissement du mariage sur la base de rapports affectifs
- restriction de la natalité
- affirmation, dans nos mœurs, de l'importance de la sexualité

DEMAIN
- effacement de la distinction sociale entre homme et femme
- limitation des naissances à une ou deux par famille
- destruction de l'institution de la famille
- création de nouvelles normes
- réduction de la population

ACTIVITÉS

1. Extrait de journal intime: *Deux années de mariage*

Deux ans après son mariage, un jeune homme/une jeune femme confie à son journal intime ses réflexions sur sa situation conjugale. Il/Elle y analyse ses motivations et sa maturité lors de son mariage, ainsi que les joies et les déceptions qu'il/elle a éprouvées depuis ce moment-là. ***Travail individuel*** Composez cet extrait en employant, au moins une fois chacun, une **préférence** ou un **souhait** (*Exercices*, 2), **trop (de)/assez (de) . . . pour + infinitif** (*Exercices*, 3), **tout en + participe présent** (*Exercices*, 4).

Début possible (pour jeune femme):

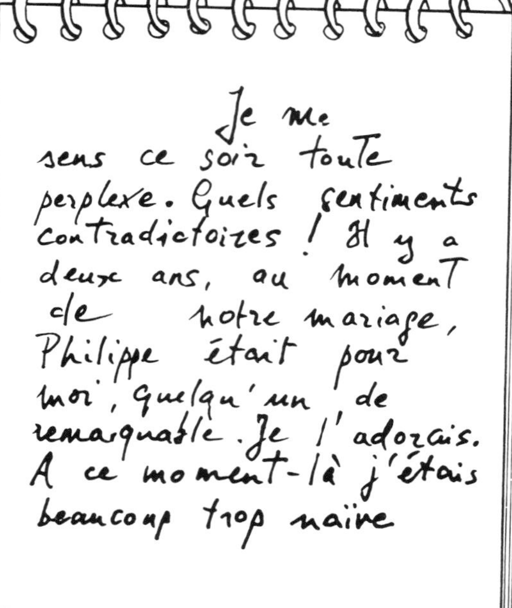
Je me sens ce soir toute perplexe. Quels sentiments contradictoires! Il y a deux ans, au moment de notre mariage, Philippe était pour moi, quelqu'un de remarquable. Je l'adorais. A ce moment-là j'étais beaucoup trop naïve

2. Article de magazine: *Pourquoi se marier?*

(a) Des témoignages comme ceux qui suivent, et le questionnaire ci-contre, ont servi de base à un article paru dans le magazine *L'Express*.
Travail individuel* ⟶ *Discussion Lisez ces témoignages et le sondage de *L'Express*. Ensuite, discutez brièvement les témoignages avec le professeur et l'ensemble de la classe:

Etes-vous d'accord, ou non, avec ce que l'on dit?
L'opinion exprimée est-elle importante?
Est-elle typique, d'après le sondage, de ce que pensent les Français?
Comment répondriez-vous aux questions posées dans le sondage?

Ce qui compte, c'est l'harmonie des goûts, avoir des idées en commun, partager une certaine conception de la vie.

Je ne crois pas que ce soit nécessaire de se marier à l'église ou à la mairie; le mariage est un choix personnel.

Ça doit être très difficile pour deux personnes qui ont des idées politiques totalement opposées.

On peut très bien faire une fête, inviter des gens, ça suffit pour montrer qu'on a décidé d'être ensemble, qu'on est heureux.

On se marie souvent pour faire plaisir à ses parents, s'ils ne veulent pas qu'on vive ensemble.

Le couple doit être indépendant financièrement, il ne devrait pas dépendre des parents.

Les gens qui ne sont pas croyants doivent se sentir gênés de faire une promesse dans une église.

Certains couples qui ne s'entendent pas très bien refusent le divorce parce que, pour eux, le mariage est sacré.

Il est difficile de vivre à deux si on n'a pas le même arrière-plan culturel ou social.

Le divorce est un échec; mais il vaut mieux divorcer que de se détester mutuellement et d'avoir des scènes devant les enfants.

(b) A vous maintenant de composer un article comme celui de *L'Express*. premier paragraphe est déjà composé (voir à droite).
Travail individuel Rédigez les deuxième et troisième parties et la conclusion de c article. La deuxième partie sera basée sur les réflexions de Robert P., sur l témoignages rencontrés ci-dessus (a) et sur vos opinions personnelles. troisième partie présentera les données du sondage. Employez des expressio telles que celles presentées dans le cadre (ci-contre).

Les Français et le mariage

La religion

En cas de mariage, vous marierez-vous religieusement?

OUI . . . . 89 %
NON . . . . 11 %

si oui	LUI	ELLE
■ par conviction personnelle	**64** %	**74** %
■ parce que vos parents le souhaitent	**36** %	**26** %

Un couple heureux

Qu'est-ce qui vous semble le plus indispensable pour qu'un couple soit solide et heureux?

	LUI	ELLE
■ la bonne entente sexuelle	**72** %	**71** %
■ la même origine sociale	**12** %	**13** %
■ l'égalité intellectuelle	**23** %	**26** %
■ l'aisance matérielle	**16** %	**15** %
■ les enfants	**38** %	**41** %
■ l'indépendance financière de l'un par rapport à l'autre	**6** %	**7** %

Le mariage, pourquoi?

Pour chacune de ces affirmations, dites si vous êtes plutôt d'accord ou plutôt pas d'accord:

a) quand un homme et une femme veulent vivre ensemble, ils doivent se marier pour respecter les règles morales et religieuses.

	LUI	ELLE
■ plutôt d'accord	**38** %	**42** %
■ plutôt pas d'accord	**62** %	**58** %

b) le mariage est une simple formalité juridique qui permet à un couple de vivre en conformité avec les habitudes de la société.

	LUI	ELLE
■ plutôt d'accord	**64** %	**60** %
■ plutôt pas d'accord	**36** %	**40** %

c) le mariage est un acte inutile lorsqu'un couple ne veut pas avoir d'enfants.

	LUI	ELLE
■ plutôt d'accord	**32** %	**30** %
■ plutôt pas d'accord	**68** %	**70** %

Les enfants

Aimeriez-vous avoir des enfants?
OUI . . . . . 89 % NON . . . . . 3 %

si oui, combien?	LUI	ELLE
1	**15** %	**7** %
2	**53** %	**60** %
3	**25** %	**27** %
plus	**7** %	**6** %

Le divorce

Est-ce que, aujourd'hui pour vous, le divorce est

	LUI	ELLE
■ une perspective exclue parce que vous en condamnez le principe	**7** %	**5** %
■ une perspective exclue parce que vous avez la certitude que votre couple durera toute la vie	**47** %	**47** %
■ une éventualité que vous redoutez, mais que vous n'excluez pas	**38** %	**41** %
■ une éventualité que vous ne redoutez pas	**8** %	**7** %

à en croire un jeune témoin . . .
certains estiment/sont persuadés que . . .
on accorde beaucoup/peu d'importance à . . .
on n'exclut pas la possibilité de . . .
la part de (la bonne entente sexuelle etc.) est très . . .
de nombreux jeunes déclarent que . . .
les réponses (au questionnaire) montrent que . . .
certains sont d'accord pour affirmer que . . .
ces chiffres indiquent que . . .
la plupart/une nette majorité des (personnes interrogées) . . .
la moitié/le tiers/plus de 80 % (des jeunes couples) . . .
un homme/une femme sur . . .

MŒURS

POURQUOI SE MARIER?

Voilà trente ans la question était: pourquoi ne se marient-ils pas? Aujourd'hui on demanderait plutôt: pourquoi se marient-ils? Le mariage reste-t-il en effet un lien sacré ou est-il devenu une survivance archaïque? Entre ces deux extrêmes personne ne sait très bien où l'on en est.

Selon un professeur d'université interrogé au cours de notre enquête . . .

A ces opinions font écho celles qui ont été recueillies par le magazine *L'Express*. Les réponses . . .

Notre enquête et celle de *L'Express* donnent une image plutôt rassurante de ce qu'est le mariage. La plupart des Français, même les jeunes, croient . . .

3. *Avez-vous le conjoint qu'il vous faut?* Comme la femme qui figure dans cette bande dessinée de Sempé, de nombreux individus cherchent dans la presse des conseils sur leurs rapports avec les autres: mari ou femme, ami ou amie.

Travail à deux* ⟶ *Mise en commun La dernière image manque à cette BD. Avec un(e) partenaire, racontez oralement ce qui se passe dans les images ci-dessous. Ensuite, imaginez quel pourrait être le contenu de l'image qui manque. Enfin, communiquez vos idées à l'ensemble de la classe. Pour finir, le professeur pourra vous montrer la dernière image de Sempé (*Livret*, p. 17).

QUE FAIRE DANS LA VIE ?

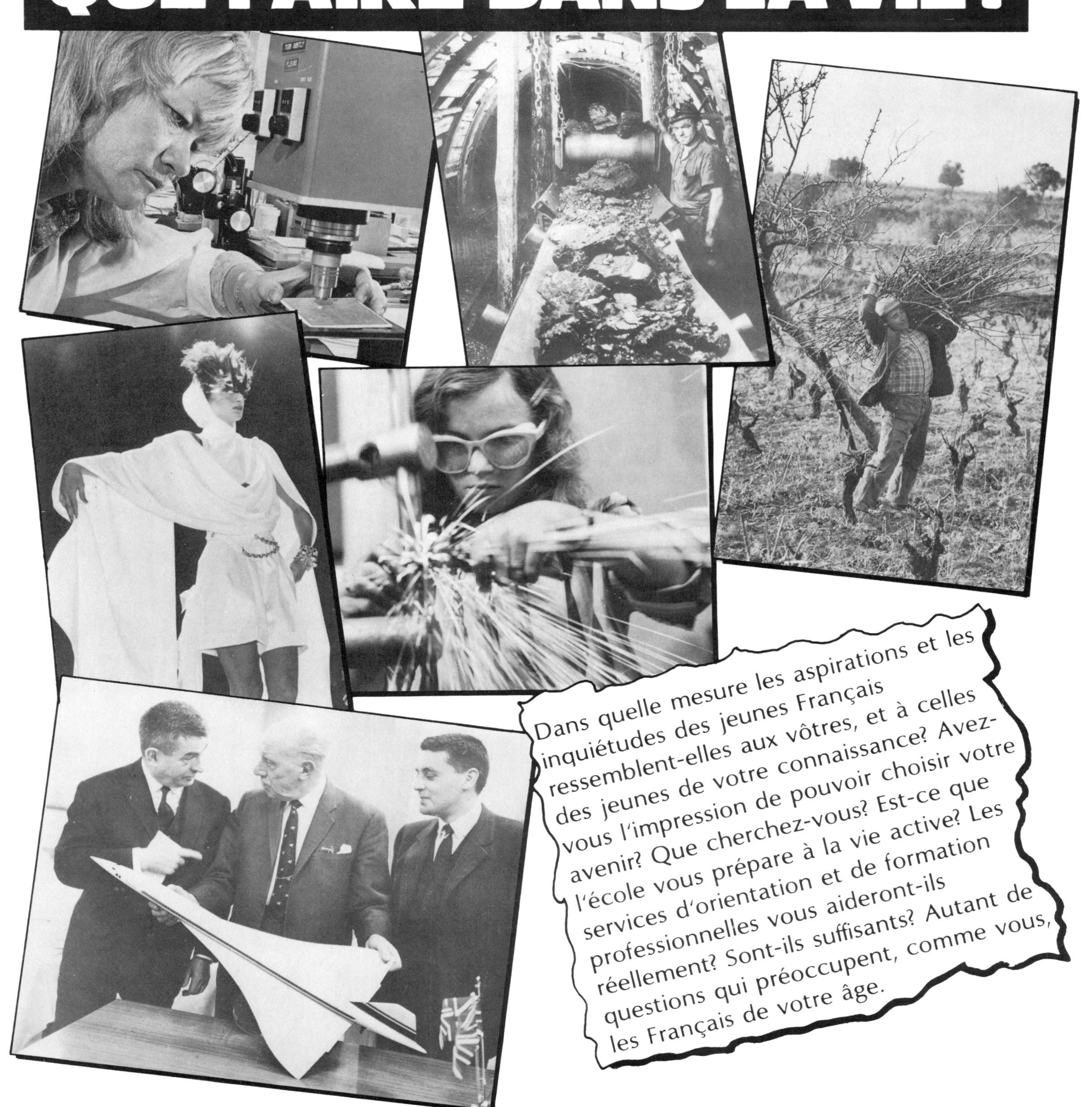

Dans quelle mesure les aspirations et les inquiétudes des jeunes Français ressemblent-elles aux vôtres, et à celles des jeunes de votre connaissance? Avez-vous l'impression de pouvoir choisir votre avenir? Que cherchez-vous? Est-ce que l'école vous prépare à la vie active? Les services d'orientation et de formation professionnelles vous aideront-ils réellement? Sont-ils suffisants? Autant de questions qui préoccupent, comme vous, les Français de votre âge.

QU'EST-CE QUI COMPTE DANS LA VIE ?

ACTIVITÉS

1. Témoignages

Nous avons demandé à des lycéens et à des jeunes travailleurs ce qui comptait le plus pour eux dans la vie. Les opinions qu'ils ont exprimées sont typiques de celles des jeunes Français de seize à vingt ans.

Travail individuel/à deux ⟶ Mise en commun Avec ou sans partenaire, écoutez une première fois ces témoignages (*Livret*, p. 18). Ensuite complétez-les par écrit.

Comparez les témoignages que vous venez de compléter avec ceux des autres étudiants. Dans quelle mesure êtes-vous d'accord avec les opinions exprimées?

Michel G.: tout le monde recherche plus ou moins . . .

Florence: l'argent je m'en fiche ce qui compte pour moi c'est . . .

Nathalie: j'essaie de réussir le mieux possible dans . . .

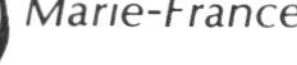

Marie-France: toute seule on peut pas vivre on peut pas . . .

Michel J.: moi ce que je trouve important dans la vie c'est . . .

Jean-Baptiste: je crois que ce qui est essentiel c'est d'être . . .

Brigitte: pour avoir de l'argent on a besoin de . . .

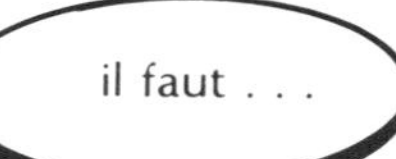

Philippe

2. Trouver l'essentiel

(a) Au cours d'un sondage, on a demandé à quelques centaines de jeunes Français de choisir, parmi huit facteurs de bonheur, ceux qui, à leurs yeux, comptaient le plus dans la vie.

Travail à deux Relisez les témoignages que vous avez complétés. Puis, pour chacun de ces jeunes, choisissez ensemble, dans la liste qui suit, **un** ou **deux** de ces facteurs qui, d'après ce qu'il/elle dit, compteraient le plus pour lui/elle. Notez ensuite, de la façon indiquée ci-dessous, les **deux** facteurs auxquels vous et votre partenaire donneriez la préférence:

- Un métier intéressant
- Les loisirs
- L'argent
- L'amour
- La justice sociale
- Le bonheur
- La possibilité de créer quelque chose
- Le développement intellectuel

CE QUI COMPTE DANS LA VIE

Michel J. métier intéressant + loisirs

Brigitte

(b) ***Mise en commun ⟶ Discussion*** Le professeur notera au tableau les facteurs de bonheur qui comptent le plus pour les huit témoins et pour chacun(e) d'entre vous. Comparez ensuite votre sondage avec celui qui suit; discutez ces deux questions:

- Quels sont les facteurs les plus importants pour vos ami(e)s et vous?
- Vos préférences sont-elles les mêmes que celles qui sont exprimées dans le sondage?

Qu'est-ce qui compte le plus pour les jeunes Français?

% (2 choix)

- Trouver un métier intéressant. 40
- L'amour 38
- Le bonheur 28
- L'argent 27
- Les loisirs 21
- Se développer intellectuellement, se cultiver . . 15
- Chercher à créer quelque chose soi-même 15
- La justice sociale 7

3. Le travail et vous: comment choisir?

(a) Chacun des métiers qu'illustrent les photos à la page 105 a, comme tout autre métier, son propre caractère.

Exercice oral Regardez ces photos, puis dites au professeur **qui sont** ces personnes, **ce qu'elles font** et **où elles travaillent**.

(b) Avant de choisir un métier, il faut en peser le pour et le contre.

Travail individuel* ⟶ *Travail à deux En vous référant aux photos à la page 105, et au cadre ci-dessous, complétez le tableau, à droite (*Livret*, p. 19): sélectionnez le métier (**présentant des avantages**) qui pour vous répond le mieux, et celui (**présentant des inconvénients**) qui répond le moins bien, à chaque critère envisagé (*intérêt*, *rémunération*, etc.). Vous pouvez y ajouter vos professions préférées:

> acteur(-trice) – assistant(e) social(e) – avocat(e) – cadre (m) – chef (m) d'entreprise – chercheur(-euse) – commerçant(e) – comptable (m/f) – curé (m) – cultivateur(-trice) – dactylo (f) – dentiste (m/f) – éboueur (m) – écrivain/femme-écrivain – facteur (m) – fonctionnaire (m/f) – homme/femme politique – infirmier(-ière) – informaticien(ne) – ingénieur (m) – instituteur(-trice) – journaliste (m/f) – médecin (m) – ménagère (f) – menuisier (m) – militaire (m/f) – mineur (m) – photographe (m/f) – pilote (m) de chasse – agent de police/femme-agent – pompier (m) – professeur (m) – sage-femme (f) – travailleur(-euse) à la chaîne

Remarquez que certains métiers n'ont pas de féminin (*éboueur*, *menuisier*, etc.), d'autres pas de masculin (*dactylo*, *sage-femme*, etc.).

Comparez le tableau que vous avez maintenant complété avec celui de votre partenaire. Dans quelle mesure êtes-vous d'accord sur les avantages et les inconvénients des différents métiers?

(c) Pour bien choisir sa profession, il faut également se connaître soi-même et savoir ce que l'on veut. La fiche diagnostique *Choisir une carrière* a été préparée, à l'intention de ses clients, par une agence pour l'emploi.

Travail individuel/à deux* ⟶ *Discussion Complétez cette fiche diagnostique (*Livret*, p. 20). Marquez, dans les cases qui conviennent: **+ +** (**= oui, beaucoup**) **+** (**= oui**) **0** (**= sans importance**) **–** (**= non**) **– –** (**= non, pas du tout**).

Parlez ensuite avec un(e) partenaire d'une ou deux professions que vous aimeriez exercer et d'une ou deux professions que vous n'aimeriez pas exercer. Expliquez-lui les raisons de vos préférences.

(Remarquez que l'on peut employer **elle est**, etc., avec un nom **sans féminin**: ***elle est professeur, elle*** *aimerait* ***être cadre***).

Début possible:

J'aimerais surtout être ingénieur. A mon avis, c'est une profession où le travail doit être intéressant et varié, même si, dans une grande organisation surtout, on manque quelquefois d'indépendance. On a aussi la possibilité de rencontrer . . .

Pour finir, discutez avec le professeur et l'ensemble de la classe:

- vos préférences en matière de profession
- les avantages et les inconvénients des métiers que vous aimeriez exercer.

MÉTIERS PRÉSENTANT DES AVANTAGES			MÉTIERS PRÉSENTANT DES INCONVÉNIENTS	
le plus grand intérêt		**intérêt**	le moins grand intérêt	
la meilleure rémunération		**rémunération**	la moins bonne rémunération	
le plus de variété		**variété**	le moins de variété	
la plus grande indépendance		**indépendance**	la moins grande indépendance	
le moins de fatigue		**fatigue**	le plus de fatigue	
le p… lois…				
le r… risc…				
le … ch…				
le … ta…				
l… c…				

CHOISIR UNE CARRIÈRE

Voulez-vous . . . (+ –)

- rencontrer beaucoup de gens? . . . .
- travailler en plein air? . . . .
- faire des recherches? . . . .
- avoir des responsabilités? . . . .
- voyager à l'étranger . . . . .
- gagner beaucoup d'argent?
- faire ce qui vous intéresse? . . . .
- continuer vos études? . . . . . .
- vous dépenser physiquement? . . . .
- avoir de l'autorité? . . . .
- être très en vue? . . . .
- travailler en équipe/ …upe? . . . .
- …ir à une grande …tion? . . . .

Aimez-vous . . . (+ –)

- les enfants? . . . .
- les animaux? . . .
- les plantes? . . . .
- lire? . . . .
- écrire? . . . .

À L'ORIENTATION

POINTS DE REPÈRE

L'extrait que vous allez lire, tiré du roman *Les petits enfants du siècle* de Christiane Rochefort (1961), présente, dans un style familier, une entrevue entre une jeune fille, Josyane, et une femme plus âgée.

Travail individuel* ⟶ *Mise en commun Lisez attentivement le texte et notez vos réponses à ces questions:

Où se trouvent ces deux personnes?
Quel est le but de cette entrevue?
Quel âge la jeune fille a-t-elle, à votre avis?
Sur quels sujets la femme interroge-t-elle Josyane?
Pourquoi ces questions?
Qu'est-ce qu'elle lui demande de faire, et pourquoi?
Quelles sont les réactions de Josyane? Comment les expliquer?

Comparez vos réponses avec celles des autres étudiants.

A l'Orientation,° ils me demandèrent ce que je voulais faire dans la vie.

Dans la vie. Est-ce que je savais ce que je voulais faire, dans la vie?

« Alors? dit la femme.

— Je ne sais pas.

— Voyons: si tu avais le choix, supposons. »

La femme était gentille, elle interrogeait avec douceur, pas comme une maîtresse. Si j'avais le choix. Je levai les épaules.° Je ne savais pas.

« Je ne sais pas.

— Tu ne t'es jamais posé la question? »

Non. Je ne me l'étais pas posée. Du moins pas en supposant que ça appelait une réponse; de toute façon° ça ne valait pas la peine.

On m'a fait enfiler° des perles° à trois trous dans des aiguilles° à trois pointes, reconstituer des trucs° complets à partir de morceaux, sortir d'un labyrinthe° avec un crayon, trouver des animaux dans des taches,° je n'arrivais pas à en voir. On m'a fait faire un dessin. J'ai dessiné un arbre.

« Tu aimes la campagne? »

Je dis que je ne savais pas, je croyais plutôt que non.

« Tu préfères la ville? »

A vrai dire je crois que je ne préférais pas la ville non plus. La femme commençait à s'énerver.° Elle me proposa tout un tas de° métiers aussi assommants° les uns que les autres. Je ne pouvais pas choisir. Je ne voyais pas pourquoi il fallait se casser la tête° pour choisir d'avance dans quoi on allait se faire suer.° Les gens faisaient le boulot° qu'ils avaient réussi à se dégotter,° et de toute façon tous les métiers consistaient à aller le matin dans un truc et y rester jusqu'au soir. Si j'avais eu une préférence ç'aurait été pour un où on restait moins longtemps, mais il n'y en avait pas.

« Alors, dit-elle, il n'y a rien qui t'attire° particulièrement? »

J'avais beau réfléchir,° rien ne m'attirait.

« Tes tests sont bons pourtant. Tu ne te sens aucune vocation? »

Vocation. J'ouvris des yeux ronds. J'avais lu dans un de ces bouquins° l'histoire d'une fille qui avait eu la vocation d'aller soigner° les lépreux.° Je ne m'en ressentais° pas plus que pour être bobineuse.°

● **Orientation** (f) careers office **lever les épaules** (f pl) shrug one's shoulders **de toute façon** anyway **enfiler** thread **perle** (f) bead **aiguille** (f) needle **truc** (m) whatsit **labyrinthe** (m) maze **tache** (f) blot **s'énerver** get cross **un tas de** a load of **assommant** deadly **se casser la tête** rack one's brains **se faire suer** get cheesed off **boulot** (m) job **dégotter** come up with **attirer** attract **j'avais beau réfléchir** it was no good me thinking **bouquin** (m) book **soigner** look after **lépreux** (m) leper **ressentir** feel **bobineuse** (f) bobbin winder

DÉCOUVERTE DU TEXTE

1. Le rôle d'un(e) conseiller(-ère) d'orientation

Le tableau présenté à droite indique, colonne (i), plusieurs aspects du travail d'un conseiller ou d'une conseillère d'orientation.

Travail à deux* ⟶ *Mise en commun
Complétez la colonne (ii) du tableau en relevant dans le texte des expressions ou des phrases qui correspondent à chaque aspect de ce travail.
Comparez votre tableau complété avec celui des autres étudiants.

(i) LE TRAVAIL D'UN(E) CONSEILLER(-ÈRE) D'ORIENTATION	(ii) INDICATIONS DANS LE TEXTE
découvrir ce que veut faire chaque individu	ils me demandèrent ce que je voulais faire dans la vie
trouver ses goûts	
détecter ses aptitudes	
lui suggérer des métiers	

2. Les suppositions de la conseillère d'orientation et de Josyane

Si Josyane ne sait pas comment répondre aux questions de la conseillère d'orientation, c'est qu'elle ne partage pas son attitude envers le travail.

Travail à deux* ⟶ *Mise en commun
Relisez, dans le tableau présenté à droite, ce que disent, ou se disent intérieurement, Josyane et la conseillère, colonne (i). Ensuite, complétez la colonne (ii) du tableau: précisez ce que chacune d'entre elles pense du travail.
Comparez votre tableau complété avec celui des autres étudiants.

(i) CE QU'ELLES DISENT/SE DISENT INTÉRIEUREMENT	(ii) CE QU'ELLES PENSENT DU TRAVAIL
Josyane: – Est-ce que je savais ce que je voulais faire, dans la vie?	Je n'ai jamais pensé sérieusement au choix d'un métier. Ce n'est pas la peine.
– Si j'avais le choix. Je levai les épaules. Je ne savais pas.	
– Je ne voyais pas pourquoi il fallait se casser la tête pour choisir d'avance dans quoi on allait se faire suer.	
– De toute façon tous les métiers consistaient à aller le matin dans un truc et y rester jusqu'au soir.	
– Vocation. J'ouvris des yeux ronds.	
Conseillère d'orientation – Tu ne t'es jamais posé la question?	
– Il n'y a rien qui t'attire particulièrement?	
– Tu ne te sens aucune vocation?	

3. Vocabulaire: expressions familières

(a) En adoptant la 'voix' de Josyane pour sa narration, Christiane Rochefort a employé plusieurs expressions **familières**. Pour raconter l'entrevue plus tard à une amie, Josyane s'exprimerait sans doute de la même manière.

Travail individuel Récrivez les propos de Josyane (à droite). Pour chacun des mots **neutres**, en italique, choisissez dans la liste d'expressions **familières** celle qui convient. (N'oubliez pas de faire les changements grammaticaux qui conviennent.)
Ensuite, mémorisez ces expressions familières.

> La bonne femme a regardé ses *livres*, puis elle m'a proposé *beaucoup d'*emplois. Mais ils étaient tous *ennuyeux* . . . Je ne vois pas pourquoi il faut *se fatiguer* à choisir d'avance un *travail*. Je vais sûrement me *trouver* quelque chose dans la même usine que Papa, et *m'ennuyer* tous les jours là-bas, du matin au soir. Je n'ai pas besoin de tous leurs *procédés* pour apprendre ça, tu sais!

Expressions familières
un boulot
se casser la tête
un bouquin
un truc
un tas de
dégotter
assommant
se faire suer

(b) ***Exercice oral*** Sous la direction du professeur, reconstituez les propos de Josyane. Ne regardez que la liste d'expressions familières.

4. Le monde du travail: deux attitudes opposées

La conseillère d'orientation fait sans doute de son mieux. Mais le texte nous révèle ce que doivent sentir des milliers de jeunes lorsqu'ils sont obligés de prendre conscience, pour la première fois, du monde du travail.

Travail individuel* ——> *Discussion Lisez les questions qui suivent et notez brièvement vos réponses:

Pourquoi Josyane dit-elle 'ils me demandèrent', et non 'la conseillère me demanda'?
Quelle est l'attitude de la conseillère au départ? Comment expliquer cette attitude?
L'attitude de la conseillère change-t-elle? A quel moment? Pourquoi?
Quelle phrase résume le mieux, à votre avis, l'attitude de Josyane?
Comment expliquer le fait que Josyane et la conseillère ont une attitude très différente envers le travail?
Quelle serait maintenant, à votre avis, l'attitude d'un garçon ou d'une fille de seize ans, et celle d'un(e) conseiller(-ère) d'orientation, dans une situation pareille?

Sous la direction du professeur, comparez vos réponses avec celles des autres étudiants.

À COMPLÉTER, À NOTER ET À MÉMOISER

Expressions et structures
- qu' est-ce que tu veux faire ______ — vie?
- «Alors?» ____ la femme (cp. «*Alors?*» *demanda-t-elle*)
- si tu avais le choix, ________ (cp. *supposons que tu aies le choix*)
- elle interrogeait ____ douceur (cp. *sans agressivité*)
- elle n'interrogeait pas ______ ____ maîtresse (cp. *elle travaille comme maîtresse d'école*)
- je levai ____ épaules
- cela ne valait pas ___ _____ (= *c'était inutile*)
- si j'aimais la campagne? je croyais ____ ____ (= *je ne le croyais pas*)
- je ne préférais pas la ville ___ _____
- les uns sont ______ (= *également*) assommants que les ______
- j'____ ____ réfléchir (= *j'ai réfléchi en vain*)

Constructions verbales
- on a fait ______ des perles à Josyane
- il fallait sortir __' un labyrinthe
- je n'arrivais pas __ en voir
- tous les métiers consistent __ aller travailler dans une boîte
- elle n'avait pas la vocation __ le faire

Formes
- choix (m) ——> pl
- gentil ——> adv
- douceur (f) ——> adv
- trou (m) ——> pl
- complet ——> f
- anim.. (m) ——> pl
- particulier ——> adv
- bon ——> f
- yeux (m pl) ——> s

Noms et verbes
- choix (m) ——> la possibilité de ______
- interroger ——> l' ____________ (f) qu'elle a subie
- répondre ——> toute ______ était inutile
- reconstituer ——> la ____________ d'objets
- aimer ——> son ____ (m) de la campagne
- préférer ——> elle n'avait aucune ____________
- s'énerver ——> l'________ (m) de la conseillère
- proposer ——> ses ______ (f) étaient sans intérêt
- réfléchir ——> la ________ ne servait à rien

EXERCICES

1. Du discours direct au discours indirect: temps des verbes

▶ Si Josyane racontait plus tard à sa mère ce que la 'femme' lui avait dit 'à l'Orientation', elle pourrait se référer indirectement aux paroles de la conseillère d'orientation:

Conseillère (à Josyane)		*Josyane (à sa mère)*
Qu'est-ce que **tu veux** faire dans la vie? (**présent**)	——>	**Elle m'a demandé ce que je voulais** faire dans la vie. (**imparfait**)
Tu ne **t'es** jamais **posé** la question? (**passé composé**)	——>	**Elle m'a demandé si je** ne **m'étais** jamais **posé** la question (**plus-que-parfait**).

En **discours indirect** après un verbe **au passé** (*Elle a demandé si . . .* , etc.), l'**imparfait** remplace le **présent**, et le **plus-que-parfait** remplace le **passé composé** (*Exercices*, 1, p. 74). Dans les exemples ci-dessus, la première personne (*je*, etc.) remplace la deuxième personne (*tu*, etc.).◀

La conseillère d'orientation a peut-être posé à Josyane les questions. Comment est-ce que Josyane raconterait à sa mère ce que la 'femme' lui a dit?

Exercice oral A partir de ces questions, retrouvez avec le professeur ce que Josyane dirait probablement à sa mère. Employez chaque fois, selon les cas, *Elle m'a demandé si . . .* , *Elle m'a demandé ce qui/que . . .* , ou *Elle m'a demandé pourquoi . . . .*

Exemple:
Elle m'a demandé ce que *je* ***voulais*** *faire dans la vie.*

- Qu'est-ce que tu veux faire dans la vie?
- Tu ne t'es jamais posé la question?
- Pourquoi n'as-tu pas répondu à ma question?
- Cette tache te fait penser à un animal?
- Qu'est-ce que tu aimes le plus, la campagne ou la ville?
- Tu préfères peut-être la ville?
- Es-tu déjà allée à la campagne?
- Pourquoi as-tu dessiné un arbre?
- As-tu pensé sérieusement à ton avenir?
- Qu'est-ce qui t'attire particulièrement comme métier?
- Tu as trouvé les tests faciles, ou difficiles?
- Tu ne te sens aucune vocation?

2. Pronoms personnels objets directs et indirects, y, en: ordre de deux pronoms

▶ L'essentiel, pour la conseillère d'orientation, était de découvrir ce que Josyane voulait faire dans la vie. Elle **le lui** a donc demandé tout de suite.
Une phrase peut ainsi comprendre **deux pronoms** qui dépendent du même verbe. Si les deux pronoms sont de la troisième personne, il faut les placer ensemble dans l'ordre indiqué ci-dessous:

le / la / les ⟶ **lui / leur** ⟶ **y** ⟶ **en** ⟶ **VERBE.**

Ainsi:

Elle a expliqué gentiment **le test à Josyane.** ⟶	Elle **le lui** a expliqué gentiment.

(Remarquez que cette règle n'entre pas en jeu si les deux pronoms ne dépendent pas du même verbe:

Elle a demandé **à Josyane** de prendre **des perles à trois trous.** ⟶	Elle **lui** a demandé d'**en** prendre.) ◀

(a) ***Travail à deux*** ⟶ ***Exercice oral*** En consultant attentivement le texte, répondez aux questions suivantes. Remplacez par des **pronoms** les mots en italique.

Exemple:
- *A quel moment la conseillère a-t-elle demandé* ***à Josyane ce qu'elle voulait faire dans la vie****?*
- *Elle* ***le lui*** *a demandé au début de l'entrevue.*

1. A quel moment la conseillère a-t-elle demandé *à Josyane ce qu'elle voulait faire dans la vie*?
2. Qui est-ce qui a accompagné *Josyane à l'entrevue*?
3. La femme a-t-elle posé *ses questions à Josyane* sur un ton agressif ?
4. Est-ce que Josyane a essayé de cacher *son incompréhension à la conseillère*?
5. Demandait-on *aux collégiens* de dessiner *le labyrinthe*?
6. Que demandait-on *aux jeunes* de faire *avec les perles à trois trous*?
7. Sur quel ton la conseillère a-t-elle expliqué *les métiers à Josyane*?
8. La femme n'a-t-elle proposé que *très peu de métiers à la jeune fille*?
9. Son 'bouquin' avait-il, ou non, persuadé *Josyane de la valeur des vocations*?

Ensuite, reprenez oralement vos réponses sous la direction du professeur.

(b) ***Travail individuel*** Ecrivez vos réponses à ces questions sans consulter le texte.

3. Rapports entre noms et adjectifs. Faire une proposition; exprimer son incapacité

(a) Si on veut exercer telle ou telle profession, il faut souvent avoir un trait de caractère particulier.

Travail individuel ⟶ ***Travail à deux*** Dans le tableau ci-dessous choisissez, parmi les **traits de caractère** (ii), celui que vous jugez le plus important pour chaque **profession** (i).

(i) PROFESSION	(ii) TRAIT DE CARACTÈRE	
acteur(-trice)	assurance (f)	patience (f)
assistant(e) social(e)	compréhension (f)	sensibilité (f)
comptable	courage (m)	sociabilité (f)
ingénieur	énergie (f)	souplesse (f)
instituteur(-trice)	persévérance (f)	sympathie (f)
journaliste	invention (f)	ténacité (f)
militaire		
médecin		
représentant(e)		

Avec un(e) partenaire, faites une liste des **adjectifs** qui correspondent aux **noms** que vous avez choisis l'un(e) et l'autre: employez, s'il le faut, un dictionnaire.

▶ Pour **faire une proposition** à quelqu'un – il pourrait être question, par exemple, d'une profession à exercer – on peut choisir parmi ces formules:

Tu aimerais (peut-être) devenir acteur/actrice?
Ça te plaîrait de
Tu n'as pas pensé à
Pourquoi ne pas

Si on se sent incapable d'exercer le métier en question, on peut **exprimer son incapacité** en disant:

- Non, **je ne suis pas assez** sensible **pour** être acteur/actrice.
- Mais non, **je n'ai pas** la sensibilité **qu'il faut pour** être acteur/actrice.

ou bien:

- Oh moi, vous savez, **je manque de** sensibilité. ◀

(b) Au cours d'une entrevue, un(e) conseiller(-ère) d'orientation propose à un(e) collégien(ne) plusieurs professions qu'il/elle rejette, parce qu'il/elle ne pense pas posséder le trait de caractère nécessaire.
Exercice oral ⟶ ***Travail à deux*** Imaginez ensemble cette partie de l'entrevue. Le/la conseiller(-ère) d'orientation (le professeur) vous **fera des propositions** à partir du tableau ci-dessus. Répondez tour à tour pour le/la collégien(ne): **exprimez votre incapacité** en vous servant des noms ou des adjectifs que vous avez choisis. N'oubliez pas de varier les formules que vous emploierez.

Début possible:

Conseiller(-ère)	***Tu n'as pas pensé à*** *devenir acteur/actrice?*
Collégien(ne)	*Oh non,* ***je ne suis pas assez*** *sensible* ***pour*** *être acteur/actrice.*

Répétez l'exercice avec un(e) partenaire en jouant tour à tour les deux rôles et en variant les formules.

4. L'opposition: bien que, quoique + subjonctif

▶ La conseillère a proposé à Josyane 'tout un tas de métiers', **mais** elle ne pouvait pas choisir. Dans une phrase qui se compose ainsi de deux faits qui s'opposent, l'**opposition** peut s'exprimer de plusieurs façons, avec par exemple: *mais, cependant, alors que* ou *quand même*. ◀

(a) La conseillère est souvent frappée par le fait que beaucoup de ses jeunes clients ne sont pas conscients de leurs points forts ni de leurs points faibles. En prenant les notes présentées ci-dessous, par exemple, elle s'est dit que l'individu en question serait totalement impropre à exercer sa profession préférée.

Travail à deux Trouvez, dans la liste de **professions préférées** (à droite), les métiers notés par la conseillère (celui qui **convient le moins** aux caractéristiques de chaque individu). Notez vos solutions de la manière suivante:

Sylvie Montand: ***dactylo***

professions préférées

soldat
pilote de ligne
avocate
dactylo
cadre
prêtre
journaliste
coiffeuse
femme politique
chirurgienne

Relevez maintenant par écrit la façon dont s'exprime l'**opposition** dans ces notes: *mais, néanmoins*, etc.

▶ Comme les mots et expressions que vous venez de relever, les conjonctions **bien que** et **quoique + subjonctif** s'emploient pour exprimer l'**opposition**:

Bien que la conseillère **soit** gentille, Josyane ne sait que répondre. ◀

(b) ***Travail individuel* ⟶ *Exercice oral*** A partir des notes de la conseillère ci-dessous (a), composez, avec **bien que** ou **quoique + subjonctif**, une phrase au sujet de chacun de ses jeunes clients.

Exemple:

***Bien que** Sylvie Montand **soit** maladroite, et **qu**'elle ne **sache** rien faire de ses mains, elle veut être dactylo.*

(Remarquez qu'il faut employer **que**, ou bien toute la conjonction **bien que/quoique**, s'il y a un deuxième verbe dans la phrase subordonnée).

Reprenez oralement les phrases que vous venez de composer; mais exprimez cette fois l'**opposition** d'une autre façon: *cependant, alors que, malgré, sans + infinitif*, etc.

Sylvie Montand	maladroite, ne sait rien faire de ses mains mais veut être ⬭
Michel Frédérix	écrit mal, fait des fautes de grammaire; a cependant l'intention d'être ⬭
Béatrice Duclos	sans connaître du tout l'actualité aimerait devenir ⬭
Sophie Albert	alors que le métier de ⬭ l'attire, est allergique aux cheveux et aux poils
Victorine Boucher	paraît timide, ne dit pratiquement rien, se voit toutefois comme ⬭
Françoise Pouilly	ne peut pas supporter la vue du sang, a néanmoins l'ambition d'être ⬭
Jean-Pierre Maupin	a quelquefois des vertiges, ce qui ne l'empêche pas de vouloir être ⬭
François Marange	se destine à une carrière de ⬭ et pourtant il déteste la discipline
Paul Toussaint	malgré sa réputation de mauvaise conduite, veut être ⬭
Daniel Vimard	craint les responsabilités, semble paresseuse, se croit quand même capable d'être ⬭

5. Rapporter une obligation

▶ Au cours de ses réflexions sur l'entrevue, Josyane dit: **« On m'a fait** faire un dessin. » Elle aurait pu également **rapporter** cette **obligation** en disant:

« J'ai dû
« On m'a demandé de faire un dessin. » ◀

Une jeune femme a demandé un poste de réceptionniste dans un hôtel parisien. Après l'entrevue qu'elle a eue avec le gérant, celui-ci lui a demandé de:

- taper une lettre à la machine
- répondre quand le téléphone a sonné
- expliquer le plan du métro à un client allemand
- changer des chèques de voyage
- traduire en français une lettre venue de Londres
- montrer une chambre à un homme d'affaires pressé.

Ce soir-là, dans une lettre à une amie, elle écrit un paragraphe sur ce qu'on lui avait demandé de faire à l'hôtel.

Travail à deux* ⟶ *Travail individuel A partir de la liste ci-dessus, inventez oralement ce que la jeune femme a écrit à son amie. Pour **rapporter** chaque **obligation**, choisissez, parmi les possibilités proposées plus haut, une formule appropriée. Ensuite, rédigez le paragraphe en question.

(N'oubliez pas d'employer une variété d'expressions marquant la séquence: *d'abord, ensuite, plus tard*, etc.)

Début possible:

Je suis allée ce matin à l'Hôtel Caravelle où j'avais demandé un poste de réceptionniste. Après m'avoir posé beaucoup de questions, le patron m'a fait taper une lettre à la machine

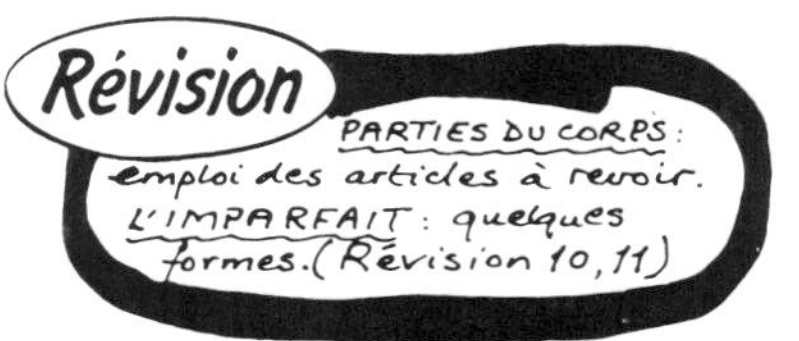

ACTIVITÉS

1. Entrevue: la conseillère et Josyane

Travail à deux Recréez avec un(e) partenaire la conversation entre la conseillère d'orientation et Josyane. En consultant le texte, notez d'abord les questions de la conseillère et les réponses de Josyane. Ensuite, dialoguez en jouant l'un ou l'autre des deux rôles.

Début possible:

Conseillère *C'est Josyane Rouvier, n'est-ce pas? . . . Eh bien, qu'est-ce que tu veux faire dans la vie?*

Josyane *Je ne sais pas, madame . . .*

2. Narration: « *Au suivant!* »

Découragée par son entretien avec Josyane, la conseillère d'orientation appelle le garçon suivant. Heureusement, cet entretien est pour elle beaucoup plus encourageant.

Travail individuel Récrivez le texte de Christiane Rochefort en adoptant le point de vue d'un garçon ou, si vous le préférez, d'une fille qui a réfléchi sérieusement à son avenir.

Début possible:

A l'Orientation, la conseillère me demanda ce que je voulais faire dans la vie. C'était une dame très agréable qui avait l'air de s'intéresser aux jeunes. « Eh bien, je veux faire le même métier que mon père. Il est représentant de commerce . . . »

3. L'appréciation de la conseillère d'orientation

A la fin de son entretien avec chacun des jeunes gens, la conseillère d'orientation rédige sans doute une courte appréciation.

Travail individuel Voici le début de ce qu'elle écrit sur Josyane (ci-dessous). Complétez pour elle cette appréciation à partir des données du texte:

- résumez ce qui s'est passé au cours de l'entrevue
- donnez votre opinion sur les traits de caractère et l'attitude de Josyane.

Nom: ROUVIER, Josyane
Date de naissance: 2-8-1946
Adresse: Appartement 156
Bâtiment C / Escalier 2
Cité BEL-AIR
Avenue de la Libération
93170 - BAGNOLET.

Il m'est rarement arrivé de passer une demi-heure aussi stérile. Pour commencer, j'ai demandé à Mlle Rouvier ce qu'elle voulait faire dans la vie

HÔTEL DE TOURISME ***
AU COEUR DE PARIS
recherche
RÉCEPTIONNISTE
Bonne présentation. Dynamisme.
Anglais et Allemand exigés.
Se présenter avec références
HÔTEL CARAVELLE, rue d'Autun, 1er

Devenir Journaliste

POINTS DE REPÈRE

Caroline, qui veut être journaliste, a écrit la lettre ci-dessous à un magazine pour jeunes. En y répondant, une journaliste du magazine lui offre des informations et des conseils.

Travail individuel* ——→ *Mise en commun Lisez d'abord la **lettre de Caroline**, puis répondez par écrit à ces questions:

Quelle idée Caroline se fait-elle du métier de journaliste?
Que veut-elle savoir?

Ensuite, relevez dans la **lettre de la journaliste** ce que cette dernière dit sur:

- les difficultés du métier à l'heure actuelle
- les avantages du métier
- la formation qu'offrent les écoles de journalisme
- la formation qu'a suivie la journaliste.

Comparez ensuite vos notes avec celles des autres étudiants. D'après la lettre de la journaliste, diriez-vous que le métier qu'elle exerce offre plus d'**avantages** que d'**inconvénients**, ou plus d'inconvénients que d'avantages? Quels autres avantages pourriez-vous citer à Caroline?

NOS LECTEURS NOUS ÉCRIVENT

Marseille, le 8 octobre

Chère Stéphanie,

Depuis que j'ai 16 ans, je n'ai qu'un seul rêve, devenir journaliste. Je trouve ce métier passionnant et je voudrais savoir comment faire pour l'exercer. Quelles études faut-il entreprendre?° Que faut-il comme dons° particuliers? Toi, comment as-tu fait pour réussir à diriger un journal et connaître toutes les vedettes?°

Caroline Pereire

Chère Caroline,

Je vais t'avouer° deux choses. D'abord, que tu n'es pas la seule à avoir cette vocation. Ensuite . . . que le métier de journaliste consiste rarement (enfin, pas tout de suite) à rencontrer des gens célèbres dans des endroits de rêve,° entre un avion et un palace° « 5 étoiles »! Ceci posé, eh bien c'est le plus beau métier du monde, naturellement, et personnellement, je ne suis pas partisane,° comme beaucoup de mes collègues, de décourager les vocations. Sache cependant qu'il y a beaucoup de journalistes de talent au chômage° de nos jours, qu'il y a de moins en moins de journaux (c'est triste mais c'est vrai), en partie° parce que beaucoup de gens se contentent de regarder la télévision, en partie aussi parce que la presse n'a pas toujours su s'adapter depuis dix ans à ce qu'un public nouveau voulait.

Tu m'as demandé comment faire pour devenir journaliste. Je te le dirai en termes pratiques. En principe, aucun diplôme° n'est exigé d'un journaliste (Pierre Lazareff, le créateur génial° de « France-Soir », n'avait même pas son certificat d'études,° et je crois bien que Françoise Giroud, ancienne° Secrétaire d'Etat à la Culture, et directrice de « L'Express », n'a pas le bac°). Il faut cependant avoir un bon niveau de culture générale, savoir écrire vite et bien (si tu sèches° trois heures sur un devoir de français, le métier de journaliste n'est guère fait pour toi!), connaître ce qui se passe autour de toi, et être très curieuse de nature. Il est aussi recommandé de savoir taper à la machine,° et de savoir au moins une langue étrangère (l'anglais est indispensable!). Il existe des écoles de journalisme, dans lesquelles on entre avec le bac ou avec une licence:° les plus célèbres sont celles de Lille, de Strasbourg, et le Centre de Formation des Journalistes, 31 rue du Louvre à Paris. On y apprend à rédiger° un article, à mettre en page un journal, à faire des enquêtes,° on y suit des cours de droit, d'histoire, d'économie, etc. Cependant il n'est pas nécessaire, avant de devenir journaliste, de suivre les cours de ces écoles, et leur diplôme ne signifie° pas forcément° que l'on ait du talent: l'on n'y acquiert° guère que du « savoir-faire ».° Personnellement, je suis devenue journaliste sans passer par une école, en faisant des articles dans toutes sortes de journaux (cela s'appelle des « piges »°), et au fur et à mesure,° j'ai appris à écrire sur n'importe quel sujet! A mesure que l'on acquiert ainsi de l'expérience « sur le tas »,° on devient un journaliste confirmé, en même temps que l'on rencontre des gens dans la profession . . . et voilà comment « Stéphanie » est née, de la rencontre de plusieurs journalistes et d'un directeur de journaux.

A toi, donc, de choisir la voie° qui te tente le plus. Quand tu commenceras ta carrière de journaliste, le plus important sera: d'avoir de la volonté, de courir après les jobs et les piges, d'apprendre à chaque expérience que tu fais, de vouloir exercer ton métier le mieux possible, d'aborder chaque enquête avec un oeil neuf° et non une idée préconçue,° et d'être très débrouillarde!° Pour le moment, je pense qu'un bac est tout de même utile, ne serait-ce que par° le niveau de culture qu'il exige. Bosse° ton anglais, apprends à taper à la machine (même seule, tu n'as pas besoin d'être une dactylo championne), lis beaucoup de journaux et de livres . . . et fonce!° Je suis sûre que si tu as du talent, tu réussiras!

● **entreprendre** undertake **don** (m) gift **vedette** (f) star **avouer** confess **endroit** (m) **de rêve** dream location **palace** (m) luxury hotel **être partisan de** be in favour of **au chômage** on the dole **en partie** partly **diplôme** (m) qualification **génial** inspired **certificat** (m) **d'études** elementary leaving certificate **ancien(ne)** former **bac(= baccalauréat)** (m) school-leaving examination **sécher** sweat **taper à la machine** type **licence** (f) degree **rédiger** compose **enquête** (f) investigation **signifier** mean **forcément** necessarily **acquérir** acquire **savoir-faire** (m) know-how **pige** (f) piecework **au fur et à mesure** as you go along **sur le tas** on the job **voie** (f) route **avec un oeil neuf** with a fresh eye **préconçu** preconceived **débrouillard** resourceful **ne serait-ce que par** if only because of **bosser** swot up **foncer** go flat out

DÉCOUVERTE DU TEXTE

1. Etre journaliste: personnalité et qualifications

Qu'est-ce qui permet de réussir dans le métier de journaliste? Quels sont, d'après la lettre de la journaliste, les **traits de caractère** qui font un(e) bon(ne) journaliste, et quelles sont les **qualifications** considérées comme **essentielles, recommandées** ou seulement **possibles**?

Travail individuel* ——> *Mise en commun Faites une liste de ces traits de caractère et de ces qualifications de la manière indiquée à droite.

TRAITS DE CARACTÈRE	QUALIFICATIONS ESSENTIELLES	QUALIFICATIONS RECOMMANDÉES	QUALIFICATIONS POSSIBLES
être curieuse de nature	avoir un bon niveau		

Comparez ensuite vos notes avec celles des autres étudiants. Selon votre tableau, qu'est-ce qui compte le plus, les qualités personnelles ou les qualifications? Quelles conclusions en tirez-vous?

2. Vocabulaire: la formation professionnelle

(a) Dans le témoignage présenté à droite, une actrice donne des conseils à la radio à une auditrice qui a demandé comment faire pour exercer son métier.

Travail individuel Faites une liste des mots et expressions suivants dans l'ordre nécessaire pour compléter le témoignage. N'oubliez pas de faire les changements grammaticaux qui conviennent. Ensuite, mémorisez les mots et expressions.

> acquérir de l'expérience – s'adapter– apprendre à – au chômage – avec un oeil neuf – le bac – débrouillard – décourager – un diplôme – exercer un métier – une idée préconçue – indispensable – une licence – le savoir-faire – suivre des cours – sur le tas – le talent – une vocation – une voie – la volonté

> Si vous voulez ______ le ______ d'actrice il faut d'abord avoir beaucoup de talent, et vous sentir en plus une vraie ______: un amour profond du théâtre est ______. Pour devenir comédienne, il est possible de ______ des ______ dans une école d'art dramatique où l'on gagne du « ______-______ » et où l'on ______ maîtriser les techniques de base. Avec le ______ on peut, bien entendu, préparer d'abord une ______ de lettres dans une faculté. A vous de choisir la ______qui vous convient. Mais en fin de compte les ______ sont beaucoup moins importants que l' ______ que l'on ______ sur le ______. L'essentiel, c'est de savoir lire un rôle, de l'aborder avec ______ ______ ______ sans ______ ______, tout en étant capable de ___' ______ aux exigences du metteur en scène. Mais attention. Tous les acteurs et toutes les actrices savent ce que c'est que d'être ______ ______: pour faire son chemin il faut avoir de la ______, être ______, courir après les rôles qui s'offrent, ne pas se laisser ______. Et voilà, si vous avez réellement du ______, et de la chance, vous réussirez.

(b) ***Travail à deux*** Complétez oralement le témoignage sans consulter ni le cadre (à gauche) ni votre liste de mots et d'expressions.

À COMPLÉTER, À NOTER ET À MÉMORISER

Expressions et structures

- tu n'es pas la seule (cp. *la première*) __ avoir cette vocation
- c'est ___ ___ beau métier __ monde (cp. *les écoles les plus célèbres*)
- il y a beaucoup __ journalistes __ chômage __ nos jours
- il y a __ moins __ moins __ journaux (cp. *un métier de plus en plus précaire*)
- __ fur et _ mesure
- _ mesure ___ (= *comme*) l'on acquiert de l'expérience
- on rencontre des gens __ même temps
- tu dois vouloir exercer ton métier ___ ___ (= *aussi bien que*) possible

Constructions verbales

- je ne suis pas partisan(e) __ décourager les jeunes
- ils se contentent __ regarder la télévision
- il faut s'adapter __ la situation
- on n'exige aucun diplôme __ vous
- elle ___ taper à la machine
- on entre ___ ces écoles avec le bac
- il n'est pas nécessaire __ les suivre
- elle a appris __ écrire vite
- c'est __ toi __ choisir
- l'important c'est __ avoir de la volonté

Formes

ce métier
——> ___ emploi (m)
___ vocation (f)
___ postes (m)
nouveau ——> f
——> un ___ article
créateur (m) ——> f

gens (m pl) ——> s
nb. des gens intéressants (m)
≠ de vieilles gens (f)
(*selon la place de l'adjectif*)
(on dit *beaucoup de gens* mais *plusieurs/quelques/trois*, etc., *personnes*)

Noms et verbes

- avouer ——> je vais te faire cet ___
- rencontrer ——> faire des ______ (f) inoubliables
- décourager ——> le ______ des chômeurs
- s'adapter ——> l'______ (f) de la presse
- exiger ——> les ______ (f) de la directrice
- écrire ——> une ______ rapide
- recommander ——> les ______ (f) de la journaliste
- exister ——> l'______ (f) de ces écoles
- formation (f) ——> elle a été ______ sur le tas
- rédiger ——> la ______ d'un article
- mettre en page ——> la ___ en page du journal

EXERCICES

1. Rapports de temps: quand/lorsque + futur + futur

▶ La rédactrice explique à Caroline que **quand** elle **commencera** sa carrière de journaliste, le plus important **sera** d'avoir de la volonté.
La conjonction **quand** (ou **lorsque**) est généralement suivie d'un verbe au **futur** si le verbe de la principale est au **futur**. ◀

(a) Il est permis à Caroline de rêver. Il arrive également à n'importe quel journaliste de province de rêver de réaliser un 'scoop', d'être le premier à interviewer une personnalité ou de découvrir une information originale.
Michel Gautier, reporter à *La voix de Nantes*, attend à l'aéroport l'arrivée du champion du monde de tennis. A quoi rêve-t-il?
Exercice oral Sous la direction du professeur, racontez oralement, au **présent**, les événements représentés dans la première série de croquis, à droite (1 et 1 *bis*, 2 et 2 *bis*, etc.).

Début (1 et 1 *bis*):

Le champion de tennis descend de l'avion. Il accorde une interview à Michel Gautier.

Racontez maintenant le rêve du reporter: composez oralement, comme si vous étiez Michel Gautier, avec **quand/lorsque + futur + futur, six** phrases reliant la première série de croquis deux par deux.

Exemple (1 et 1 *bis*):

***Quand** le champion **arrivera** à l'aéroport, il m'**accordera** une interview exclusive.*

(b) Pour en avoir souvent fait l'expérience, Michel Gautier sait que la réalité sera moins glorieuse.
Travail individuel A partir de la deuxième série de croquis couplés à gauche, composez par écrit, avec **quand/lorsque + futur + futur, cinq** phrases racontant ce qui arrivera vraisemblablement à Michel Gautier dans les heures qui viennent.

Exemple (1 et 1 *bis*):

***Quand** le champion **arrivera** à l'aéroport, il **partira** tout de suite sans rien dire.*

2. Pronoms personnels objets directs ou indirects: me, te, se, nous, vous + un autre pronom

(a) De quelle manière un événement, tel que la mort d'un étudiant au cours d'une manifestation, se transforme-t-il en article de presse? Les notes ci-dessous, à droite, prises par l'auteur d'un ouvrage sur la presse, retracent les étapes de la rédaction d'un reportage *Un mort à Jussieu*.

Travail individuel* ⟶ *Travail à deux Trouvez, mais ne les écrivez pas, dans les notes ci-dessous et dans l'article *Un mort à Jussieu*, les réponses aux questions posées à droite.
Vérifiez ensuite, avec un(e) partenaire, l'exactitude de vos réponses.

Pourquoi ces manifestations ont-elles eu lieu?
A quelle date ont-elles commencé?
Comment ont-elles évolué par la suite?
Pourquoi l'ami du correspondant a-t-il téléphoné le 15 mai?
Qu'est-ce qu'a fait la police à 16h 20, et de nouveau à 17h 15?
Comment Alain Belgrand a-t-il trouvé la mort?

NAISSANCE D'UNE INFORMATION

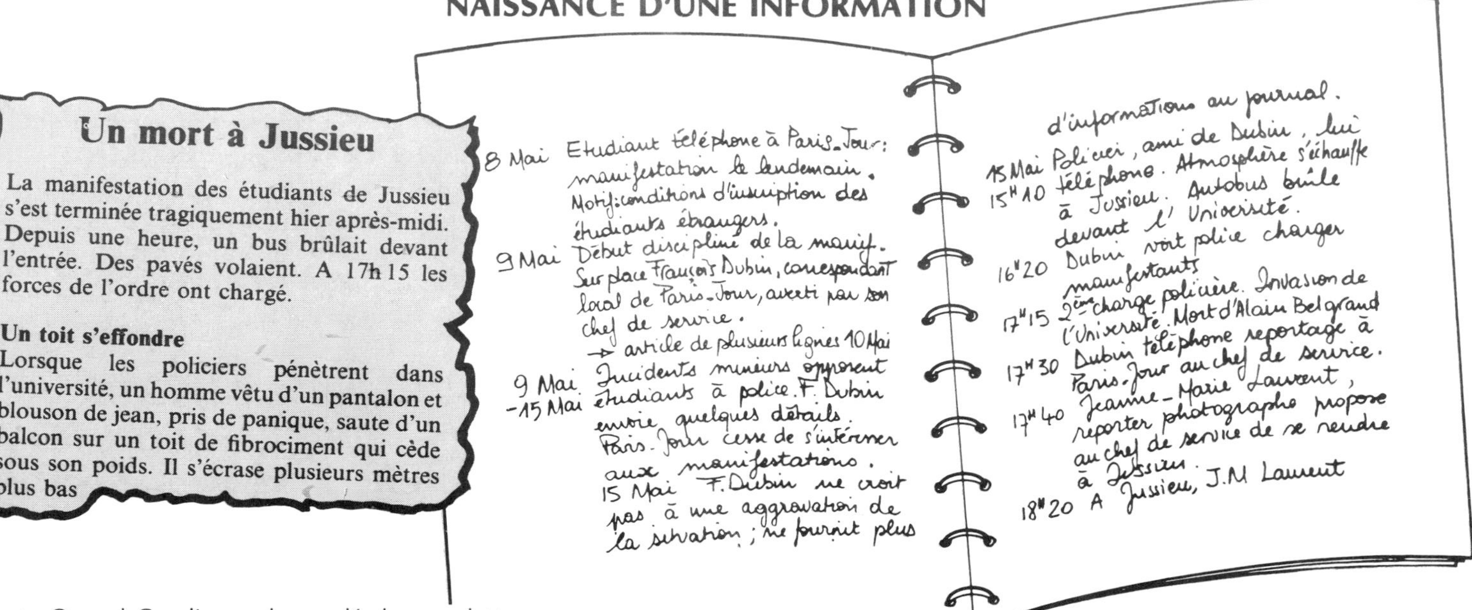

Un mort à Jussieu

La manifestation des étudiants de Jussieu s'est terminée tragiquement hier après-midi. Depuis une heure, un bus brûlait devant l'entrée. Des pavés volaient. A 17h 15 les forces de l'ordre ont chargé.

Un toit s'effondre

Lorsque les policiers pénètrent dans l'université, un homme vêtu d'un pantalon et blouson de jean, pris de panique, saute d'un balcon sur un toit de fibrociment qui cède sous son poids. Il s'écrase plusieurs mètres plus bas

8 Mai Etudiant téléphone à Paris-Jour: manifestation le lendemain. Motif: conditions d'inscription des étudiants étrangers.
9 Mai Début discipliné de la manif. Sur place François Dubin, correspondant local de Paris-Jour, averti par son chef de service.
→ article de plusieurs lignes 10 Mai
9 Mai -15 Mai Incidents mineurs opposent étudiants à police. F. Dubin envoie quelques détails. Paris-Jour cesse de s'intéresser aux manifestations.
15 Mai F. Dubin ne croit pas à une aggravation de la situation; ne fournit plus d'informations au journal.
15 Mai 15h10 Policier, ami de Dubin, lui téléphone. Atmosphère s'échauffe à Jussieu. Autobus brûle devant l'Université.
16h20 Dubin voit police charger manifestants
17h15 2ème charge policière. Invasion de l'Université. Mort d'Alain Belgrand
17h30 Dubin téléphone reportage à Paris-Jour au chef de service.
17h40 Jeanne-Marie Laurent, reporter photographe propose au chef de service de se rendre à Jussieu.
18h20 A Jussieu, J.M Laurent

▶ Quand Caroline a demandé dans sa lettre comment devenir journaliste, la rédactrice du magazine a répondu: 'je **te l**'expliquerai en termes pratiques'.
Lorsqu'on emploie **me, te, se, nous** ou **vous** avec un autre **pronom** c'est l'autre pronom qui se met juste devant le verbe. ◀

(b) Pour rédiger les notes ci-dessus, l'auteur du livre sur la presse a interrogé des journalistes de *Paris-Jour*.

Exercice oral* ⟶ *Travail individuel
L'auteur (le professeur) vous interrogera comme si vous étiez d'abord le **chef du service *Informations***, ensuite comme si vous étiez **François Dubin.** Répondez en remplaçant, dans les phrases à droite, les mots en italique par un (autre) **pronom.**

Exemple:
– *Qui* ***vous*** *a informé le 8 mai* ***des manifestations du lendemain****?*
– *C'est un étudiant qui* ***nous en*** *a informés.*

Au chef de service

1. Qui *vous* a informé le 8 mai *des manifestations du lendemain*?
2. Comment est-ce qu'il *vous* a communiqué *cette nouvelle*? (*Il . . .*)
3. Qui *vous* a envoyé *le premier reportage*, le 9 mai? (*C'est notre . . .*)
4. Vous avez continué à *vous* intéresser *à ces manifestations*? (*Non, nous avons pratiquement cessé de . . .*)
5. Votre correspondant *vous* a fourni encore *des informations* les jours suivants? (*Non il . . .*)

A François Dubin

6. Qui *vous* a signalé *la manifestation du 9 mai*? (*C'est mon chef de service qui . . .*)
7. Vous *vous* attendiez *à l'aggravation de la situation*? (*Non, je ne . . .*)
8. Qui *vous* a passé *les informations sur les échauffourées du 15 mai*? (*C'est un ami, un policier, qui . . .*)
9. A quel moment est-ce que vous *vous* êtes rendu compte *des intentions de la police*? (*C'est après leur première charge que je . . .*)
10. Est-ce que vous *vous* êtes chargé personnellement *de l'enquête* par la suite? (*Non, c'est une collègue, Jeanne-Marie Laurent, qui . . .*)

Rédigez maintenant par écrit les réponses que vous venez de composer.

3. L'article indéfini: omission et emploi devant les noms de professions

▶ Caroline, d'après sa lettre, a l'ambition d'**être journaliste**. Après *être, devenir,* etc., on omet normalement l'**article indéfini**, en parlant de la **profession** de quelqu'un:

Françoise Giroud **est journaliste**. Elle **est devenue ministre.**◀

(a) Connaissez-vous les individus célèbres présentés dans le tableau *Qu'est-ce qu'ils faisaient dans la vie?* ci-dessous.
Travail à deux Cherchez la **profession** (ii) qui correspond à chaque **individu** (i). Ensuite vérifiez vos réponses en consultant la clef (p. 120).
Posez-vous mutuellement des questions sur ces personnes et leurs professions (voir à droite).

Exemples:
– *Que faisait Edith Piaf dans la vie?*
– ***Elle était chanteuse.***
– *Quelle était la profession de Louis Pasteur?*
– ***Il était savant.***

Qu'est-ce qu'ils faisaient dans la vie?

(i) INDIVIDU	(ii) PROFESSION
Edith Piaf	cinéaste
Louis Pasteur	aviateur
Christian Dior	savant
Louis Blériot	comédienne
Sarah Bernhardt	homme d'Etat
Jean Renoir	couturier
Emile Zola	chanteuse
Edouard Manet	romancier
Claude Debussy	peintre
Charles de Gaulle	compositeur

▶ Si on veut employer un **adjectif** avec le substantif indiquant la **profession**, il faut dire **c'est/c'était un(e) . . .** au lieu de **il/elle est/était . . .**:

Françoise Giroud est devenue ministre. **C'était une** journaliste **connue**. ◀

(b) ***Exercice oral*** Le professeur reprendra avec vous les questions sur les individus indiqués dans le tableau *Qu'est-ce qu'ils faisaient dans la vie?* Répondez de mémoire, en employant avec chaque nom un **adjectif**: *célèbre, exceptionnel(le), très connu(e), remarquable, renommé(e), doué(e), brillant(e), éminent(e), etc.*

Exemple:
– *Qu'est-ce qu'Edith Piaf avait comme métier?*
– ***C'était une chanteuse célèbre.***

4. Conseiller

▶ Dans sa lettre à Caroline, la journaliste écrit: '**il est recommandé de** savoir taper à la machine' et '**il faut** avoir un bon niveau de culture générale'.
On peut employer ces deux formules, ou bien certaines autres, si on veut **donner des conseils** à quelqu'un:

Tu auras intérêt à
Je te conseille de
Tu ferais bien de savoir taper à la machine.

Tu dois/Tu devrais
Il est indispensable d' avoir un bon niveau de culture générale.

Moi, à ta place, j'apprendrais à taper à la machine. ◀

Votre partenaire et vous, vous voulez à tout prix devenir champion(ne): de cyclisme, de natation, de course automobile, d'athlétisme (sprint, course de fond, saut en longueur/en hauteur/à la perche, lancement de disque/de javelot/de poids, etc.).
Travail individuel ⟶ ***Travail à deux*** Choisissez chacun(e) une ambition sportive, puis demandez à votre partenaire ce qu'il/elle veut devenir. Ensuite, dans les *Conseils pour être champion* (à droite), choisissez **six** points qui vous semblent importants pour l'ambition de votre partenaire. Notez-les par écrit, et mémorisez-les. Relisez les formules (à gauche) que l'on emploie pour **conseiller** quelqu'un. Ensuite, de mémoire, donnez-vous mutuellement des conseils.

Exemple:
Si tu veux être coureur de fond ***tu auras intérêt à*** *mener une vie régulière.* ***Je te conseille*** . . .

CONSEILS POUR ÊTRE CHAMPION

Il faudrait peut-être:
- **mener une vie régulière**
- **vouloir gagner à tout prix**
- **surveiller son alimentation**
- **s'entraîner rigoureusement**
- **se coucher de bonne heure**
- **éviter le tabac et l'alcool**
- **trouver un bon entraîneur**
- **adhérer à un club réputé**
- **acquérir tôt les connaissances de base**
- **apprendre à économiser ses forces**
- **étudier l'art de la tactique**
- **se concentrer sans se contracter**
- **jouer toujours de façon agressive**
- **ne pas se laisser dominer psychologiquement**
- **interpréter les intentions de ses coéquipiers**
- **acheter le meilleur équipement possible.**

5. L'antériorité: avant de + infinitif, avant que + subjonctif

▶ Selon la rédactrice, on n'a pas besoin de suivre les cours des écoles de journalisme **avant d'exercer** le métier de journaliste. Comparez ces deux phrases:

Caroline doit savoir taper à la machine **avant de devenir** journaliste.
Une bonne connaissance de l'anglais est indispensable **avant que** tu **(ne) deviennes** journaliste.

Pour dire qu'une action se passe **avant** une autre, on peut employer:

– si le sujet des deux parties de la phrase est **le même:**	**avant de + infinitif**
– si le sujet est **différent:**	**avant que (+ ne) + subjonctif.**

L'emploi de **ne**, devant le verbe au subjonctif, est facultatif. ◀

L'imprimerie de presse que connaîtra Caroline si elle devient journaliste est en pleine évolution.
L'impression d'un journal passe par toute une série d'étapes. Dans l'imprimerie traditionnelle, ces étapes sont nombreuses. Celles qui sont en train de les remplacer aujourd'hui sont plus simples et plus courtes.
Exercice oral* ⟶ *Travail individuel Lisez, dans *L'imprimerie de presse en évolution* (à droite), chaque groupe de deux phrases. Déterminez avec le professeur si les deux phrases ont le même sujet ou non. Ensuite, reliez-les oralement avec **avant de + infinitif** ou **avant que + subjonctif**.

Exemples:
Une équipe de rédacteurs sélectionne les articles ***avant de prévoir*** *leur disposition sur la page.*
Avec un clavier, on range chaque ligne de caractères ***avant qu****'une injection de plomb en* ***prenne*** *l'empreinte.*

Rédigez ensuite par écrit les phrases que vous venez de composer.

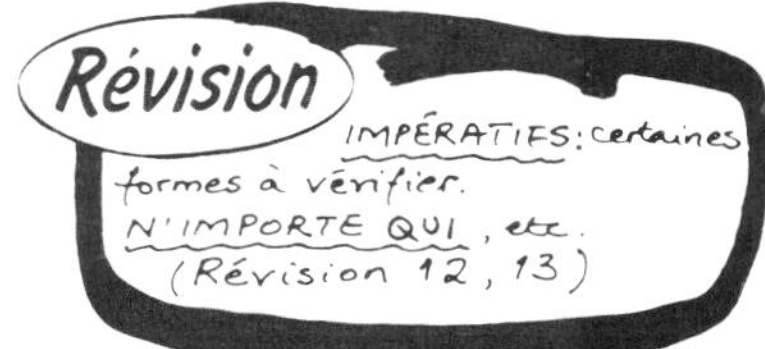

Révision
IMPÉRATIFS: certaines formes à vérifier.
N'IMPORTE QUI, etc.
(Révision 12, 13)

L'imprimerie de presse en évolution

LA RÉDACTION

- Une équipe de rédacteurs sélectionne les articles pour la rubrique concernée.
- Elle prévoit la disposition des articles sur la page.

Procédés traditionnels

LA COMPOSITION

- Avec un clavier, on range chaque ligne de caractères.
- Une injection de plomb en prend l'empreinte.

LA MISE EN PAGE

- Le compositeur met dans un cadre les lignes de plomb.
- Il tire une épreuve de la page composée.

LA CORRECTION

- Les lignes où il y a des fautes sont recomposées.
- Le 'bon à tirer' est donné par le journaliste responsable.

LE STÉRÉOTYPE

- On presse une feuille de carton sur le cadre pour faire un moule.
- On en fait une plaque (un stéréotype) en y coulant du plomb.

LA ROTATIVE

- Les stéréotypes sont fixés sur les cylindres de la rotative.
- La bande de papier en reçoit l'impression en passant entre deux cylindres.

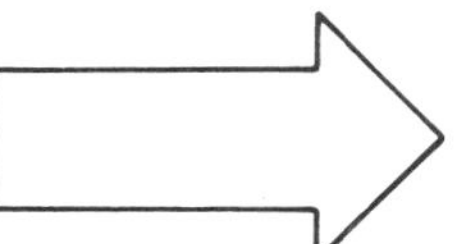

Procédés révolutionnaires

LA COMPOSITION ET LA CORRECTION

- Un claviste ou un journaliste tape le texte sur la photocomposeuse.
- Il relit la page, la corrige ou la modifie au besoin.

LA MISE EN PAGE

- La photocomposeuse reproduit le texte.
- Un maquettiste fait le travail de mise en page sur une table lumineuse.

LA ROTATIVE

- La page composée est photographiée sur une plaque.
- Le typographe en garnit le cylindre de la rotative 'offset'.

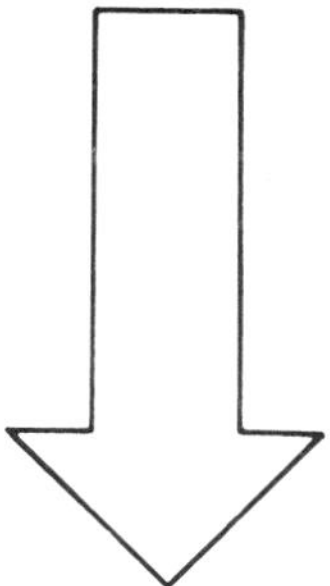

LE PLIAGE ET LE DÉCOUPAGE

- La rotative imprime deux journaux à chaque tour de cylindre.
- Un dispositif plie et découpe chaque exemplaire.

ACTIVITÉ

Lettres: devenir médecin (Conseiller)

(a) Votre partenaire est médecin: il/elle travaille à temps partiel pour le magazine *20 Ans*. Il/Elle doit répondre aux questions des lecteurs portant sur la santé. Voulant savoir comment devenir médecin, vous lui adressez une lettre. ***Travail individuel*** Relisez maintenant la lettre de Caroline (p. 114), puis rédigez votre lettre en 50 à 75 mots.

(b) Le tableau *Devenir médecin* (à droite) présente les **motifs** probables, les **qualités** requises et les **études** des futurs médecins. Le schéma ci-dessous à droite résume ce qui était, à l'époque, leurs études et leur formation professionnelle.

Travail individuel Lisez la lettre de votre partenaire, puis relisez celle de la journaliste (p. 114). Faites particulièrement attention à la manière dont sont exprimés les **motifs**, les **qualités** et les **qualifications** des futurs journalistes. Enfin, en vous inspirant de ce que dit la journaliste, écrivez une lettre à votre partenaire pour lui expliquer comment devenir médecin. Référez-vous au tableau *Devenir médecin*, au schéma, et aux formules que l'on emploie pour **conseiller** quelqu'un (*Exercices*, 4).

Devenir médecin

● ***Motivations***
Ceux/celles qui sont attiré(e)s par la médecine peuvent:
- vouloir soulager la souffrance humaine
- aimer les contacts humains
- souhaiter gagner de l'argent
- être idéalistes.

● ***Qualités***
Pour être un bon médecin il faut:
- être intelligent(e)
- être fort(e) en sciences naturelles
- ne pas se faire d'illusions
- pouvoir supporter la souffrance des autres
- avoir de la persévérance
- ne pas être découragé(e) par les échecs.

● ***Etudes et qualifications***
Pour devenir médecin on doit:
- réussir le bac
- s'inscrire à l'université
- entrer dans une faculté de médecine
- passer un examen de sélection, au bout d'un an
- devenir étudiant(e) en médecine
- faire des études de médecine
- suivre une formation rigoureuse
- assister à des conférences
- apprendre le métier sur le tas
- faire des visites
- examiner des malades
- devenir interne des hôpitaux
- s'installer comme docteur (comme généraliste)
- devenir chef de clinique (dans un hôpital).

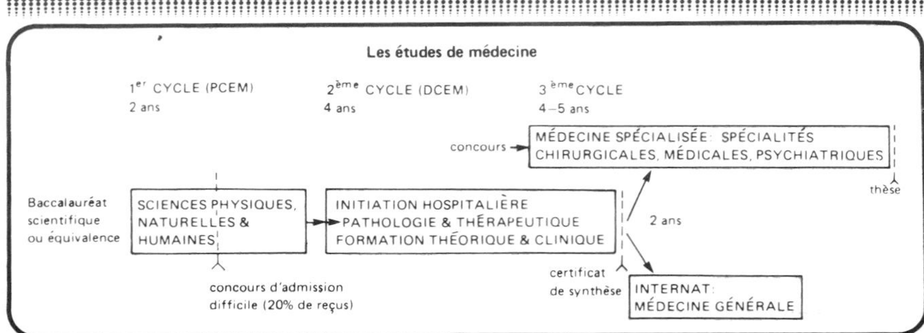

Début possible:

Je vais d'abord souligner deux choses. Premièrement, la vocation de médecin demande beaucoup de persévérance et de dévouement. Ensuite, il faut être idéaliste sans, cependant, se faire d'illusions: la souffrance des autres n'est pas . . .

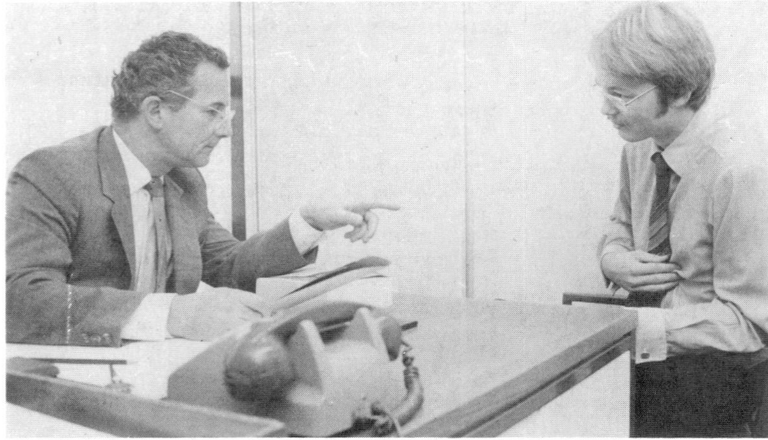

Clef :

Qu'est-ce qu'ils faisaient dans la vie?

Edith Piaf était chanteuse.
Louis Pasteur était savant.
Christian Dior était couturier.
Louis Blériot était aviateur.
Sarah Bernhardt était comédienne.
Jean Renoir était cinéaste.
Emile Zola était romancier.
Edouard Manet était peintre.
Claude Debussy était compositeur.
Charles de Gaulle était homme d'Etat.

TROUVER SA PLACE?

POINTS DE REPÈRE

Dans un prospectus sur le Pacte National pour l'Emploi, préparé il y a quelques années par le Ministère du Travail, on explique aux employeurs les avantages, pour les jeunes et pour eux-mêmes, de deux systèmes de formation: l'**apprentissage** et les **stages pratiques** en entreprise.

Travail individuel* ⟶ *Mise en commun Relevez brièvement par écrit, dans cet extrait du prospectus, les informations demandées à droite.

Vérifiez ensuite ces informations avec l'ensemble de la classe.

	APPRENTISSAGE	STAGES PRATIQUES
La formation ● objectif ● durée totale ● surveillance ● formation pratique (lieu) ● formation théorique (durée, lieu)		
La stagiaire ● âge ● documents/certificats nécessaires ● rémunération		
L'employeur ● conditions de participation ● avantages financiers		

APPRENTISSAGE°

Nature de la formation

Contrat de travail qui permet au jeune d'apprendre un métier qualifié tout en travaillant dans une entreprise° sous la direction d'un maître d'apprentissage. La formation° théorique de 360 heures a lieu obligatoirement dans un Centre de Formation d'Apprentis (CFA). La durée normale du contrat est de deux ans.

Conditions

L'apprenti doit avoir de 16 à 20 ans et être muni° d'un avis° favorable délivré par un centre d'orientation. L'employeur doit être agréé° comme maître d'apprentissage par le Comité départemental de la formation professionnelle.

Frais et rémunération

L'apprenti a le même statut° légal que les autres salariés.° Sa rémunération° minimum passe progressivement de 15% à 45% du SMIC.° L'employeur est exonéré des° cotisations° sociales qui sont prises en charge° par l'Etat.

STAGE° PRATIQUE EN ENTREPRISE

Nature de la formation

Les stages permettent aux intéressés° de s'informer sur le monde du travail et facilitent l'insertion° professionnelle. Ils comportent° une expérience pratique variée, dans plusieurs secteurs d'activité, et une formation théorique (120 heures minimum) organisée soit dans l'entreprise soit en Centre de Formation. La durée des stages est de quatre mois. Le stagiaire° est placé sous l'autorité du responsable° de l'établissement.°

Conditions

Les stages sont ouverts à tous les jeunes sans emploi de 18 à 26 ans. L'âge minimum est de 16 ans pour les jeunes munis d'un Certificat d'Aptitude Professionnel (CAP). Pour accueillir° des stagiaires l'entreprise doit être habilitée:° demander à l'Agence locale de l'Emploi.

Frais° et rémunération

Le stagiaire reçoit 90% du SMIC. Cette rémunération est versée° par l'entreprise qui est remboursée° par l'Etat à raison de° 70% du SMIC.

ACTIVITÉS

1. Interview: les avantages du Pacte National pour l'Emploi

Au cours d'une interview, un(e) conseiller(-ère) d'orientation explique à un(e) jeune les modalités de l'**apprentissage** et des **stages pratiques** en mettant l'accent sur leurs avantages.

Travail individuel* ⟶ *Exercice oral

Relisez les informations que vous avez notées sur l'**apprentissage** (*Points de repère*) et essayez de les mémoriser. Ensuite, en consultant le moins possible vos notes, répondez, comme si vous étiez le/la conseiller(-ère) d'orientation, aux questions du jeune (du professeur) sur l'**objectif**, la **durée**, etc., de l'**apprentissage**.

Ensuite de même pour les **stages pratiques** en entreprise.

● **apprentissage** (m) apprenticeship **entreprise** (f) firm **formation** (f) training **muni de** in possession of **avis** (m) reference **agréer** approve **statut** (m) status **salarié** (m) employee **rémunération** (f) earnings **SMIC** (**Salaire** (m) **minimum interprofessionnel de croissance**) index-linked minimum wage **exonéré de** exempt from **cotisation** (f) contribution **prendre en charge** be responsible for **stage** (m) training course **intéressés** (m pl) those concerned **insertion** (f) induction **comporter** include **stagiaire** (m/f) trainee **responsable** (m/f) person in charge **établissement** (m) establishment **accueillir** accept **habilité** entitled to do so **frais** (m pl) expenses **verser** pay out **rembourser** reimburse **à raison de** at the rate of

2. Témoignages: l'apprentissage tel qu'il est

La réalité vécue de l'apprentissage correspond-elle vraiment à ce qu'en dit le document que vous avez analysé?

Travail individuel Lisez attentivement les deux témoignages qui suivent. Puis imaginez, par écrit, le témoignage du premier **patron** de Mouloud (i) et celui de l'**apprenti** du garagiste Marcel P. (ii).

(i) *Mouloud, apprenti teinturier, Paris XIe.*

Je voulais travailler pour ne pas aller à l'école. J'étais en cinquième. Mais j'étais toujours absent. Je séchais pratiquement tous mes cours. Je suis teinturier comme ça, par hasard. Je voulais être pâtissier. Je me suis trouvé un patron qui a accepté de m'embaucher comme apprenti. Mais ça n'a pas marché. Le patron me faisait faire les courses, balayer la cave, nettoyer les plaques. Je ne touchais jamais à un gâteau. Je commençais à dix-huit heures. Et sur ma fiche de paie on ne marquait même pas mes heures supplémentaires. Quand je râlais le patron me répondait: « S'il fallait toujours appliquer la loi! » Je me faisais arnaquer. Maintenant que je suis teinturier ça va mieux. Je touche mes 50% pour quarante heures par semaine. Puis une semaine sur quatre je suis des cours au CFA.

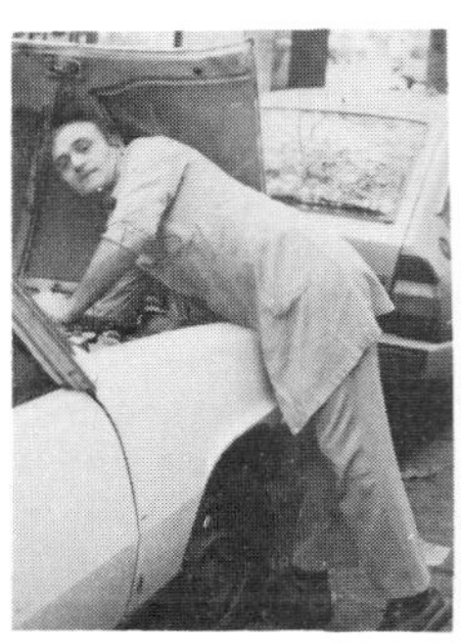
(ii) *Marcel P., garagiste, Saint-Denis.*

L'an dernier j'ai pris un apprenti pour la première fois. Il commence maintenant à savoir travailler, mais pendant toute une année il m'a coûté bien du temps, bien plus qu'il n'a pu me rapporter. J'ai des confrères qui ont des apprentis valables dès les premières semaines. C'est facile. Il suffit de leur laisser la pompe, les changements de pneu, les vidanges et le balai. Avec mon ouvrier, nous avons voulu lui apprendre vraiment le métier, comment réparer la carrosserie ou la mécanique, comment régler le moteur, démonter l'échappement, poser le pare-brise. Tout ça nous a pris du temps. Il commence à se débrouiller et je pense qu'il aura son CAP. Malheureusement, ensuite, je ne pourrai pas le garder. Mon garage est trop petit pour payer un salaire complet de plus, surtout avec les cotisations sociales à payer.

3. Témoignage: les stages pratiques tels qu'ils sont

(a) Jean-Claude B., spécialiste de l'orientation professionnelle des jeunes, raconte ce que sont en réalité, à son avis, les stages en entreprise.

Travail individuel/à deux Avec ou sans partenaire, écoutez l'enregistrement et complétez ce résumé du témoignage de Jean-Claude B.:

Le gouvernemement a mis en place . . . .
qui veut intégrer les jeunes . . . .
Chaque entreprise bénéficie . . . .
alors que les jeunes concernés suivent un stage de . . . .
au cours duquel ils découvrent . . . .
ce qui, en principe, leur permet d'avoir . . . .
afin de ne pas se sentir . . . .
car celui qui voit le fruit de ce qu'il fait, dit-on, travaillera . . . .
Mais, en réalité, une fois embauchés dans l'entreprise, les jeunes travailleurs se retrouvent devant . . . .
et finissent par se sentir plus . . . .
Ils ont eu l'occasion de voir la façon . . . .
et se voient finalement condamnés pour la vie à travailler dans . . . .

(b) Dans quelle mesure le témoignage de Jean-Claude B. confirme-t-il ou infirme-t-il le prospectus du Ministère du Travail (*Points de repère*)?

Exercice oral Sous la direction du professeur, passez en revue les déclarations du témoin et comparez-les avec le contenu du prospectus.

4. Article de magazine: *Le Pacte National pour l'Emploi*

Travail individuel Composez un article de magazine destiné aux jeunes présentant le pour et le contre de l'**apprentissage** et des **stages pratiques** en entreprise. Référez-vous au prospectus du Ministère du Travail (*Points de repère*), au témoignage de l'apprenti et du garagiste (*Activités*, 2) et à celui du spécialiste Jean-Claude B. (*Activités*, 3).

Début possible:

VOUS QUI CHERCHEZ UN PREMIER EMPLOI

Vous avez entre 16 et 21 ans, vous êtes à la recherche d'un premier emploi mais vous n'avez pas encore trouvé le travail qui vous convient. En attendant, y a-t-il une formation qui vous permettrait d'apprendre un métier ou qui vous aiderait à vous informer sur le monde du travail? Sachez que le gouvernement a mis en place

AU TRAVAIL

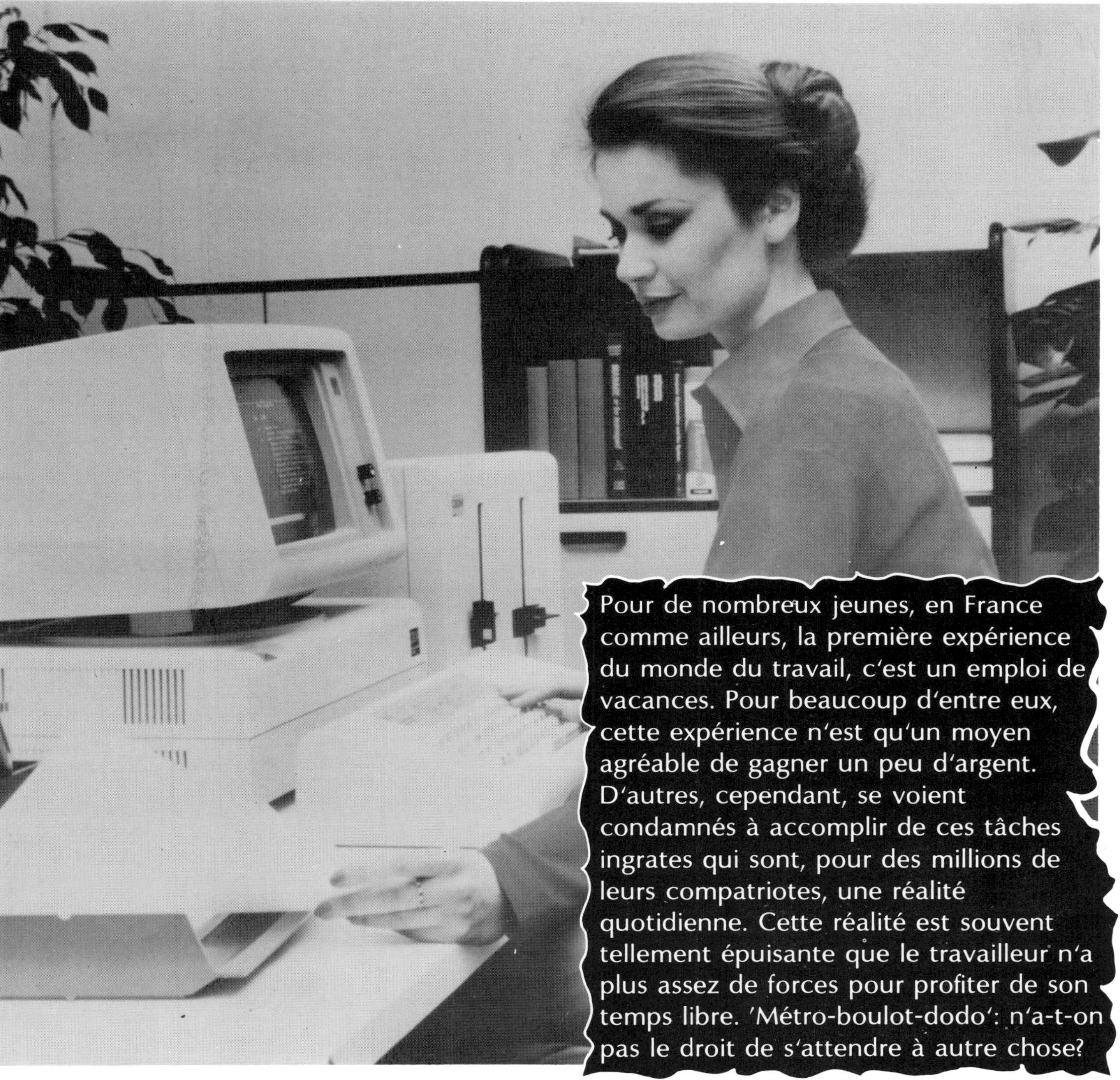

Pour de nombreux jeunes, en France comme ailleurs, la première expérience du monde du travail, c'est un emploi de vacances. Pour beaucoup d'entre eux, cette expérience n'est qu'un moyen agréable de gagner un peu d'argent. D'autres, cependant, se voient condamnés à accomplir de ces tâches ingrates qui sont, pour des millions de leurs compatriotes, une réalité quotidienne. Cette réalité est souvent tellement épuisante que le travailleur n'a plus assez de forces pour profiter de son temps libre. 'Métro-boulot-dodo': n'a-t-on pas le droit de s'attendre à autre chose?

LES EMPLOIS DE VACANCES

ACTIVITÉS

1. Quelques témoignages

(a) Dans les conversations que vous allez entendre, cinq lycéens bretons parlent chacun d'un emploi qu'ils ont eu pendant les vacances.

Travail individuel/à deux Avec ou sans partenaire, écoutez les enregistrements et complétez ces cinq conversations (*Livret*, pp. 21–22):

– que faites-vous pendant les vacances?
– bon . . . ben l'année dernière
j'ai été __ ___ __ ___ au pair° __ _______
euh ___ __ ____
et puis
bon j'ai de bons de très bons rapports°
avec ma fa la famille dans laquelle je suis
puisque je les connais ____ ____
__ ___
comme je travaille déjà chez eux
c'est très bien
moi je [vais] continuer cette année

– que faites-vous pendant les vacances?
– ben moi
___ ___ ___
je vais __ _______
parce que ma mère est prof d'allemand
alors je suis (rires)
et cette année bon ben
je vais _______ __ ___ en Allemagne
– qu'est-ce que vous allez faire comme travail?
– ben __ __ ________ (rires)

Florence T.

– et vous
qu'est-ce que vous allez faire?
– moi je vais euh je vais travailler pendant les
pendant les vacances
euh ___ ___ dans __ _____
euh dans euh _ __ _____
___ __ ____
puis j'ai obtenu° ce travail
parce que ça fait __ ______ ____
que je [vais] dans ce camping
– où est-il
le camping?
– euh _ ____ _______ de
__ ___
à Perros-Guirec

Eric L.

(b) ***Travail à deux*** ⟶ ***Mise en commun*** En consultant vos transcriptions, complétez ensemble le tableau ci-dessous. Comparez ensuite votre tableau complété avec celui des autres étudiants.

NOM	EMPLOI	LIEU	NATURE DU TRAVAIL	DURÉE (1. cette année 2. l'année dernière)
Jean-Michel L.	au pair			2.
Florence T.			(devinez)	1.
Eric L.			(devinez)	1.
Eliane D.			(devinez)	1.
Anne B.				2.

● **être au pair** work in return for board and lodging **avoir de bons rapports avec** get on well with **traiteur** (m) caterer **obtenir** get **reprendre** take back **compter** plan to **mono** (= **moniteur,-trice**) (m/f) supervisor (in children's holiday camp) **agent** (m) helper **colonie** (f) **de vacances** children's holiday camp

– qu'est-ce que ça veut dire
___ ___ ___?

– ___ ___?
ben je suis l je travaille euh
enfin ils sont traiteurs°
donc je les aide
je vais ___ ___ ___

– ah oui je vois

Jean-Michel L.

– vous travaillez aussi mademoiselle?

– euh la ce l'année dernière
j'ai été travailler ___ ___
dans ___ ___
enfin je vais ___ ___ ___
parce que je peux pas travailler comme mono°
étant donné que je n'ai pas fait de stage

– comme agent° dans une colonie de vacances°?
c'est quoi alors?

– comme euh ___ ___ ___ ___ ___
___ enfin

– et où est-elle cette colonie?

– euh ce ___ ___ ___ Caen

Anne B.

– parlez-moi un peu de
votre travail de vacances à Guingamp

– euh c'est c'est ___ ___ ___
d'abord
enfin moi j'ai trouvé
donc ___ ___ ___
l'année dernière
bon je pense ___ ___ cette année
si on me reprend°
euh je ___ ___ à ce moment-là
et c'est bien payé hein
s euh là cette année
je compte° ___ ___ ___ donc
et après partir euh
avec mon fiancé euh
en vacances

Eliane D.

2. Le travail et vous

(a) Est-ce que vous avez déjà eu l'occasion de travailler?
Travail individuel* ——> *Travail à deux Notez par écrit vos réponses à ces questions:

Avez-vous déjà travaillé?
Etait-ce pendant l'année scolaire ou pendant les vacances?
Le samedi, le dimanche ou pendant la semaine?
En quelle année?
Qu'est-ce que vous avez fait comme travail?
Qu'est-ce que vous avez pensé de votre emploi?
Et de vos conditions de travail?

Interrogez maintenant votre partenaire sur son expérience du travail. Notez ses réponses, et répondez à votre tour à ses questions.

(b) ***Mise en commun* ——> *Discussion*** A tour de rôle, présentez à l'ensemble de la classe l'expérience de votre partenaire. Discutez ensuite, avec le professeur et les autres étudiants, les avantages et les inconvénients de ces jobs.

POINTS DE REPÈRE

Cet article de *Paris-Match* raconte les expériences personnelles d'une jeune femme qui a travaillé quelques semaines en usine pendant les grandes vacances.

Travail individuel* ⟶ *Mise en commun Lisez attentivement l'article et notez les informations qu'il nous donne sur:

- **Annick**
  - ses études
  - ses problèmes d'argent
  - ses problèmes de transport
- **le travail à l'usine**
  - la nature de l'entreprise
  - trois choses qu'a faites Annick
- **les réactions d'Annick**
  - ses réactions physiques
  - ses réflexions, ses sentiments.

Comparez vos notes avec celles des autres étudiants.

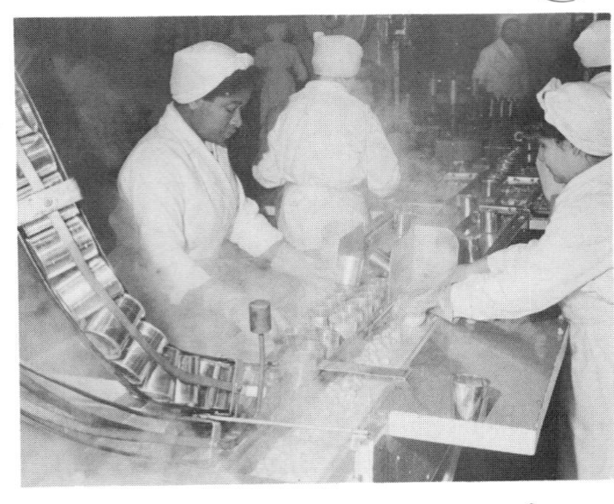

DANS LA CHOUCROUTE°

Annick, 24 ans, poursuit ses études de médecine à Strasbourg. Elle travaille à la chaîne° dans une usine de conserves.° Ses examens réussis,° elle aurait pu se reposer sur ses lauriers:° trois mois de loisirs avant de reprendre les cours. « Je ne peux pas me le permettre, dit-elle, je ne dispose d'aucun revenu° fixe pendant l'année. Ce que je gagne pendant les vacances ou en faisant des gardes de nuit° supplémentaires, c'est pour le superflu:° loisirs, lectures,° etc. Et dans un but° plus lointain, pour la voiture dont j'ai absolument besoin. Les transports en commun° sont chers à Strasbourg et insuffisants. Alors je perds un temps fou en allées et venues entre la fac,° la bibliothèque, l'hôpital. C'est dur, l'hiver, par −10° quand il faut rentrer tard à vélo. Dans ma promotion,° deux étudiants sur trois travaillent. Pour certains c'est un besoin vital. En particulier pour les étudiants mariés. La choucroute, j'en suis dégoûtée° pour le restant de mes jours. Je ne peux plus en supporter l'odeur. Dans cette usine, je trouve que c'était de l'exploitation. »

Annick est violente, mal remise° de ce qu'elle vient de vivre. « Et encore, j'étais un peu mieux traitée que les autres parce qu'envoyée par une agence d'intérim.° On me changeait plusieurs fois de poste° dans la journée. Eux restaient rivés° à leur place du matin au soir pendant dix heures par jour, et pas une minute de répit.° En tout 50 heures par semaine. Le plus penible,° c'était la chaîne de mise en boîtes.° Je devais faire tomber du chou° bouillant° avec une sorte de râteau° dans les boîtes vides. Et bien sûr pas de gants. J'ai encore des brûlures° sur les mains. A côté de moi, l'ouvrière suivante faisait tomber du lard° et des saucisses, une autre des pommes de terre, etc. La dernière compressait tout et scellait° les boîtes avec une machine.

« J'ai alimenté° aussi la chaîne en boîtes vides, rempli des grands cartons° avec les boîtes de conserves pleines. C'est très dur. Au bout d'un certain temps, les boîtes de 5 kg ont l'air d'en peser° 10! Une chaleur moite,° un bruit assourdissant.° Impossible d'échanger ne serait-ce qu'un mot° avec sa voisine. L'odeur du chou est vraiment pénible, mais celle des escargots° préparés un peu plus loin prolonge la nausée° jusqu'au weekend.

« Le soir, douche° et sommeil pour récupérer en urgence.° J'ai vécu une expérience passionnante,° tout à fait dans le style *Elise ou la vraie vie*, mais je n'ai pas tenu longtemps.° Je suis partie avant la fin du mois, 800F en poche, et bien décidée à° essayer de trouver un emploi d'infirmière l'an prochain. Ou n'importe quoi,° mais surtout plus dans la choucroute. »

● **choucroute** (f) sauerkraut, pickled cabbage **chaîne** (f) production line **usine** (f) **de conserves** tinned food factory **réussir** pass **se reposer sur ses lauriers** rest on one's laurels **revenu** (m) income **garde** (f) **de nuit** night duty **superflu** (m) extras, luxuries **lectures** (f pl) reading matter **but** (m) goal, aim **transports** (m pl) **en commun** public transport **fac** (= **faculté**) (f) university department **dans ma promotion** in my year group **dégoûté** put off **mal remis** not yet recovered **agence** (f) **d'intérim** agency for temporary work **poste** (m) job **rivé** fixed **répit** (m) rest **pénible** unpleasant **mise** (f) **en boîtes** canning **chou** (m) cabbage **bouillir** boil **râteau** (m) rake **brûlure** (f) burn **lard** (m) bacon **sceller** seal **alimenter en** supply with **carton** (m) cardboard box **peser** weigh **moite** sticky **assourdissant** deafening **ne serait-ce qu'un mot** even a single word **escargot** (m) snail **nausée** (f) feeling of sickness **douche** (f) shower **en urgence** as a matter of urgency **passionnant** fascinating **ne pas tenir longtemps** not to stick it for long **décidé à** resolved to **n'importe quoi** anything

DÉCOUVERTE DU TEXTE

1. L'article en détail: un job de vacances

(a) ***Travail individuel*** En consultant l'article, faites une liste des mots et expressions qui manquent à ce résumé. Ensuite mémorisez-les.

Comme Annick ne disposait d'aucun ______ ____ pendant l'année, elle n'a pas pu se ________ de se ______ sur ___ ______ après ses examens. Car ce qu'elle ______ en faisant des gardes de nuit __________-__ lui suffisait à peine pour ses quelques loisirs. Elle avait d'ailleurs besoin d'acheter une voiture pour éviter toutes ces ______ __ ______ entre la faculté, la bibliothèque et l'hôpital, dans les __________ __ ______ qui, à Strasbourg, sont _____ et insuffisants. S'étant donc adressée à une ______ _' ____-___, elle a trouvé un travail __ __ ______ dans une _____ de conserves, où les ouvriers devaient rester _____ à ___ ______ sans une minute de _____ pendant ___ heures ___ ____ C'était de l'exploitation toute pure.

(b) ***Travail à deux*** Complétez oralement le résumé sans consulter votre liste ni le texte.

(c) ***Exercice oral*** Avec l'aide du professeur, essayez de résumer ce que dit Annick sur ses problèmes d'argent et de transport, et sur son job de vacances: ne consultez que votre liste de mots et d'expressions.

2. La chaîne de mise en boîtes

Si on lit attentivement le deuxième et le troisième paragraphes du texte, on découvre comment on prépare industriellement la choucroute garnie.

Travail individuel ⟶ ***Travail à deux*** Relisez ces deux paragraphes. Ensuite, avec un(e) partenaire, décrivez oralement la préparation industrielle de la choucroute garnie; référez-vous à ces indications:

Pour préparer industriellement la choucroute garnie, on fait d'abord bouillir le chou. Tandis qu'une première ouvrière alimente . . . (boîtes vides . . . faire tomber . . . râteau . . . gants . . . lard . . . saucisses . . . pommes de terre . . . compresser . . . sceller . . . cartons).

3. D'une interview à un article de magazine: phrases sans verbe.

(a) L'article «*Dans la choucroute*» est sans doute basé sur une interview entre Annick et un reporter de *Paris-Match*.

Travail individuel ⟶ ***Mise en commun*** En consultant l'article, notez des questions que le reporter a posées à Annick pour obtenir les informations ci-dessous.

Exemple:

Trois mois de loisirs avant de reprendre les cours. ⟶ *Vous avez combien de mois de vacances cet été?*

Trois mois de loisirs avant de reprendre les cours (1er para).
En particulier pour les étudiants mariés (1er para).
En tout 50 heures par semaine (2e para).
Et bien sûr pas de gants (2e para).
Une chaleur moite, un bruit assourdissant (3e para).
Le soir, douche et sommeil (4e para).

Comparez les questions que vous venez de composer avec celles des autres étudiants.

(b) Pour donner à son récit le caractère d'un témoignage oral, le reporter a rédigé sans verbe les phrases ci-dessus.

Travail à deux A partir de ces phrases (a), reprenez ensemble les questions du journaliste et inventez les réponses qu'aurait données Annick: jouez chacun(e) l'un des deux rôles.

À COMPLÉTER, À NOTER ET À MÉMORISER

Expressions et structures
- elle poursuit ses études _ Strasbourg
- elle travaille _ __ chaîne
- les transports __ ______ (= *publics*) sont chers
- c'est dur ___ moins 10° (cp. *par beau temps*)
- pour les étudiants mariés ___ particulier
- travailler ___ matin ___ soir
- 50 heures ____ semaine
- le ____ pénible, _' _____ la mise en boîtes
- elle compressait ____ avec une machine
- impossible d'échanger ___ ______-__ __' un mot (= *même un mot*)
- une expérience tout _ ____ (= *entièrement*) passionnante
- j'ai 800F ___ poche

Constructions verbales
- elle est dégoûtée __ la choucroute
- elle se remet mal __ cette expérience
- elle a changé __ poste
- ils étaient rivés __ leur place
- elle devait _____ ______ du chou bouillant dans les boîtes
- elle alimentait la chaîne __ boîtes vides
- elle a ____ une expérience passionnante

Formes

cher ⟶ f
nb. ils coûtent *cher* (invariable)
fou ⟶ f
⟶ un ___ espoir
ouvrier (m) ⟶ f
voisin (m) ⟶ f

Noms et verbes
- poursuivre ⟶ la _________ de ses études
- travailler ⟶ du ________ à la chaîne
- perdre ⟶ une _____ de temps
- dégoûter ⟶ elle exprime son ______
- exploitation (f) ⟶ les ouvriers sont ______
- changer ⟶ un _________ de tâche
- peser ⟶ un _____ énorme
- récupérer ⟶ une lente __________
- décider ⟶ elle a pris cette ________

EXERCICES

1. La mise en relief: ce qui/que . . . c'est, etc., . . .

▶ Annick nous apprend que **ce qu**'elle gagne pendant les vacances **c'est** de l'argent pour le superflu.
Cette structure relative (**ce qui/que . . . c'est**, etc., . . .) permet de **mettre en relief** le terme qui est précédé par **c'est**, etc., (*de l'argent pour le superflu*). Comparez ces phrases:

L'exploitation des ouvriers me révoltait.	→	**Ce qui** (sujet) me révoltait **c'était** l'exploitation des ouvriers.
Je supportais très mal le bruit assourdissant des machines.	→	**Ce que** (objet) je supportais très mal **c'était** le bruit assourdissant des machines. ◀

En décrivant son expérience à l'usine, Annick **met en relief** les conditions de travail: le bruit et la chaleur, l'impossibilité de parler, la monotonie du travail, l'immobilité des ouvriers, l'absence de protection, etc.
Travail individuel* → *Exercice oral En vous inspirant du texte, notez par écrit vos réponses aux questions suivantes.

Exemple:
– *A votre avis,* ***qu'est-ce qui*** *révoltait Annick?*
– *L'exploitation des ouvriers.*

A votre avis, **qu'est-ce qui**
– révoltait Annick?
– l'étonnait?
– l'indignait?
– l'inquiétait?

Et **qu'est-ce qu**'elle
– supportait très mal?
– éprouvait?
– détestait?
– sentait?

A tour de rôle, communiquez maintenant au professeur, comme si vous étiez Annick, vos réactions au travail dans l'usine de conserves. Employez dans toutes vos phrases **ce qui/que . . . c'était/c'étaient** . . .

Exemple:
Ce qui *me révoltait* ***c'était*** *l'exploitation des ouvriers.*

Les ouvriers sont sous-payés, exploités . . . et puis, vous savez, ils travaillent dans des conditions tellement inhumaines . . . ils ne peuvent même pas se parler, voyons . . . les machines font tant de bruit . . . la chaîne exige un rythme de travail incroyable . . . et puis en plus, la direction se désintéresse des problèmes de santé du personnel . . . l'usine n'a même aucun équipement de récréation . . . en fin de compte, l'entreprise ne met l'accent que sur la productivité . . .

Quant à moi, je gagne l'argent qu'il me faut . . . mais je ne tiens quand même pas le coup . . . moi, je partirai à la fin du mois . . . je ne connais cependant pas les autres ouvriers . . . pour moi ce ne sont que des visages et des gestes . . . et moi, en tant qu'étudiante, ils ne me prennent pas au sérieux . . . je ne peux pas imaginer la vie de ceux qui sont condamnés à y rester . . . sur la chaîne de mise en boîtes Annette, ma voisine, vieillit déjà à 22 ans . . . Marcelle, la surveillante, a quand même l'air contente de sa situation . . . son travail lui plaît, dit-elle . . . moi, de toute façon, j'ai vécu une expérience passionnante . . .

2. Le subjonctif après les verbes de sentiment

▶ Dans l'article que vous avez lu, le journaliste souligne les **sentiments** d'Annick. Comparez ces phrases:

Je ne peux parler à personne.	→	**Je m'étonne de** ne **pouvoir** parler à personne.
Les machines font un bruit tellement assourdissant.	→	**Je m'étonne que** les machines **fassent** un bruit tellement assourdissant.

Après les verbes qui expriment un **sentiment** (*étonnement, contentement, indignation, regret, honte, dégoût,* etc.), on emploie:

– si le sujet est le **même** dans les deux parties de la phrase: **de + infinitif**
– si le sujet est **différent**: **que + subjonctif.** ◀

(a) Dans les propos d'Annick ci-dessous (à gauche), recueillis vers la fin de son mois de travail, le journaliste aura perçu de fortes émotions.
Travail à deux* → *Exercice oral Choisissez, dans les propos d'Annick, **deux** remarques qui correspondent à chacun de ces sentiments:

étonnement, contentement, indignation, regret, honte.

Exemple:
étonnement: *l'usine n'a même aucun équipement de récréation*
Marcelle a l'air contente de sa situation.

Composez oralement ensuite, sous la direction du professeur, des phrases qu'aurait pu prononcer Annick. Employez de ces formules:

s'étonner de/que . . .
être surpris(e) de/que . . . (***étonnement***)
être content(e), heureux(-euse),
ravi(e) de/que . . . (**contentement**)
s'indigner de/que . . .
être horrifié(e), révolté(e) de/que . . . (***indignation***)
regretter de/que . . .
être désolé(e) de/que . . . (***regret***)
être honteux(-euse) de/que . . .
avoir honte de/que . . . (***honte***)

Exemples:
Je m'étonne que *l'usine n'****ait*** *même aucun équipement de récréation.*
Je suis contente de gagner *l'argent qu'il me faut.*

(b) ***Travail individuel*** Relisez les propos d'Annick (à gauche); puis, sans les consulter, complétez par écrit et de mémoire, à votre manière, les phrases suivantes:

Annick s'étonne que . . .
Elle a honte de . . .
Elle est horrifiée que . . .
Elle s'indigne que . . .
Elle regrette de . . .
Elle trouve dégoûtant que . . .
Elle est fâchée que . . .
Elle est heureuse de . . .
Elle est désolée que . . .

3. En + participe présent: moyen (Rapports entre noms et verbes)

▶ Annick raconte qu'elle gagne de l'argent pour le superflu **en faisant** des gardes de nuit supplémentaires.
Cette structure **(en + participe présent)** s'emploie souvent pour dire par quel **moyen** quelque chose se fait. ◀

Le travail en usine occasionne fréquemment des accidents ou des maladies. Comment peut-on combattre ces risques?
Travail individuel* ⟶ *Exercice oral Trouvez, dans la colonne (ii) du tableau ci-dessous, le **moyen** qui permettrait de remédier à chaque **problème** de la colonne (i). Employez **il faut + infinitif** et transformez en **verbes** les noms.

Exemple:
*Pour empêcher les accidents corporels, **il faut perfectionner** les systèmes de sécurité.*

Les accidents et les maladies du travail

(i) PROBLÈMES	(ii) MOYENS DE SOLUTION
Comment: – empêcher les accidents corporels? – éviter le surmenage des yeux? – réduire la fatigue? – combattre l'exploitation des ouvriers? – inciter la main-d'œuvre à se protéger? – empêcher la surdité? – prévenir les maladies pulmonaires?	**Par:** – la filtration de l'air – une formation plus systématique des travailleurs – le perfectionnement des systèmes de sécurité – la protection des oreilles – des modifications de l'éclairage – une réduction des cadences – le contrôle de l'action des employeurs.

Répondez maintenant aux questions du professeur sur le **moyen** (ii) qui permettrait de résoudre chaque **problème** (i). Employez chaque fois **en + participe présent**.

Exemple:
– Comment peut-on empêcher les accidents corporels?
*– **En perfectionnant** les systèmes de sécurité.*

4. La postériorité: après avoir, etc./ayant, etc. + participe passé

▶ Le journaliste nous dit qu'une fois **ses examens réussis**, Annick a travaillé dans une usine de conserves. Il aurait pu nous dire:

Après avoir réussi à ses examens, elle a travaillé en usine.
Ayant réussi a ses examens, elle a travaillé en usine.

On emploie ces structures (**après avoir, être, s'être + participe passé/ayant, étant, s'étant + participe passé**) pour indiquer qu'une action a lieu **après** une autre. ◀

(a) Les croquis présentés à droite indiquent, pour certains jours de la semaine, le lundi par exemple, l'horaire de Brigitte R. qui travaille dans un centre de tri des P et T, à Paris.
Exercice oral Sous la direction du professeur, racontez au **présent** ce que fait Brigitte le lundi. Le professeur notera vos phrases au tableau en enchaînant chaque fois **deux** actions de la manière suivante:

*Elle se lève à 4h 30, **puis** elle s'habille en vitesse.*
*Elle prend un petit déjeuner rapide, **et** elle quitte la maison.*

Composez ensuite des phrases reliant chaque groupe de deux images avec **après avoir, être, s'être + participe passé/ayant, étant, s'étant + participe passé**.

La journée de Brigitte

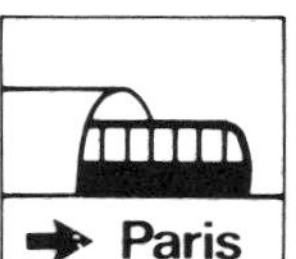

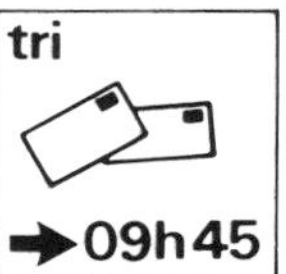

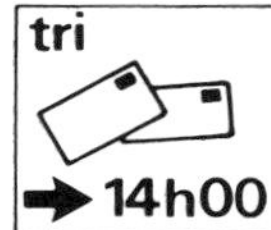

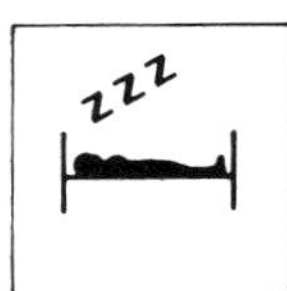

(b) Brigitte fait des roulements: un jour sur deux, le mardi par exemple, elle prend son travail à 14h.
Travail à deux* ⟶ *Travail individuel Inventez avec un(e) partenaire l'horaire de Brigitte pour le mardi. Ensuite, composez par écrit une série de phrases sur ce que fait Brigitte le mardi. Dans chaque phrase, employez **après avoir, être, s'être + participe passé/ayant, étant, s'étant + participe passé** pour relier deux actions.

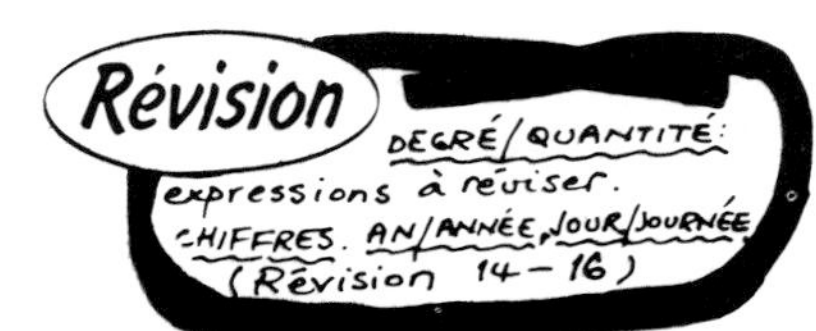

5. La proportion et les fractions

▶ Annick dit que parmi ses amis **« deux** étudiants **sur trois** travaillent ». Elle aurait pu dire également: **« les deux tiers** travaillent » ou bien **« la plupart des** étudiants travaillent ». De telles expressions, comme les autres qui sont présentées dans les deux cadres (à droite), servent à exprimer la **proportion** ou les **fractions**.

(Après **la plupart des . . .**, le verbe est toujours au pluriel. Après **la majorité/la moitié/un pourcentage**, etc., **des . . .**, on a tendance aujourd'hui à mettre le verbe au pluriel:

La majorité des fils d'ouvriers **restent** ouvriers.) ◀

Le tableau *Tel père tel fils* (à droite) montre ce que deviennent les jeunes Français selon leur origine sociale.

Travail à deux* ⟶ *Exercice oral Notez par écrit plusieurs réponses aux trois questions posées dans le tableau. Employez une variété d'expressions de **proportion** et de **fractions**.

Exemple:

- *Que deviennent les fils d'ouvriers?*
- ***Un sur dix/Un faible pourcentage*** *devient patron ou cadre supérieur.* ***Les deux tiers/La plupart/Treize sur vingt*** *restent ouvriers.*

En ne regardant que le tableau *Tel père tel fils*, passez en revue, avec le professeur, ce que deviennent les jeunes Français. Essayez de ne consulter ni vos notes ni les expressions de **proportion**/les **fractions** plus haut.

Expressions de proportion

La plupart des . . .
La majorité des. . .
(Très) peu de . . .
Un faible pourcentage des . . .
Un pourcentage élevé des . . .
Plus/Moins de la moitié des . . .
De (très) nombreux(-euses) . . .

Fractions

La moitié des . . .
Les deux tiers des . . .
Le quart des . . .
Les trois quarts des . . .
Le/Un cinquième des . . .
(Les) cinq sixièmes des . . .

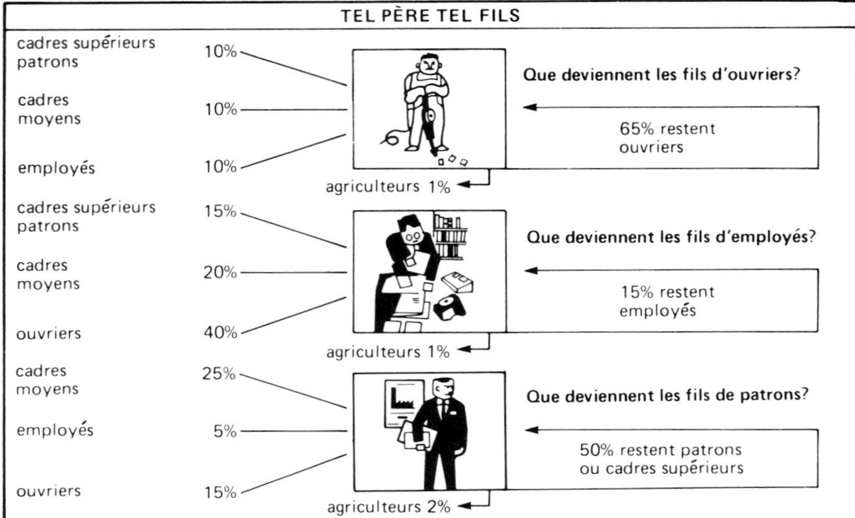

ACTIVITÉS

1. Interview: un job de vacances

Le journaliste qui a écrit l'article sur Annick a dû lui poser de nombreuses questions.

Travail individuel* ⟶ *Travail à deux Relisez vos notes sur **Annick**, sur **le travail à l'usine** et sur **les réactions d'Annick** (*Points de repère*); notez des questions que le journaliste a sans doute posées. Ensuite, à partir de vos notes, recréez avec un(e) partenaire la conversation entre Annick et le journaliste. Prenez chacun(e) l'un des deux rôles.

Début possible:

Journaliste *Vous avez quel âge, Annick?*
Annick *J'ai 24 ans.*
Journaliste *Et vous êtes étudiante?*
Annick *Oui, en médecine.*
Journaliste *Où ça?*
Annick . . . .

2. Lettre à un journal: Annick proteste

Annick écrit une lettre au quotidien régional pour protester contre les conditions de travail qui étaient les siennes.

Travail individuel Ecrivez cette lettre comme si vous étiez Annick, en réemployant les informations contenues dans l'article. Relisez aussi vos notes sur les réactions d'Annick (*Exercices*, 1,2). Vous pouvez utiliser des expressions telles que:

- J'aimerais faire quelques remarques sur . . .
- Je ne puis être d'accord avec l'opinion de . . .
- Tout le monde semble ignorer le fait que . . .
- Il faut que vous sachiez que . . .
- Vous admettrez avec moi que . . .

- en ce qui concerne . . .
- dans le domaine de . . .
- de toute évidence . . .
- c'est ainsi que . . .
- compte tenu de . . .

Et pour la formule finale:

Recevez, Veuillez agréer,	Monsieur,	l'expression de l'assurance de	mes sentiments distingués. ma considération distinguée.

Début possible:

Strasbourg, le 12 octobre

Monsieur,
J'ai lu avec étonnement votre article du 8 octobre consacré au travail à la chaîne. Il me semble que vous n'en avez pas suffisamment souligné les conséquences pour les travailleurs et les travailleuses. Je viens de passer

UN CHOIX PEU COMMUN

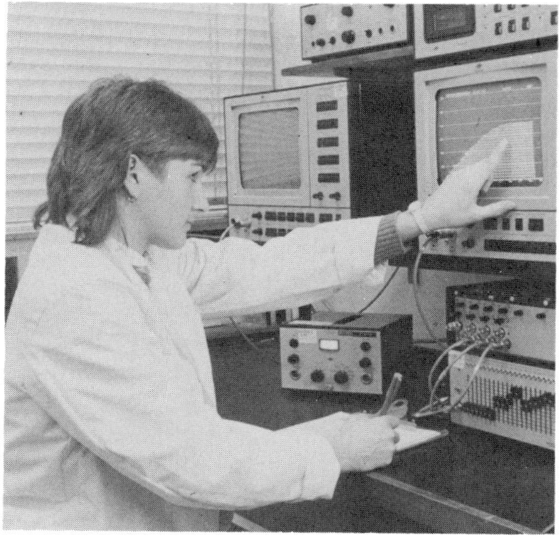

POINTS DE REPÈRE

Dans la conversation que vous allez entendre, une jeune femme parle de son avenir professionnel.

Travail individuel* ⟶ *Mise en commun Ecoutez une première fois l'enregistrement, et notez vos réponses à ces questions:

De quelle profession parlent ces deux jeunes femmes?
De quelle branche de cette profession parlent-elles?
Quel est le travail de celui ou celle qui se spécialise dans cette branche?

Comparez vos réponses à ces questions avec celles des autres étudiants.

DÉCOUVERTE DU TEXTE

1. La conversation en détail

Travail individuel/à deux Avec ou sans partenaire, écoutez encore une fois l'enregistrement: relevez les informations essentielles en complétant la transcription (*Livret*, pp. 23–25).

2. La structure de la conversation: explications

Les réponses de Chantal consistent en une série d'**explications**. A vous de trouver comment elle les exprime.

Travail individuel* ⟶ *Mise en commun Relisez votre transcription et complétez les phrases suivantes:

1. Si on veut trouver du travail il faut avoir . . .
2. Une fille ingénieur doit un peu se battre pour trouver un emploi parce que . . .
3. Il est assez difficile pour les ingénieurs acousticiens de trouver des débouchés parce que . . .
4. Si, jusqu'à présent, on avait des problèmes de bruit à résoudre dans une usine, on s'adressait à des gens qui . . .
5. Le secteur de recherche pour les bruits d'origine aérodynamique, c'est tout . . .
6. Les ingénieurs acousticiens qui s'intéressent aux bruits d'avion sont généralement embauchés par . . .
7. L'acoustique architecturale, c'est . . .
8. Ce que Chantal a l'intention de faire, c'est . . . ou sinon . . .

Comparez maintenant vos phrases complétées avec celles des autres étudiants.

3. Interprétation: le présupposé

Comme dans n'importe quelle conversation, il y a ici des idées et des informations qui sont supposées être déjà connues; c'est le **présupposé**.

Travail à deux* ⟶ *Mise en commun Avec votre transcription complétée sous les yeux, écoutez de nouveau la conversation entre Chantal et Christine. Ensuite, complétez ce tableau en expliquant vous-mêmes, dans la colonne (ii), ce qu'elles **présupposent**:

(i) CE QUE DISENT CHANTAL ET CHRISTINE	(ii) CE QU'ELLES PRÉSUPPOSENT
– C'est peu commun pour une fille de vouloir devenir ingénieur (ll. 1–2).	Aux yeux de la plupart des gens, le génie est un métier d'hommes.
– Si on entre dans le marché du travail avec un diplôme littéraire on a peu de chances de trouver un emploi (ll. 15–19).	
– Les employeurs ne sont pas très favorables à l'embauche des femmes surtout pour des postes à responsabilité (ll. 27–29).	
– Les secteurs de recherche pour les bruits d'origine aérodynamique sont des secteurs de grande embauche (ll. 64–67, 77).	
– L'acoustique architecturale c'est plus limité (ll. 81–83).	

Comparez maintenant votre tableau complété avec celui des autres étudiants.

4. Vocabulaire: le travail

Pour ceux qui sont capables de s'en servir, l'ordinateur apparaît comme une merveille de rapidité et d'efficacité. L'expansion de l'industrie de l'informatique a créé un certain nombre de nouvelles carrières spécialisées.

Travail individuel A partir des renseignements fournis ci-dessous, composez un court paragraphe sur l'informatique; employez ces mots et expressions qui concernent le travail:

> un employeur – le marché du travail – un secteur de grande embauche – faire de la recherche – les débouchés pour . . . – un poste à responsabilité – (peu) favorable à l'embauche de qqn – une formation en informatique

Début possible:

A l'heure actuelle, l'informatique est ***un secteur de grande embauche . . .***

L'INFORMATIQUE Un domaine où il est relativement facile de trouver du travail.

- *Programmation, applications:* de nombreux postes de programmeur, après un stage de formation, pour ceux qui ont un diplôme littéraire aussi bien que scientifique; la possession des qualités requises (esprit logique, méticulosité, application) donne accès à des postes d'analyste.
- *Conception, recherche:* un certain nombre de postes de concepteur, pour lesquels il faut un diplôme d'informatique; pour les candidats à la recherche, une formation technique de haut niveau est essentielle.
- *Ventes:* les titulaires d'un diplôme commercial, ayant trois ou quatre ans d'expérience et une bonne connaissance de l'anglais, trouveront sans difficulté un poste supérieur.

À COMPLÉTER, À NOTER ET À MÉMORISER

Expressions et structures

- un choix ___ commun (= *original*) pour une fille
- elle veut devenir ________ (cp. *elle a été nommée directrice*)
- la situation _ _' heure ________ (= *aujourd'hui*)
- un diplôme qui leur ________ de trouver du travail (*subjonctif après un(e)/des . . . qui/que*)
- un désavantage ___ ____ ___ (= *comme*) fille
- on a ___ __ (≠ *beaucoup de*) chances __ trouver un poste
- il faut commencer un jour __ _____ _____ (= *en tout cas*)
- les débouchés __ France
- jusqu' _ ________ (≠ *désormais*)
- tout __ ___ concerne les bruits d'avion
- au ______ des (= *pour ce qui est des*) nuisances

Constructions verbales

- cela l'a décidée __ choisir ce métier
- elle a l'intention __ travailler
- un diplôme approprié permet __ une fille __ être embauchée
- ils se sont chargés __ ces problèmes
- ils sont formés __ acoustique
- elle a envie __ faire de la recherche

Formes

ingénieur (m) ⟶ f
exact ⟶ nom
désavantage (m) ⟶ adj
littéraire ⟶ nom
responsable ⟶ nom
difficile ⟶ nom

Noms et verbes

- embaucher ⟶ l' ________ (f) des femmes est découragée
- résoudre ⟶ la ________ du problème
- nuisance (f) ⟶ ce qui ____ à l'environnement
- se charger ⟶ ils ont à leur ______ (f) de le faire
- limiter ⟶ les ________ (f) de ce domaine
- isolation (f) ⟶ on peut ______ une maison contre le bruit
  nb. isolement (m) = solitude
- intéresser ⟶ les avions attirent son ________ (m)
- conception (f) ⟶ il faudrait ________ des solutions

EXERCICES

1. L'intonation interrogative et déclarative (Demander/Proposer une explication)

▶ Ecoutez une première fois l'enregistrement à partir de « qu'est-ce que l'acou? » (l.85) jusqu'à « l'isolation des maisons » (l.89).

Dans une **question avec un élément interrogatif** (ici, *Qu'est-ce que . . .*), la voix **descend** au début et à la fin de la phrase. Dans une **question sans élément interrogatif**, la voix **monte** à la fin de la phrase:

Interrogation avec un élément interrogatif (*Qu'est-ce que*):

> – **Qu'est-ce que l'acoustique architecturale?**

Interrogation sans élément interrogatif:

> – **L'acoustique architecturale?**

(a) Beaucoup de professions comprennent des domaines spécialisés dont on ne connaît pas toujours le contenu exact.

Exercice oral* ⟶ *Travail à deux Opposez l'une à l'autre les deux intonations (**interrogation avec un élément interrogatif/sans élément interrogatif**): mémorisez les deux questions ci-contre (en bas) en les répétant. Ensuite, sous la direction du professeur, substituez successivement aux mots 'l'acoustique architecturale' les **domaines spécialisés** de la colonne (i) du tableau ci-dessous.

Exemple:

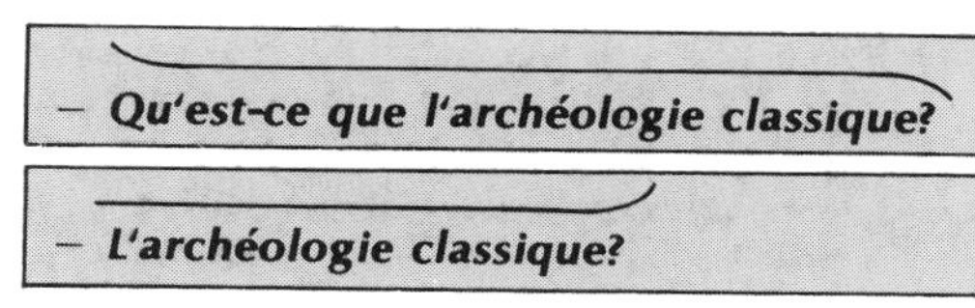
– Qu'est-ce que l'archéologie classique?
– L'archéologie classique?

(i) DOMAINE SPÉCIALISÉ	(ii) CONTENU
l'archéologie classique	l'apprentissage des langues
le génie mécanique	les principes fondamentaux de l'Etat
la linguistique appliquée	la constitution de la matière
la médecine infantile	le fonctionnement des machines
la physique atomique	le traitement des maladies d'enfants
le droit constitutionnel	les monuments gréco-romains

Reprenez maintenant l'exercice avec un(e) partenaire en posant la première question à tour de rôle.

(b) ***Exercice oral/Travail à deux*** Mémorisez la phrase suivante en la répétant. N'oubliez pas d'en respecter l'**intonation déclarative** (cp. *Exercices*, 1, pp. 62–63).

L'acoustique architecturale, c'est tout ce qui concerne l'isolation des maisons.

Avec l'aide d'un(e) partenaire, trouvez, dans la colonne (ii) du tableau ci-dessus (a), le **contenu** qui correspond à chacun des **domaines spécialisés** de la colonne (i).

Ensuite, composez oralement, d'abord avec le professeur puis avec votre partenaire, des phrases qui combinent **domaines spécialisés** et **contenus**. Attention à l'intonation.

Exemple:

L'archéologie classique, c'est tout ce qui concerne les monuments gréco-romains.

(c) ***Travail à deux*** Dialoguez maintenant avec votre partenaire de la manière suivante: à tour de rôle, **demandez** et **proposez une explication** de chaque domaine spécialisé mentionné dans le tableau (a). N'oubliez pas de respecter l'**intonation interrogative (avec/sans élément interrogatif)** et **déclarative**:

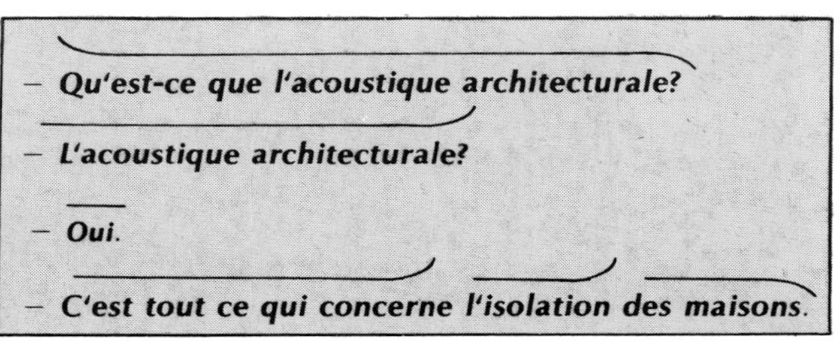
– Qu'est-ce que l'acoustique architecturale?
– L'acoustique architecturale?
– Oui.
– C'est tout ce qui concerne l'isolation des maisons.

2. Rapports de temps: quand/lorsque + futur antérieur + futur

▶ **Quand** Chantal **aura terminé** ses études, elle **fera** peut-être de la recherche.

En parlant de deux actions futures, dont l'une sera achevée avant l'autre, on emploie le **futur antérieur** pour la première action et le **futur** pour la seconde. ◀

Dans les déclarations ci-dessous, huit jeunes Français parlent de leurs projets d'avenir.

Travail individuel/Exercice oral* ⟶ *Travail individuel Trouvez dans le cadre le groupe de mots qui correspond le mieux à chaque élément de phrase présenté plus bas (*finir mes études de droit*, etc.). Ensuite, sous la direction du professeur, composez oralement les huit déclarations: employez chaque fois **quand/lorsque + futur antérieur + futur**.

> aller travailler aux Etats-Unis – demander un poste de voyageur de commerce – chercher une place comme avocate stagiaire – pouvoir travailler avec des enfants inadaptés – devenir hôtesse de l'air – chercher une situation comme sténodactylo – louer un appartement dans le quartier latin – demander à Cécile de m'épouser

Exemple:

Sylvia: « ***Lorsque j'aurai fini*** *mes études de droit, je* **chercherai** *une place comme avocate stagiaire.* »

Sylvia « finir mes études de droit ⟶ . . . »

Christophe « me perfectionner en anglais ⟶ . . . »

Michel « économiser 10 000 francs ⟶ . . . »

Nathalie « achever mes cours de secrétariat ⟶ . . . »

François « trouver un poste à Paris ⟶ . . . »

Suzette « faire mon BTS de tourisme ⟶ . . . »

Bertrand « apprendre à conduire ⟶ . . . »

Thérèse « terminer mon diplôme d'éducatrice ⟶ . . . »

Rédigez maintenant par écrit ces huit déclarations, et ajoutez une phrase qui résume vos propres projets immédiats.

3. Demander les intentions de quelqu'un; exprimer des souhaits. Il est possible que/il se peut que + subjonctif

▶ Lorsque Christine demande à son interlocutrice ce qu'elle **a l'intention de** faire après ses études, Chantal répond qu'elle **a assez envie de** faire de la recherche.

Voici d'autres formules qu'on peut employer pour **demander les intentions** de quelqu'un et pour **exprimer des souhaits**:

Christine	Qu'est-ce que tu	**as l'intention de** **vas** **comptes** **penses**	faire après tes études?
Chantal	Pour l'instant,	**j'ai (assez) envie de** **je voudrais (bien)** **j'aimerais (beaucoup)** **je tiens (beaucoup) à**	faire de la recherche.

moins fort ↕ **plus fort** ◀

(a) Un(e) ami(e) interroge chacune des cinq personnes qui figurent dans le tableau ci-dessous sur ses projets d'avenir.

Travail à deux Dialoguez, en vous basant sur les colonnes (ii) (**SItuation présente**) et (iii) (**Souhait**) du tableau: posez la question, et répondez, à tour de rôle. Variez chaque fois les formules que vous employez pour **demander les intentions** de chaque personne et pour **exprimer ses souhaits**.

Exemple:

Ami(e) *Qu'est-ce que tu* ***vas*** *faire après tes études secondaires?*

Marie-Hélène ***J'aimerais beaucoup*** *passer une année chez ma cousine en Allemagne.*

Interrogez ensuite votre partenaire sur ses projets d'avenir, et répondez à votre tour à sa question.

Projets d'avenir

(i) PERSONNE	(ii) SITUATION PRESENTE	(iii) SOUHAIT	(iv) AUTRE POSSIBILITÉ
Marie-Hélène	études secondaires	passerait volontiers une année chez sa cousine en Allemagne	ira peut-être tout de suite en fac
Alain	service militaire	travaillerait volontiers dans le garage de son père	devra peut-être d'abord faire un stage chez Renault
Maurice	stage de comptabilité	trouverait volontiers un poste dans une banque à Paris	sera peut-être nommé d'abord dans une succursale de province
Jean-Michel	séjour à l'hôpital	reprendrait volontiers son travail à l'usine	recommencera peut-être d'abord à temps partiel
Joëlle	études d'infirmière	irait volontiers travailler dans une clinique dans le Midi	suivra peut-être d'abord des cours d'obstétrique à Paris

▶ Regardez cette phrase:

« J'ai assez envie de faire de la recherche, mais **il se peut que** je **prenne** un poste dans l'industrie aéronautique. »

Pour exprimer la **possibilité**, on peut ainsi employer **il est possible que/il se peut que + subjonctif**. ◀

(b) ***Travail à deux*** Reprenez les questions et les réponses que vous venez d'imaginer (a). Cette fois, ajoutez à chaque réponse une **autre possibilité** (colonne (iv) du tableau): employez **il est possible que/il se peut que + subjonctif**.

Exemple:

Ami(e) *Qu'est-ce que tu* ***vas*** *faire après tes études secondaires?*

Marie-Hélène ***J'aimerais beaucoup*** *passer une année chez ma cousine en Allemagne, mais* ***il est possible que j'aille*** *tout de suite en fac.*

Interrogez de nouveau votre partenaire sur ses projets d'avenir, et répondez à votre tour à sa question. En répondant, exprimez un **souhait** et présentez une autre **possibilité**.

(c) ***Travail individuel*** Rédigez maintenant par écrit, à la troisième personne, les projets d'avenir des cinq personnes mentionnées dans le tableau (a), ainsi que ceux de votre partenaire. Variez les formules que vous emploierez pour exprimer les **souhaits.**

Exemple:

Marie-Hélène ***aimerait beaucoup*** *passer une année chez sa cousine en Allemagne, mais* ***il est possible qu'****elle* ***aille*** *tout de suite en fac.*

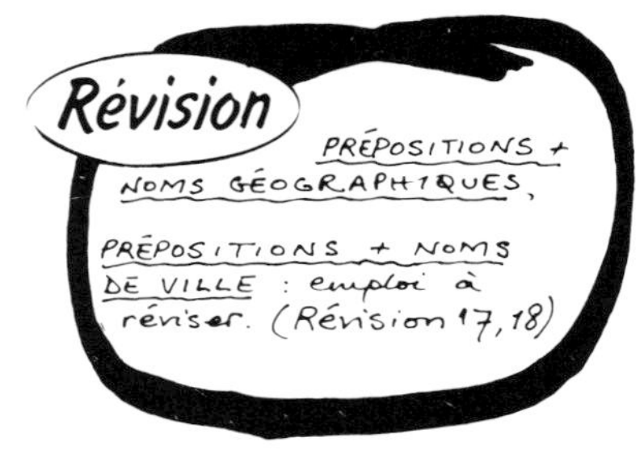

Révision
PRÉPOSITIONS + NOMS GÉOGRAPHIQUES,
PRÉPOSITIONS + NOMS DE VILLE : emploi à réviser. (Révision 17, 18)

C'est une jeune femme dynamique mais peut-être trop tendue. Son avenir sera brillant si elle n'est pas névrosée.
Ils sont un peu bornés, mais ça ira si je me fais accepter pour ce que je suis.
Oh, la pauvre! Mais elle tiendra le coup si elle parvient à lutter contre les préjugés de la direction.
Elle est plutôt jeune. Mais elle s'y fera si elle sait s'adapter aux traditions de la maison.
Elle a beaucoup de qualités, mais elle est très respectueuse. Elle s'établira bien si elle ne se laisse pas intimider par des collègues masculins.
Elle est très chic. Elle charmera nos acheteurs si elle réussit à les mettre à l'aise.
Nous avons besoin de sang nouveau. Elle nous aidera à mener à bien mes projets d'expansion si elle ne part pas pour avoir des enfants.
1
2
3
4
5
6
7

① *Janine Michard*, 42 ans, directrice des ventes, célibataire
② *Etienne Godard*, 50 ans, adjoint du directeur général, qui va bientôt succéder à son supérieur
③ *Paul Masson*, 64 ans, directeur général, grand-père
④ *Victor Roche*, 40 ans, chef de personnel, soucieux de la stabilité psychologique des cadres
⑤ *Henri Brunot*, 38 ans, représentant du syndicat des cadres
⑥ *Christine Planel*, 30 ans, secrétaire, féministe militante
⑦ *Colette Vernay*

4. La condition: pourvu que + subjonctif

(a) Selon Chantal, les employeurs sont peu favorables à l'embauche des femmes pour des postes à responsabilité. Colette Vernay, 32 ans, mariée, a posé sa candidature à un poste dans l'équipe de ventes d'une société qui fabrique des appareils électroménagers. Diplômée d'une école supérieure de commerce, sept ans d'expérience, elle semble avoir le profil souhaité. Vous trouverez ci-dessus les opinions exprimées sur ses capacités par ceux qui ont assisté à son entrevue.
Travail à deux* ⟶ *Mise en commun Essayez de déterminer laquelle des personnes assises autour de la table aurait exprimé, ou formulé intérieurement, chacune des opinions présentées dans les bulles. Justifiez au besoin votre choix. Comparez ensuite vos idées avec celles des autres étudiants.

▶ En parlant de ses projets d'avenir, Chantal aurait pu dire: « L'idée de rester en Angleterre me tente, **pourvu que** je **puisse** continuer à faire de la recherche. »
On emploie ainsi **pourvu que + subjonctif** pour présenter une **condition** qui est à la fois **nécessaire** et **suffisante**. ◀

(b) ***Exercice oral* ⟶ *Travail individuel*** Sous la direction du professeur, reprenez les opinions que vous venez de classer (a): incorporez maintenant dans chacune **pourvu que + subjonctif**.

Exemple:
Colette Vernay: « *Ils sont un peu bornés, mais ça ira,* ***pourvu que*** *je me* ***fasse*** *accepter pour ce que je suis.* »

Rédigez ensuite par écrit les sept phrases que vous venez de composer.

ACTIVITÉS

1. Lettre: demande d'emploi

(a) Si on cherche un travail, on peut consulter dans un journal les 'Offres d'Emploi'. Vous trouverez ci-contre quelques lettres de demande d'emploi, ainsi que les annonces auxquelles elles répondent.

Travail individuel* ⟶ *Mise en commun Lisez attentivement chaque lettre. Notez les mots ou expressions employés par celui/celle qui l'a écrite pour:

- commencer/terminer la lettre
- parler de son éducation/son expérience professionnelle
- parler de ses qualités ou capacités personnelles
- faire allusion aux documents joints à la lettre.

Comparez ensuite vos notes avec celles des autres étudiants.

(b) A la fin de ses études à l'université de Southampton, Chantal voit dans *Le Figaro* l'annonce présentée à droite.

Travail individuel En vous référant à vos notes (a) et au curriculum vitae de Chantal (ci-dessous), composez, à sa place, la lettre qu'elle écrit en réponse à cette annonce.

MINISTÈRE DE LA DÉFENSE
Groupement Industriel des Armements Terrestres
recherche pour son Etablissement de Bourges-18.

INGÉNIEURS ACOUSTICIENS

Pour emplois en services d'études: études-développements-mesures.

INGÉNIEURS MÉCANICIENS

Formation: mécanique, métallurgie physique, ou physique des matériaux.
Pour emplois en services d'études et services de production.

Ces postes conviendraient à des ingénieurs:
- diplômés
- débutants ou avec quelques années d'expérience.

Adresser lettre manuscrite, CV, photo et rémunération souhaitée à:
Monsieur le Directeur de l'EFAB
6, Route de Guerry - B.P. 705 et 713
18015 BOURGES Cedex

Nom: Picard, Chantal

Date de naissance: le 4-03-60

Adresse: 32 rue Jean-Jaurès
02100 St-Quentin

Etat civil: célibataire

Etudes secondaires: Lycée Faidherbe, Saint-Quentin
(Baccalauréat D: mathématiques/sciences naturelles) 1978

Etudes supérieures:
(i) Université de Compiègne
(Diplôme d'ingénieur en acoustique) 1983
(ii) University of Southampton, Grande Bretagne
(M.Sc., acoustique: sujet de mémoire - 'La réduction de la vibration dans les moteurs d'hélicoptère') 1985

Emplois temporaires:
(i) Monitrice, colonie de vacances, juillet/août 1978, 1979
(ii) Assistante technique (moteurs d'aéroglisseur), Vosper-Thorneycroft (U.K.) Ltd., Southampton, juillet/août 1983, 1984

Langues étrangères: Anglais (bon)
Allemand (moyen: conversation, compréhension de textes écrits)

Informations supplémentaires: Expérience sur ordinateurs: IBM 3031, ICL 2970; divers mini-ordinateurs (langages ASSEMBLEUR et FORTRAN)

Références:
(i) M. Henri Lafayette
U.E.R. des Sciences Appliquées
Université de Compiègne
60200 Compiègne
(ii) Dr John Ward
Department of Acoustics
University of Southampton
Southampton
Grande Bretagne

2. Entrevue avec le directeur de l'EFAB

Supposons que le directeur de l'EFAB accorde une entrevue à Chantal.

Travail individuel* ⟶ *Travail à deux Notez par écrit les questions qu'il pourrait poser à Chantal en vous basant sur:

- votre transcription complétée (*Découverte*, 1)
- la demande d'emploi que vous avez composée (*Activités*, 1)
- le curriculum vitae de Chantal (à gauche).

Ensuite, mettez ensemble vos questions avec celles d'un(e) partenaire: essayez d'imaginer les réponses de Chantal. Pour finir, inventez, à partir de vos notes, l'entrevue entre le directeur de l'EFAB et la jeune femme: prenez chacun(e) l'un des deux rôles.

Début possible:

Directeur *Eh bien, mademoiselle, vous venez de Saint-Quentin, n'est-ce pas?*

Chantal *Oui, c'est juste, je suis saint-quentinoise. Mes parents y habitent toujours . . .*

Mademoiselle Martine Lesigne,
9 Rue Pasteur,
94120 Fontenay-sous-Bois.

à

Monsieur le Directeur
de l'Agence Havas,
156, boulevard Haussmann
75008 Paris.
réf : 34284

Monsieur,

En réponse à votre annonce parue dans le "Monde" du 27.02.84 concernant un emploi de juriste, j'ai l'honneur de vous faire part de ma candidature.

A la suite d'une première expérience professionnelle d'un an (dans le service Juridique de l'Agence Publicis en siège à Fontenay-sous-Bois, pendant lequel je me suis spécialisée dans le Droit lié à la concurrence et à la consommation, je pense être en mesure de satisfaire les exigences de votre Direction Juridique. Vous verrez, d'après mon Curriculum Vitae (ci-joint), que je suis diplômée de l'Université de Rennes (Licence en Droit des affaires) et que, dans mon dernier poste, je percevais entre 6000 et 6500 francs par mois.

En espérant recevoir une réponse favorable, je vous prie d'agréer, Monsieur, l'expression de mes sentiments distingués.

M. Lesigne
Martine Lesigne

fait à Fontenay-sous-Bois, le 29.02.84

Bernard Vignaud
103 rue Boileau
69007 Lyon

Lyon, le 29 février 1984

Monsieur P. Buccaï
Alexandre Tic S A
10 rue de la République
69001 Lyon

Réf 585 LM

Monsieur,

Ayant lu votre annonce parue dans le "Monde" du 27 février, je serais vivement intéressé par l'emploi que vous proposez.

Ingénieur informaticien sortant de l'Ecole des Mines j'ai eu la chance d'utiliser assez fréquemment un IBM 3031 au cours de mes études. Je désirerais occuper ce poste de support technique, car j'aime le contact humain. J'estime qu'étant assez dynamique, je suis capable de donner au service des études la compétence requise. Vous trouverez ci-joint mon Curriculum vitae et une photocopie de mon diplôme.

Dans l'attente d'une réponse favorable, je vous prie d'agréer, Monsieur, l'expression de mes sentiments dévoués.

B Vignaud

Christian LEPASQUIER
31 rue Gambetta
50200 - COUTANCES

le 28 février 1984

Monsieur,

Je suis très intéressé par votre annonce parue dans 'Le Monde' du 27-02-84.

J'exerce la profession d'analyste-programmeur depuis six ans et j'ai une bonne connaissance du COBOL et du matériel IBM. Je pense être capable de prendre des responsabilités au sein d'une entreprise, et donc d'assumer le travail qui me serait confié.

Vous trouverez ci-joint mon Curriculum-Vitae, qui contient une indication du salaire que j'espérerais recevoir.

Veuillez agréer, Monsieur, l'expression de mes sentiments distingués.

C. Lepasquier.

... sommes une Société de Prestations de Services dans le Secteur de la Communication. Nous recherchons pour notre Direction Juridique

UN JEUNE JURISTE

diplômé(e) de l'enseignement supérieur et spécialiste du Droit des Affaires, il (ou elle) aura acquis une première expérience professionnelle d'au moins un ou deux ans.

Ce poste requiert une bonne connaissance des problèmes juridiques du Secteur de la Communication : Publicité, Promotion, Presse, Droit de la concurrence et de la consommation.

Adresser C.V. et prétentions à HAVAS CONTACT, 156, boulevard Haussmann - 75008 PARIS, sous réf. 34284.

---

ingénieur informaticien débutant **Rhône-Alpes (< 100 km de Lyon)**

Le directeur informatique d'un **ETABLISSEMENT INDUSTRIEL DE MECANIQUE** cherche un ingénieur informaticien débutant pour son service études comprenant 35 personnes. Cet ingénieur informaticien est responsable de la méthodologie d'analyse et de la gestion des bases de données (TOTAL) sur un IBM 3031 ; il joue le rôle de support technique auprès des études en liaison avec l'équipe système.

Ce poste s'adresse à un jeune ingénieur grande école (Mines, ESE, INSA...) ayant de bonnes notions en système.

Notre consultant, P. BUCCAÏ, vous remercie de lui écrire (réf. 585 LM) **"Carrières de l'Informatique".**

ALEXANDRE TIC S.A.
10 RUE DE LA REPUBLIQUE 69001 LYON
PARIS - LILLE - BRUXELLES - GENEVE - LONDRES

MEMBRE DE SYNTEC

THOMSON-CSF

ANALYSTE-PROGRAMMEUR EXPÉRIMENTÉ

connaissant COBOL Matériel IBM sous OS/MVS
CAPABLE DE PRENDRE DES RESPONSABILITES

Adresser C.V. et prétentions à THOMSON C.S.F. - Division Faisceaux Hertziens, Service Recrutement, 53, rue Greffulhe - 92300 LEVALLOIS.

L'ATELIER 76

POINTS DE REPÈRE

Nouvellement arrivée à Paris, Elise Letellier, héroïne du roman *Elise ou la vraie vie* de Claire Etcherelli (1967), est embauchée à l'usine où travaille son frère.

Travail individuel* ⟶ *Mise en commun Lisez une première fois cet extrait, puis notez vos réponses à ces questions:

Quelles sont les personnes qui figurent dans cet extrait?
Qu'est-ce qu'on fabrique dans cette usine?
De quels locaux parle-t-on dans le texte? Quelle est l'atmosphère qui y règne?
Quels types de travail fait-on dans l'atelier 76?
Quel travail Elise apprend-elle à faire?

Comparez vos réponses à ces questions avec celles des autres étudiants.

Quand le docteur eut terminé, il me prit à part.

— Pourquoi n'avez-vous pas demandé un emploi dans les bureaux? Vous savez où vous allez? Vous allez à la chaîne, avec tout un tas d'étrangers, beaucoup d'Algériens. Vous ne pourrez pas y rester. Vous êtes trop bien pour ça. Voyez l'assistante° et ce qu'elle peut faire pour vous.

Le gardien° nous attendait à la porte. Il lut nos fiches.° La mienne portait: atelier° 76. Nous montâmes par un énorme ascenseur jusqu'au deuxième étage . . .

Gilles, le contremaître,° venait vers nous. Il portait une blouse° blanche et me fit signe de le suivre. Un ronflement° me parvenait et je commençai à trembler. Gilles ouvrit le battant° d'une lourde porte et me laissa le passage. Je m'arrêtai et le regardai. Il dit quelque chose, mais je ne pouvais plus l'entendre, j'étais dans l'atelier 76.

Les machines, les marteaux,° les outils,° les moteurs de la chaîne, les scies° mêlaient° leurs bruits infernaux et ce vacarme° insupportable, fait de grondements,° de sifflements,° de sons aigus,° déchirants° pour l'oreille, me sembla tellement inhumain que je crus qu'il s'agissait d'un accident, que, ces bruits ne s'accordant° pas ensemble, certains allaient cesser. Gilles vit mon étonnement.

— C'est le bruit! cria-t-il dans mon oreille.

Il n'en paraissait pas gêné.° L'atelier 76 était immense . . .

A ma droite, un serpent de voitures avançait lentement, mais je n'osais regarder.

— Attendez, cria Gilles.

Il pénétra dans une cage vitrée° construite au milieu de l'atelier et ressortit très vite, accompagné d'un homme jeune et impeccablement propre.

— Monsieur Bernier, votre chef d'équipe.°

— C'est la sœur de Lucien Letellier! hurla-t-il.

L'homme me fit un signe de tête.

— Avez-vous une blouse?

Je fis non.

— Allez quand même au vestiaire.° Bernier vous y conduira, vous déposerez votre manteau. Seulement, vous allez vous salir.° Vous n'avez pas non plus de sandales?

Il parut contrarié° . . .

Le gardien avait sur lui la clé du vestiaire. C'était toujours fermé, à cause des vols, m'expliqua Bernier. J'y posai à la hâte mon manteau et mon sac. Le vestiaire était noir, éclairé seulement par deux lucarnes° grillagées.° Il baignait dans° une odeur d'urine et d'artichaut.°

Nous rentrâmes. Bernier me conduisit tout au fond de l'atelier dans la partie qui donnait sur le boulevard, éclairée par de larges carreaux° peints en blanc et grattés à certains endroits, par les ouvriers sans doute.

— C'est la chaîne, dit Bernier avec fierté . . .

Il appela un homme qui vint près de nous.

— Voilà, Daubat, c'est mademoiselle Letellier, la sœur du grand qui est là-bas. Tu la prends avec toi au contrôle° pendant deux ou trois jours.

— Ah bon? C'est les femmes, maintenant, qui vont contrôler?

De mauvais gré,° il me fit signe de le suivre et nous traversâmes la chaîne entre deux voitures. Il y avait peu d'espace. Déséquilibrée° par le mouvement, je trébuchai° et me retins à lui. Il grogna.° Il n'était plus très jeune et portait des lunettes.

— On va remonter un peu la chaîne, dit-il.

Elle descendait sinueusement, en pente douce, portant sur son ventre des voitures bien amarrées° dans lesquelles entraient et sortaient des hommes pressés. Le bruit, le mouvement, la trépidation° des lattes° de bois, les allées et venues des hommes, l'odeur d'essence, m'étourdirent° et me suffoquèrent . . .

La chaîne dominait l'atelier. Nous étions dans son commencement; elle finissait très loin de là, après avoir fait le tour de l'immense atelier. De l'autre côté de l'allée étaient les machines sur lesquelles travaillaient beaucoup d'hommes. Daubat me désigna° une silhouette, la tête recouverte d'un béret, un masque protégeant les yeux, vêtue d'un treillis,° tenant d'une main enveloppée de chiffons° une sorte de pistolet à peinture dont il envoyait un jet sur de petites pièces. C'était Lucien. De ma place, à demi cachée par les voitures qui passaient, je regardai attentivement les hommes qui travaillaient dans cette partie-là. Certains badigeonnaient,° d'autres tapaient sur des pièces qu'ils accrochaient ensuite à un filin.° La pièce parvenait au suivant. C'était l'endroit le plus sale de l'atelier. Les hommes, vêtus de bleus tachés,° avaient le visage barbouillé.° Lucien ne me voyait pas. Daubat m'appela et je le rejoignis. Il me tendit une plaque° de métal sur laquelle était posé un carton.°

— Je vous passe un crayon. Vous venez?

Il remonta vers le haut de la chaîne. Je le suivais comme une ombre . . . Il fallait grimper et descendre. Daubat prit mon bras et me fit entrer dans une voiture.

— Vous regardez ici.

Il me montrait le tableau de bord° en tissu° plastique.

— S'il y a des défauts, vous les notez. Voyez? Là, c'est mal tendu.° Alors, vous écrivez. Et là? Voyez.

Il regardait les essuie-glace.°

— Ils y sont. Ça va. Et le pare-soleil°? Aïe, déchiré! Vous écrivez: pare-soleil déchiré. Ah, mais il faut aller vite, regardez où nous sommes.

Il sauta de la voiture et me fit sauter avec lui. Nous étions loin de l'endroit où nous avions pris la voiture.

— On ne pourra pas faire la suivante, dit-il, découragé. Je le dirai à Gilles, tant pis.° Essayons celle-là.

Nous recommençâmes. Il allait vite. Il disait «là et là»; «là un pli°», «là manque un rétro°», ou «rétro mal posé°». Je ne comprenais pas.

Pendant quelques minutes, je me réfugiai dans la pensée de ne pas revenir le lendemain. Je ne me voyais pas monter, descendre de la chaîne, entrer dans la voiture, voir tout en quelques minutes, écrire, sauter, courir à la suivante, monter, sauter, voir, écrire.

— Vous avez compris? demanda Daubat.

— Un peu.

— C'est pas un peu qu'il faut, dit-il en secouant° la tête. Moi, je ne comprends pas pourquoi ils font faire ça par des femmes. Mais il faut que je voie Gilles. Si ça continue, ma prime° va sauter.° J'ai laissé passer trois voitures.

Nous montâmes plus haut sur la chaîne . . .

— La prochaine, vous la faites seule. Je suis derrière vous.

En trébuchant, ce qui fit rire un des garçons, je sortis de la voiture et attendis la suivante.

● **assistant(e)** (m, f) personnel officer **gardien** (m) security man **fiche** (f) card **atelier** (m) shop (in factory) **contremaître** (m) foreman **blouse** (f) overall **ronflement** (m) rumbling noise **battant** (m) one side of a double door **marteau** (m) hammer **outil** (m) tool **scie** (f) saw **mêler** mingle **vacarme** (m) din **grondement** (m) roaring sound **sifflement** (m) whistling sound **aigu(ë)** high-pitched **déchirer** split **s'accorder** go together **gêné** bothered **vitré** glass-panelled **chef** (m) **d'équipe** shift supervisor **vestiaire** (m) locker room **se salir** get dirty **contrarié** put out **lucarne** (f) skylight **grillagé** covered with wire netting **baigner dans** be steeped in **artichaut** (m) artichoke **carreau** (m) pane **contrôle** (m) inspection **de mauvais gré** reluctantly **déséquilibré** knocked off balance **trébucher** stumble **grogner** grunt, grumble **amarré** anchored, secured **trépidation** (f) shuddering **latte** (f) slat **étourdir** stun **désigner** indicate **treillis** (m) boiler suit **chiffon** (m) rag **badigeonner** paint **filin** (m) cable **taché** stained **barbouillé** dirty, smeared (with dirt) **plaque** (f) sheet **carton** (m) piece of card **tableau** (m) **de bord** dashboard **tissu** (m) material **mal tendu** not pulled tight **essuie-glace** (m) windscreen wiper **pare-soleil** (m) sun visor **tant pis** too bad **pli** (m) crease **rétro(viseur)** (m) rear-view mirror **mal posé** badly fitted **secouer** shake **prime** (f) bonus **sauter** go up in smoke

ACTIVITÉS

1. L'extrait en détail

L'Atelier 76 nous rapporte les premières impressions d'Elise de l'usine où elle va travailler.

Travail individuel* ⟶ *Mise en commun Relisez attentivement le texte et notez (mots, expressions, phrases) ce que vous apprenez sur:

- **le caractère de l'atelier** — dimensions – bruits – odeurs – mouvements
- **la chaîne** — ce à quoi elle ressemble – ce qu'elle transporte – ce qu'y font les ouvriers
- **l'endroit où travaille Lucien** — état de propreté – le travail que fait Lucien
- **le travail qu'apprend Elise** — ce qu'elle doit faire
- **les sentiments et les attitudes** — effets de l'atelier sur Elise (ses réactions physiques et psychologiques) attitudes envers Elise (du docteur, de Gilles, de Daubat) sentiments d'Elise envers le travail qu'elle doit faire.

Comparez ensuite vos notes avec celles des autres étudiants.

2. Conversation et article de magazine: le travail en usine

(a) Un reporter de *Paris-Match* fait une enquête sur le travail à la chaîne et l'expansion de l'automation. Il demande à Elise de lui raconter ses premières impressions de l'atelier 76.

Travail individuel* ⟶ *Travail à deux A partir de vos notes sur le texte (*Activités*, 1), notez brièvement les questions du reporter et les réponses d'Elise. Ensuite, développez leur conversation avec un(e) partenaire: prenez chacun(e) l'un des deux rôles.

Début possible:

Reporter *Eh bien, mademoiselle . . . pourquoi avez-vous choisi de travailler dans une usine d'automobiles?*

Elise *C'est très simple. Je viens d'arriver à Paris. Mon frère travaille dans cette usine et il m'a trouvé un emploi.*

(b) Vous trouverez à droite le début de l'article écrit par le reporter.

Travail individuel Développez cet article comme si vous étiez le reporter. Référez-vous à vos notes (*Activités*, 1) et incorporez vos propres réflexions sur l'atelier 76.

Pour conclure, en vous basant sur les extraits ci-dessous, ajoutez un paragraphe sur les avantages et les inconvénients de l'automation.

Des hommes . . . ou des machines?

Un vacarme insupportable et inhumain, fait de grondements, de sifflements, de sons aigus, déchirants pour l'oreille. Voilà l'atelier 76, dans une usine d'automobiles, où Elise Letellier, 22 ans, passe le plus clair de ses journées . . .

Le robot remplace de plus en plus l'O.S. de grande fonderie, qui manipule en une journée plus de quatre tonnes de fonte dans une ambiance surchauffée et pernicieuse. Souvent, seul le robot est capable d'effectuer diverses tâches sans danger. Les facultés sensorielles humaines s'usent dans la monotonie et les accidents se multiplient. Pour les éviter, on robotise.

Les robots arrivent; peu à peu l'at se vide de ses ouvriers. Ceux qui res n'ont qu'à les surveiller. Travail contrôle ou de manipulation de clav de commande. Le travail cesse d'ê physique pour devenir intellectuel abstrait. Le savoir-faire ouvri s'inscrivait dans la machine: il le per dans le programme. Qu'il soit soudeur peintre, tourneur ou fraiseur n'importe plus désormais; le travail est le même pour tous, du moins pour l'essentiel: servir la machine, la nettoyer, essuyer l'huile qui suinte ou la peinture qui déborde... Avec l'automation, c'est la notion même de métier qui disparaît. La machine a, désormais, la maîtrise de son propre travail, elle s'organise elle-même et l'ouvrier en devient véritablement le subordonné.

Le travail automatisé pose les questions les plus difficiles aux sociétés industrielles. Une chose est sûre: c'est au travers du travail que la nouvelle électronique touche en premier lieu la grande masse des gens, avec une ampleur encore difficile à apprécier. Toute une série de questions y est attachée: l'automation permettra-t-elle de réduire la durée du travail? Combien produira-t-elle de chômeurs? Permettra-t-elle d'assouplir les contraintes liées à l'organisation traditionnelle du travail, en rendant possibles les horaires à la carte ou le travail au pays? Assistera-t-on à une déqualification massive, à un accroissement de l'instabilité des emplois?

ÊTRE BIEN DANS SA PEAU

On dit souvent que nous avons perdu de nos jours la capacité de nous amuser, que nous passons trop de temps assis passivement devant le petit écran. Il est sans doute vrai que beaucoup de gens rentrent trop fatigués de leur travail pour profiter pleinement de leur temps libre. Cependant, les médecins nous conseillent, de plus en plus souvent, de nous adonner à un sport ou à une activité de loisirs afin de lutter contre le stress, qui peut provoquer de graves maladies. Il ne s'agit pas d'être un champion, une vedette. L'important est de participer et de se sentir bien dans sa peau. Au physique comme au moral.

QUE FAIRE DE SON TEMPS LIBRE?

ACTIVITÉS

1. Trois témoignages

Vous allez maintenant entendre trois jeunes Français qui parlent à notre enquêteur de leurs distractions préférées. Pour bien les comprendre, vous aurez peut-être besoin de vérifier le sens de ces mots: *la souplesse, chuter, un kimono, une ceinture, l'échauffement, une prise, une ambiance, boire un pot, un rassemblement, le solfège, ardu.*

Travail individuel/à deux ⟶ Mise en commun Avec ou sans partenaire, écoutez les enregistrements et notez, pour chaque témoin, les détails indiqués à droite.

Comparez ensuite vos notes avec celles des autres étudiants.

- sport qu'elle pratique
- qualités que développe ce sport
- nombre d'heures par semaine
- local
- ce qu'on fait pendant une séance
- nombre d'années d'expérience
- niveau de perfectionnement de Miriam

Miriam
17 ans

2. Votre distraction préférée

Vous aussi, vous avez sans doute une distraction préférée. Laquelle?

Travail à deux ⟶ Mise en commun Interrogez votre partenaire afin de découvrir le plus de renseignements possibles sur sa distraction préférée. Notez par écrit ce qu'il/elle vous dira, par exemple sous les rubriques suivantes:

- sa distraction préférée
- pourquoi elle lui plaît (caractéristiques; qualités qu'elle développe)
- nombre d'heures par semaine qu'il/elle y consacre
- endroit(s) où il/elle la pratique
- ce qu'on fait pendant une séance
- nombre d'années d'expérience
- équipement qu'il faut avoir.

- distraction préférée
- caractéristiques
- avec qui/quand il en fait
- distance parcourue
- ambiance
- ce qu'on fait après
- ce qu'on découvre

Jean-Michel
18 ans

Véronique
17 ans

- ce qu'elle fait de son temps libre
- instruments
- ce qu'elle fait aussi et pourquoi
- pourquoi il faut beaucoup travailler
- attrait de chaque instrument
- nombre d'années d'expérience
- difficultés éprouvées

Racontez ensuite, à l'ensemble de la classe, ce que vous aurez appris sur la distraction préférée de votre partenaire.

3. Les jeunes et leurs loisirs

Les jeunes profitent-ils assez de leur temps libre?

Travail individuel ⟶ Discussion Notez par écrit vos réflexions sur ces questions:

Avez-vous assez de temps pour vos distractions?
La ville ou la localité que vous habitez, offre-t-elle beaucoup de possibilités aux jeunes?
Les jeunes, en général, ont-ils perdu la capacité de s'amuser?
Passent-ils trop de temps assis devant la télévision?

Discutez vos réflexions avec le professeur et l'ensemble de la classe.

POINTS DE REPÈRE

Qu'on le veuille ou non, la télévision fait maintenant partie de notre vie de tous les jours. L'article suivant, tiré de l'hebdomadaire *L'Express*, examine ce phénomène de la seconde moitié du XXe siècle.

Travail individuel* ⟶ *Mise en commun Lisez attentivement le texte, puis notez par écrit le titre qui correspond à chaque case numérotée:

Une connaissance moins approfondie de l'actualité
La télévision: la pire ou la meilleure des choses?
Les Français devant le petit écran
La télévision et les problèmes d'aujourd'hui
Un meuble pas comme les autres
« Un poste en panne, c'est plus grave qu'un décès »
Le téléspectateur « avale tout »
La concentration du téléspectateur.

Dans l'ensemble le texte est-il pour ou contre la télévision? Quelle phrase résume le mieux, à votre avis, la position du journaliste?
Comparez vos conclusions avec celles des autres étudiants.

LA TÉLÉ - DROGUE?

1.

Le téléviseur est un bien de consommation,° un élément de confort, au même titre que° le réfrigérateur, le lave-vaisselle, l'électrophone. Même si l'on n'a pas conscience de° ce qu'il peut apporter, ou retrancher,° dans la vie quotidienne, on sait qu'on ne pourra plus s'en séparer. Ce n'est quand même pas un meuble° comme les autres. Dans la cuisine ou la salle de séjour, il occupe la meilleure place, sa présence modifie l'ordonnance des sièges° et l'éclairage° de la pièce. Il s'est substitué au feu de bois, mais il est toujours le «foyer° »—l'endroit où l'on se réunit, le point d'où rayonne° la lumière et d'où vient la parole.

2.

Beaucoup de lycéens ne peuvent plus faire leurs devoirs sans le fond sonore° de leur transistor. De même, la télévision, longtemps boîte de Pandore, tapis magique, n'est plus qu'une moquette° audio-visuelle. Dès 1972, dans l'émission° qu'il consacrait à «la télévision et son public», Jean-Emile Jeannesson constatait° que le téléspectateur, «dans une situation de repos après le travail et la fatigue du transport, avalait° tout».

3.

Tout, sauf l'absence d'images et de son. Lorsque son poste° est tombé en panne,° M. Ray, paysan de l'Allier, est resté prostré,° plusieurs soirs, devant l'écran° vide, en attendant le réparateur—ou un miracle. Tous les responsables des services après-vente confirment qu'il faut se déranger° dans l'heure qui suit. «On a l'impression, dit un réparateur, qu'un poste en panne, c'est plus grave qu'un décès° dans la famille».

4.

Pourtant, les Français refusent d'admettre leur dépendance. A la question: «Combien de temps passez-vous chaque semaine devant votre poste?» les réponses à *L'Express* ont été de dix à douze heures en moyenne° pour les adultes, et de quatre à six heures pour les enfants. Or, la plupart des personnes interrogées ont menti,° censurant, inconsciemment° parfois, leurs déclarations, comme si elles se sentaient coupables.° Une récente enquête de l'Insee auprès de 6 000 personnes a établi, en effet, que près de la moitié des adultes regardaient la télévision tous les soirs et le quart toute la soirée. Selon un sondage de l'Ifop pour «Télérama», en janvier 1976, auprès de 4 000 enfants de 8 à 15 ans, 70 % d'entre eux la regardaient deux heures par jour et trois à quatre le mercredi et pendant le week-end, soit de quatorze à dix-huit heures par semaine.

5.

C'est la télé-drogue. Mais de plus en plus rares sont les spectateurs qui concentrent leur attention pendant une heure ou deux sur une émission. Souvent, ils s'endorment au milieu. Chez les Martinez, à Etréchy sur la route d'Etampes, on bavarde, même pendant les films. Mme Poutaraud, de Marly, coud ou tricote, elle «jette un œil» sur l'écran. Une enquête réalisée il y a un an par le Comité lillois° d'opinion publique auprès de 600 jeunes femmes a établi que 67 % d'entre elles «faisaient autre chose» en regardant la télé, ce qui ne les empêchait pas de se dire particulièrement attirées par° les films et les débats.°

6.

Que la télévision ne mobilise pas toutes les capacités d'attention, les instituteurs l'ont depuis longtemps constaté. L'un d'eux, M. Pierre Picard, de Clermont-Ferrand, assure: «Si j'interroge mes élèves sur un événement d'actualité, je remarque que ceux qui en ont pris connaissance° par la presse ou par la radio en ont une idée plus complète que ceux qui l'ont vu à la télévision, et dont ils ne retiennent que les images.»

Même impression chez M. C., 45 ans, professeur de lycée, père de deux enfants de 14 et 11 ans: «Ils sont peut-être plus au courant,° mais pas d'une manière approfondie.° En revanche,° c'est toujours auprès des mal réveillés de ma classe, ceux qui bâillent,° que je peux me renseigner sur le résultat d'un match ou l'épilogue° d'un film . . .»

7.

L'émission de la veille est, en effet, le grand et parfois le seul sujet de conversation en famille, au bureau ou à l'usine. Alors, il arrive que la télévision fasse caisse de résonance° et, avec un film et un débat, confère un impact colossal à un problème déjà porté à la connaissance du public par la presse écrite et parlée.

8.

Car la télévision est le révélateur des problèmes de notre société. Il est plus facile de l'accuser de tous les maux° que d'apprendre à en faire bon usage. Si les enfants subissent° l'influence des films de violence, est-ce à la télévision qu'il faut s'en prendre,° ou aux parents qui les laissent les regarder? Si on ne lit pas, si on ne va plus au théâtre ou au cinéma, il est facile de tirer sur° le téléviseur. En oubliant que les bons films et les bonnes pièces font encore recette,° comme les livres, surtout lorsqu'ils bénéficient de la promotion d'une émission littéraire.

L'enquête de *L'Express* montre qu'aujourd'hui la télévision fait partie intégrante° de notre vie. Elle peut être la pire ou la meilleure des choses. Il faut l'aborder° avec modestie et respect: comme un être vivant.

● **bien** (m) **de consommation** consumer durable **au même titre que** in the same way as **avoir conscience de** be aware of **retrancher** take away **meuble** (m) item of furniture **ordonnance** (f) **des sièges** seating arrangements **éclairage** (m) lighting **foyer** (m) focal point (fireplace) **rayonner** radiate **fond** (m) **sonore** background noise **moquette** (f) (wall-to-wall) carpet **émission** (f) broadcast, programme **constater** note **avaler** swallow **poste** (m) set **tomber en panne** break down **prostré** slumped **écran** (m) screen **se déranger** turn out **décès** (m) death **en moyenne** on average **mentir** lie **inconsciemment** without realising it **coupable** guilty **lillois** of Lille **attiré par** attracted to **débat** (m) discussion **prendre connaissance de** find out about **être plus au courant** be better informed **d'une manière approfondie** in depth **en revanche** on the other hand **bâiller** yawn **épilogue** (m) end **faire caisse de résonance** act as a sounding board **mal** (m) evil **subir** be subjected to **s'en prendre à** put the blame on **tirer sur** snipe at **faire recette** do good business **faire partie intégrante de** be an integral part of **aborder** approach

ACTIVITÉS

1. L'article en détail

L'argumentation de cet article se compose d'une série d'**assertions**, accompagnées de détails qui les **illustrent**.

Travail individuel* ⟶ *Mise en commun Relisez le texte, puis complétez le tableau (à droite) en identifiant un détail qui illustre chaque assertion.

Comparez ensuite votre tableau complété avec celui des autres étudiants.

ASSERTION	ILLUSTRATION
Le téléviseur n'est pas un meuble comme les autres (1ère section).	Il s'est substitué au feu de bois mais il est toujours le foyer - l'endroit où l'on se réunit
La télévision n'est plus qu'une moquette audio-visuelle (2e section).	
Le téléspectateur ne supporte pas l'absence d'images et de son (3e section).	
Les Français, interrogés, refusent d'admettre leur dépendance (4e section).	
Peu de spectateurs concentrent leur attention pendant une heure ou deux sur une émission (5e section).	
La télévision ne mobilise pas toutes les capacités d'attention des enfants (6e section).	
La télévision peut conférer un impact colossal à un problème déjà porté à la connaissance du public par la presse écrite et parlée (7e section).	
Il est plus facile d'accuser la télévision de tous les maux que d'apprendre à en faire bon usage (8e section).	

2. Vocabulaire: la télévision et son influence

(a) Dans le témoignage présenté à droite, un téléspectateur exprime son opinion sur l'influence de la télévision.

Travail individuel Recopiez les mots et expressions ci-dessous, en les modifiant au besoin, dans l'ordre nécessaire pour compléter ce témoignage. Ensuite mémorisez-les.

> se renseigner sur – un téléspectateur – consacré à – tomber en panne – être au courant de – un événement d'actualité – subir l'influence de – un poste – s'en prendre à – un téléviseur – la capacité d'attention – faire partie intégrante de – une émission littéraire – le petit écran – des informations

(b) ***Travail à deux*** Complétez oralement la déclaration sans regarder votre liste de mots et d'expressions ni le cadre plus haut.

(c) ***Exercice oral*** Sous la direction du professeur, reconstituez l'essentiel de la déclaration en ne consultant que votre liste de mots et d'expressions.

> Pour moi, le ________ est plus qu'un bien de consommation, il fait _____ ________ __ la vie familiale. Le soir, chez nous, le _____ reste ouvert en permanence, car on regarde tout: __________, vieux films, ________ _________, retransmissions sportives, reportages ________ _ d'autres pays. Bien sûr, la télé ne mobilise pas toutes ___ ________ _' ________, mais si je veux __ _________ sur un ________ _' _________, je préfère le _____ _____ à la presse écrite. Le ___________ d'aujourd'hui ___ beaucoup plus __ ______ __ ce qui se passe dans le monde que nous ne l'étions autrefois. Si les jeunes ________ _' ________ ___ films de violence, il faut _' __ ______ ___ autorités qui les présentent, pas à la télé elle-même. Pour moi, une vie privée de télévision serait inconcevable. Heureusement que mon poste n' ___ jamais _____ __ _____!

3. La présentation d'un argument: conjonctions et expressions adverbiales

▶ A plusieurs reprises, l'auteur de l'article *La télé-drogue?* a employé une **conjonction** ou une **expression adverbiale** pour relier deux parties de son **argument**.
On peut classer certains de ces mots et expressions de la manière indiquée à droite.

- **concession** *quand même, pourtant*
- **opposition** *en revanche, mais*
- **explication** *en effet, car.* ◀

(a) ***Travail individuel*** Trouvez dans l'article, parmi les **conjonctions** et **expressions adverbiales** mentionnées ci-dessus, celle qui appartient à chaque blanc dans les phrases suivantes. Notez la position de la conjonction ou de l'expression adverbiale dans chaque cas:

Le téléviseur est un bien de consommation, un élément de confort, au même titre que le réfrigérateur, le lave-vaisselle, l'électrophone . . . Ce n'est ________ pas un meuble comme les autres. Dans la cuisine ou la salle de séjour il occupe la meilleure place . . .

Le téléspectateur, dans une situation de repos après le travail et la fatigue du transport, avale tout . . . ________, les Français refusent d'admettre leur dépendance.

La plupart des personnes interrogées ont menti, censurant, inconsciemment parfois, leurs déclarations, comme si elles se sentaient coupables. Une récente enquête de l'Insee . . . a établi, ________, que près de la moitié des adultes regardaient la télévision tous les soirs . . .

Selon un sondage de l'Ifop . . . auprès de 4 000 enfants de 8 à 15 ans, 70% d'entre eux regardaient la télévision deux heures par jour et trois à quatre le mercredi et pendant le week-end . . . C'est la télé-drogue. ________ de plus en plus rares sont les spectateurs qui concentrent leur attention pendant une heure ou deux sur une émission.

Les jeunes sont peut-être plus au courant de l'actualité, mais pas d'une manière approfondie. ________, c'est toujours auprès des mal réveillés de ma classe . . . que je peux me renseigner sur le résultat d'un match ou l'épilogue d'un film.

Il arrive que la télévision . . . confère un impact colossal à un problème déjà porté à la connaissance du public par la presse écrite et parlée. ________ la télévision est le révélateur des problèmes de notre société.

(b) Voici d'autres observations sur la télévision tirées de lettres écrites à des hebdomadaires français.
Travail individuel ⟶ ***Mise en commun*** Pour reconstituer le texte original de ces lettres, reliez les deux phrases de chaque extrait de la manière indiquée, en choisissant parmi les six **conjonctions** ou **expressions adverbiales** présentées ci-dessus (a). (Remarquez que *quand même* ne se place jamais en début de phrase.) Comparez ensuite vos solutions avec celles des autres étudiants.

Avant d'avoir la télé, je me promenais beaucoup, je faisais du sport. (**opposition**) Maintenant je passe mes soirées assis devant le petit écran – et j'aime surtout les retransmissions sportives!
M. A. Beaufort, Grenoble

Pour beaucoup de Français, la TV est tout simplement une façon de passer le temps. (**concession**) Ils ont tendance à déplorer le manque de variété dans les programmes et surtout l'omniprésence des séries américaines.
Mme C. Potel, sociologue, Paris

Il ne faut pas se demander ce que la télévision fait aux jeunes, mais ce que les jeunes font de la télévision. (**explication**) Ils la regardent parce que souvent ils n'ont rien d'autre à faire.
Nathalie Briat, étudiante, Bordeaux

J'aime beaucoup les émissions culturelles, comme « Les dossiers de l'écran » et « La rage de lire », mais je ne les vois que rarement. (**explication**) Elles ne sont jamais programmées avant 21h 30.
Laure A., 16 ans, Aubagne

La télé a pris une place trop importante dans la vie de certaines familles, qui la regardent sans cesse, jusqu'à en être abruties. (**opposition**) Il me semble qu' elle peut être fort utile à l'école, car quelques émissions sont très éducatives.
Claudine T., 18 ans, Nice

La télévision est devenue un membre à part entière de la famille française. (**concession**) Les producteurs d'émissions font très, très peu pour les adolescents.
Christophe G., Valence

4. Article de magazine: *Pour ou contre la télévision?*

(a) Les jeunes sont-ils en général pour ou contre la télévision? Un magazine d'adolescents a effectué une enquête sur la question. Vous trouverez à droite quelques-uns des témoignages qui ont été recueillis.

Travail à deux ⟶ Mise en commun Classez par écrit l'essentiel de ces témoignages en deux colonnes: **pour** ou **contre** la télévision.

Exemples:

- *Elle permet de vivre une retransmission en direct* (***pour***).
- *Elle ôte l'envie de lire* (***contre***).

Ensuite, discutez ensemble vos idées personnelles sur le pour et le contre de la télévision. Pouvez-vous ajouter d'autres points à l'une ou l'autre des deux colonnes?
Pour finir, comparez vos notes avec celles des autres étudiants. Le professeur écrira au tableau ce que vous aurez trouvé.

(b) Le magazine qui a effectué l'enquête mentionnée ci-dessus (a) a aussi publié un article intitulé *Pour ou contre la télévision?*

Travail individuel Vous trouverez ci-dessous le début de l'article: à vous de le compléter. Consultez avant d'écrire:

- *Activités* 1, 2 et 3 ci-dessus
- les opinions sur la télévision exprimées par les jeunes Français (à droite)
- les notes du professeur (a).

Employez au moins une fois chacune des conjonctions ou expressions adverbiales présentées dans l'*Activité* 3.

POUR OU CONTRE LA TÉLÉVISION?

Qu'on le veuille ou non, la télévision, ce phénomène de la seconde moitié du XXe siècle, nous concerne tous. Dans notre vie de tous les jours, elle s'est glissée insidieusement,

POUR OU CONTRE LA TÉLÉVISION?

La télé est une formidable invention car on peut vivre une retransmission en direct, comme la venue du Pape par exemple.

Avant de l'avoir, je lisais cinq à six livres en quinze jours, maintenant je n'en lis plus que deux.

Grâce à la télé, nous sommes plus au courant des événements d'actualité que les jeunes d'il y a trente ans.

Pour des milliers de vieillards isolés dans le monde par la maladie ou la peur, la télévision est un bienfait.

C'est une extraordinaire machine à voyager dans le temps. Voilà mon avis.

Je pense que certaines émissions sont partiales. Elles déforment la vérité et grossissent les faits.

Je trouve que la TV est un bon moyen de divertissement. Elle nous apprend beaucoup. Mais il faut apprendre à l'enfant à poser sur la télé un regard critique, pour qu'il soit capable de juger, d'en distinguer les défauts et les qualités.

Les émissions sont moches, elles manquent de variété. Heureusement que nous avons un magnétoscope à la maison. Avec ça, je peux voir les meilleurs films enregistrés sur cassette.

La télé amène souvent des jeunes qui n'aimaient pas lire à la lecture, par les adaptations de Jules Verne, de Victor Hugo, ou d'autres auteurs célèbres.

La télévision dispense d'efforts physiques, on reste assis, c'est tout. On regarde, en étant complètement passif.

Ce que je reproche le plus à la télé c'est la pub infligée à longueur de journée.

La télévision détruit la vie de famille. Avant, quand on ne l'avait pas, on jouait à des jeux de société, on discutait.

UN MATCH DE FIN DE SAISON

POINTS DE REPÈRE

Dans le témoignage que vous allez entendre, un joueur de football, Yvan Le Quéré, parle d'un match de deuxième division auquel il a participé.

Travail individuel* ⟶ *Mise en commun Lisez la déclaration présentée à droite, puis écoutez une première fois l'enregistrement avec la transcription à trous (*Livret*, pp. 26–27) sous les yeux. Ensuite, mettez la transcription de côté; le professeur repassera l'enregistrement, en arrêtant plusieurs fois la bande pour vous permettre de noter ce que vous aurez retenu sur:

- **l'équipe du témoin**
  - nom
  - position approximative au tableau
  - style habituel
  - attitude envers le match
- **l'équipe adverse**
  - nom
  - position approximative au tableau
  - tactique habituelle
  - attitude envers le match
- **le match**
  - moment de l'année
  - condition du terrain
  - caractère de chaque mi-temps
  - conseil de l'entraîneur de l'équipe à domicile
  - score à la mi-temps
  - nature du premier but
  - score à la fin du match
  - noms de ceux qui ont marqué les buts.

Comparez ensuite vos notes avec celles des autres étudiants.

« C'est une très bonne équipe, Orléans . . . mais je pense qu'En Avant de Guingamp va gagner. Par 2 à 1, 3 à 2 peut-être, je ne sais pas. Mais je pense qu'on va gagner. »

Yvan Le Quéré

DÉCOUVERTE DU TEXTE

1. Le témoignage en détail

Travail individuel/à deux Avec ou sans partenaire, écoutez encore une fois l'enregistrement et relevez les informations essentielles en complétant la transcription.

2. Vocabulaire: le football

(a) ***Travail individuel*** Recopiez les mots et expressions ci-dessous dans l'ordre nécessaire pour compléter ce reportage d'un match régional (à droite). N'oubliez pas de faire les changements grammaticaux qui conviennent. Ensuite, mémorisez les mots et expressions.

> la première mi-temps – la consigne du début de match – prendre trop de risques – attaquer la défense regroupée de – avoir du mal à – marquer un premier but – le tableau – continuer sur sa lancée – la fin de saison – un entraîneur – l'arbitre a sifflé un penalty – bousculer – une équipe démoralisée – n'avoir rien à gagner ni à perdre – un terrain en très mauvais état – le championnat

Lamballe domine l'A. S. Brestoise: 3–0

Un temps estival à Lamballe samedi soir, où environ 350 spectateurs assistèrent à cette rencontre de ___ __ ______ entre deux équipes du milieu de ______ qui _, ______ ____ _ ______ __ __ ______ dans __ __________.

En ________ __-_____, les Lamballais, sans _______ ____ __ ______ offensifs, réussirent à ________ leurs adversaires, qui ______ __ ___ – pratiquer leur football intelligent et soigné sur __ ______ __ ____ _______ ____.

A la 24ᵉ minute, Fromentin ______ __ ______ ___ pour Lamballe à la suite d'un coup franc, et deux minutes plus tard, devant une ______ __________, le même joueur faillit aggraver le score à la fin d'un superbe mouvement collectif, mais il vit son tir s'écraser sur le montant d but.

Au retour des vestiaires, le match fut beaucoup plus équilibré pendant vingt minutes, car les Brestois, suivant __ ______ __ _____ __ ______ de leur ______, se mirent à ________ __ _______ de Lamballe. Mais à la 70ᵉ minute, ils se laissèrent surprendre par une attaque rapide et Labbé marqua une deuxième fois pour Lamballe. Trois minutes plus tard, lorsque _, _______ __ ______ __ _______ justifié pour une faute sur Labbé, Depays inscrivit un troisième but, et les Lamballais, ________ ___ ______, gardèrent l'ascendant dans les dernières minutes du match.

Buts: Fromentin (24ᵉ), Labbé (70ᵉ), Depays (73ᵉ, sur penalty).

(b) ***Travail à deux*** Complétez oralement le reportage sans regarder votre liste de mots et d'expressions ni le cadre à gauche..

3. La langue orale: quelques caractéristiques

(a) Dans la conversation courante, ou dans une interview, celui qui parle n'a souvent pas le temps de bien formuler sa pensée comme dans la langue écrite. Par conséquent, il a tendance à **hésiter**, à **changer de direction**, à **se répéter**, à **exprimer ses opinions sous une forme provisoire**. Très souvent, pour s'assurer d'être écouté, il **fait** aussi **appel à son interlocuteur**.

Travail à deux* ——> *Mise en commun
Trouvez dans votre transcription complétée encore **deux** ou **trois** exemples de chacune de ces cinq caractéristiques de la langue orale. Rédigez vos notes de la manière indiquée à droite.
Comparez ensuite vos notes avec celles des autres étudiants.

1. hésitations	2. changements de direction	3. répétitions
- de ... ce qui est arrivé (l. 2) - une équipe euh placée euh un peu en dessous de nous (l. 6)	- on va euh on voudrait parler avec vous (l. 1) - de . ce qui est arrivé / de la façon dont vous avez vu le match (ll. 2-3)	- d'accord oui (l. 4) - les deux équipes euh n'attaquant n'attaquant pas trop (l. 11)

4. expressions d'opinion provisoires	5. appels à l'interlocuteur
- qui pratique plutôt la défensive (l. 8) - je crois (l. 12)	- quoi (l. 18) - n'est-ce pas (l. 22)

(b) Au cours d'une discussion avec notre enquêteur – enregistrée dans le vestiaire! – l'entraîneur d'En Avant a parlé de ce que le football offre aux jeunes.

Travail individuel/à deux* ——> *Exercice oral
Avec ou sans partenaire, écoutez l'enregistrement et complétez la transcription (*Livret*, p. 28).

e crois que ça leur offre
n... un esprit euh qui est très
nportant à mon avis
surtout chez le Français...

À COMPLÉTER, À NOTER ET À MÉMORISER

Expressions et structures
- la façon ____ vous avez vu le match
- le score __ première mi-temps était __ 0–0
- on a pris plus __ risques, __ ____ fait ____ (= *donc*) on a marqué un but
- à _____ __ pousser (= *ayant beaucoup poussé*)
- le penalty était un ______ ___ litigieux
- l'équipe d'en ____ (= *les adversaires*) était démoralisée
- ils ont gagné ___ 4 buts _ 0
- __ (= *étant donné*) l'état du terrain
- une pelouse __ mauvais ____
- il nous a parlé _ __ mi-temps
- Orléans n'avait rien _ perdre

Constructions verbales
- qu'est-ce que vous avez pensé __ vos coéquipiers? (*opinion*)
  (cp. *je pense à la fin du match*)
- on a eu du mal __ pratiquer ce jeu-là
- nous avions envie __ gagner
- on a décidé __ changer __ joueur

Noms et Verbes
- jouer ——> ils pratiquent un ____ typiquement français
- pratiquer ——> c'est leur ________ normale
- attaquer ——> ils ont lancé une ________
- risquer ——> ils ne prennent aucun ______
- démoraliser ——> la ____________ de l'autre équipe
- défense (f) ——> ils ont bien ________ leur but
- entraîneur (m) ——> celui qui ________ l'équipe
- préciser ——> il a apporté une __________
- se détendre ——> une période de _______ (f) en première mi-temps

En consultant votre transcription complétée, trouvez, avec l'aide du professeur, des exemples des cinq caractéristiques de la langue orale que vous venez d'étudier (a). Ensuite, essayez de déterminer ensemble ce que l'entraîneur aurait pu dire s'il s'était exprimé par écrit.

(c) L'entraîneur d'En Avant écrit un article sur les bienfaits du football dans un magazine pour adolescents.

Travail individuel Continuez l'extrait d'article à droite: transformez en texte écrit le texte oral que vous venez d'étudier (b).

Ce que le football offre aux jeunes
Récréation courante pour les jeunes et les moins jeunes, le foot est une véritable activité de loisirs. Mais c'est aussi un sport complet et un merveilleux moyen d'éducation sociale. Le football offre au jeune Français, qui a tendance à être indiscipliné, un esprit d'équipe très important: il lui apprend à vivre

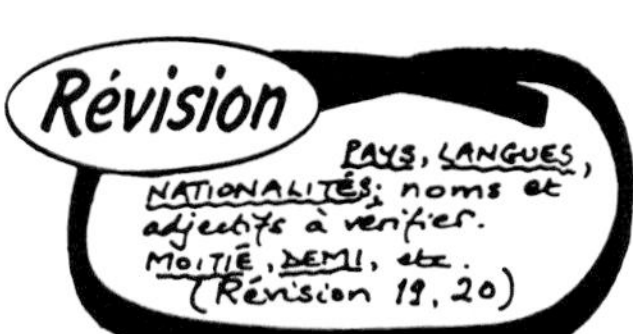

Révision
PAYS, LANGUES, NATIONALITÉS: noms et adjectifs à vérifier.
MOITIÉ, DEMI, etc.
(Révision 19, 20)

EXERCICES

1. Expliquer (emploi du participe présent)

▶ Selon le joueur qui parle dans l'enregistrement, le score à la mi-temps était de 0–0, « les deux équipes . . . n'**attaquant** pas trop . . . le but adverse. »
On emploie ainsi le **participe présent**, le plus souvent en français écrit, pour **expliquer** ce qui a été dit dans la partie précédente de la phrase. ◀

(a) Vous trouverez à droite des observations sur le match entre Guingamp et Orléans.
Travail à deux Trouvez ensemble dans la colonne (ii) l'**explication** qui correspond à chaque **situation** de la colonne (i). Ensuite, composez oralement huit phrases complètes, en employant *parce que* pour relier situations et explications.

Exemple (troisième phrase):
En première mi-temps, le score était de 0–0 ***parce que*** *les deux équipes n'attaquaient pas trop le but adverse.*

Reprenez tour à tour les huit phrases en essayant de les mémoriser.

(b) ***Travail individuel*** Cachez la colonne (ii) du tableau et essayez de rédiger par écrit les huit phrases: employez cette fois un **participe présent**.

Exemple (troisième phrase):
*En première mi-temps, le score était de 0–0, les deux équipes n'****attaquant*** *pas trop le but adverse.*

(i) SITUATION	(ii) EXPLICATION
– Dès le début, Guingamp a eu de la difficulté à pratiquer son football rapide et précis	– l'arbitre paraissait favoriser les Guingampais.
– De plus, Bernard a eu très peu de chance avec ses tirs au but	– les Orléanais ne manifestaient pas assez de résolution dans le dernier quart d'heure.
– En première mi-temps, le score était de 0–0	– les demis d'En Avant dominaient entièrement le milieu du terrain.
– En deuxième mi-temps, le match était beaucoup plus ouvert	– leurs adversaires ne faisaient pas preuve d'assez d'athlétisme.
– Les visiteurs n'ont pas eu de chance avec les deux penalties	– les deux équipes n'attaquaient pas trop le but adverse.
– Les deux ailiers d'En Avant ont commencé à s'imposer facilement	– le terrain était en très mauvais état.
– L'attaquant orléanais Loukaka est devenu de plus en plus isolé	– les Orléanais jouaient maintenant un jeu plus détendu.
– Les Guingampais ont fini par prendre le dessus	– le gardien orléanais se montrait égal à tous ses efforts.

U S CORLAY
LES SEPT RÈGLES D'OR

1. Cesse tout de suite de fumer:
2. Entraîne-toi rigoureusement deux fois par semaine:
3. Consacre 15 minutes par jour à des exercices avec un ballon:
4. Soigne bien ton équipement:
5. Apprends à vivre en fonction de tes coéquipiers:
6. En cas de maladie, téléphone tout de suite à la direction:
7. Arrive toujours à l'heure au rassemblement:

2. Pour que/afin que + subjonctif (le but)

▶ Selon l'entraîneur d'En Avant de Guingamp, le football apprend au jeune « à vivre en fonction d'autres copains »; le jeune doit accepter, par exemple, « d'être à l'heure au rassemblement **pour que** les autres . . . n'**attendent** pas ».
Pour exprimer le **but** d'une action (d'un conseil, d'une règle, etc.), on emploie **pour que** ou **afin que + subjonctif**, si le sujet du verbe qui exprime le but est différent de celui qui exprime l'action (le conseil, etc.). ◀

(a) Les dirigeants d'un petit club de football, très enthousiastes, ont préparé, à l'intention des joueurs, une fiche intitulée *Les sept règles d'or* (ci-dessous, à gauche).
Travail à deux* ⟶ *Mise en commun Trouvez dans la liste suivante l'élément de phrase susceptible de compléter chacune des sept règles imprimées à gauche. Comparez ensuite vos solutions avec celles des autres étudiants.

- l'entraîneur pourra prévenir un remplaçant le plus vite possible
- l'équipe aura l'air d'un ensemble harmonieux en arrivant sur le terrain
- le car n'attendra pas inutilement
- ta technique fera des progrès rapides
- ils devineront mieux tes intentions au cours d'un match
- tes poumons seront mieux capables de fournir le souffle nécessaire
- tes jambes seront capables de tenir le coup pendant quatre-vingt-dix minutes

(b) ***Travail à deux* ⟶ *Travail individuel*** A partir des sept règles que vous venez de compléter, dialoguez de la manière suivante. Posez la question à tour de rôle, et employez **pour que** ou **afin que + subjonctif** dans chaque réponse:

– *Pourquoi faut-il/doit-on cesser de fumer?*
– ***Pour que*** *ses poumons* ***soient*** *mieux capables de fournir le souffle nécessaire.*

Rédigez ensuite les sept règles par écrit: employez **pour que/afin que + subjonctif** pour exprimer le **but** de chaque règle.

Exemple:
Cesse tout de suite de fumer ***afin que*** *tes poumons* ***soient*** *mieux capables de fournir le souffle nécessaire.*

3. Exprimer le doute ou l'incertitude (emploi du subjonctif)

(a) Vous trouverez ci-dessous quelques déclarations exprimées au sujet de personnalités ou d'événements sportifs. Quelles circonstances ont donné lieu à ces déclarations? De quel sport s'agit-il dans chaque cas?

Travail à deux ⟶ ***Mise en commun***

Essayez de déterminer ensemble laquelle de ces personnes aurait fait chacune des déclarations ci-dessous.

Comparez ensuite vos solutions, en les justifiant au besoin, avec celles des autres étudiants.

Joueuse de tennis américaine, sur une rivale européenne qui a l'ambition de gagner à Wimbledon.

Journaliste, qui, à la mi-temps, commente la performance de l'arbitre d'un match de rugby.

Président d'un club de football renommé qui vient de faire match nul devant son propre public.

Pilote d'une voiture de course rivale, parlant de la première sortie d'une nouvelle voiture française.

Maillot jaune du Tour de France, discutant à propos de deux coureurs néerlandais.

Manager d'un boxeur français, juste avant son départ pour un combat très important.

Entraîneur de l'équipe de France, interviewé à la veille d'un match de football international.

Mes gars sont rapides et agressifs, mais ils ne sont pas capables de contrer les Brésiliens sur le plan technique.

Ce soir nous avons très mal joué: nous ne méritons pas actuellement d'être placés en tête du classement.

Il est très strict, mais il ne comprend pas qu'en hachant le jeu à force de coups de sifflet, il énerve les joueurs des deux équipes.

Sa condition physique est impeccable: il n'a pas peur d'affronter le champion du monde, même dans l'enfer de Las Vegas.

La Renault est très impressionnante en ligne droite, mais elle ne tient pas assez bien la route pour nous faire peur dans les virages.

Ce sont des grimpeurs: ils se sont bien débrouillés dans les étapes alpestres, mais ils ne peuvent pas s'imposer dans une contre la montre.

Sur terre battue elle est imbattable, mais elle ne sait pas adapter assez bien son jeu pour être championne sur gazon.

▶ La conversation avec notre enquêteur terminée, le joueur guingampais a résumé ainsi ses observations sur le match:

« Mais quatre buts . . . **je ne crois pas que** ce **soit** le reflet de la différence de valeur réelle entre les deux équipes. »

Le **subjonctif** s'impose normalement après un verbe qui exprime le **doute** ou l'**incertitude**, par exemple après:

je doute que . . .	**je ne crois pas que . . .**
il est peu probable que . . .	**je ne pense pas que . . .** ◀

(b) ***Travail individuel*** Récrivez maintenant les sept déclarations ci-dessus (a): employez chaque fois une expression de **doute** ou d'**incertitude**. N'oubliez pas de transformer en **subjonctifs** les verbes soulignés.

Exemple (manager du boxeur français):

« *Sa condition physique est impeccable:* **je ne pense pas qu'** *il* **ait** *peur d'affronter le champion du monde, même dans l'enfer de Las Vegas.* »

4. Pronoms interrogatifs: lequel? etc. Pronoms démonstratifs: celui, etc., de/celui, etc., qui, que, dont

▶ Dans l'enregistrement, **laquelle** des deux équipes a gagné? **Celle qui** jouait devant son propre public.
Le **pronom interrogatif lequel**, etc., implique un choix entre des personnes ou des choses qui viennent d'être ou vont être nommées. Le **pronom démonstratif celui**, etc., suivi de la préposition **de** ou des pronoms relatifs **qui, que, dont**, etc., sert à remplacer un nom déjà mentionné. ◀

(a) Les jeunes Français sont-ils sportifs? Une enquête du magazine *Elle* le met sérieusement en doute. En principe, les élèves du secondaire ont chaque semaine entre deux et trois heures d'éducation physique et sportive. Mais dans la plupart des cas, ils n'y vont pas. Pourquoi? Vous trouverez ci-dessous ce qu'en disent des lycéens et des lycéennes.
Exercice oral Sous la direction du professeur, posez des questions, et donnez des réponses, portant sur l'identité de ces jeunes. Employez chaque fois **lequel**, etc., dans la question et **celui**, etc., **de** ou **celui**, etc., **qui** dans la réponse.

Exemples:
- ***Laquelle*** *de ces lycéennes a dix-neuf ans?*
- ***Celle de*** *terminale.*
- ***Celle qui*** *habite une grande ville.*

(b) ***Exercice oral ⟶ Travail individuel***
Posez entre vous des questions, et donnez des réponses, portant sur les mots en italique dans les déclarations présentées ci-dessous. Dans les questions, employez le **pronom interrogatif lequel**, etc., et dans les réponses, le **pronom démonstratif celui**, suivi de **qui, que** ou **dont**.

Exemples:
- ***Laquelle*** *des filles dit que l'éducation physique est une matière secondaire?*
  Celle dont *les notes sont lamentables.*
  Celle qui *a des notes lamentables.*

Composez ensuite par écrit **quatre** questions portant sur les déclarations en employant respectivement **lequel, laquelle, lesquels, lesquelles**. Donnez aussi les réponses avec **celui**, etc., **qui, que** ou **dont**.

Mes notes en *éducation physique* sont lamentables. Mais *c'est une matière secondaire*, c'est écrit sur le carnet mais ça ne compte pas.

19 ans, terminale, grande ville (lycée technique)

Je sèche le plein air en hiver; *le foot sous la pluie, ce n'est vraiment pas marrant.*

17 ans, première, ville industrielle du Nord-Ouest

On nous encourage à croire que c'est plus impo tant de réviser l'interrogation de maths. J *vais au stade une semaine sur trois ou quatre.*

18 ans, première, station balnéaire en Normandie

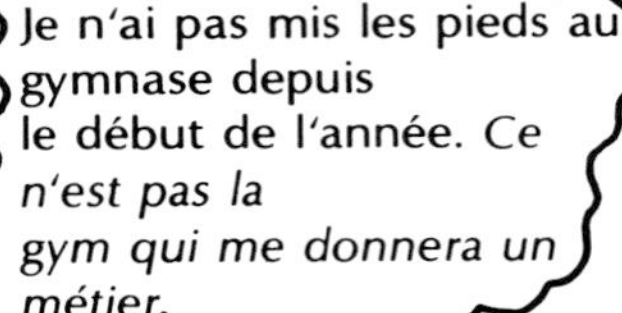

Je n'ai pas mis les pieds au gymnase depuis le début de l'année. *Ce n'est pas la gym qui me donnera un métier.*

15 ans, seconde, grande banlieue parisienne

Notre prof est très dynamique, c'est contagieux. *On passe des heures dans le métro pour aller disputer des matchs de volleyball.*

16 et 17 ans, première, proche banlieue parisienne

Ici, *on a vraiment l'impression de faire du sport*. Hier, après le stade, j'étais crevé. Mais c'est bien, on a vraiment travaillé.

19 ans, terminale, port de pêche en Bretagne

Chez nous, il n'y a pratiquement pas d'absentéisme. Nous avons deux magnifiques stades et quatre heures d'éducation physique par semaine.

20 ans, première supérieure, station de ski dans les Alpes

On nous fait attendre tout le temps puisqu'il n'y a qu'une corde et une poutre. Alors *notre mère nous écrit des mots d'excuses.*

16 ans, seconde, petite ville du Midi (soeurs jumelles)

Notre stade se trouve à 20 minutes en autobus. Si les bus n'arrivent pas, *nos deux heures de plein air se réduisent à 45 minutes.*

16 ans, seconde, port industriel dans le Midi

Vous appelez ça du sport On nous fait jouer au handball dans la cour avec des arbres partout, ou sous le préau avec de piliers.

17 et 16 ans, première, quartier ouvrier de Paris

ACTIVITÉS

1. Interview: le point de vue d'un joueur

Après le match entre Lamballe et l'A.S. Brestoise (*Découverte*, 2), un journaliste d'*Ouest-France* interroge un joueur lamballais sur le déroulement du match. Celui-ci présente le même genre de renseignements et d'opinions que le joueur d'En Avant (*Points de repère*).

Travail individuel En vous référant aux deux transcriptions que vous avez complétées (*Découverte*, 1, 3) et à vos notes sur les caractéristiques de la langue orale (*Découverte*, 3), rédigez par écrit le texte de l'interview.

2. Article de guide

Le *Guide des Sports et des Loisirs* présente les attraits et les avantages de différents sports ou distractions.

Travail individuel Vous composez pour ce guide un court article sur les attraits et les avantages de votre distraction ou sport préféré (yoga, équitation, athlétisme, etc.). Votre article parle des détails suivants:

- caractéristiques du sport ou de la distraction en question (plaisirs, risques)
- qualités (physiques, intellectuelles, morales) qu'il/elle développe chez le participant
- endroit(s) où on le/la pratique (difficultés d'accès, prix d'entrée, cotisations)
- équipement qu'il faut acheter (ce qu'il faut considérer)
- conseils pour le débutant.

Consultez, si vous le voulez, les extraits qui suivent.

Début possible (le golf):

Un bon coup d'œil, de la concentration, beaucoup de sang-froid: voilà qui fait du golf un sport de précision et de maîtrise de soi . . .

PARLONS ÉQUIPEMENT

Pour les débutants qui tiennent à avoir un équipement personnel, une paire de chaussures (150 F environ) et 6 cannes d'occasion (350 F env.) font l'affaire. On leur conseille généralement d'acheter 4 fers et 2 bois dont un *wedge* (pour les approches) et un *putter* (pour le green). Avec le temps, l'équipement peut être complété, soit directement auprès du *proshop* – le magasin du professeur – soit auprès de magasins spécialisés. L'investissement ne dépassera pas 3 000 F, même.

LE SPORT DE TOUTE UNE VIE

Regardez les joueurs sur un court. Ce sont des enfants et des grands-parents, des hommes et des femmes, des équipes mixtes et des couples. Le tennis se pratique en plein air ou en salle, en été ou en hiver. Et dans les vestiaires, vous pouvez vérifier que les pratiquants viennent de tous les horizons. Le tennis est en passe de devenir l'une des activités sportives les mieux adaptées à la vie moderne.

Les petits se défendent-ils aussi bien que les grands, les faibles que les forts? Oui, puisque le tennis est autant une affaire de ténacité et de stratégie que de qualités physiques. Et l'esprit de compétition est sans cesse renouvelé par un système de points qui peut prolonger une partie. Au bout d'une heure, vous en sentirez déjà les effets et rien n'est plus agréable, après avoir sué sang et eau, que le moment de la douche.

MIEUX VAUT APPRENDRE

Ceux qui ont déjà fait du patin à roulettes et du ski progressent plus facilement, car ils ont le sens de l'équilibre. Mais les débutants peuvent souvent se lancer tout seuls. Le recours à un professeur (25 F la séance d'un quart d'heure) permet cependant de vaincre plus rapidement les premières difficultés. Voici quelques conseils:

1. Lancez-vous sur la glace, au lieu de rester agrippé à la balustrade d'appui.

2. Recherchez le contact avec la glace, plutôt que la vitesse.

3. Sachez tomber, en évitant de vous raidir.

4. Ne tardez pas à apprendre à glisser en arrière, c'est un mouvement essentiel dans le patinage.

5. Si vous êtes fatigué, n'hésitez pas à vous reposer quelques minutes. Délacez vos chaussures pour faciliter la circulation du sang.

Pour vous familiariser avec vos patins, avez-vous pensé que vous

UNE MÉTHODE D'AUTO-DÉFENSE

Les spécialistes traduisent le terme Judo par « la voie de la souplesse » et, de fait, c'est bien une méthode fondée sur la non-résistance au partenaire. Ce qui implique de sentir l'imminence de l'attaque de l'adversaire et d'utiliser la force contenue, contre l'adversaire lui-même. Belle école d'énergie et d'intelligence, le judo développe la souplesse, l'adresse, la précision, la coordination des gestes. Il fait oublier l'appréhension, éloigne la crainte de la douleur, galvanise le pratiquant, assuré de trouver dans ce sport une des meilleures méthodes d'auto-défense.

UN MAILLOT, UNE SERVIETTE . . .

1. En piscine:

C'est la façon la plus facile de pratiquer la natation en ville. La très grande majorité d'entre elles possèdent aujourd'hui des piscines publiques. Le prix d'entrée varie entre 3 et 15 F. Mais de très nombreuses possibilités de réductions existent (abonnements, prix pour les jeunes ou le troisième âge, entrées gratuites pour les clubs . . .). Dans les piscines municipales ou privées, tous les bassins sont contrôlés par des maîtres-nageurs qui assurent la formation et la sécurité des nageurs.

Comment organiser votre séance de natation?

– nagez plutôt le matin et prévoyez une demi-heure de récupération après votre séance (dix minutes à une heure);

– prenez une douche (froide ou tiède) avant d'entrer dans l'eau: elle préparera votre corps à la différence de température;

– entrez progressivement dans la piscine, ne plongez pas;

– débutez par de courtes distances, en prenant une ou deux minutes de repos entre chaque aller et retour; ce n'est qu'après quelques bassins d'échauffement que vous tenterez le 300, le 500 ou le 1 000 m.

POINTS DE REPÈRE

Les fanatiques du cyclisme, participants ou supporters, sont très nombreux en France. Dans l'article suivant, tiré du magazine *Antirouille*, une adolescente raconte une randonnée à bicyclette qu'elle a faite avec des amis pendant les vacances d'été.

Travail individuel* ⟶ *Mise en commun Lisez attentivement cet article et notez brièvement ce que vous apprenez sur:

- **la randonnée**
  - moment
  - région
  - durée
  - nombre de participants
  - âge des participants
  - itinéraire
  - hébergement
  - distances parcourues
  - durée des étapes
  - composition des groupes
- **les préparatifs**
  - révision des vélos
  - choses à apprendre
  - conseils échangés
- **l'expérience d'Isabelle**
  - réactions physiques
  - avantages, selon elle, des randonnées.

Comparez vos notes avec celles des autres étudiants.

COMME SUR DES ROULETTES°

Une envie qui traîne° depuis longtemps, qui germe° un jour un peu plus précisément, et c'est le point de départ d'une quinzaine de jours de randonnée à vélo° en Bretagne.

Isabelle, 17 ans, l'a fait l'an dernier avec une bande hétéroclite° d'amis: des adultes, des enfants d'une dizaine d'années, et deux copains° de son âge.

« On s'est tous retrouvé° à la fin du mois d'août, et on a fait connaissance° en révisant° ensemble tous les vélos: chaînes à tendre,° dérailleurs° et dynamos à régler,° pneus à gonfler° . . . et puis on a appris à réparer une crevaison,° changer un patin de frein,° graisser° la chaîne.

Une peau de chamois

Ceux qui avaient déjà fait ce genre de balade° nous ont donné leurs « trucs° », par exemple mettre une peau de chamois° sous les fesses° ou du moins mettre un slip° et un short sans couture;° on a vite compris l'utilité de ce conseil!

Pour l'itinéraire on n'avait rien prévu° à l'avance. On voulait voir simplement au jour le jour.° Une seule idée: nous retrouver tous les soirs, pour manger et dormir.

60 kms peinard°

Au début, on faisait environ 60–70 kms par jour. Deux fois deux heures de route, très peinard. On partait en petits groupes, un peu au hasard, plus en fonction de la force physique que de l'âge.

Les premiers jours, 60 kms ça me suffisait largement: au début les jambes tirent pas mal;° il y avait de bonnes côtes° et je n'arrivais pas à reprendre force° sur les plats;° le rythme est venu petit à petit. Et puis quelle griserie° dans les descentes!

Avec l'entraînement,° j'ai fait des détours pour voir des villages, aller me baigner. Je tenais° une centaine de kms par jour sans être épuisée en arrivant.

Loin des odeurs d'essence

Chaque soir, on se retrouvait, pour camper dans un champ que l'un ou l'autre repérait.° On n'a jamais eu de problème pour avoir l'autorisation du propriétaire.

Je me souviens d'un jour par exemple où on a été invité tous les quinze à un repas pantagruélique° par un fermier. On avait l'air de l'amuser à voyager comme ça. Il nous voyait d'un œil un peu différent des touristes classiques avec voiture et appareil photo.

En se baladant° à bicyclette, on sort de la course° aux kilomètres, et des odeurs d'essence des routes nationales. Les petites routes, les chemins creux° sont vraiment à nous. On peut réellement prendre le temps. »

● **comme sur des roulettes** a real doddle **traîner** float around **germer** germinate, take shape **randonnée** (f) **à vélo** bike trip **hétéroclite** assorted **copain** (m) mate **se retrouver** meet up **faire connaissance** get to know each other **réviser** check over **tendre** tighten **dérailleur** (m) gears **régler** adjust **gonfler** pump up, inflate **crevaison** (f) puncture **patin** (m) **de frein** brake block **graisser** oil **balade** (f) trip **truc** (m) tip **peau** (f) **de chamois** piece of chamois leather **fesses** (f pl) bottom **slip** (m) pants **couture** (f) seam **prévoir** work out **(voir) au jour le jour** (take) each day as it comes ***(très)* peinard** nice and easy **les jambes tirent pas mal** (you) certainly feel it in the legs **côte** (f) hill **reprendre force** recover **plat** (m) flat part **griserie** (f) (feeling of) intoxication **entraînement** (m) training **tenir** manage **repérer** spot **pantagruélique** gigantic **se balader** go around **course** (f) race **chemin** (m) **creux** sunken lane

DÉCOUVERTE DU TEXTE

1. A l'origine de l'article: une interview

En réalité, le témoignage d'Isabelle n'a pas été raconté tel quel. Il se compose plutôt d'une série de réponses à des questions posées par un journaliste.

Exercice oral* ⟶ *Travail à deux Sous la direction du professeur, reprenez une à une les informations que vous avez notées (*Points de repère*): **moment, région, durée**, etc; retrouvez les questions posées par le journaliste et les réponses d'Isabelle. Ensuite, réinventez toute cette interview avec un(e) partenaire.

Début possible:

Journaliste *Alors, Isabelle, quand est-ce qu'elle a eu lieu, cette randonnée?*
Isabelle *Pendant les grandes vacances, fin août et début septembre.*

2. Vocabulaire: emploi familier ou argotique

(a) Dans son témoignage Isabelle a employé, comme n'importe quelle jeune Française, des expressions **familières** ou **argotiques**. En répondant aux questions du journaliste, elle aura vraisemblablement employé d'autres expressions de ce genre.

Travail individuel Récrivez les propos d'Isabelle qui suivent en remplaçant chaque fois les mots en italique par une expression **familière** ou **argotique**. Faites les changements grammaticaux qui conviennent.

heureusement que j'avais des *amis* de mon âge mais les autres étaient *gentils* eux aussi . . . certains avaient déjà fait ce genre de *randonnée* . . . nous avons profité de leurs *astuces*: une peau de chamois sous les fesses par exemple . . . au début les jambes tiraient *beaucoup* . . . plus tard on faisait 100 km sans être *épuisé*, quatre heures de route, *tout tranquillement* . . . chaque soir on s'est réuni pour préparer notre *repas* et pour *dormir* . . . un soir on *a beaucoup mangé* chez un fermier qui trouvait ça *drôle* de nous voir à vélo . . . mais un vélo c'est finalement mieux qu'une *voiture*, on peut *se promener* comme on veut

Expressions familières et argotiques

truc (m)
pas mal
se goinfrer
claqué
roupiller
sympa (inv)
bagnole (f)
se balader
très peinard
marrant
copain (m)
bouffe (f)
balade (f)

(b) De retour en classe, une camarade d'Isabelle lui pose des questions sur ses vacances à vélo.

Exercice oral Posez des questions (pour la camarade) au professeur (qui prendra le rôle d'Isabelle). Employez chaque fois, de mémoire, une expression **familière** ou **argotique**.

Exemple:

Camarade *Tu es partie avec des **copains**?*
Isabelle *Oui, c'est ça, avec une bande d'amis.*

Demandez à Isabelle:

- si elle est partie avec des *amis*
- s'ils étaient *gentils*
- si c'était sa première *randonnée* à vélo
- quelles *astuces* ils ont apprises
- si elle n'était pas *fatiguée* tous les soirs
- s'ils roulaient donc *tranquillement*
- qui faisait la *cuisine*
- où ils allaient pour *dormir*
- s'il y a eu des incidents *amusants*
- pourquoi ils ne sont pas partis en *voiture*
- pourquoi elle aime *se promener* à vélo
- si elle a appris *beaucoup* de choses.

À COMPLÉTER, À NOTER ET À MÉMORISER

Expressions et structures

- une ________ (de jours) (= *deux semaines*)
- une randonnée _ vélo (cp. _ *bicyclette*, _ *pied*)
- une ________ _' années (= *approx. 10*)
- ils ont ______ connaissance
- ______ à tendre, ________ à régler, ______ à gonfler (*énumération: omission de l'article*)
- leurs 'trucs', ___ exemple une peau de chamois
- on n'avait rien prévu _ _' avance
- on voulait vivre __ jour __ jour
- __ ____ (= *d'abord*) on faisait 60–70 km ___ jour
- les groupes se formaient un peu au ______
- le rythme est venu ______ _ ______ (= *progressivement*)
- ______ griserie!
- il nous voyait _' un œil différent

Constructions verbales

- on a appris __ réparer une crevaison
- je n'arrivais pas __ reprendre force
- je me souviens __ ce jour-là
- il nous a invités __ un repas (cp. *il nous a invités à manger*)
- nous avions l'air __ l'amuser

Formes

précis ⟶ adv
(cp. énorme ⟶ adv
profond ⟶ adv)

Noms et verbes

- réviser ⟶ la ________ des vélos
- tendre ⟶ la ________ de la chaîne
- régler ⟶ le ________ des dynamos (cp. *le règlement* pour la police, un lycée, etc.)
- réparer ⟶ la ________ d'un pneu
- crevaison (f) ⟶ un pneu a ______
- graisser ⟶ nous avons mis de la ______
- balade (f) ⟶ ils s'étaient déjà ______ en Bretagne
- prévoir ⟶ on a fait preuve d'une certaine ________ (cp. *la prévision* météorologique)
- griserie (f) ⟶ l'air de la campagne nous a ______
- se baigner ⟶ j'ai pris des ______ (m) dans la rivière
- épuiser ⟶ dans un état d' ________ (m)

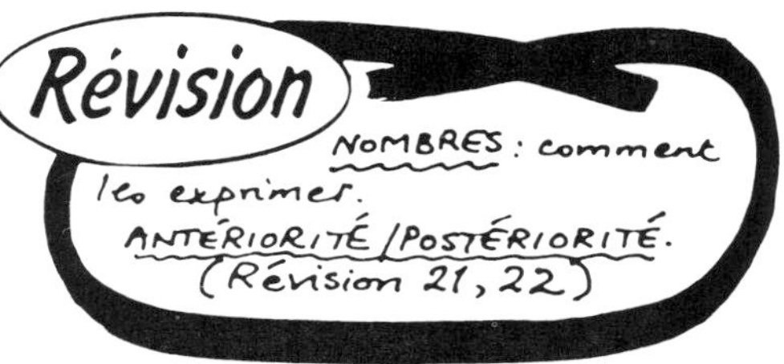

Révision
NOMBRES: comment les exprimer.
ANTÉRIORITÉ/POSTÉRIORITÉ.
(Révision 21, 22)

EXERCICES

1. Vocabulaire du vélo (Il faut + infinitif, il faut que + subjonctif)

(a) Les conseils présentés à droite (*Pour rouler longtemps . . .*), sur les précautions à prendre en randonnée, accompagnaient l'article d'*Antirouille* que vous avez lu.

Travail individuel Lisez une première fois ces conseils, puis rédigez une liste des mots qui correspondent aux chiffres (**vélo, outillage**):

VÉLO **OUTILLAGE**

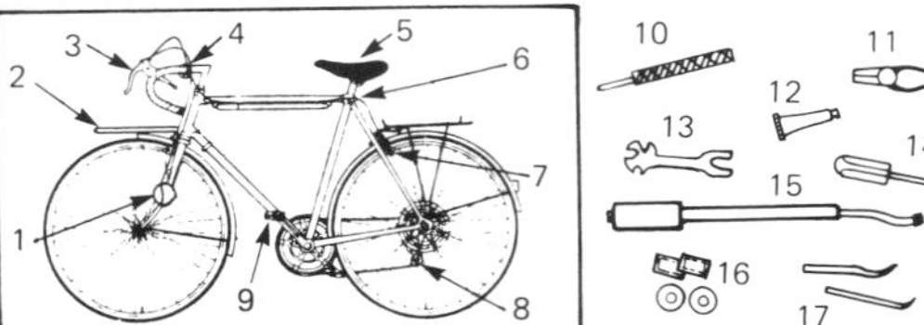

(b) ***Travail individuel* ——> *Exercice oral*** En consultant l'article *Comme sur des roulettes* et l'extrait *Pour rouler longtemps . . .*, complétez le tableau présenté à droite; notez quelle est l'utilité de chacun des objets mentionnés. Le professeur vous demandera ensuite de lui dire, de mémoire, quand on emploie chacun de ces objets. Vous répondrez de la manière suivante, en employant **il faut + infinitif**:

– *Quand est-ce qu'on emploie un démonte-pneus?*
– *Quand **il faut démonter** un pneu crevé.*

(c) ***Travail individuel* ——> *Exercice oral*** En consultant l'extrait *Pour rouler longtemps . . .*, complétez les phrases suivantes de façon à offrir des conseils au randonneur.

Exemple:
*Le randonneur doit savoir régler **la hauteur de la selle et du guidon.***

Le randonneur doit savoir régler . . .
Le bout du pied doit pouvoir . . .
Le talon doit reposer . . .
Les jambes doivent être . . .
Le corps doit . . .
Le guidon idéal doit . . .
La selle doit . . .
Les bagages doivent . . .

Avec le professeur, reprenez maintenant ces conseils en employant chaque fois, au lieu du verbe *devoir*, **il faut que + subjonctif**.

Exemple:
***Il faut que** le randonneur **sache** régler la hauteur de la selle et du guidon.*

POUR ROULER LONGTEMPS ET SANS FATIGUE

D'abord ne jamais prendre de mini-vélo, inadapté aux longs trajets. Prendre au minimum un vélo à 3 vitesses.

– LE RÉGLAGE: il faut prévoir sa position en fonction de la place du guidon et de la selle, qu'on peut faire bouger avec une clé multiple grâce à des écrous de serrage fixés dessous: il faut toucher le sol du bout du pied à l'arrêt (et pas le pied à plat); le bon réglage est atteint quand, en pédalant en arrière, les talons reposent sur les pédales et qu'on conserve les jambes tendues à chaque extension. Il ne faut pas rouler avec le corps droit mais légèrement incliné, c'est meilleur pour le dos et la respiration.

Le guidon idéal a la largeur des épaules du cycliste. La selle doit être, pour des longues courses, étroite et souple (mais pas trop longue pour les filles).

– L'OUTILLAGE NÉCESSAIRE: trois démonte-pneus, des rustines, de la dissolution, une râpe pour nettoyer les chambres à air, une pompe, un tournevis pour le réglage des dérailleurs, deux pinces, une clé multiple, un câble de frein, un patin de frein, un câble de dérailleur, des ampoules de lampe (si vous roulez beaucoup la nuit).

– LE CHARGEMENT: jamais de sac à dos, ça déséquilibre trop. Choisir plutôt deux sacoches (grosse toile, si possible à soufflets). Le supplément de bagages doit être de préférence placé sur un porte-bagages avant, c'est plus facile à traîner.

ON EMPLOIE:	POUR:
– un démonte-pneus	– démonter un pneu crevé
– des rustines et de la dissolution	–
– une râpe	–
– une pompe	–
– un tournevis	–
– une clé multiple	–
– un porte-bagages	–

2. Les articles partitif et défini: faire du . . . , etc., jouer au . . . , etc., jouer du . . . , etc. Apprécier/ne pas apprécier

▶ Isabelle nous dit qu'elle a **fait du cyclisme** en Bretagne.
Pour parler d'une activité sportive ou culturelle, on emploie ainsi **faire du** (*cyclisme*, etc.), **faire de la** (*planche à voile*, etc.). Pour un jeu spécifique, on emploie normalement **jouer au** (*tennis*, etc.), **jouer à la** (*pétanque*, etc.). Pour un instrument de musique, par contre, on dit **jouer du** (*piano*, etc.), **jouer de la** (*guitare*, etc.). ◀

(a) Quelles activités, sportives ou culturelles, avez-vous vous-même pratiquées? Figurent-elles toutes dans le tableau présenté ci-contre (en haut)?

Travail individuel* ——> *Travail à deux/Exercice oral En consultant, si vous le voulez, ce tableau, notez quatre ou cinq **activités** auxquelles vous avez participé. Notez aussi **quand**, **où** et **avec qui** vous les avez faites.

Exemples:
*L'an dernier, **j'ai fait de l'équitation** en vacances avec ma famille en Ecosse.*
***J'ai joué aux échecs** à l'école primaire dans un club organisé par un instituteur.*
*Tous les weekends, **je joue de la guitare** avec un groupe d'amis.*

Interrogez ensuite votre partenaire sur les activités qu'il/elle a pratiquées (**quoi, quand, où, avec qui**); répondez à votre tour à ses questions. Pour finir, communiquez les activités de votre partenaire à l'ensemble de la classe.

Loisirs dirigés, loisirs libres

QUELQUES ACTIVITÉS . . .		. . . ET LEUR CARACTÉRISTIQUE	
alpinisme (m)	peinture (f)	exténuant	gracieux
échecs (m)	cuisine (f)	satisfaisant	exaltant
piano (m)	boules (f)/pétanque (f)	dangereux	lent
photographie (f)	boxe (f)	grisant	violent
danse (f)	bricolage (m)	passionnant	exigeant
badminton (m)	ping-pong (m)	effrayant	spectaculaire
planche (f) à voile	batterie (f)	reposant	cruel
ski (m)	équitation (f)	fatigant	enfantin
pêche (f)	camping (m)	actif	grégaire
football (m)	athlétisme (m)	amusant	amical
randonnées (f) à pied	tissage (m)	brutal	absorbant
	tennis (m)	ennuyeux	difficile
escrime (f)	natation (f)	rapide	banal
guitare (f)	voile (f)	éducatif	épuisant
philatélie (f)	judo (m)	solitaire	minutieux
poterie (f)	chasse (f)	intéressant	dégoûtant

▶ Lorsqu'on parle de quelque chose d'une manière **générale**, on emploie normalement l'**article défini**:

J'aime beaucoup **le cyclisme**.
Les randonnées vous emmènent loin des odeurs d'essence.

Pour dire que l'on **apprécie** ou **n'apprécie pas** telle ou telle activité sportive ou culturelle, on pourrait employer des expressions telles que:

Apprécier	Ne pas apprécier
J'aime/J'adore . . .	**Je déteste/J'exècre . . .**
. . . me plaît/ravit.	**. . . me déplaît/dégoûte.**
Je trouve que . . . est un sport (gracieux).	**. . . est un sport (violent).** ◀

(b) Parmi les activités mentionnées dans le tableau *Loisirs dirigés, loisirs libres* (ci-dessus), il doit y en avoir que vous **appréciez**, d'autres que vous **n'appréciez pas**.
Travail individuel/Exercice oral Notez **trois** activités qui vous **plaisent, trois** autres qui vous **déplaisent**. Trouvez aussi, si vous le voulez dans le tableau (à droite), l'**adjectif** qui, pour vous, décrit le mieux chaque activité. Dites maintenant au professeur les activités que vous **appréciez** et **n'appréciez pas**.

Exemples:
J'adore *la danse.* ***Je trouve que c'est une activité*** *tellement* ***gracieuse.***

La chasse ***est un sport cruel****, qui* ***me dégoûte.***

3. Adjectif + à/de + infinitif

▶ Selon Isabelle, **il est facile d'obtenir** l'autorisation d'un fermier pour camper dans un champ.
Après **il est facile/difficile**, l'**infinitif** se construit avec **de**. Mais après **facile/difficile**, l'**infinitif** se construit normalement avec **à**:

L'autorisation du fermier n'est pas **difficile à obtenir.**

Certains autres **adjectifs** sont suivis de **à + infinitif** seulement, d'autres de **de + infinitif** seulement. ◀

(a) L'extrait présenté, ci-dessous, *Promenades*, est tiré d'un dépliant publié par l'Office de Tourisme de Guingamp (Bretagne).
Travail individuel ⟶ Exercice oral Dans cet extrait cherchez, sans les écrire, les réponses aux questions qui suivent:

1. Qu'est-ce que l'Office de Tourisme est **prêt à** fournir au touriste?
2. Est-ce que les vestiges du château de Pierre de Bretagne sont **faciles à** distinguer?
3. Pourquoi le touriste sera-t-il **capable de** mesurer de l'œil l'épaisseur des fortifications?
4. Est-il encore **possible de** visiter le château sur la place du Château?
5. Quelle a été la **dernière** partie de la basilique **à** être reconstruite?
6. Quelle a été la **seule** partie de l'édifice original **à** survivre?
7. Est-il **facile de** visiter la basilique en quelques minutes?
8. Sur la place du Centre, la fontaine actuelle fut-elle la **première à** être construite?
9. A quoi le touriste sera-t-il **heureux d'**échapper au sommet de la rue Léonard?

Le professeur reprendra maintenant avec vous les questions. Répondez en essayant de mémoriser les constructions en caractères gras.

PROMENADES

L'Office de Tourisme de Guingamp vous offre un service de documentation sur la ville et ses environs.

L'ancienne ville fortifiée En sortant de l'Office de Tourisme, examinez les vestiges de l'ancien château de Pierre de Bretagne qui se distinguent sans difficulté. Traversez la place du Vally et montez l'escalier, en haut duquel une brèche dans les fortifications permet d'apprécier leur épaisseur: plus de 2m 50! Ici vous pénétrez sur la place du Château où aucun vestige de l'ancien château n'est aujourd'hui visible. A gauche, admirez la Basilique Notre-Dame, dont la tour, détruite en 1944, fut reconstruite en 1955. De la chapelle d'origine du 11e siècle il ne reste que quatre piliers. Cette cathédrale offre des richesses architecturales pour lesquelles une visite d'une heure suffira à peine.

Descendez maintenant sur la place du Centre. Ici n'omettez pas d'admirer les maisons médiévales et la célèbre fontaine de la Plomée: la première fontaine au bas de la place fut remplacée en 1588 par une seconde que vous pourrez admirer aujourd'hui. Remontez finalement la rue Notre-Dame; à votre gauche vous verrez l'Hôtel de Ville, une des plus belles mairies de Bretagne.

Bien d'autres visites restent à faire. Rendez-vous notamment au sommet de la rue Léonard où, loin du bruit, vous pourrez vous promener dans les sous-bois.

(b) A vous maintenant de composer quelques lignes d'un dépliant publicitaire.

Travail individuel Composez un ou deux paragraphes, sérieux ou humoristiques, sur un endroit que vous connaissez. Employez au moins **six** de ces adjectifs avec **à** ou **de + infinitif**: *facile, difficile, capable, possible, dernier, seul, premier, prêt, heureux.*

Début possible:

LE LYCÉE ST-MARTIN

*La direction du lycée St-Martin est très **heureuse d'**offrir aux parents d'élèves et de futurs élèves des informations sur l'établissement et son équipement.*

L'ancien bâtiment principal En arrivant devant l'entrée du lycée, examinez l'imposante façade en briques rouges où il est ***facile de*** distinguer

4. Les distances et l'espace

▶ Isabelle nous raconte qu'en randonnée « on faisait environ **60–70 km** par jour ».

Dans les itinéraires, les **distances** et l'**espace** s'expriment de diverses façons, comme dans les phrases suivantes par exemple:

1. **La distance de** Dinan **à** Pleslin **est de** 13 kilomètres.
2. Ploubalay **se trouve à** 18 km **de** Dinan.
3. Pleslin **est plus éloigné de** Dinan **que de** Ploubalay (**de** 2 km).
   (Pleslin est **plus près de** Ploubalay).
4. **A partir de** Dinan, **il faut passer par** Ploubalay **pour aller à** Lancieux.
5. **Partant de** Dinan sur la départementale 2, **on aboutit à** Ploubalay.
6. La D2 **mène de** Dinan **à** Ploubalay.
7. La D2 ne **passe** pas **par** la Motte, elle **passe à côté**.
8. **En quittant** Dinan sur la D2, on voit le château de la Garaye.
9. **En arrivant à** la Rougerais, **vous avez** le château de la Motte **sur votre gauche**.
10. **Pour aller de** Dinan **à** Ploubalay **on emprunte** la D2.

◀

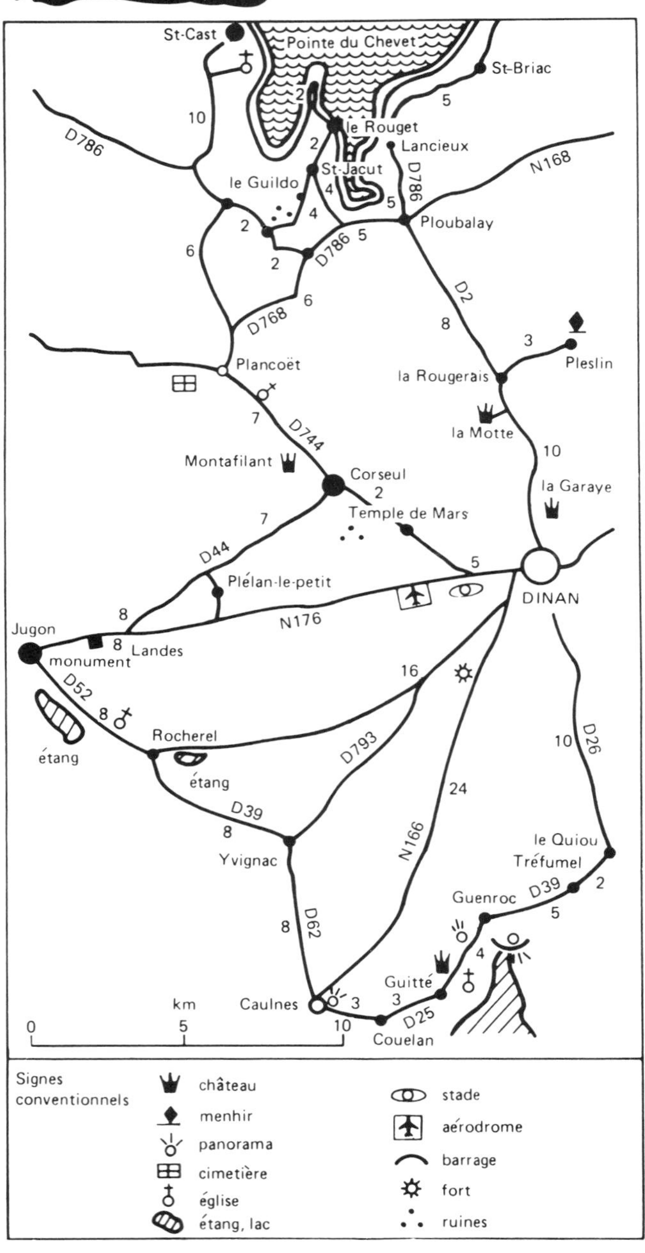

(a) La carte à droite montre une partie de la Bretagne aux alentours de Dinan.

Travail individuel/Exercice oral Lisez attentivement les phrases dans le cadre ci-dessus, en consultant la carte. Ensuite, sous la direction du professeur, composez oralement une question et une réponse correspondant à chaque phrase.

Exemple (quatrième phrase):
– ***A partir de*** *Dinan,* ***par*** *où* ***faut-il passer pour aller à*** *Lancieux?*
– ***Par*** *Ploubalay.*

(b) ***Travail individuel*** ——➤ ***Travail à deux*** En consultant les détails de la carte, rédigez par écrit **dix** phrases ayant respectivement la même structure que chacune des phrases dans le cadre ci-dessus. Réemployez chaque fois les mots en caractères gras qui indiquent les **distances** et l'**espace**.

Exemple (première phrase):
La distance de *Dinan* **à** *Plancoët* ***est de*** *14 kilomètres.*

Ensuite, posez à votre partenaire des questions basées sur les phrases que vous venez de rédiger. Il/Elle répondra en consultant la carte.

5. L'espace et le temps

▶ Dans les itinéraires, on emploie régulièrement certaines expressions d'**espace** et de **temps**:

> On **se met en route** en **partant d'**un endroit pour **aller à** un autre; on peut **prendre le chemin direct** ou **s'écarter du chemin**; on peut **faire le trajet d'un trait** ou **s'arrêter en route**; on **arrive à destination à/vers** telle ou telle **heure**, ayant **parcouru** une certaine **distance** et ayant **mis** un certain **temps**.

◀

vendredi 4 septembre

09h 04	départ de Dinan, la Garaye	15h 05	Plancoët
09h 46	château de la Motte (5 min)	15h 29	arrivée, château de Montafilant
10h 10	arrivée, menhir de Pleslin	. . . . .	(sieste à l'ombre du château)
. . . . .	(promenade à pied)	15h 55	départ, château de Montafilant
10h 36	départ de Pleslin	16h 07	temple de Mars (3 min)
11h 18	Ploubalay	16h 50	Plélan-le-petit
11h 59	St-Jacut	. . . . .	(promenade, repos)
12h 21	pointe du Chevet (8 min)	17h 20	départ de Plélan
12h 33	arrivée, plage du Rouget	17h 58	étang de Jugon (2 min)
. . . . .	(baignade, pique-nique)	18h 25	arrivée, étang de Rocherel
13h 45	départ, plage du Rouget	. . . . .	(camping sauvage au bord de l'étang).
14h 33	ruines du Guildo (5 min)		

(a) Vous trouverez à droite l'itinéraire exact d'Isabelle et des autres randonneurs pour le septième jour de leurs vacances, dans la région indiquée sur la carte (*Exercices*, 4).

Exercice oral* ⟶ *Travail à deux Sous la direction du professeur, répondez à ces questions comme si vous étiez Isabelle. Basez-vous sur la première étape (de *09h 04* à *10h 10*). Employez les expressions d'**espace** et de **temps** présentées ci-dessus.

Vous êtes partis d'où? A quelle heure? Pour aller où?
Vous vous êtes écartés du chemin? Pourquoi?
Vous avez fait le trajet d'un trait?
Vous êtes arrivés à destination vers quelle heure?
Vous aviez parcouru quelle distance à peu près?
Vous avez mis environ combien de temps?

En vous basant chaque fois sur une étape différente (de *10h 36* à *12h 33*, puis de *13h 45* à *15h 29*, etc.), posez des questions à un(e) partenaire (à Isabelle) et répondez à tour de rôle. Employez dans vos questions, ou vos réponses, les expressions d'**espace** et de **temps** présentées ci-dessus.

(b) ***Travail individuel*** Racontez par écrit une étape de cet itinéraire. Employez des expressions d'**espace** et de **temps**.

Début possible:

*En **partant du** Rouget après le déjeuner, nous nous sommes **mis en route vers** deux heures pour **aller à** . . .*

6. La conséquence (sans + infinitif, sans que + subjonctif)

▶ Au début de ses vacances, Isabelle n'était pas encore en forme. **Par conséquent, ses jambes tiraient et elle se fatiguait rapidement.** Plus tard, elle arrivait à faire une centaine de kilomètres **sans être épuisée**.
Dans ces phrases, l'on parle d'une **conséquence** qui **se réalise** et d'une autre qui **ne se réalise pas.** ◀

(a) Le Tour de France est peut-être la course cycliste la plus célèbre du monde. Il se dispute tous les ans, pendant trois semaines au mois de juillet, sur quelque 4 000 kilomètres. A chaque étape, le coureur qui se trouve en première position au classement général porte le maillot jaune. Le tableau, *Une étape historique* (p. 160), présente les incidents marquants d'un Tour particulièrement dramatique. Mais quelques-unes des **conséquences** indiquées à droite ne se sont pas en réalité produites. Lesquelles? A vous de les trouver.

Travail individuel/à deux Avec ou sans partenaire, écoutez le récit enregistré. Pour chacune des **causes** présentées dans le tableau (i), notez par écrit si la **conséquence** indiquée à droite (ii) **s'est réalisée** ou **non**.

Exemples:

1. × *(la conséquence ne s'est pas réalisée).*
3. √ *(elle s'est réalisée).*

Une étape historique

(i) CAUSE	(ii) CONSÉQUENCE
1. En 1975, la grippe a affaibli Eddy Merckx, vainqueur du Tour précédent.	Il veut abandonner le Tour de France.
2. Il se trouve en bonne forme au départ du Tour.	Il prend tout de suite le maillot jaune.
3. A la 7ᵉ étape, il fait un sprint extraordinaire.	Il passe en première position au classement général.
4. Thévenet, son rival français, court courageusement.	La distance entre lui et Merckx se réduit avant les Pyrénées.
5. Dans les Pyrénées, Merckx commence à se fatiguer.	Thévenet le rattrape d'une minute.
6. Thévenet gagne la première étape pyrénéenne.	Il prend le maillot jaune à la fin de cette étape.
7. Au Puy de Dôme, un spectateur frappe Merckx au foie.	Merckx a une blessure interne.
8. Merckx souffre terriblement.	Le médecin lui prescrit des cachets pour calmer la douleur.
9. Dans le col de la Madeleine Thévenet attaque.	Merckx perd tout de suite la première position.
10. Vers la fin de la 15ᵉ étape, Merckx ralentit inexplicablement.	Le Français Thévenet gagne l'étape avec 55 secondes d'avance au classement général.
11. Merckx est épuisé à la fin de cette étape.	Sa santé est gravement atteinte par la suite.

▶ Les conjonctions **de sorte que/si bien que + indicatif** expriment une **conséquence** qui **se réalise**:

Il a fait un sprint **de sorte qu'/si bien qu'il est passé** en première position.

Pour une **conséquence** qui **ne se réalise pas**, on peut employer:

si le **sujet** des deux parties de la phrase est **le même**:	**sans + infinitif**
si le **sujet** est **différent**:	**sans que + subjonctif**.

Regardez ces deux exemples:

*Il s'est trouvé en bonne forme au départ, **sans prendre** tout de suite le maillot jaune **(même sujet).***
*La grippe l'a affaibli, **sans qu'il veuille*** (cependant/toutefois/pour autant) *abandonner la course **(sujet différent).***

Après **sans que** on ajoute normalement un terme d'**opposition**: *cependant, toutefois, pour autant,* etc. ◀

(b) ***Travail individuel*** Pour chacune des **causes** (i) indiquées dans le tableau *Une étape historique* (ci-dessus), écrivez une phrase exprimant la **conséquence** (ii) qui **s'est réalisée** ou **ne s'est pas réalisée**. Employez, comme dans les exemples ci-dessus, **de sorte que/si bien que + indicatif** ou **sans + infinitif/sans que + subjonctif**.

ACTIVITÉS

1. Témoignage: vacances à pied ou à vélo

Vous avez peut-être vécu, ou vous pouvez imaginer, une randonnée à pied ou à vélo qui, à la différence de celle d'Isabelle, a mal tourné.
Travail individuel Notez d'abord les détails essentiels de ces vacances, comme par exemple:

- **la randonnée** moment, région, durée, etc.
- **les participants** nombre, âge, s'ils se connaissaient, etc.
- **les préparatifs** précautions ou, au contraire, manque de précautions, conseils échangés et leur valeur, etc.
- **ce qui s'est passé** temps qu'il a fait, circulation, difficultés rencontrées, réactions, rapports entre les randonneurs, etc.

En vous inspirant du témoignage d'Isabelle, composez le récit de cette randonnée décevante.

Début possible:
Une idée qui nous est venue un soir en bavardant a été le point de départ d'une randonnée catastrophique en Cornouailles. Dès le début, tout s'annonçait mal. On était une bande de . . .

2. Interview: une dure épreuve

A la suite de sa première victoire au Tour de France, Bernard Thévenet aura donné de nombreuses interviews.
Travail à deux Réécoutez le récit du Tour de France 1975 (*Exercices*, 6). Ensuite, en consultant, si vous le voulez, vos notes sur le tableau *Une étape historique*, préparez avec un(e) partenaire une interview entre un journaliste et le vainqueur, Bernard Thévenet.

Début possible:

Reporter	*Alors ça y est, vous avez gagné Bernard. Félicitations. Est-ce que vous aviez au départ l'impression que Merckx se portait mal?*
Thévenet	*Non, au contraire, il semblait être en bonne forme.*
Reporter	*A quel moment est-ce que vous avez commencé à le rattraper?*
Thévenet	. . . .

LE GRAND DÉPART

randonnées – cyclotourisme
vacances à la ferme en quercy

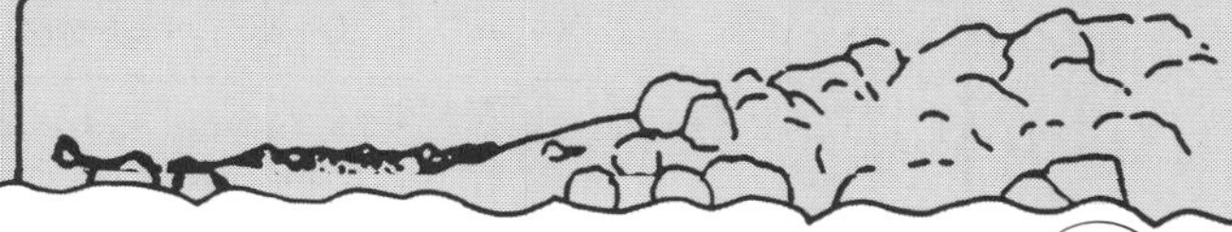

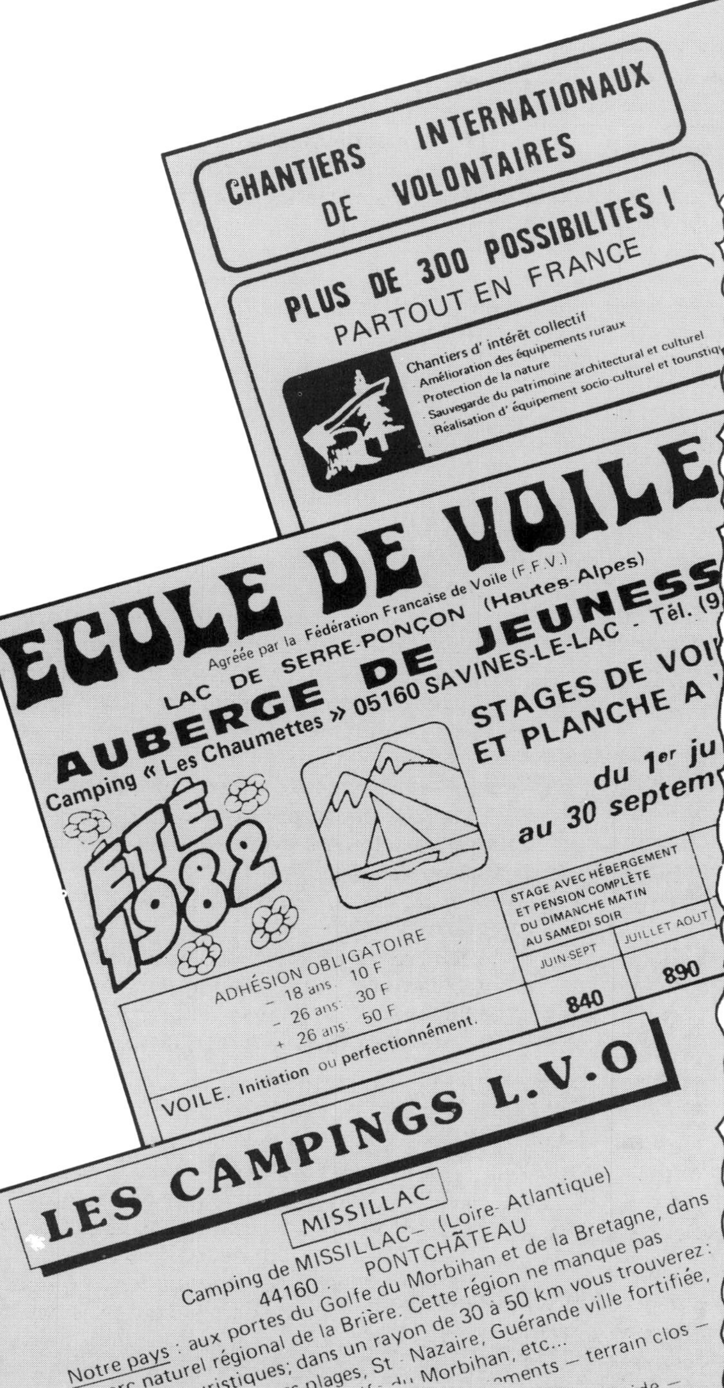

POUR PARTIR TRANQUILLEMENT (39)

ACTIVITÉS

1. Prise de renseignements

Vous avez l'intention de partir en France, soit individuellement soit en groupe, pour améliorer vos connaissances du français. Sur votre demande, un(e) ami(e) français(e) vous envoie une brochure sur des vacances qui vous intéressent particulièrement.

Travail individuel/à deux ⟶ Exercice oral Votre partenaire et vous, vous choisissez chacun(e) des vacances différentes: **école de voile/planche à voile, camping, randonnées/cyclotourisme**, ou **chantiers internationaux de volontaires**. Le professeur vous donnera la brochure qui correspond à vos vacances préférées (*Livret*, pp. 29–32). En consultant votre brochure, relevez individuellement, ou, si vous êtes libre de choisir, imaginez, le plus possible des détails suivants:

- catégorie de vacances/hébergement
- dates/durée
- région/lieu
- prix/conditions financières
- à qui vous adresser
- comment vous comptez y aller
- ce qu'on vous offre: équipements, facilités, activités, distractions, excursions, etc.
- ce qu'on demande de vous: niveau d'expérience, participation, documents, etc.
- pourquoi vous avez choisi ces vacances.

Interrogez maintenant votre partenaire sur ses vacances. En vous référant aux indications ci-dessus, demandez-lui quelle catégorie de vacances il/elle a choisie, à quel moment il/elle va partir, où il/elle va, etc. Répondez à votre tour à ses questions.
Pour finir, communiquez à l'ensemble de la classe les projets de vacances de votre partenaire.

2. Renseignements par téléphone

(a) Dans un article sur les vacances actives, vous avez relevé le numéro de téléphone de l'Association RACED (Randonnées à Cheval en Dordogne) qui offre, aux débutants comme aux cavaliers chevronnés, des vacances à cheval. Vous téléphonez à l'Association pour demander des informations.

Travail individuel En vous référant au schéma présenté à droite, composez d'abord les **questions** que vous allez poser, et notez les **informations** que vous allez donner.

(b) Maintenant écoutez la bande, au laboratoire par exemple: le responsable de l'Association (la bande) répondra à vos **questions** et vous demandera à son tour des **informations**.

Travail individuel ——> Mise en commun Posez oralement vos questions et donnez les informations indiquées dans le schéma. Notez soigneusement par écrit tout ce que le responsable vous dira sur:

- les places disponibles
- la durée des séjours
- l'hébergement et le confort
- les randonnées
- les autres activités
- les transports
- le niveau d'expérience exigé
- l'âge des stagiaires
- le prix des vacances
- les repas
- les distractions.

Pour finir, comparez vos notes avec celles des autres étudiants.

(c) Un(e) jeune s'informe au téléphone, auprès de l'organisateur concerné, sur des vacances qui l'intéressent.

Travail individuel ——> Travail à deux Votre partenaire et vous, vous prendrez chacun(e) une brochure différente (que vous n'avez pas encore lue, *Activités*, 1). Notez d'abord les **informations** qu'elle donne en ce qui concerne par exemple: *hébergement, dates des vacances, lieu, prix, équipements, activités, distractions, conditions de participation*, etc.

Notez aussi des **questions** qu'il faudrait poser pour obtenir de telles informations.

Ensuite, dialoguez, comme au téléphone, avec votre partenaire. Prenez tour à tour le rôle du/de la jeune et de l'organisateur des vacances dont il s'agit dans votre brochure.

Début possible:

- *Allô? C'est l'Auberge de Jeunesse de Savines-le-Lac? Je suis très intéressé(e) par vos stages de planche à voile.*
- *Très bien, monsieur/mademoiselle. Je suis à votre disposition. Vous voulez venir à quel moment?*

VOUS	RESPONSABLE
	Allô? Oui?
Allô. C'est l'Association RACED? Bonjour Monsieur, je suis très intéressé(e) par vos randonnées.	
	. . . . à quel moment?
. . . . fin juillet . . . . . août . . . . de la place?	
	. . . . êtes combien?
. . . . m'accompagne . . . . les séjours durent?	
	. . . .
Où . . . . hébergés? . . . . le confort moderne?	
	. . . .
. . . . randonnées tous les jours? . . . . autres activités?	
	. . . .
. . . . niveau d'expérience? . . . . limite d'âge?	
	. . . . avez quel âge?
. . . . ans . . . . prix? . . . . pension complète?	
	. . . .
. . . . le soir? . . . . distractions?	
	. . . .
. . . . pour arriver au centre?	
	. . . . savoir autre chose? . . . . réserver?
. . . . c'est tout . . . . rappellerai demain . . . . en parler avec	
	. . . . bulletin d'inscription . . . . nom? . . . . à quelle adresse?
. . . .	
	. . . . épeler votre nom, s'il vous plaît?
. . . .	
	. . . .
Merci d'avoir répondu à toutes mes questions. Au revoir Monsieur, et à bientôt.	

3. Une lettre de réservation

(a) Pour être sûr de pouvoir passer les vacances que l'on veut, où l'on veut, il est souvent nécessaire de réserver à l'avance une place, une chambre, un emplacement, etc. La lettre ci-dessous a été écrite par une jeune Anglaise de la part de sa famille qui souhaitait aller dans un hôtel en Bretagne.

Exercice oral* ⟶ *Travail individuel Le professeur vous posera d'abord des questions sur l'hôtel Beau-Séjour à Trégastel (sur l'**hôtel**, les **chambres**, le **restaurant** et l'**environnement**). Répondez en consultant la description de l'hôtel (à droite), et le tableau de symboles et d'abréviations qui l'accompagne.

Exemple:

– *Est-ce que l'hôtel est ouvert toute l'année?*
– *Non, il est fermé du 1er octobre au 15 mars.*

Ensuite, lisez attentivement la lettre qui suit et notez:

– les informations que donne Sharon
– les informations qu'elle veut recevoir.

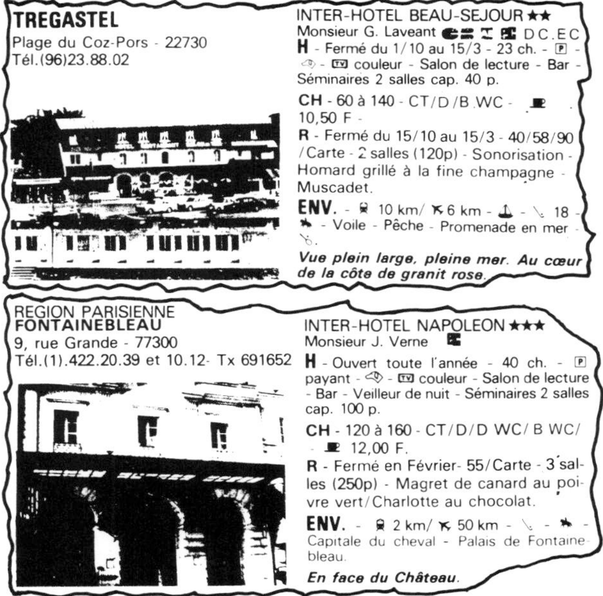

TREGASTEL
Plage du Coz-Pors - 22730
Tél.(96)23.88.02

INTER-HOTEL BEAU-SEJOUR ★★
Monsieur G. Laveant DC.EC
H - Fermé du 1/10 au 15/3 - 23 ch. - P - couleur - Salon de lecture - Bar - Séminaires 2 salles cap. 40 p.
CH - 60 à 140 - CT/D/B WC - 10,50 F -
R - Fermé du 15/10 au 15/3 - 40/58/90 /Carte - 2 salles (120p) - Sonorisation - Homard grillé à la fine champagne - Muscadet.
ENV. - 10 km/ 6 km - - 18 - - Voile - Pêche - Promenade en mer - .
Vue plein large, pleine mer. Au cœur de la côte de granit rose.

REGION PARISIENNE
FONTAINEBLEAU
9, rue Grande - 77300
Tél.(1).422.20.39 et 10.12- Tx 691652

INTER-HOTEL NAPOLEON ★★★
Monsieur J. Verne
H - Ouvert toute l'année - 40 ch. - P payant - - couleur - Salon de lecture - Bar - Veilleur de nuit - Séminaires 2 salles cap. 100 p.
CH - 120 à 160 - CT/D/D WC/ B WC/ - 12,00 F.
R - Fermé en Février- 55/Carte - 3 salles (250p) - Magret de canard au poivre vert/Charlotte au chocolat.
ENV. - 2 km/ 50 km - - - Capitale du cheval - Palais de Fontainebleau.
En face du Château.

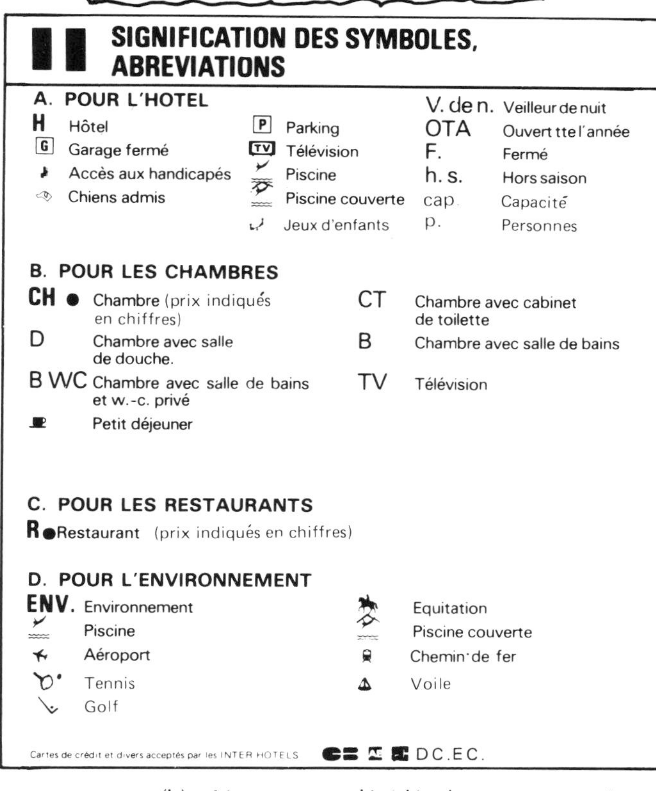

SIGNIFICATION DES SYMBOLES, ABREVIATIONS

A. POUR L'HOTEL

H	Hôtel	P	Parking	V. de n.	Veilleur de nuit
G	Garage fermé	TV	Télévision	OTA	Ouvert tte l'année
	Accès aux handicapés		Piscine	F.	Fermé
	Chiens admis		Piscine couverte	h. s.	Hors saison
			Jeux d'enfants	cap.	Capacité
				p.	Personnes

B. POUR LES CHAMBRES

CH ●	Chambre (prix indiqués en chiffres)	CT	Chambre avec cabinet de toilette
D	Chambre avec salle de douche.	B	Chambre avec salle de bains
B WC	Chambre avec salle de bains et w.-c. privé	TV	Télévision
	Petit déjeuner		

C. POUR LES RESTAURANTS

R ● Restaurant (prix indiqués en chiffres)

D. POUR L'ENVIRONNEMENT

ENV.	Environnement		Equitation
	Piscine		Piscine couverte
	Aéroport		Chemin de fer
	Tennis		Voile
	Golf		

Cartes de crédit et divers acceptés par les INTER HOTELS DC.EC.

le 29 avril

Inter-Hôtel Beau-Séjour,
Plage du Coz-Pors,
22730 TREGASTEL

Monsieur,

Une amie française, dont la famille a passé des vacances très agréables à Trégastel, m'a recommandé votre hôtel.

Je vais passer quinze jours en Bretagne avec ma famille pendant les grandes vacances et nous avons l'intention de visiter la région de Trégastel fin juillet et début août.

Je souhaite réserver deux chambres: l'une avec deux lits, l'autre avec un grand lit et salle de bains, si possible avec vue sur la mer, pour la période du 27 juillet au 4 août. Je vous serais reconnaissante de me faire savoir le prix de la pension complète, et aussi de la demi-pension.

Puis-je vous demander également de nous faire parvenir de la documentation sur Trégastel et sa région: promenades, excursions, curiosités, etc.? Est-il possible de louer un bateau et du matériel pour la pêche en mer?

Je vous prie de bien vouloir me répondre dès que possible pour nous permettre d'organiser l'ensemble de notre séjour.

Veuillez croire, Monsieur, à l'expression de mes meilleurs sentiments.

Sharon Vaughan

(b) Vous avez décidé de passer quelques jours à Fontainebleau, dans la région parisienne.

Travail individuel Composez maintenant une lettre de réservation adressée à l'hôtel Napoléon à Fontainebleau: référez-vous aux détails ci-dessus.

LA FRANCE QUI CAMPE

POINTS DE REPÈRE

En écrivant l'article qui suit, le journaliste de *Paris Match* a adopté un ton très particulier pour décrire le camping, style de vacances que préfèrent des milliers de Français.

Travail individuel* ⟶ *Mise en commun Lisez attentivement l'article et notez brièvement ce que sont, pour le journaliste, les **avantages** et les **inconvénients** de:

- **la vie quotidienne du Français**
- **la vie en camping**.

Comparez vos notes avec celles des autres étudiants. Quelles conclusions en tirez-vous sur l'attitude du journaliste envers le camping?

Nos reporters l'ont rencontrée, et partagé ses plaisirs et ses peines,° dans les joyeux camps de concentration qui poussent au bord de la mer pendant l'août des vacances.

Le Français adepte° de camping est un animal digne° qu'on lui consacre° une étude sociologique. Il passe onze mois de l'année à vivre à peu près agréablement. C'est-à-dire qu'il travaille, ce qui est en général distrayant.° Il habite un logement doté de° tout le confort dans une ville où se trouvent toutes sortes de commodités.° Le seul jour un peu ennuyeux est le dimanche, pendant lequel on ne sait pas quoi faire et où les commerçants sont fermés. Bref, n'importe quel° Français du XIXe ou du XVIIIe siècle,° voyant un Français d'aujourd'hui, avec son eau courante chaude et froide, son chauffage° central, son téléphone, son ascenseur,° etc., se pâmerait° d'envie.

Il aurait tort. Pendant ses onze mois de vie confortable, le Français campeur songe avec tendresse au douzième, dit « mois de vacances », qui comporte trente et un dimanches d'affilée° (brrr . . .), et au cours duquel tout ce qui simplifie ou agrémente° son existence quotidienne lui sera supprimé.°

Après un voyage éreintant° et interminable (parce qu'on est pris dans la grande migration des vacances), on arrive à un endroit qui n'était pas laid° avant l'invention de l'automobile, ni même il y a vingt ans, mais qui l'est devenu, parce que c'est un camping municipal ou privé, et qu'il a été transformé en quelque chose qui ressemble à un champ de foire,° où l'herbe est rase° et piétinée,° quand il y a de l'herbe.

Se dressent° là trois cents ou quatre cents tentes, et, quelquefois, plus de mille, avec des gens qui regardent la télévision, qui écoutent la radio, qui s'empruntent des ouvre-boîtes° et des tire-bouchons,° qui s'engueulent,° qui—hélas!—jouent de la guitare, qui s'invitent à prendre l'apéro.° C'est la ville, sauf qu'on y est entassé,° qu'on y vit les uns sur les autres et que tout le monde finit par se connaître jusque dans les détails les plus secrets.

C'est certainement en juillet et août l'un des phénomènes les plus bouleversants° de la Côte d'Azur: tous les deux ou trois kilomètres, entre Fréjus et Sainte-Maxime, s'érigent° des villages de toile° que rien ne distingue les uns des autres, et où les humains retrouvent le goût de la vie primitive: celle où les commodités sont toujours au-dehors, où la corvée° d'eau est l'un des rites° principaux de la journée, avec la surveillance du réchaud° à gaz.

Le spectacle des terrains de camping enterre° définitivement la légende selon laquelle le Français est individualiste. C'est au contraire, la créature la plus grégaire° du monde. Pour être au coude° à coude avec ses semblables, sentir leur sueur,° entendre leurs bavardages, faire les mêmes choses qu'eux, le Français surmonte° des épreuves° qu'il condamne pendant les autres onze mois de l'année. Alphonse Allais s'étonnait qu'on ne bâtît pas de villes à la campagne. C'est fait.

● **peine** (f) trouble **adepte** (m/f) enthusiast **digne** worthy **consacrer** devote **distrayant** entertaining **doté de** equipped with **commodité** (f) convenience **n'importe quel(le)** any **siècle** (m) century **chauffage** (m) heating **ascenseur** (m) lift **se pâmer de** be overcome with **d'affilée** in a row **agrémenter** make pleasurable **supprimer** remove **éreintant** exhausting **laid** ugly **champ** (m) **de foire** fairground **ras** short **piétiner** trample **se dresser** stand **ouvre-boîtes** (m) tin-opener **tire-bouchon** (m) corkscrew **s'engueuler** yell at each other **apéro (= apéritif)** (m) pre-meal drink **entasser** cram together **bouleversant** shattering **s'ériger** be set up **toile** (f) canvas **corvée** (f) chore, fatigue (duty) **rite** (m) ritual **réchaud** (m) stove **enterrer** lay to rest, dispose of **grégaire** gregarious, fond of company **coude** (m) elbow **sueur** (f) sweat **surmonter** overcome **épreuve** (f) ordeal **bâtir** build

DÉCOUVERTE DU TEXTE

1. La structure de l'article

L'auteur de cet article critique, de façon implicite ou explicite, le camping comme style de vacances.

(a) Dans les deux premiers paragraphes, par exemple, chacune de ses observations sur la **vie quotidienne** implique une critique de la **vie en camping.**

Travail individuel* ⟶ *Travail à deux Trouvez, dans ces deux paragraphes, une critique de la **vie en camping**, colonne (ii), qui correspond à chaque observation sur la **vie quotidienne**, colonne (i).

(i) VIE QUOTIDIENNE	(ii) VIE EN CAMPING
Le Français campeur passe onze mois de l'année à vivre à peu près agréablement.	La vie qu'il mène en camping est beaucoup moins agréable.
Il travaille, ce qui est en général distrayant.	
Il habite un logement doté de tout le confort dans une ville où se trouvent toutes sortes de commodités.	
Le seul jour un peu ennuyeux est le dimanche.	

(b) Dans les deux paragraphes suivants, le journaliste nous présente ses impressions personnelles de la vie en camping, impressions qui, à leur tour, comportent des **critiques**.

Travail individuel Notez brièvement quelques mots, pris dans les troisième et quatrième paragraphes, qui correspondent aux **critiques** de la colonne (i):

(i) CRITIQUE	(ii) MENTION DANS LE TEXTE
difficultés du voyage pour arriver au camping	un voyage éreintant et interminable (parce qu'on est pris dans la grande migration)
destruction de la nature	
encombrement des terrains de camping	
impossibilité de mener une vie tranquille	
fraternité excessive	

(c) Les deux derniers paragraphes contiennent les conclusions du journaliste: ses critiques du campeur s'y transforment en **jugement** sur le caractère national.

Travail individuel Relisez la fin de l'article, puis mettez-le de côté et complétez le résumé qui suit. Servez-vous des mots imprimés dans le cadre: n'oubliez pas de faire les changements grammaticaux qui conviennent.

Loin d'être ________, le Français campeur
– est le plus ________ des hommes;
– vit dans des terrains qui sont tous ________ ;
– accomplit tous les jours des tâches ________ .

uniforme rituel individualiste grégaire

(d) ***Mise en commun*** A partir de vos notes, comparez vos idées sur les trois composantes de cet article (comparaison entre la **vie quotidienne** et la **vie en camping, critiques, jugement**) avec celles des autres étudiants.

2. Vocabulaire: le camping, pour ou contre

(a) L'article de *Paris Match* met en avant une attitude envers le camping que les campeurs, en général, ne partageraient pas. La déclaration ci-dessous, faite par M. Pierre Cornu, partisan ardent du camping, offre une perspective très différente.

Travail individuel Recopiez les mots et expressions qui suivent dans l'ordre nécessaire pour compléter la déclaration de Pierre Cornu. N'oubliez pas de faire les changements grammaticaux qui conviennent. Ensuite, mémorisez les mots et expressions.

retrouver le goût de – une commodité – finir par – une corvée – un terrain de camping – l'existence quotidienne – être doté de – être transformé en – s'inviter à – comporter – la toile – agrémenter – entasser – passer des heures à

Pour faire du camping, on n'est pas obligé de s'installer dans un de ces villages de ________ uniformes de la Côte d'Azur où les gens sont ________ les uns sur les autres. A la campagne, il y a des milliers de ________ ____ ________ comme celui-ci, offrant au campeur l'espace, le calme, le repos et toutes sortes de ________. Ici, il y a un bar, un supermarché, une piscine et des blocs sanitaires qui ________ lavabos et douches avec eau chaude. Bref, il y a tout ce qui ________ la vie ordinaire. Et n'oubliez pas que le campeur moderne est bien équipé, il ________ ________ ____ tout le confort nécessaire.

Pierre Cornu

Moi, je trouve que le vrai plaisir du camping, c'est de rencontrer d'autres campeurs. Loin de la solitude de la ville, tout le monde ________ ________ se connaître. Ensemble on ________ ________ ________ ____'une vie simple, la beauté de la nature. On discute, on ___' ________ — jouer à la pétanque, on ________ ________ ________ __ partager les ________ journalières: l'eau, la vaisselle, etc. En camping, le Français individualiste ______ ________ ____ être sociable. On n'est jamais sans quelque chose à faire. De plus, le camping, c'est la liberté, l'absence de protocole et de routine. On peut aller où on veut, porter ce qu'on veut, faire ce d qu'on veut. En camping, on oublie un peu __' ________ ________, on retrouve le calme, le repos et l'amitié.

(b) ***Travail à deux*** Complétez oralement cette déclaration sans regarder ni votre liste de mots et d'expressions ni le cadre ci-dessus.

3. Le camping: avantages et inconvénients

(a) Pour une plus juste appréciation du camping, il faudrait mettre côte à côte les idées du journaliste de *Paris Match* et les observations de M. Cornu.

Travail à deux A partir de votre analyse de l'article (*Découverte*, 1), notez tous les **inconvénients** du camping mentionnés par le journaliste. Ensuite, essayez de trouver dans la déclaration de M. Cornu (*Découverte*, 2) un **avantage** parallèle à chaque inconvénient. Rédigez vos notes de la manière suivante, et ajoutez d'autres avantages ou inconvénients qui vous viennent à l'esprit.

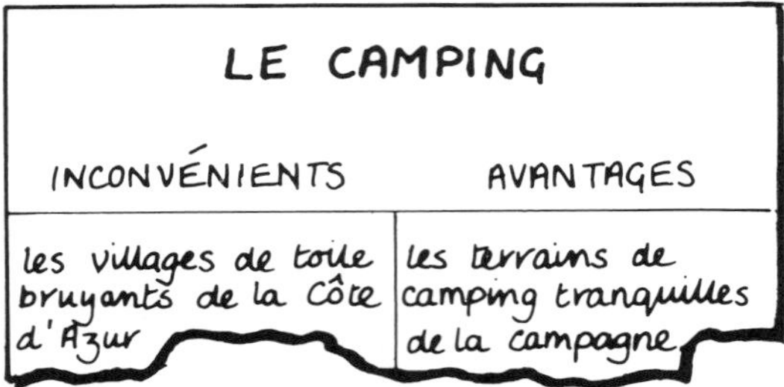

LE CAMPING	
INCONVÉNIENTS	AVANTAGES
les villages de toile bruyants de la Côte d'Azur	les terrains de camping tranquilles de la campagne

(b) ***Discussion*** En vous basant sur les notes que vous venez de prendre, et sur votre expérience personnelle, discutez avec le professeur et l'ensemble de la classe les avantages et les inconvénients du camping. Notez par écrit les points essentiels de la discussion.

EXERCICES

1. Vocabulaire du camping: Conseiller

(a) Connaissez-vous les différents éléments de matériel dont on a besoin si on veut réussir des vacances en camping?

Travail individuel Relevez dans le cadre, et notez, le mot qui correspond à chaque objet numéroté du dessin (à droite).

> un maillet – une torche électrique – une tente canadienne – un sac de couchage – des piquets(m) – des ustensiles(m) de cuisine – des cordes de tente – un réchaud à gaz – un matelas pneumatique – une cartouche de rechange – une chaise pliante

À COMPLÉTER, À NOTER ET À MÉMORISER

Expressions et structures

– le Français ______ (= *fanatique*) de camping (cp. *Fréjus, ville gallo-romaine*)
– il vit _ ___ ____ (= *plus ou moins*) agréablement
– son logement est ____ (= *muni de*) tout le confort
– le Français __ XIXe siècle (cp. *au XIXe siècle, au siècle où nous vivons*)
– l'endroit n'était pas laid, mais il _' est devenu (= *il est devenu laid*)
– trois ______ (300) tentes (cp. *3 000 tentes, 3 000 000 de tentes* ——› en toutes lettres?)
– des gens qui _'engueulent (*l'un l'autre*) qui _'empruntent (*l'un à l'autre*) des tire-bouchons
– on vit ____ ____ sur ____ autres
– un réchaud _ gaz

Constructions verbales

– on devrait consacrer une étude __ la vie en camping
– il passe onze mois __ vivre agréablement
– il se pâmerait __ envie
– le campeur songe ____ vacances
– un endroit transformé __ quelque chose qui ressemble __ un champ de foire
– on ne peut distinguer un terrain __ un autre

Formes

adjectif	*verbe*	*nom*
distrayant ——›	distraire ——›	distraction (f)
confortable ——›	——›	
ennuyeux ——›	——›	
tendre ——›	——›	
éreintant ——›	——›	
laid ——›	——›	
bouleversant ——›	——›	

Noms et verbes

– vivre ——› sa ___ est agréable
– fermer ——› la ________ des magasins
– chauffage (m) ——› une maison bien ________
– simplifier ——› la ________ de son existence
– agrémenter ——› il y trouve de l' ________ (m)
– supprimer ——› la ________ du confort
– distinguer ——› aucune ________ entre les terrains
– bavarder ——› on entend leurs ________ (m)
– s'étonner ——› l'________ (m) d'Allais

(b) Un journaliste prépare, pour une revue de jeunes, un article adressé à ceux qui veulent faire du camping pour la première fois. Il décide de baser la première partie de l'article sur les **éléments de matériel** qu'il considère comme indispensables, et d'expliquer la **raison pour l'achat** de chacun.

Travail à deux* ⟶ *Mise en commun Trouvez oralement, dans la colonne (ii) du tableau présenté à droite, la **raison pour l'achat** qui correspond à chaque **élément de matériel** de la colonne (i).

Exemple:

une tente canadienne – si on veut ne pas trop se charger/s'installer rapidement.

Comparez vos solutions avec celles des autres étudiants.

▶ En **conseillant** à ses lecteurs de se munir des éléments de matériel qu'il considère comme indispensables, le journaliste emploierait des formules comme les suivantes:

Vous aurez intérêt à
Vous ferez bien de
Il faudra
Vous devrez
Vous aurez besoin de
N'oubliez pas de

choisir une tente canadienne. ◀

(c) Vous trouverez ci-dessous le début de l'article *Le camping: ce que vous devez savoir.* ***Travail individuel*** Complétez la première partie de cet article (*Le matériel*): référez-vous au tableau (à droite), et aux formules que l'on emploie pour **conseiller** quelqu'un (ci-dessus). Verbes à utiliser: *choisir, acheter, prendre, se procurer, se munir de, emporter, employer.*

(i) ÉLÉMENT DE MATÉRIEL	(ii) RAISON POUR L'ACHAT
une tente canadienne	afin de bien enfoncer les piquets
deux ou trois cordes de tente	qui vous permettront de faire une cuisine simple mais convenable
un maillet à tête de caoutchouc	pour assurer la stabilité de la tente
des piquets robustes	si on veut manger, lire à son aise
un matelas pneumatique et un sac de couchage	si on veut ne pas trop se charger/s'installer rapidement
un réchaud à gaz, une cartouche de rechange et quelques ustensiles de cuisine	qui vous permettra d'éviter des catastrophes pendant la nuit
une petite chaise pliante	afin de bien ancrer les cordes, même si la terre est dure
une torche électrique	pour dormir aussi bien qu'à la maison

LE CAMPING: CE QUE VOUS DEVEZ SAVOIR

■ ***Le matériel*** En camping, on peut être aussi à l'aise que chez soi. Mais si vous vous équipez pour la première fois, un minimum de précautions s'impose.

Vous aurez intérêt à choisir d'abord une tente canadienne si vous voulez ne pas trop vous charger

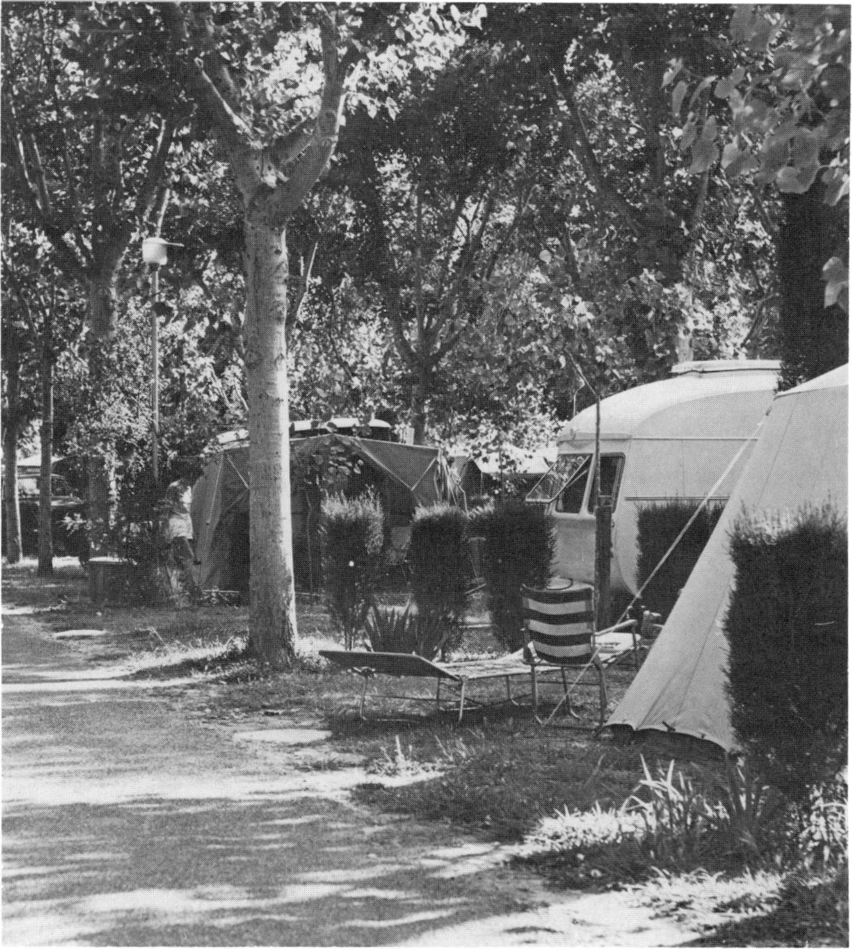

2. La durée: passer du temps à faire quelque chose, etc. Pronoms relatifs: ce qui/ce que (récapitulatifs)

▶ Dans l'article de *Paris Match*, nous apprenons que le Français qui campe '**passe** onze mois de l'année **à** vivre . . . agréablement'. Pour mettre ainsi l'accent sur la **durée** d'une action, on peut employer les formules suivantes:

> **Nous avons passé** plus de deux heures **à** préparer le déjeuner.
> **Il nous a fallu** plus de deux heures **pour** préparer le déjeuner.
> La préparation du déjeuner **(nous) a pris** plus de deux heures.

(Quand il s'agit d'un trajet ou d'un voyage, on emploie '**mettre** du temps **pour** . . .' au lieu de '**passer** du temps **à** . . .:

> **Nous avons mis** 15 heures **pour** faire moins de 500 kilomètres.) ◀

(a) Les Chabrol ont fait du camping pour la première fois. De retour à la maison, M. Chabrol parle avec un voisin de leur expérience.

Travail à deux ⟶ ***Exercice oral*** Trouvez oralement, dans la colonne (ii) du tableau à droite, la **réponse** de M. Chabrol qui correspond à chaque **question** du voisin, colonne (i).

Exemple (cinquième question):
La cuisine avec le réchaud à gaz: commode? ⟶ *La matinée entière au début pour la préparation du déjeuner.*

Le professeur vous posera maintenant les questions du voisin; donnez les réponses de M. Chabrol au sujet de ses vacances. Dans chaque réponse, incorporez une des formules présentées ci-dessus indiquant la **durée** d'une action.

Exemple (cinquième question):

Voisin — *Vous avez trouvé ça commode, de faire la cuisine avec un réchaud à gaz?*
M. Chabrol — *Au début,* ***nous avons passé*** *la matinée entière* ***à*** *préparer le déjeuner.*

(i) QUESTIONS DU VOISIN	(ii) RÉPONSES DE M. CHABROL
Voyage jusqu'à la côte: pas trop difficile?	La matinée entière au début pour la préparation du déjeuner.
Découverte d'un bon camping: sans problèmes?	Retour chez nous en deux jours: panne de moteur en Bourgogne.
La nouvelle tente: facile à monter?	Au moins 45 minutes – sans compter les embouteillages.
Les installations du camping: suffisantes?	Plus d'une heure pour son installation.
La cuisine avec le réchaud à gaz: commode?	15 heures à faire moins de 500 kilomètres.
Trajet jusqu'à la plage: agréable?	Quelquefois la queue pendant 30 minutes pour les douches.
Voyage de retour sans pépin, au moins?	Tout un après-midi à la recherche d'un camping avec de la place.

▶ L'article nous apprend que le Français qui campe passe onze mois de l'année à travailler, '**ce qui** est en général distrayant'.
On emploie ainsi les pronoms relatifs **ce qui** (sujet) ou **ce que** (objet) pour **récapituler** toute une phrase précédente:

Nous avons passé plus de deux heures à préparer le déjeuner,
ce qui était quand même excessif.
ce que j'ai trouvé quand même excessif. ◀

(b) ***Travail individuel*** Composez maintenant par écrit sept phrases sur les vacances des Chabrol. Incorporez dans chacune une formule exprimant la **durée** (a), et un pronom relatif, **ce qui** ou **ce que**. Pour chaque phrase, choisissez dans ce cadre un adjectif qui convienne:

> agaçant – décevant – décourageant – désastreux – énervant – éreintant – excessif – fatigant – incroyable – intolérable – pas drôle

Exemple:
Au début, les Chabrol ***ont passé*** *la matinée entière* ***à*** *préparer le déjeuner,* ***ce qu'****ils ont trouvé* ***excessif*** *(****ce qui*** *était* ***excessif****).*

3. Rapports entre noms et adjectifs. Demander un renseignement. Le superlatif de l'adjectif (Donner son opinion)

▶ En français, beaucoup de **noms** ont un **adjectif** correspondant, par exemple:

chaleur (f) ⟶ **chaud** **faim** (f) ⟶ **affamé.** ◀

(a) ***Travail individuel*** En vous servant, s'il le faut, d'un dictionnaire, notez l'adjectif qui correspond à chacun de ces noms: *animation* (f), *confort* (m), *robustesse* (f), *beauté* (f), *fréquentation* (f), *tranquillité* (f), *prestige* (m), *pittoresque* (m).

▶ Pour **demander un renseignement** (sur un endroit, une personne, un objet), on peut employer une de ces formules:

Vous connaissez (peut-être)
Vous avez des renseignements sur
Vous avez entendu parler de
Sainte-Maxime? ◀

(b) Un jeune étranger, qui veut faire du camping en France pour la première fois, rencontre un Français adepte du camping. Voulant profiter de son expérience, il l'interroge sur tout: régions à visiter, campings à considérer, matériel à acheter.

Travail à deux A partir des colonnes (i) **Endroit/objet** et (ii) **Qualité** du tableau *Le camping en France* (à droite), dialoguez comme dans l'exemple suivant, en prenant tour à tour le rôle du jeune étranger. Pour **demander chaque renseignement**, choisissez une des formules présentées ci-dessus; dans chaque réponse, employez un des **adjectifs** que vous venez de trouver (a).

Exemple:
Jeune étranger **Vous connaissez** *la station d'Argelès-sur-mer?*
Campeur français *Oui, elle est très* ***animée****.*

Le camping en France

(i) ENDROIT/OBJET	(ii) QUALITÉ	(iii) RÉGION, PAYS, ETC.
La station d'Argelès-sur-mer	animation	le Roussillon
Le camping du Ranolien, Perros-Guirec	confort	les Côtes du Nord
Les tentes André Jamet	robustesse	la France
La forêt de la Sainte-Beaume	beauté	la Provence
Le camping des Cinq Vallées, Briançon	fréquentation	les Hautes-Alpes
Le village de la Roque-sur-Cèze	tranquillité	le Gard
Les appareils Camping-Gaz	prestige	l'Europe
Les îles d'Hyères	pittoresque	la Côte d'Azur

Révision
PRENDRE QUELQUE CHOSE À QUELQU'UN.
NOMS COMPOSÉS : pluriel à vérifier.
MOTS COMPARATIFS : meilleur, etc. (Révision 23-25)

▶ Le **superlatif de l'adjectif** permet d'évaluer une personne ou une chose par comparaison avec d'autres personnes ou choses appartenant à la même catégorie:

'la créature **la plus grégaire** du monde'
'l'un des phénomènes **les plus bouleversants** de la Côte d'Azur'.

Si l'adjectif précède normalement le nom (*beau, joli, grand, bon,* etc.), il garde cette position au superlatif:

le plus joli terrain de la région.

(Notez que le nom qui suit un superlatif est normalement précédé de la préposition **de**.) ◀

(c) En répondant au jeune étranger, le campeur français pourrait **donner son opinion** sur chaque endroit ou objet en employant le **superlatif de l'adjectif**.

Travail à deux ⟶ ***Travail individuel*** En vous référant aux trois colonnes du tableau ci-dessus, dialoguez comme dans l'exemple suivant. Prenez tour à tour le rôle du jeune étranger, et employez dans chaque réponse du campeur français le **superlatif de l'adjectif**. Pour **donner son opinion**, on peut choisir parmi les formules présentées à la page 44 (*Exercices*, 6).

Exemple:
Jeune étranger **Vous connaissez** *la station d'Argelès-sur-mer?*
Campeur français *Oui,* **à mon avis** *, c'est la station* ***la plus animée*** *du Roussillon.*

Rédigez ensuite par écrit une phrase sur chaque endroit ou objet mentionné dans le tableau. Employez dans chacune le **superlatif de l'adjectif**.

4. Se renseigner sur ce qui est permis. Il (ne) faut (pas) que + subjonctif (obliger/interdire)

▶ Si on veut **se renseigner**, par exemple dans un camping, **sur ce qui est permis**, on peut employer une de ces formules:

On a le droit d' **Il est permis d'** **Il n'est pas interdit d'** **On peut**	installer sa tente tout de suite? ◀

(a) Un nouvel arrivant, qui n'a pas vu, à l'entrée d'un camping, le panneau présenté à droite, veut **se renseigner** auprès du gardien **sur ce qui est permis.**
Exercice oral Sous la direction du professeur, inventez, par rapport à chaque prescription du panneau, la question que pourrait poser le nouvel arrivant. Choisissez chaque fois, parmi les expressions ci-dessus, une formule qui convienne.

Exemple (première prescription):
– ***On peut*** *installer sa tente tout de suite?*

CAMPEURS
AFIN DE RENDRE VOTRE SÉJOUR AGRÉABLE
NOUS VOUS DEMANDONS
DE BIEN VOULOIR OBSERVER CES PRESCRIPTIONS:

* Avant d'installer votre tente remettez au gardien une pièce d'identité

* Si vous amenez un chien tenez-le en laisse à tout moment

* Observez une tenue décente, même en maillot de bain

* N'utilisez pas votre poste de radio après vingt heures

* N'allumez vos feux de bois que dans les endroits signalés

* Ne faites pas votre lessive dans la rivière: employez les bacs des blocs sanitaires

* A midi ramassez le linge étendu dehors

* Vous pouvez sortir du camping sans formalité, mais montrez votre laissez-passer en rentrant la nuit

D'AVANCE MERCI ET BON SÉJOUR

▶ Pour expliquer à quelqu'un ce qu'il **doit** ou **ne doit pas** faire, on emploie souvent **il faut que/il ne faut pas que** + **subjonctif** :
Il ne faut pas que vous **fassiez** votre lessive dans la rivière. ◀

(b) ***Travail individuel*** Récrivez chacune des prescriptions du panneau en employant **il faut que/il ne faut pas que** + **subjonctif** .

Exemple (première prescription):
Avant d'installer votre tente, ***il faut que*** *vous* ***remettiez*** *au gardien une pièce d'identité.*

(c) Le gardien répond aux questions du nouvel arrivant sur le règlement du camping.
Travail à deux Imaginez leur conversation en jouant l'un ou l'autre des deux rôles. Pour chaque question, choisissez une formule utilisée pour **se renseigner sur ce qui est permis** (a): dans chaque réponse, employez **il faut que/il ne faut pas que** + **subjonctif** . Ensuite, changez de rôle et répétez l'exercice.

Début possible:

Nouvel arrivant	***On peut*** *installer sa tente tout de suite?*
Gardien	*Non,* ***il faut que*** *vous me* ***remettiez*** *d'abord une pièce d'identité.*

5. Obliger/interdire: le langage des panneaux

(a) Un organisme officiel du camping en France a produit, pour offrir aux directeurs de terrains homologués, la série d'affiches ci-dessus. Elles sont présentées ici sans leurs **légendes**.

Exercice oral Décrivez, sous la direction du professeur, le contenu de chaque affiche. Essayez ensuite de préciser le message implicite de chacune.

Exemple (première affiche):

C'est la nuit. Au clair de lune on voit, sur une branche, un hibou aux yeux fermés et, plus loin, des tentes et des caravanes sans lumière. On ne voit personne. La scène évoque la paix, la tranquillité de la nuit.

(b) On avait demandé à l'artiste publicitaire choisi pour composer les affiches d'illustrer certaines **légendes** précises.

Travail à deux Choisissez ensemble, parmi ces dix légendes, celle qui, à votre avis, accompagnerait chacune des affiches ci-dessus.

- Vous qui aimez la radio . . . ne l'imposez pas à ceux qui veulent l'oublier.
- Campeurs . . . n'oubliez pas que le feu est le plus terrible ennemi de la forêt. Soyez prudents.
- La nature n'est pas une poubelle. Aidez-nous à tenir notre camp propre.
- Ne salissez pas les sanitaires. Accompagnez vos jeunes enfants. Ne les laissez pas jouer dans les installations.
- A partir de 22 heures, le terrain est fermé et la circulation interdite. Ne réveillez pas les autres campeurs.
- Donnez toujours l'exemple de la bonne tenue. Surveillez vos enfants: ne les laissez pas saccager les plantations.
- L'eau est précieuse. Ne la gaspillez pas: fermez les robinets après usage.
- Quand vous circulez en auto, roulez lentement . . . ne mettez pas en danger les enfants.
- Les produits à vaisselle peuvent polluer la rivière. Employez les bacs à vaisselle des blocs sanitaires.
- Vous êtes responsable des dégâts commis par votre chien . . . ne le laissez pas errer dans le camp.

▶ En présentant ce qui est **obligatoire** ou **interdit** (*Activités*, 3, p. 3), les affiches et les panneaux emploient souvent ou bien un **impératif** simple (**Fermez/Ne fermez pas** la porte) ou bien l'une des formules suivantes:

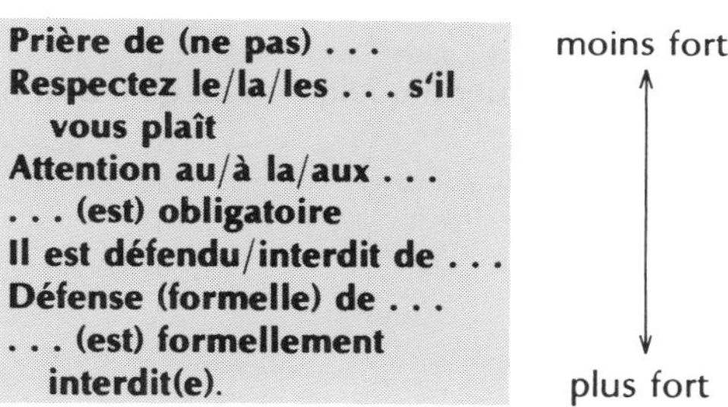

Prière de (ne pas) . . .
Respectez le/la/les . . . s'il vous plaît
Attention au/à la/aux . . .
. . . (est) obligatoire
Il est défendu/interdit de . . .
Défense (formelle) de . . .
. . . (est) formellement interdit(e).

moins fort ↕ plus fort

Par exemple:

Attention aux piétons.
Prière de ne pas marcher sur la pelouse.
Port du casque **obligatoire**.
Il est formellement interdit de traverser la voie ferrée. ◀

(c) En composant les affiches ci-dessus, l'artiste a décidé que les légendes proposées (b) étaient trop longues pour être frappantes et qu'il faudrait les raccourcir.

Travail individuel Composez pour chacune des affiches une légende plus succincte, plus saisissante. Employez chaque fois une des formules d'**obligation** ou d'**interdiction** présentées ci-dessus.

Exemple (première affiche):

Après 22 h . . . ***respectez*** *le sommeil des autres,* ***s'il vous plaît.***

ACTIVITÉS

1. Description de guide/description orale: un terrain de camping

(a) Le *Camping Caravaning France* présente des renseignements sur environ 3 000 terrains sélectionnés.

Travail à deux* ⟶ *Exercice oral En vous servant des *Notes explicatives* (ci-dessous), déchiffrez par écrit la description suivante du Camping de la Forêt de Montgeon au Havre.

Début possible:

> *Le Camping de la Forêt de Montgeon est un terrain très confortable et très bien aménagé. Ses installations ont un caractère rationnel et moderne . . .*

Ensuite, reprenez oralement la description avec le professeur. Essayez ensuite de mémoriser la signification de chaque **signe conventionnel/abréviation** employé dans la description.

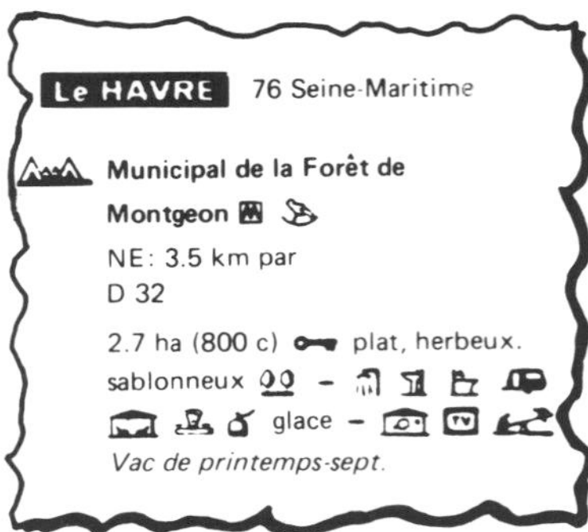
Le HAVRE 76 Seine-Maritime

Municipal de la Forêt de Montgeon

NE: 3.5 km par D 32

2.7 ha (800 c) plat, herbeux, sablonneux – glace –

Vac de printemps-sept.

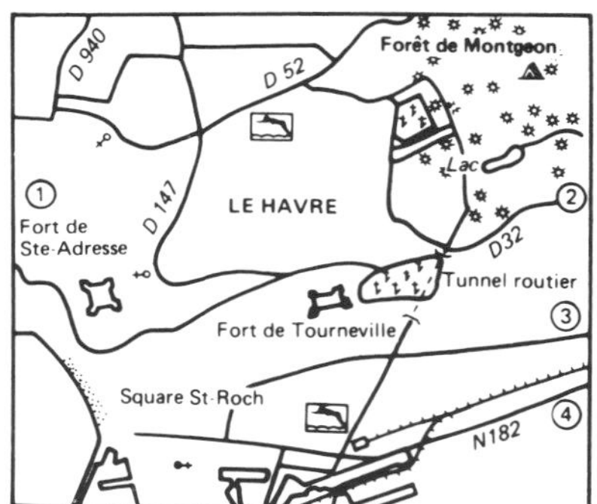

(b) A l'Office de Tourisme du Havre, une responsable du Camping de la Forêt de Montgeon, qui s'y trouve par hasard, décrit le terrain à un touriste britannique.

Travail individuel/à deux Avec ou sans partenaire, écoutez attentivement l'enregistrement: relevez les informations essentielles en complétant la transcription (*Livret*, pp. 33–35):

Notes explicatives: signes conventionnels, abréviations

CLASSE

La classe que nous attribuons à chaque terrain est indiquée par un nombre de tentes correspondant à la nature et au confort de ses aménagements.

Elle est indépendante du classement en étoiles établi par les services officiels.

Terrain très confortable, parfaitement aménagé
Terrain confortable, très bien aménagé
Terrain bien aménagé, de bon confort
Terrain assez bien aménagé
Terrain simple mais convenable

M Terrains d'équipement moderne
Ces camps sont généralement d'équipement récent. Leur conception générale, leur style et leurs installations (sanitaires surtout) présentent un caractère rationnel et moderne.

ACCÈS

L'accès à un terrain est indiqué par rapport au centre de la localité au nom de laquelle nous le citons.

E - N - O - S Est-Nord-Ouest-Sud
3 km par ② Terrain à 3 km, accès par la sortie ② repérée sur la carte Michelin à 1/200 000
rte, r., av., bd, pl. Route, rue, avenue, boulevard, place

AGRÉMENT ET CARACTÉRISTIQUES GÉNÉRALES

Terrain tranquille, surtout la nuit
Vue intéressante ou étendue
« » Élément particulièrement agréable
3 ha Superficie (en hectares) utilisable
9 ha/3 campables Superficie totale (d'un domaine) et superficie utile pour le camping
(300 c) ou (100 empl.) Capacité d'accueil (nombre de campeurs ou nombre d'emplacements)
Camp gardé le jour
Camp gardé en permanence (responsable logeant sur le terrain)
(l'absence de mention signifie que le camp est surveillé seulement)
Emplacements nettement délimités
Ombrage moyen - Très ombragé (sous-bois)

OUVERTURE

Pâques-15 oct. Période d'ouverture (dates les plus récentes communiquées par le propriétaire)
Pâques, juin-sept. Terrain ouvert à deux périodes différentes (pour Pâques et de début juin à fin septembre)
Saison Ouverture probable en saison (dates non précisées)
Permanent Terrain ouvert toute l'année.

ÉQUIPEMENT

▶ **Installations** ***(sanitaires et emplacements)***

Douches chaudes
Lavabos avec eau chaude
Éviers ou lavoirs avec eau chaude
Postes distributeurs d'eau chaude
Installations chauffées
Prises de courant pour caravanes
Plates-formes aménagées pour caravanes
Salle abri, de réunion ou de séjour
(selon la classe du camp)

▶ **Ravitaillement, commodités et distractions**

Magasin d'alimentation
Bar ou buvette
Restaurant
Snack-bar
Plats cuisinés à emporter
Dépôt de butane
glace Dépôt de glace à rafraichir
Machines à laver, laverie
Salle de jeux
Bibliothèque
Télévision
Cinéma
Jeux sportifs
Tennis
Golf miniature
Jeux pour enfants
Bassin pour enfants
Piscine : de plein air, couverte
Bains autorisés ou baignade surveillée
Canotage
Voile *(école ou centre nautique)*
Pêche
Promenades à cheval, équitation

(c) Le directeur du Camping de la Butte, à la Roque-Gageac (Dordogne), parle à un visiteur de l'agrément et des installations de son camping.

Travail individuel A partir des renseignements fournis par la carte, et par l'extrait du *Camping Caravaning France* (à droite), composez une description pareille à celle que vous venez de compléter. N'oubliez pas de consulter les *Notes explicatives* (ci-contre, en bas).

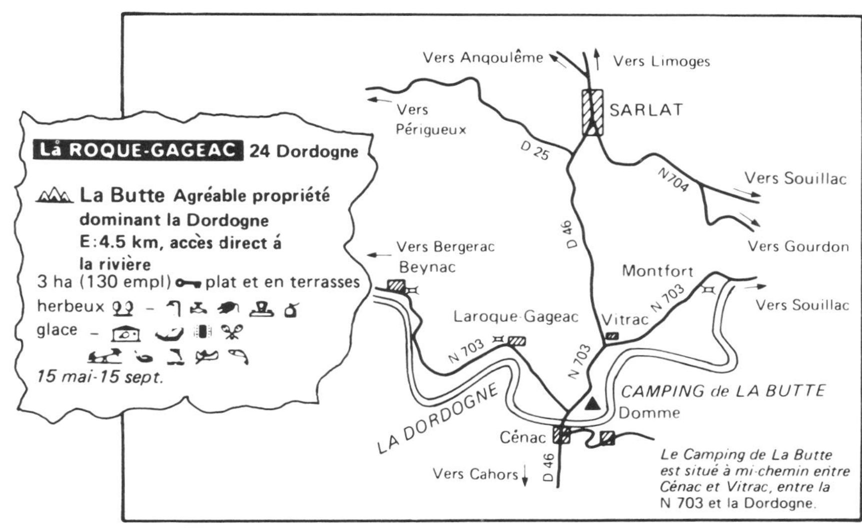

2. Extrait de dépliant publicitaire: un terrain de camping

(a) Le rôle d'un dépliant publicitaire est de **promettre** au campeur éventuel un séjour agréable, de lui **vanter** les attraits du camping et de ses environs.

Travail à deux ⟶ Mise en commun Etudiez attentivement l'extrait de dépliant publicitaire ci-dessous: notez, de la manière indiquée à droite, les expressions qui font des **promesses** (en employant le futur), et celles qui **vantent** (avec des adjectifs) les attraits de ce camping et de la région.
Comparez vos notes avec celles des autres étudiants.

PROMETTRE	VANTER
-Vous installerez votre tente dans un parc de 3 ha. -deux portiques feront le bonheur des enfants	-la région la plus recherchée -ombragé de centaines d'arbres magnifiques

Venez passer d'heureuses vacances au

CAMPING de LA BUTTE

catégorie ★★★★
(homologué F.F.C.C.)
Direction: M. Amiot
Adresse:
LAROQUE-GAGEAC (Dordogne)
Tél.: (53)283028
ENGLISH SPOKEN

Dans la région touristique la plus recherchée du Périgord vous y trouverez...

★ L'agrément du site
Vous installerez votre tente ou votre caravane dans un parc de 3 ha ombragé de centaines d'arbres magnifiques et aménagé en terrasses (pas d'entassement). Le camp domine la Dordogne et bénéficie d'une vue exceptionnelle sur la vallée. Une grotte naturelle, facilement accessible, ajoute au pittoresque du décor. A signaler: vous ne trouverez pas de moustiques.

★ Des installations sanitaires modernes
Les 4 groupes sanitaires et les très nombreux points d'eau sont répartis dans le camp pour en faciliter l'accès. Les installations W.C., lavabos collectifs et individuels, douches froides et chaudes, etc... satisferont les plus exigeants.

★ Des jeux pour grands et petits
Une grande salle de jeux abrite ping-pong, babyfoot, etc... Deux portiques feront le bonheur des enfants tandis que le tennis est réservé aux grands. Enfin la piscine fera la joie de tous. Mais ceux qui préfèrent les bains en rivière gagneront la plage privée du camp (les bateaux peuvent s'y garer).

★ Un ravitaillement commode
Sur place, en saison, vous trouverez tout le nécessaire: les croissants, le lait, le pain, la viande, l'épicerie, les légumes, les fruits, les fromages, les boissons, les glaces et la glace ... sans parler du tabac, des cartes postales, des livres, des journaux, de la documentation touristique, et bien entendu du Camping-gaz. Garages, essence, autres magasins et restaurants ne sont qu'à 2 km.

★ Le centre des plus belles excursions
Dans un rayon de quelques dizaines de km au maximum les sites fameux de Beynac, Laroque-Gageac, les Eyzies, Lascaux, Sarlat, Domme, les Milandes, Rocamadou, Padirac, etc ... vous permettront de passer des vacances passionnantes dont vous rapporterez les plus beaux souvenirs.

... et à "la Butte" vous serez aussi accueillis en amis, par une équipe qui fera l'impossible pour rendre votre séjour agréable.

(b) A première vue, le Périgord est une région plus agréable que la Haute-Normandie. Comment donc attirer les campeurs au Camping de la Forêt de Montgeon (*Activités*, 1)? Que peut-on leur **promettre**? Quels attraits peut-on **vanter**?

Travail individuel Inventez, pour le Camping de la Forêt de Montgeon, un document publicitaire dans le même style que celui du Camping de la Butte (a). (Inutile, cependant, de mentionner *tous* les articles vendus dans le magasin!). Référez-vous aux descriptions de terrain que vous avez étudiées (*Activités*, 1) et au document sur la ville du Havre à la page 174.

Le Havre: vue panoramique

Le port des yachts

Musée André Malraux

Honfleur: vue panoramique

LA VILLE

A la rencontre de l'estuaire de la Seine, et de la Manche, en 1517, le roi François Ier fonde un port militaire. « Le Havre de Grâce », pour remplacer celui d'Harfleur ensablé.

Au XVIIIe siècle, avec l'indépendance des Etats-Unis, se dessine la véritable vocation du Havre, celle d'un port de commerce qui connaît un essor considérable. En 1944, un bombardement détruit le centre de la Ville, qui est reconstruit suivant les plans d'Auguste Perret.

L'agglomération dépasse 250 000 habitants. Le port est le second de France, avec un trafic de 80 000 000 de Tonnes.

Un aérodrome assure des liaisons journalières avec la Grande-Bretagne, et de nombreux ferries avec la Grande-Bretagne et l'Irlande.

Paris est à 188 km, par l'autoroute de Normandie.

Visites recommandées:

Place de l'Hôtel de Ville – Avenue Foch – Front de Mer–Nice Havrais (sur la Ville de Sainte-Adresse, point de vue) – Port des Yachts – Eglise Saint-Joseph (intérieur) – Avant-port – Port de commerce.

Musées:

Musée André Malraux, peinture : collection Boudin et Dufy
Musée de l'Ancien Havre, histoire
Abbaye de Graville, archéologie.

LES ENVIRONS

ETRETAT (28 km, par R.N. 40) – Falaises célèbres
ROUEN (86 km) – Ville musée, par la Vallée de la Seine, et la route des Abbayes, dont Saint-Wandrille, Jumièges, Saint Martin de Boscherville.
HONFLEUR (58 km), port médiéval, et DEAUVILLE (75 km), plage fleurie par le Pont de TANCARVILLE.

Place de l'Hôtel de Ville

Pont de Tancarville

Rouen: Le Gros Horloge

Etretat: les falaises

3. Article de magazine: pour et contre le camping

Un magazine pour jeunes publie un article sur le camping: il en présente les attraits, tout en attirant l'attention de ses lecteurs et lectrices sur les problèmes qui peuvent survenir.

Travail individuel Composez cet article sur le pour et le contre du camping. Référez-vous à l'article *La France qui campe* et à vos notes sur les **avantages** et les **inconvénients** du camping (*Découverte*, 3).

Début possible:

«Le camping: c'est la liberté . . . »?

Les terrains de camping offrent-ils au vacancier la possibilité de retrouver le goût d'une vie simple, la beauté de la nature? Ou sont-ils plutôt de joyeux camps de concentration?

POUCE, JE PASSE

POINTS DE REPÈRE

En France, comme ailleurs, l'auto-stop offre à beaucoup de jeunes la possibilité de partir en vacances. C'est surtout le hasard qui décide du sort de l'auto-stoppeur. Mais quelques préparatifs, et quelques précautions, peuvent aider le hasard et éviter les risques inutiles. Dans l'enregistrement que vous allez écouter, Jean-Jacques C., stoppeur expérimenté, nous offre des conseils sur l'auto-stop.

Travail individuel* ⟶ *Mise en commun Ecoutez une première fois son témoignage en entier. Ensuite, le professeur vous demandera de lui dire ce que vous aurez retenu des conseils de Jean-Jacques sur:

- **l'équipement de l'auto-stoppeur**
- **les endroits à choisir ou à éviter.**

ACTIVITÉS

1. Le témoignage en détail

Travail individuel/à deux Avec ou sans partenaire, écoutez de nouveau l'enregistrement et complétez la transcription (*Livret*, p. 36). Arrêtez et repassez la bande quand il le faut.

2. La structure du témoignage: les conseils/le but

Le témoignage de Jean-Jacques se compose essentiellement d'une série de **conseils**, accompagnés de précisions sur leur **but**.

Travail à deux* ⟶ *Mise en commun Avec un(e) partenaire, notez par écrit les **conseils** de Jean-Jacques: joignez-y si possible le ou les **buts** de chaque conseil. Complétez le tableau présenté à droite.

AUTO-STOP

CONSEILS	BUT
Equipement	
Prenez:	Cela permet
– un sac à dos	– de montrer à l'automobiliste que vous êtes un stoppeur authentique
–	–
–	–
–	–
–	–
Endroits propices à l'auto-stop	
Evitez:	De cette façon, l'automobiliste
–	–
–	–

Comparez ensuite votre tableau complété avec celui des autres étudiants.

3. Ce qu'il faut faire en auto-stop. Le but

(a) Le tableau *Conseils pour le stoppeur* (à la page 176) présente d'autres conseils que l'auto-stoppeur ferait bien de prendre en considération.

Travail individuel A partir du tableau, notez, sous forme d'impératif, pour chacune des **trois rubriques** suivantes, **trois conseils** qui vous semblent particulièrement utiles pour l'auto-stoppeur:

– ce qu'il est utile de prendre: **vêtements/équipement**
– où il est utile de se placer: **endroits propices à l'auto-stop**
– ce qu'il est utile de faire: **comportement du stoppeur**.

A côté de chaque **conseil**, inscrivez son **but** en employant le futur. Rédigez vos notes de la manière indiquée à droite.

CONSEILS	BUT
Vêtements/équipement	
1. Portez des bagages légers	Les automobilistes vous prendront plus facilement
2. Habillez-vous avec sobriété	On ne pensera pas que vous êtes un voyou

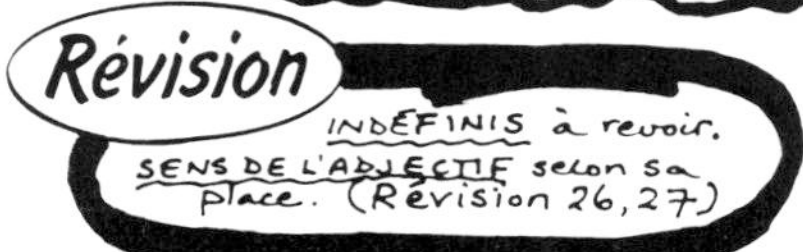

Révision
INDÉFINIS à revoir.
SENS DE L'ADJECTIF selon sa place. (Révision 26, 27)

CONSEILS POUR LE STOPPEUR

En stop vous aurez intérêt à:
- **porter des bagages légers**
- **être habillé(e) avec sobriété**
- **sourire aimablement en levant le pouce**
- **regarder l'automobiliste dans les yeux**
- **laisser au conducteur la place de se garer**
- **vous arrêter devant un restaurant routier**
- **vous installer à la sortie d'une station d'essence**
- **demander d'abord à l'automobiliste où il va**
- **avoir une tente ou un sac de couchage**
- **prendre des vêtements chauds et des chaussures robustes**
- **être muni(e) d'un anorak ou d'un imperméable**
- **bavarder avec le conducteur**
- **ne pas fumer dans la voiture**
- **ne pas vous égarer sur les petites routes secondaires**
- **éviter l'entrée des villes et les centres-ville**
- **être ajiste (adhérer aux auberges de jeunesse)**
- **ne pas voyager sans argent**
- **voyager à deux.**

▶ En donnant des conseils à un débutant, un auto-stoppeur expérimenté pourrait en expliquer le **but** en disant:

« Portez des bagages légers **afin de marcher** plus facilement. »

ou bien:

« Portez des bagages légers **afin qu**'on vous **prenne** plus facilement. »

Pour exprimer le **but** d'une action on peut employer:

si le **sujet** des deux verbes est **le même**:	si le **sujet** des deux verbes est **différent**:
pour **afin de** **de manière à** **+ infinitif.** **de façon à**	**pour que** **afin que** **de (telle) sorte que** **+ subjonctif.** **de façon (à ce) que**

◀

(b) Un adepte de l'auto-stop donne des conseils à un(e) ami(e) qui part en stop pour la première fois.

Exercice oral* ⟶ *Travail à deux Sous la direction du professeur, donnez tour à tour des **conseils** sur l'auto-stop, en précisant chaque fois leur **but**. Reportez-vous à vos notes sur le tableau *Conseils pour le stoppeur* (a), et employez chaque fois une des formules ci-dessus (*pour, pour que*, etc.).
Ensuite, donnez, de la même manière, des conseils à un(e) partenaire et écoutez à votre tour ses conseils.

Auto Stop
Faire de l'auto-stop, c'est se déplacer le plus loin possible pour le moins cher possible, en levant le pouce sur le bord d'une route. La première loi du stop, c'est le hasard. Vous aurez cependant intérêt à prendre quelques précautions.

4. Article de magazine: *Quelques tuyaux pour le stoppeur*. Conseiller (Le but)

▶ Vous avez déjà rencontré plusieurs formules que l'on emploie pour **conseiller** quelqu'un (*Exercices*, 1, p. 166). En donnant des conseils à l'auto-stoppeur débutant, Jean-Jacques aurait pu employer ces mêmes formules, ou bien certaines autres:

Préférez . . . (impératifs)	**N'attendez pas . . . (impératifs négatifs)**
Il faut/Vous devriez . . .	**Soyez sûre de ne pas . . .**
Il vaut mieux . . .	**Evitez de . . .**
Vous aurez intérêt à . . .	**Il ne faut surtout pas . . .**
Vous feriez bien de . . .	**Attention à . . .**
N'oubliez pas de . . .	

Pour exprimer le **but** d'un conseil, on emploierait, en plus des conjonctions et des prépositions données ci-dessus (*Activités*, 3), des expressions telles que:

. . . vous permettra de . . .	**dans le but de . . .**
. . . vous aidera à . . .	**dans l'intention de . . .**
. . . persuadera (quelqu'un) de . . .	**en vue de . . .**

◀

Vous composez, pour un magazine de jeunes, un article dont le but est de **conseiller** les auto-stoppeurs éventuels.

Travail individuel Voici le début de l'article, continuez-le en y incorporant des **conseils** et des formules qui expriment leur **but**.

JUGEZ VOS VACANCES

ACTIVITÉ

Sondage et article: *Jugez vos vacances*

(a) Le magazine *L'Express* a effectué, auprès de ses lecteurs, un sondage sur les Français et leurs vacances.

Travail individuel* ——→ *Mise en commun Répondez au questionnaire analogue (*Livret*, pp. 37–38) sur vos vacances d'été cette année: mettez +, — ou **O** dans les cases qui conviennent.

Ensuite, en français ou en anglais, posez les mêmes questions à **cinq** étudiants de votre école. Notez leurs réponses de la même façon:

vous semblent **les plus indispensables**, et un trait (—) pour les **trois éléments les moins indispensables**:

le confort		le sport		les amis	—
le beau temps	+	les activités culturelles	+	la conversation	—
le dépaysement	+	les enfants	—		

Mettez ensemble les opinions et les informations que vous avez relevées avec celles recueillies par les autres étudiants. Ensuite, sous la direction du professeur, calculez, comme pourcentage si vous le voulez, le total dans chaque catégorie.

(b) L'article qui suit est basé sur le sondage effectué par *L'Express*.

Travail individuel Lisez l'article en faisant particulièrement attention à sa structure et à son expression. Ensuite, à partir des informations et opinions recueillies au cours de votre sondage, composez un article analogue, de quatre ou cinq paragraphes, sur les vacances des étudiants de votre école.

*Quelle importance les Français attachent-ils à leurs vacances? Quels sont les éléments indispensables à la réussite des vacances? Quels sont ceux dont on peut se passer? Quels sont les régions, les sites ou les pays que les vacanciers préfèrent, ceux où ils rêvent d'aller? Tels étaient les thèmes du questionnaire de **L'Express** dans les numéros du 31 juillet et du 7 août.*

«A peine rentrée, je trace déjà des plans pour les vacances de l'année suivante», écrit une lectrice du Tarn. Les vacances font partie de la vie, à longueur d'année. On les rêve, on les prépare, on les goûte, on se les remémore.

C'est peut-être la plus grande surprise de ce questionnaire: «Nous ne rognerons pas sur nos vacances», semblent dire tous ceux qui ont répondu. «Si vous deviez limiter vos dépenses, sur quoi commenceriez-vous par économiser?» demandions-nous. Les vacances arrivent en dernier.

Le littoral – et là c'est loin d'être une surprise – attire toujours autant de monde, puisque près de la moitié des personnes qui ont répondu y sont allés cet été, surtout sur la Côte d'Azur. «Aucun de nous, mon mari haut fonctionnaire, ou nos deux enfants 18 et 19 ans, ne conçoit des vacances sans la mer et sans le soleil», explique une Parisienne.

Mais quelques commentaires sont peu flatteurs: «Les bords de mer souffrent d'un entassement exécrable sur la Côte d'Azur», constate un lecteur du Nord. C'est sans doute ce phénomène d'entassement qui explique une attitude contradictoire: on va sur le littoral méditerranéen, mais on rêve d'aller ailleurs. La Côte d'Azur arrive largement en tête des régions considérées comme les moins agréables. «Vivant dans le Midi, je n'y prends jamais mes vacances d'été, en raison du surpeuplement, du comportement des estivants, de la hausse des prix, de la mauvaise qualité des services et de l'aspect concentrationnaire des villes à cette époque de l'année», écrit un habitant de Nîmes qui préfère aller à l'étranger.

La Bretagne est considérée comme l'une des trois régions les plus agréables, battue de peu, il est vrai, par les Alpes. La popularité de ce massif risque, pourtant, de connaître des limites: le béton y pousse comme sur la côte.

Le Français n'est plus aussi casanier qu'autrefois. Près du quart des personnes qui ont répondu sont allées, cet été, à l'étranger: «Les vacances en France m'ennuient», écrit une Parisienne de 28 ans. Est-ce l'ennui qui pousse les Français à rêver de Tahiti ou de la Californie? Dans notre questionnaire, nous avons mêlé l'exotisme (Tahiti, Californie), l'aventure (Kenya, Andes), la curiosité (Chine, Inde, Egypte, New York), un certain retour aux sources (Jérusalem) et un reste de mode (Saint-Tropez). Le résultat ne nous a pas vraiment surpris. Que Tahiti arrive largement en tête, rien de plus normal. La performance de la Californie est plus surprenante: cette région des Etats-Unis apparaît comme une sorte de Terre promise.

Faut-il aller chercher si loin le dépaysement? Nombreux sont les Français persuadés que leur pays n'a pas d'égal. «Trop de Français vont dans des pays certes magnifiques. Mais ils ne connaissent pas vraiment la France. J'ai parcouru l'Amérique du nord au sud. Croyez-moi, le plus beau, le plus agréable, c'est la France», affirme un habitant de Pointe-à-Pitre.

Qu'il aille à l'étranger, ou qu'il reste au pays, le Français ne se désintéresse pas de son budget. On incrimine un peu tout: le commerce d'alimentation, les distractions, l'accès aux plages, les cafés, les restaurants, les hôtels. L'amabilité des restaurateurs et des hôteliers est souvent mise en cause. «Pour beaucoup d'hôteliers on n'est qu'un numéro de chambre. On n'a pas le moindre mot pour demander si le voyage a été bon, s'il ne manque rien dans la chambre, écrit une lectrice en vacances. La patronne passe sans regarder les clients, sans même dire bonjour. On ne se parle que pour payer la note!»

Mais les vacances ne sont plus ce petit superflu qu'on s'offre de temps en temps. Pour les Français les vacances sont sacrées. C'est un phénomène qui accroît la responsabilité des pouvoirs publics. En maîtrisant mieux l' «industrie» des vacances, ils pourront non seulement éviter les abus, mais aussi permettre à un plus grand nombre d'accéder à cette nouvelle «civilisation».

RÉSUMÉ GRAMMATICAL

In this section you will find listed, under appropriate headings, the grammatical points presented in the preceding *dossiers*, in *Exercices*, in *Activités*, in boxes (*A compléter, à noter et à mémoriser*) and in the *Programme de révision*. In the numerous cases where an exercise or activity provides fuller explanation, examples or practice, a reference to a chapter, an *Exercice/Activité* and a page is given (38, ex 2, p. 156); references to the *Programme de révision* (pp. 221–232) are also given (rév, 19).

Although a few points, appropriate to a later stage in the course, are deferred, this section is relatively complete; so you will find it useful for revision and consolidation, as well as for reference. Keep your own notebook of grammatical points, particularly of corrections to your written work; your own examples, drawn from and recorded in a context, are more memorable than any provided for you.

ARTICLES AND DETERMINANTS

1. Definite article : *le, la, l', les*

Contracted after *à ⟶ au, aux* *de ⟶ du, des.*	Une lettre adressée aux gagnantes. L'ambition du père.
For unique thing(s), person(s) (*the*).	La côte vendéenne.
Thing(s), person(s) already mentioned.	La tempête continuait.
A noun used in a general sense.	J'aime le cyclisme (38 ex 2, p. 156).
A category of thing(s), person(s) (*hotel holidays*).	Les vacances à l'hôtel ne lui plaisent pas (38 ex 2, p. 156).
A part of the body: possession.	Ils ont les yeux froids (25 ex 3, p. 93).
An expression of manner, description (*with a fierce gaze*).	Le regard féroce, les visages bardés de casques (rév 10).
After a reflexive verb.	Elle s'est brûlé les mains.
An action, movement of the body.	Elle a ouvert les yeux (rév 10).
An action done to part of somebody else's body (*she shakes his hand*).	Elle lui serre la main (rév 10).
Before an adjective + a named person.	Le pauvre Stephen.
A title or rank.	L'inspecteur Bouvier.
A language.	L'anglais est indispensable (rév 19).
Omitted after *parler* + a language (without adverb).	Elle parle anglais (cp. Elle parle bien l'anglais) (rév 19).
Time of day (*in the evening*).	Le soir ils cherchaient un campement (8 act 1, p. 32).
A day of the week: repetition (*on Friday mornings*).	Le vendredi matin (rév 8).
A country.	La France est un pays d'individualistes (rév 19).
Omitted with *de* + a country, if equivalent to an adjective.	L'équipe de France (= *française*).
A measurement, price (*3 francs a trip, 9 francs a kilo*).	Trois francs le trajet, neuf francs le kilo (rév 15).
Omitted in an enumeration, a list.	Chaînes à tendre, dynamos à régler, pneus à gonfler.

2. Indefinite article : *un, une, des*

For thing(s), person(s) not unique (*a tablecloth, charred clothes*).	Une nappe, des vêtements calcinés.
Reduced after a negative ⟶ *de*.	Il n'y a pas eu de victimes.
Included after *ne . . . que*.	Ils n'ont que des opinions banales.
Reduced after an expression of degree, quantity ⟶ *de*.	Peu de chances de trouver du travail (rév 14).
Included after *encore* (*more steps*).	Encore des démarches à faire (rév 14).
Included in *bien des, la plupart des* (*many, most young people*).	Bien des jeunes, la plupart des jeunes (rév 14).
Reduced before an adjective + plural noun ⟶ *de*, in written language.	De gros dessins, d'excellents rapports (rév 6).
D'autres (*other*).	D'autres activités.
Not reduced when used before an adjective often associated with a given noun.	Des jeunes gens, des grandes personnes.
Generally omitted for a profession, after *il est, elle est*, etc.	Elle est journaliste (29 ex 3, p. 118).
Included for a profession after *c'est*.	C'est une chanteuse (29 ex 3, p. 118).
Included before a profession + an adjective.	C'est un savant renommé (29 ex 3, p. 118).
Omitted for a noun in apposition (*Monsieur C., the site manager, a camping enthusiast*).	Monsieur C., responsable du terrain, partisan du camping.
Frequently omitted after *entre*.	Un échange entre familles.
Frequently omitted after *avec, sans*.	Un studio avec/sans télévision.
Frequently omitted after *ni . . .ni . . .*	On n'a besoin d'être ni champion ni vedette.
Omitted after *travailler*, etc., *comme* (*as a teacher*).	Elle travaille comme institutrice.
Des omitted after a past participle + *de*.	Une ville satureé de touristes.

Des omitted after an expression/construction ending with *de*. — Elle a besoin de rustines.

Omitted in an enumeration, a list. — L'équipement essentiel: raquette, balles, vêtements de tennis.

3. Partitive article : *du, de la, de l'*

For an 'uncountable' thing, substance (*nail varnish, eye shadow, powder*). — Du vernis à ongles, de l'ombre à paupières, de la poudre.

An activity, after *faire*. — Je fais du cyclisme (38 ex 2, p. 156).

Reduced after a negative ⟶ *de*. — Je n'aurai plus de vaisselle à faire.

Reduced after an expression of degree, quantity ⟶ *de*. — Trop d'indépendance, 300 hectares de forêt (rév 14).

Included after *encore*. — Encore du gâteau (rév 14).

Frequently omitted after *avec, sans*. — Avec douceur, sans agressivité.

Omitted after an expression/construction ending with *de*. — Elle manque de compréhension.

Omitted in an enumeration, a list. — Ils font preuve de réelles qualités athlétiques: vitesse, souplesse, endurance.

4. Demonstratives : *ce* (*cet*), *cette, ces* (+ *-ci/là*) (rév 1)

Cet before a masculine singular noun starting with a vowel sound. — Cet objet-ci sert à étudier les astres.

For particular thing(s), person(s) (*this, these; that, those*). — Cette ferme des Hautes-Pyrénées, ces individus.

Particular thing(s), person(s) distinguished from other(s) of the same type (*this/that car, these/those clothes*). — Cette voiture-ci, cette voiture-là. Ces vêtements-ci, ces vêtements-là.

5. Possessives:

mon	***ma***	***mes***
ton (*père*)	***ta*** (*mère*)	***tes*** (*parents*)
son	***sa***	***ses***
notre		***nos***
votre (*père, mère*)		***vos*** (*parents*)
leur		***leurs***

Agreement with the noun following, not the possessor (*her weekend, his personality*). — Le weekend de Sophie ⟶ son weekend. La personnalité de Paul ⟶ sa personnalité.

*Mo**n**, to**n**, so**n*** before a vowel sound: masculine or feminine singular noun. — Mon ambition, son hésitation.

Possessives emphasised with *à* + an emphatic pronoun (*her situation*, not his). — Sa situation à elle.

Required with each noun. — Sa personnalité, ses parents et son passé.

6. Indefinites

Quelque(s) (*some*). — Quelque temps, à quelque distance. Quelques milliers de vacanciers (rév 26).

Plusieurs (*several*). — Plusieurs campings sont déjà complets (rév 26).

Chaque (*each, every*). — Chaque fois que nous partons (rév 26).

Tout(e), tous (*toutes*) (*all*) + article + noun. — Tout le voyage, toute la nuit. Dans tous les sens (rév 26).

Un(e) tel(le), de tel(le)s (*such*). — Une telle panique, de tels orages.

Tout(e) (*any*) + noun. — Tout repos, toute tranquillité est impossible (rév 26).

NOUNS

7. Derivation of nouns

From an adjective: *blanc* ⟶ *blancheur*, etc.

From a verb: *réparer* ⟶ *réparation*, etc.

See boxes: **A compléter, à noter et à mémoriser**.

8. Formation of plurals

-s, -x, -z, no change.	bras, voix, etc.
-eu, au ⟶ *-eux, -aux*.	feux, bureaux, etc.
-al ⟶ *-aux*.	hôpitaux, idéaux, etc.

Forms to note:

bal	*bijou*	*monsieur*	bals	bijoux	messieurs
pneu	*caillou*	*madame*	pneus	cailloux	mesdames
œil	*chou*	*mademoiselle*.	yeux	choux	mesdemoiselles.
travail	*genou*		travaux	genoux	
	hibou			hiboux	

A compound noun (noun (+ *de*) + noun):	
timbre-poste, centre-ville, etc.	⟶ timbres-poste, centres-ville, etc. (rév 24).
chemin de fer, pomme de terre, etc.	⟶ chemins de fer, pommes de terre, etc.
A compound noun (verb + noun):	
un essuie-glace, un ouvre-boîte(s), etc.	des essuie-glace, des ouvre-boîte(s), etc. (rév 24).
Note: *un tire-bouchon*	des tire-bouchons (rév 24).
A compound noun (preposition + noun):	
avant-centre, sous-vêtement, etc.	⟶ avant-centres, sous-vêtements, etc. (rév 24).
but *un(e) après-midi*.	⟶ des après-midi.
The name of persons or things, no change.	les Lahore, des Canadair.
(N.B. A collective noun is grammatically singular.	La police est intervenue.
La plupart de(s) + a plural noun is plural.	La plupart des étudiants travaillent (32 ex 5, p. 130).
For *un groupe, une bande, une foule*, etc., *de* + a plural noun, the verb may be singular or plural.	Une bande de voyous entre/entrent (32 ex 5, p. 130).)

9. Masculine and feminine forms

Masculine and feminine forms identical.	un(e) élève, enfant, camarade, etc.
Masculine form only.	un professeur, médecin, menuisier, etc. (27 act 3, p. 107).
Feminine form only.	une dactylo, ménagère, sage-femme, etc. (27 act 3, p. 107).
Forms to note:	
- ⟶ *-e*	commerçant(e), avocat(e), etc.
-er ⟶ *-ère*	prisonnier(-ière), sorcier (-ière), etc.
-eur ⟶ *-rice*	directeur(-trice), instituteur (-trice), etc.
-eur ⟶ *-euse*	travailleur(-euse), plongeur(-euse), etc.
-ien ⟶ *-ienne*	gardien(-ienne), informaticien(-ienne), etc.
-x ⟶ *-se*, *-f* ⟶ *-ve*.	époux(-ouse), veuf(-euve), etc.

10. Gender

Endings generally masculine:	
–ier	un quartier, sentier, etc.
-eau	un bateau, gâteau, etc.
	mais une peau, l'eau fraîche.
-ment	un appartement, bâtiment, etc.
-age.	un barrage, passage, etc.
	mais une cage, page, plage, image.
Endings generally feminine:	
-ade	une promenade, escalade, etc.
-ette	une cigarette, camionnette, etc.
-ion	une inondation, proportion, etc.
	mais un camion, avion, million.
-ance, -ence	une distance, présence, etc.
	mais un silence.
-té, -tié	une amitié, bonté, etc.
	mais un été, côté.
-ière	une barrière, rivière, etc.
-ille.	une famille, nouille, etc.

ADJECTIVES

11. Formation of feminines

Common formations:

-er ⟶ *-ère*	dernière, fière, etc.
-eux ⟶ *-euse*	curieuse, amoureuse, etc.
-el ⟶ *-elle*	personnelle, actuelle, etc.
-f ⟶ *-ve*	inoffensive, sauve, etc.
-et ⟶ *-ète*	secrète, complète, etc.
-en ⟶ *-enne.*	quotidienne, ancienne, etc. (rév 2)

Irregular forms to note:

bas	*faux*	*long*	basse	fausse	longue
beau	*favori*	*mou*	belle	favorite	molle
bon	*fou*	*nouveau*	bonne	folle	nouvelle
bref	*frais*	*public*	brève	fraîche	publique
blanc	*gentil*	*sec*	blanche	gentille	sèche
chic	*gras*	*sot*	chic	grasse	sotte
doux	*gros*	*trompeur*	douce	grosse	trompeuse
épais	*jumeau*	*vieux.*	épaisse	jumelle	vieille (rév 2)

12. Formation of plurals

Common formations:

-al ⟶ *-aux*	sociaux, centraux, etc.
-eau ⟶ *-eaux*	beaux, nouveaux, etc.
-s, -x, -z ⟶ *-* ——.	gris, heureux, etc. (rév 2).

13. Masculine singular

Special form, used before a vowel sound:
bel, nouvel, vieil, fol.

Un bel homme, son nouvel amour, leur vieil ami, ce fol espoir (rév 2).

14. Invariable forms

A noun used as an adjective. — Des yeux noisette, des chaussures marron (25 ex 3, p. 93).

A compound adjective of colour. — Des yeux bleu clair/bleu pâle/bleu foncé (25 ex 3, p. 93).

Demi-, *nu-* preceding the noun. — Une demi-heure, nu-tête.

(N.B. *Demi*, *nu* are variable after the noun. — Trois heures et demie, les pieds nus.)

15. Position of adjectives

Adjectives are normally placed after the noun. — Des gens célèbres, une langue étrangère (rév 6).

Some common adjectives are normally placed before the noun:
autre, beau(belle), bon(ne), excellent(e), gentil(le), grand(e), gros(se), jeune, joli(e), mauvais(e), méchant(e), meilleur(e), petit(e), vieux(vieille), vilain(e).

Une meilleure formation, cette vieille école, d'autres avantages, d'excellents résultats, une grande ville industrielle (rév 6).

Other adjectives can be used before the noun to reduce emphasis. — Un fantastique carrousel, trois puissantes motocyclettes.

The meaning of some adjectives is affected by their position:

ancien(ne) = old (former ≠ ancient)	Une ancienne élève, un monument ancien.
certain(e) = certain (some ≠ definite)	Un certain intérêt, des progrès certains.
cher(chère) = dear (beloved ≠ expensive)	Mes chères sœurs, des vacances chères.
dernier(–ière) = last (latest ≠ past)	Les dernières nouvelles, l'an(née) dernier(–ière).
même (same ≠ actual)	Le même camion, ses paroles mêmes.

pauvre = *poor* (*unfortunate* ≠ *impoverished*)
Mon pauvre ami, les classes pauvres.

prochain(e) = *next* (after noun = *coming*)
La prochaine fois, le mois prochain.

propre (*own* ≠ *clean*).
Sa propre moto, les mains propres (rév 27).

An adjective may be used without a noun.
Quel candidat? Le suivant.
La camionnette rouge, ou la verte?

16. Comparative and superlative (see also 59 **Comparison** p. 200)

The comparative expressing superiority: *plus* + adjective.
Arthur est plus sage qu'Hélène (20 ex 5, p. 76).

The comparative expressing inferiority: *moins/pas (aus)si* + adjective.
Hélène est moins impulsive que son frère. Hélène n'est pas (aus)si impulsive que son frère (20 ex 5, p. 76).

The comparative expressing equality: *aussi* + adjective (*as ambitious as*).
Alain est aussi ambitieux que Chantal.

The superlative of an adjective used before the noun: *le/la/les plus* + adjective + noun.
C'est le plus/le moins joli terrain (40 ex 3, p. 169).

The superlative of an adjective used after the noun: noun + *le/la/les plus* + adjective.
Les détails les plus intimes (40 ex 3, p. 169).

The superlative with *de* + a noun (*the liveliest resort in the Roussillon*).
C'est la station la plus animée du Roussillon (40 ex 3, p. 169).

Better, best with a noun: *meilleur, le meilleur*, etc. (*better players, the best team*).
Ce sont de meilleurs joueurs que leurs adversaires.
La meilleure équipe du championnat (rév 25).

Better, best with a verb or an adjective: *mieux, le mieux* (*they play better, the best equipped*).
Ils jouent mieux que leurs adversaires. Le club le mieux équipé (rév 25).

Le moindre, etc., replacing *le plus petit*, etc., with an abstract noun (*the least/the slightest hesitation*).
Sans la moindre hésitation, dans les moindres détails (rév 25).

Le pire, etc., replacing *le plus mauvais*, etc., with an abstract noun (*the worst conditions*).
Les pires conditions de travail (rév 25).

PRONOUNS

17. Subject pronouns: *je, tu, il, elle, nous, vous, ils, elles; on; ce*

Inverted in questions (see 65, ***Questions, asking*** p. 202).

Inverted after speech.
«Alors?» dit-elle/demanda-t-elle.
«Non», a-t-elle répondu/s'est-elle écriée.

Inverted after *peut-être, sans doute* used at the beginning of a sentence.
Peut-être/Sans doute la dame comprenait-elle.

(N.B. Conversationally *peut-être que, sans doute que* are used, without inversion.
Peut-être/Sans doute qu'elle comprenait.)

Inverted after *aussi* (*so/consequently I needed encouragement*).
Aussi avais-je besoin d'encouragement.

(N.B. *Aussi* = *also* is not used at the beginning of a sentence (*I also needed encouragement*).
J'avais aussi besoin d'encouragement.)

On with a general sense (*one/people*).
On ne détruirait pas les plants.

On with a passive sense (*these things were discussed less*).
On discutait beaucoup moins ces choses-là (26 ex 5, p. 101).

On replacing *nous*.
On s'est retrouvé à la fin du mois.

On, with *demander* (à), *dire* (à), *permettre* (à), etc, = English passive (*they are asked/told/allowed*).
On leur demande/dit/permet de sortir pendant la journée.

C'est, c'était, etc., used with a noun.
C'étaient trois jeunes hommes (25 ex 4, p. 94).

Il/elle est, il/elle était, etc., used with an adjective referring to particular thing(s), person(s).
Ils étaient magnifiques (25 ex 4, p. 94).

Il est/était, etc., with an adjective + *de* + infinitive (*It was difficult to . . .*).
Il était difficile de trouver des campeurs accueillants (25 ex 5, p. 94).

Il est/était, etc., with an adjective + *que* + verb (*It is evident that . . .*).
Il est évident que les campeurs sont méfiants (25 ex 5, p. 94).

C'est, c'était, etc., with an adjective, to summarise.	On se décontractait autour du feu; c'etait agréable (25 ex 5, p. 94).
(N.B. *Ce* counts as masculine. (See also 2, **Indefinite article** p. 180).	C'est beau, la vie (fam) = la vie est belle.)

18. Object pronouns + y, en:

me	***le***	***lui***	***y***	***en***
te	***la***	***leur***		
se	***les***			
nous				
vous				

Lui, leur replacing *à* + person(s) (*to him/her, to them*).	Le père leur parlait dans la cour. Ils lui répondirent (5 ex 1, p. 16).
Y expressing location (*there*).	Il y a caché un arsenal (11 ex 5, p. 43).
Y replacing *à* (*au, aux*) + thing(s)/infinitive (*at, in it/them*, etc.).	Il y est arrivé (*au rendez-vous, à le faire*) (11 ex 5, p. 43).
En replacing *de* (*du, des*) + noun/infinitive (*some, any, of it/them*, etc.).	Elle en prenait. Il n'en fait pas. Ils en ont parlé (*de recommencer*) (11 ex 5, p. 43).
En with an expression of quantity, number (*of it/them*, etc.).	Il y en avait beaucoup (11 ex 5, p. 43). Ils en ont trouvé quatre.
Pronouns in the normal position: before the verb.	Le feu les attaquait (5 ex 1, p. 16).
In compound tenses: before the auxiliary.	Il leur a donné ce conseil (5 ex 1, p. 16).
(N.B. Agreement of the past participle with *la, les, nous*, etc.	Il les a incités à brûler leurs matelas (5 ex 1, p. 16).)
Before an infinitive.	Il est venu nous voir (5 ex 1, p. 16).
Two third person pronouns: order (direct ⟶ indirect ⟶ *y/en*).	Elle le lui a expliqué (28 ex 2, p. 111).
First/second person pronoun + third person pronoun: order (1st/2nd ⟶ 3rd person).	Je te l'expliquerai (29 ex 2, p. 117).
After an imperative: with hyphen.	Ouvre-les (20 ex 3, p. 74).
After an imperative, two pronouns: order (direct ⟶ indirect ⟶ *y/en*).	Donne-le-lui. Apportez-nous-en (20 ex 3, p. 74).
After an imperative *me, te* ⟶ *moi, toi*.	Ecoutez-moi (20 ex 3, p. 74).
(N.B. The second person singular imperative of an *–er* verb, and of *aller*, adds *–s* before *y, en*.	Manges-en. Vas-y.)
Before the negative imperative: normal order.	Ne vous en approchez pas (20 ex 3, p. 74).
With *voici, voilà*.	Nous voilà en vacances. Les voici.
Le, y, en referring to an idea not contained in any particular noun.	Nous sommes partis, je m'en souviens, fin août.
Le with *croire, vouloir*, etc, (*I think so. If you want to.*)	Je le crois. Si vous le voulez.
Omitted with *trouver*, etc., + adjective + *de* + infinitive (*I find it pointless to wait*).	Je trouve inutile d'attendre.

19. Emphatic pronouns: *moi, toi, lui, elle, nous, vous, eux, elles; soi*

Used alone.	Qui était dans la cuisine? Moi.
After a preposition.	Ses vêtements ont pris feu sur elle (5 ex 2, p. 17).
To emphasise the subject.	Un homme, lui, se tait (5 ex 2, p. 17).
For a double subject.	Lui et Michèle passaient l'encaustique (5 ex 2, p. 17).
Before a relative pronoun.	C'est lui qui a pris les choses en main (5 ex 2, p. 17).
With *aussi*.	Ils sont partis eux aussi (5 ex 2, p. 17).
With *-même* for emphasis.	Le curé lui-même en était incapable.
In a comparison.	Il était aussi impuissant qu'eux.
Expressing possession.	Les petits chemins sont à nous.
After a reflexive verb + *à*.	Elle s'est adressée à lui.
After a verb of movement or *penser* + *à*.	Elle vient à moi, nous pensons à elles.
Soi (*–même*) replacing *on* (*oneself*).	On ne pense qu'à soi.
Soi (*–même*) replacing *chacun*.	Chacun doit compter sur soi-même.

20. Relative pronouns: ***qui, que, dont, lequel, laquelle, lesquels, lesquelles,*** (***auquel, à laquelle, auxquels, auxquelles, duquel, de laquelle, desquels, desquelles,***) ***ce qui, ce que, ce dont, quoi.***

Qui subject of the following verb.	Un astrologue c'est quelqu'un qui étudie l'influence des astres (5 ex 3, p. 18).
Que/qu' object of the following verb.	Une baguette c'est quelque chose qu'emploie un sourcier (5 ex 3, p. 18).
Dont when the following verb is constructed with *de* (*se servir de*, etc.).	Ce sont des cartes dont se sert une cartomancienne (5 ex 3, p. 18).
Dont expressing possession (*Sophie, whose weekends are nothing . . .*).	Sophie, dont les weekends ne sont rien, reste seule (8 ex 6, p. 31).
Qui after a preposition: for person(s).	Des spécialistes, à qui nous nous sommes adressés, l'ont dit.
C'est . . . qui/que/dont for emphasis.	C'est le commissaire qui a dirigé l'enquête (11 ex 2, p. 41).
(N.B. Agreement of the verb with the antecedent (*you who have . . .*).	C'est vous qui avez dépisté les gangsters?)
Lequel, etc., after a preposition: for thing(s).	Il y avait une digue sur laquelle pouvait se poser l'hélicoptère (17 ex 3, p. 64).
Lequel, etc., contracted to *auquel*, etc., when used with a verb constructed with *à*.	Voici les récifs auxquels nous avons fait attention (17 ex 3, p. 64).
Duquel, not *dont*, after a compound preposition with *de* (*près de, à côté de, au moyen de*, etc.).	C'est le 'Bell' au moyen duquel nous avons effectué la relève (17 ex 3, p. 64).
Dans lequel, etc., replaced by *où*.	C'est le phare où j'ai passé plus de 60 jours (17 ex 3, p. 64).
Où (= *in which*) with a temporal sense (*the summer when*).	L'été où Charlotte était amoureuse.
Ce qui, ce que to sum up a preceding clause (*which was/which I found . . .*).	Nous y avons passé deux heures, ce qui était/ce que je trouvais quand même excessif (40 ex 2, p. 168).
Ce qui, ce que . . . c'est, c'était, etc., for emphasis (*what disgusted her/what she hated*).	Ce qui la révoltait/Ce qu'elle exécrait, c'était l'exploitation (32 ex 1, p. 128).
Tout ce qui, tout ce que (*everything which*).	Tout ce qui rend la vie agréable, tout ce que le Français trouve agréable (33 ex 1, p. 132).
(N.B. Inversion preferable after (*ce*) *que*, (*ce*) *dont* (when the subject is named).	Des plantes dont se sert un guérisseur (5 ex 3, p. 18).)
Quoi after a preposition: to refer to a preceding clause.	On dînait ensemble, après quoi on allait faire un tour.

21. Interrogative pronouns: ***qui*** **(*est-ce qui*)**, ***qui*** **(*est-ce que*)**, ***Qu'est-ce qui,*** (***qu'est-ce***)***que***, ***quoi***, ***lequel, laquelle, lesquels, lesquelles***, ***ce qui, ce que, ce dont***

(See also 65, **Questions, asking,** p. 202).

Qui or *qui est-ce qui* for person(s) (subject).	Qui (est-ce qui) a mis le feu? (2 ex 3, p. 7).
Qui est-ce que, or *qui* + inversion for person(s) (object).	Qui est-ce qu'on a mobilisé? Qui a-t-on mobilisé? (2 ex 3, p. 7).
Qui after a preposition.	De qui s'agit-il? Par qui le feu a-t-il été allumé? (2 ex 3, p. 7).
Qu'est-ce qui for thing(s) (subject).	Qu'est-ce qui vous a permis de tenir? (14 ex 5, p. 54).
Qu'est-ce que, or *que* + inversion for thing(s) (object).	Qu'est-ce que vous avez fait? Qu'avez-vous fait? (14 ex 5, p. 54).
Quoi after a preposition.	Par quoi est-ce que les secours ont été ralentis? (2 ex 3, p. 7).
Lequel, etc., to ask which one(s) of several person(s), thing(s).	Laquelle (de ces lycéennes) habite la banlieue? (37 ex 4, p. 152).
cp. *Quel*, etc., + noun.	Quelle lycéenne?
Ce qui, ce que, in indirect questions (*he asked them what had enabled them to hold out*).	Il leur a demandé ce qui leur avait permis de tenir (14 ex 5, p. 54).

Ce dont when the verb following is constructed with *de* (*what it is about*).	Je vous dirai ce dont il s'agit.
Que + infinitive (*what is to be done?*).	Que faire?

22. Possessive pronouns:

le mien	***la mienne***	***les miens***	***les miennes***
le tien	***la tienne***	***les tiens***	***les tiennes***
le sien	***la sienne***	***les siens***	***les siennes***
le nôtre	***la nôtre***	***les nôtres***	
le vôtre	***la vôtre***	***les vôtres***	
le leur	***la leur***	***les leurs***	

To avoid repetition of a possessive + noun (*your character and hers*).	Comment voyez-vous votre caractère et le sien? (8 ex 3, p. 29)
Le mien, etc., combining with *à*, *de* → *au mien, du mien* (*not like mine*).	Son caractère ne ressemble pas au mien.
Les miens, etc., similarly → *aux miens, des miens*, etc. (*different from hers*).	Mes habitudes sont différentes des siennes.
(N.B. After *être*, a possessive can be replaced by *à* + emphatic pronoun (*ours*).	Cette 2 cv est à nous).

23. Demonstrative pronouns: *celui, celle, ceux, celles; ceci, cela*

With *–ci* or *–là*: to avoid repetition of a demonstrative *ce, cette*, etc., + noun + *–ci*/*–là* (*this one, that one, these, those*).	Cette maison-ci est à nous, celle-là est à Maryse. Ces garçons-ci habitent à Paris, ceux-là en province (rév 1).
With *de* possessive: to avoid repetition of a noun + *de* (*Sophie's character and Maryse's*).	L'article met en contraste le caractère de Sophie et celui de Maryse (8 ex 2, p. 29).
With *qui, que, dont*: to avoid repetition of a noun + relative (*the one who*).	Laquelle de ces filles a dit cela? Celle qui a des notes lamentables (37 ex 4, p. 152).
The former: celui-là, etc. *The latter: celui-ci*, etc.	Mesrine et son complice sont blessés, celui-ci (son complice) à la jambe, celui-là (Mesrine) à la hanche.
Ceci, cela (*ça* in speech) when no particular noun is referred to (*this, that, it*).	Vous avez vu ceci? Cela (ça) n'a aucune importance. Cela (ça) m'ennuie de te le dire.

24. Indefinite pronouns

Quelque chose (+ *de* + adjective) (*something*).	La solitude est quelque chose de noble.
Quelqu'un (+ *de* + adjective) (*someone*).	Quelqu'un (de sympathique) fera le premier pas.
Quelques-uns, quelques-unes (+ *de* + noun) (*some of*).	Quelques-unes de nos voisines (rév 26).
Tout (*everything*).	Elle compresse tout avec une machine.
Rien (+ *de* + adjective) (*nothing*).	Ce sentiment n'a rien de vil.
Tous, toutes (*all*).	Je les comprenais toutes, tou*s* (On prononce le *s* final).
Tous/toutes les deux, trois, etc., (*both, all three*, etc.).	Nous sommes tous les deux professeurs (rév 26).
Chacun(e) (+ *de/d'entre* + noun/pronoun) (*each of*).	Chacune (des ouvrières/d'entre elles) reste rivée à sa place (rév 26).
Plusieurs (+ *de/d'entre* + noun/pronoun) (*several of*).	Plusieurs d'entre eux sont malades (rév 26).
Autre chose (*something else*).	Autre chose que la radio.
Pas grand-chose (+ *à* + infinitive) (*not much*).	Elle n'a pas grand-chose à dire.
L'un(e) (+ *de/d'entre* + noun/pronoun) (*one of*).	L'un de ses complices, l'un d'entre eux. L'une d'entre elles y a participé.
L'un(e) . . . l'autre (*one . . . the other*).	L'un était pilote, l'autre plongeur.
L'un(e) l'autre, les un(e)s les autres (*each other*).	Ils se sont encouragés l'un l'autre/les uns les autres.
L'un(e) + preposition + *l'autre*.	L'un après l'autre ils sont partis.
Les un(e)s + preposition + *les autres*.	Ils vivent les uns sur les autres.
N'importe qui (*anyone*). *N'importe quoi* (*anything*).	Elle écrit des articles sur n'importe qui et sur n'importe quoi (rév 13).

N'importe où (*anywhere*). *N'importe comment* (*anyhow*). *N'importe quand* (*anytime*).	Elle les rédige n'importe où, n'importe comment et n'importe quand rév 13.
Le seul, etc., (+ *à* + infinitive) (*the only one to*). *Le premier, dernier*, etc. (+ *à* + infinitive) (*the first/last to*). Adjectives used as pronouns: *l'important, l'essentiel*, etc. (*the important thing, the most disagreeable thing*).	Tu n'es pas la seule à avoir cette vocation (38 ex 3, p. 157). Nous avons été les premiers/derniers à couvrir cet événement (38 ex 3, p. 157). L'important c'est d'avoir de la volonté. Le plus pénible c'était la mise en boîtes.

PREPOSITIONS

25. A

Location, destination.	A l'hôtel, au premier paragraphe, au volant de sa BMW, à la main, à la campagne, au soleil, à l'ombre, (cp. sous la pluie/neige), à Strasbourg (*ville*), aux Andelys, au Mans (*ville* précédée de *le*(*s*)), au Japon (*pays masculin*), aux Etats-Unis (*pays pluriel*), etc.
Time.	A l'avance, à l'heure, à temps pour le voir, le 3 juin au matin, au 19e siècle, etc.
Means, manner.	A vélo, à pied, skis aux pieds, le sourire aux lèvres, etc.
Type.	Du gâteau à la confiture, un sandwich au fromage; une chemise à rayures bleues, travail à deux, un réchaud à gaz, etc.
Use.	Une corde à sauter, du papier à écrire, etc.
Appearance.	A l'air inoffensif, au regard triste, aux yeux froids, etc.
Belonging.	Les chemins sont à nous, c'est à eux de protester, etc.
(N.B. Repetition with each noun.	Elle s'est adressée à la police, à la mairie, au bureau de tourisme et aux pompiers.)

26. Chez

Residence.	Chez Sophie il y a mille objets inutiles, etc.
Place of business.	Chez le pharmacien, travailler chez IBM, etc.
In the case of, among.	C'est une manie chez lui, aucun respect chez les jeunes, etc.

27. Contre

Opposition.	Guingamp contre Orléans, fâché contre moi, etc.
Contrary to.	Contre toute attente, etc.
Protection.	Pour s'abriter contre l'orage, etc.

28. Dans

Location, destination.	Dans le Massif Central, dans la montagne, dans le Cantal (*département*), etc.
Out of.	Prends-le dans l'enveloppe, on boit dans une tasse ou dans un verre, etc.
Future time.	Nous partons dans deux jours, etc.
Approximation (*or thereabouts*).	Dans les 20 ans, etc.

29. De

Out of, from.	Sortir du labyrinthe; une lettre d'un ami, revenir d'Espagne (*pays feminin*) ou du Maroc (*pays masculin*), le train (en provenance) de Paris, du Havre, des Eyzies (*ville* précédée de *le*(*s*)), etc.

Composition.	Une robe de coton, de laine, etc.
Contents.	Une boîte de choucroute, etc.
Time.	Deux heures du matin, de l'après-midi, etc.
Direction, location.	D'un côté, de l'autre côté, du côté de Lyon, etc.
Measurement, age.	Vingt mètres de long(ueur), de large(ur), une fille de 6 ans, etc.
Means, manner.	Il nous parle de cette façon, il nous voit d'un œil différent, etc.
Cause.	A moitié morte de fatigue, ivre de joie, etc.
(N. B. Repetition with each noun.	On dépend de sa famille, de ses professeurs et de ses amis, etc.)

30. En

Location, destination.	En ville, en banlieue, en province, je vais en France, elle voyage en Belgique (*pays féminin*), en Provence, en Vendée (*province*), etc.
Time taken.	En quelques minutes, la forêt entière brûle, etc.
Purpose.	Partir en weekend, en vacances, etc.
Means.	En voiture, en car (*transports*), etc.
Situation.	En flammes, en panne, en danger, etc.
Composition.	Des piquets en acier, des assiettes en plastique, etc.

31. Par

Agent.	Maîtrisé par les pompiers, elle l'a appris par un ami, etc.
Means, manner.	Par le train, envoyer par avion, par la force, par hasard, etc.
Location.	Par terre, venez par ici, regardez par la fenêtre, etc.
Rate, measurement.	50 heures par semaine, 10 francs par personne, deux par deux, etc.
Weather.	Par beau/mauvais temps, par un temps magnifique, par un temps pareil, sortir par moins 10 degrés, etc.

32. Sur

Location.	Il neige sur les Alpes/sur le Bassin parisien, le monument est sur votre gauche, etc.
Manner, cause.	Sur un ton agressif, sur invitation, sur le plan psychologique, etc.
Subject.	Une émission sur la violence, etc.
Proportion.	Deux étudiants sur trois, etc.
Dimensions.	Neuf mètres sur dix, etc.
Off.	Elle le prend sur la table, etc.

33. Vers

Direction.	Ils se sont précipités vers le phare, etc.
Approximate time.	L'incendie a éclaté vers 9 heures, etc.

VERBS: *SIMPLE TENSES*

34. Present tense: *formation*

Singular endings (two patterns):

-er verbs: *-e -es -e*,	je parle, tu parles, il/elle parle, etc.
other verbs: *-s -s -t/-d*.	je dis, tu dis, il/elle dit, etc.
	je prends, tu prends, il/elle prend, etc.
(N.B. *vouloir/pouvoir*: *-x*, *-x*, *-t*.	je veux/peux, tu veux/peux, il/elle veut/peut.)

Plural endings:
basic pattern: *-ons, -ez, -ent,* — nous vendons, vous vendez, ils/elles vendent, etc.
verbs like *finir*: *-issons, -issez, -issent.* — nous remplissons, vous remplissez, ils/elles remplissent, etc.
(N.B. For *partir, sortir, ouvrir,* etc., see Verb Tables, p. 217).

Irregular verbs:
learn the *nous* form and the *vous* form follows, — nous craignons, vous craignez, nous voulons, nous voulez, etc.
except in *être, faire, dire;* — vous êtes, faites, dites.
learn *ils/elles.* — ils/elles prennent, savent, lisent, etc.
(N.B. *être, avoir, faire, aller.* — ils/elles sont, ont, font, vont.)

Learn separately *être, avoir, aller* (see Verb Tables, p. 217).

Variations on *-er* verbs:
-geons, -çons, — nous partageons, nous lançons, etc.
grave accent, before silent e, — je lève, tu mènes, il(s) achète(nt), etc.
double letter, before silent e, — j'appelle, tu jettes, etc.
acute accent → grave, similarly, — j'espère, il(s) répète(nt) (≠ nous espérons, vous répétez) etc.
y → *i*, before silent e, — j'envoie, tu nettoies, elle essuie, etc.
-ayer verbs: *i, y* are both possible. — j'essaie (j'essaye), etc.

Present tense: *uses*

For what is happening now (*it is raining*). — Il pleut (= il est en train de pleuvoir) maintenant sur le littoral.

What is continuously true (*she looks plump*). — Sophie a l'air ronde et solide.

What has happened and will happen again (*she dozes, reads*). — Le weekend, elle somnole, lit.

Depuis, etc., what is still going on (*she has been alone for a long time*). — Elle est seule depuis longtemps (8 ex 1, p. 28).

Instead of the past, for vividness in narrative. — Chez les habitants c'est la panique (2 ex 1, p. 6).

Je viens de, etc., what has just happened (*they have just evacuated*). — Ils viennent d'évacuer plusieurs terrains (rév 3).

35. Imperfect tense: *formation* (rév 11)

Stem: as *nous* present tense. — nous recevons → je recevais, etc.
Irregular: *être* only. — j'étais, etc.
Endings: *-ais, -ais, -ait,* — je savais, tu disais, il/elle venait,
-ions, -iez, -aient. — nous voulions, vous alliez, ils/elles avaient, etc.
Notice: g → ge before *a*. — je mangeais (≠ nous mangions).
c → ç before *a*. — il/elle commençait (≠ vous commenciez).

Imperfect tense: *uses*

For a physical or mental state in the past (*they lived on a farm*). — Ils habitaient une ferme, elle était triste, il avait le bras cassé.

What was happening when an event occurred (*I was looking through the window, when men emerged*). — Je regardais (= j'étais en train de regarder) par la fenêtre quand des hommes ont surgi d'un camion (5 ex 2, p. 17, 11 ex 1, p. 40).

What used to happen, repeated past events (*he used to go/would go round on a motorbike*). — Quand il le pouvait, il circulait en moto.

Circumstances already going on, or continuing (*the snow*–already started–*was getting thicker* –and would continue). — La neige s'épaississait déjà. Le petit bourg était lui-même touché par la neige (2 ex 1, p. 6, 14 ex 1, p. 52).

Depuis, etc.: what had started and was still going on (*they had been on his track for 48 hours*). — Ils étaient sur ses traces depuis 48 heures (11 ex 3, p. 42).

Replacing the present tense in reported speech in the past (*she asked if he felt better*). — Elle lui a demandé s'il se sentait mieux (20 ex 1, p. 74, 28 ex 1, p. 110).

Je venais de, etc., what had just happened (*he had just called a helicopter*). — Le préfet venait d'appeler un hélicoptère (rév 3).

36. Future tense: *formation* (5 ex 4, p. 19).

Stem: infinitive (without -*e* when relevant). — dormir ⟶ je dormirai, etc. prendre ⟶ je prendrai, etc.

Endings: -*ai*, -*as*, -*a*, -*ons*, -*ez*, -*ont*. — je vivrai, tu riras, il/elle plaira, nous boirons, vous entrerez, ils diront, etc.

Notice: grave accent, double letter. — j'achèterai, il/elle appellera, etc.
y ⟶ *i*, — tu emploieras, etc.
acute accent remains. — j'espérerai, il/elle répétera, etc.

Irregular: about 18 verbs (see Verb Tables, p. 217).

Future tense: *uses*

For what will happen, prediction, etc., (*you will feel better*). — Demain tu te sentiras mieux (5 act 2, p. 20).

Replaced conversationally by the present tense (*I am going out with my friend*). — Cet après-midi je sors avec mon amie.

Replaced by *aller* + infinitive (*I am going to succeed*). — Je vais réussir dans mes études.

Replacing the imperative (*make sure you get up*). — Vous vous lèverez à cinq heures (20 ex 6, p. 76).

Required after *quand, lorsque, dès que, aussitôt que* when future time is referred to (*when she starts her career*). — Quand/Lorsqu'elle commencera sa carrière, l'important sera d'avoir de la volonté (29 ex 1, p. 116).

(See also 60, *Condition*, p. 200).

37. Conditional tenses: *formation*

Stem: as future tense. — regretter-, perdr-, ir-, etc.

Endings: as imperfect tense. — je dirais, tu servirais, il/elle aurait, nous partirions, vous vendriez, ils/elles seraient.

Conditional tenses: *uses*

For possible condition, in *si* sentences with the imperfect (*he would save her*) (see 60, *Condition*, p. 200). — Si quelqu'un allait à la rencontre de Sophie, il la sauverait (8 ex 5, p. 31).

Replacing the future tense in reported speech in the past (*she told him he would have no cake*). — Elle lui a dit qu'il n'aurait pas de gâteau (20 ex 1, p. 74).

38. 'Passé simple': *formation* (11 ex 4, p. 42)

Endings, -*er* verbs:
-*ai*, -*as*, -*a*, -*âmes*, -*âtes*, -*èrent*. — je jouai, tu jouas, il/elle joua, nous jouâmes, vous jouâtes, ils/elles jouèrent.

-*ir*, -*re* verbs and others:
-*is*, -*is*, -*it*, -*îmes*, -*îtes*, -*irent*. — je finis, tu répondis, il/elle dit, nous fîmes, vous mîtes, ils/elles virent.

Some irregulars (see Verb tables, p. 217).
-*us*, -*us*, -*ut*, -*ûmes*, -*ûtes*, -*urent*. — je voulus, tu sus, il/elle plut, nous crûmes, vous pûtes, ils/elles lurent.

Venir, tenir:
-*ins*, -*ins*, -*int*, -*înmes*, -*întes*, -*inrent*. — je vins, tu vins, il/elle vint, nous tînmes, vous tîntes, ils/elles tinrent.

Notice: g ⟶ ge, *c* ⟶ ç before *a*. — il mangea, nous commençames.

'Passé simple': *uses*

Reserved for formal literary narrative.

In letters, reports, etc., and even, frequently, in newspaper stories, the *passé composé* (see 40, p. 192) is used instead.

For particular events in the past (*he escaped*). — Mesrine s'évada de la Santé le 8 mai (11 ex 4, p. 42).

A sequence of events in the past (*a car skidded . . . blocked the traffic* . . . etc.). — Une voiture dérapa et bloqua la circulation. Le chasse-neige poursuivit son chemin (14 ex 1, p. 52).

VERBS: *COMPOUND TENSES*

39. Compound tenses: *formation*

Auxiliary (*avoir* or *être*) + past participle:

passé composé — j'ai travaillé, elle est née, ils se sont réveillés, etc.

pluperfect — tu avais ouvert, nous étions devenu(e)s, il s'était blessé, etc.

future perfect — vous aurez pris, je serai monté(e), elles se seront levées, etc.

conditional perfect — elle aurait bu, ils seraient partis, tu te serais échappé(e), etc.

(For these tenses see 40–43, below).

Auxiliary *avoir*: most verbs.

Auxiliary *être*: some verbs expressing movement or change. — aller, venir (devenir, revenir), retourner, arriver, partir, entrer (rentrer), sortir, monter, descendre, naître, mourir, tomber, rester, passer (= aller).

Auxiliary of all reflexive verbs: *être*.

(For past participle agreement: see 45, *Past Participle*, p. 193).

40. 'Passe composé': *formation*

Present tense of *avoir* or *être* (see 39, above) + past participle (for agreement see 45, *Past participle*, p. 193). — elle a pris, vous avez menti, nous sommes descendus, je suis venu(e), ils se sont tus, tu t'es trompé(e), etc.

'Passé composé': *uses*

For particular completed events in the past, in spoken or informal language (*their journey finished, did it snow? it did not rain*). — Leur odyssée s'est terminée. A-t-il neigé hier dans l'Est? Il n'a pas plu pendant 4 mois (11 ex 1, p. 40).

A sequence of events in the past, in spoken or informal language (*fire broke out . . . the blaze spread* . . . etc.). — Le feu a éclaté . . . l'incendie a progressé . . . les habitants ont quitté leurs maisons . . . (2 ex 1, p. 6).

A limited number of repeated events, in spoken or informal language (*they despatched the Canadairs several times*). — Les autorités ont mis les Canadair en action à plusieurs reprises.

When the effects of a past event continue in the present, in both formal and informal language (*they have rented a villa* and are still renting it). — Ils ont loué une villa en Bretagne.

41. Pluperfect tense: *formation*

Imperfect tense of *avoir* or *être* + past participle (see 39, above, and 45, p. 193). — nous avions pu, tu avais suivi, j'étais tombé(e), ils étaient morts, il s'était levé, vous vous étiez connu(e)(s), etc.

Pluperfect tense: *uses*

For events preceding a particular moment in the past (*they had overcome tiredness*). — Ils avaient surmonté la fatigue et le froid (14 ex 3, p. 53).

Replacing *passé composé* in reported speech (*she asked him what had happened*). — Elle lui a demandé ce qui s'était passé (20 ex 1, p. 74, 28 ex 1, p. 110).

42. Future perfect tense: *formation*

Future tense of *avoir* or *être* + past participle (see 39, above, and 45, p. 193). — j'aurai terminé, ils auront dit, elle sera revenue, nous serons sorti(e)s, tu te seras caché(e), vous vous serez lavé(e)(s), etc.

Future perfect tense: *uses*

Required after *quand, lorsque, aussitôt que, dès que* for events that will have been completed at a particular moment in the future (*when she has finished her studies she will leave*).

Quand elle aura terminé ses études au lycée, elle partira en faculté.
Dès qu'elle y sera entrée, elle reprendra ses études (33 ex 2, p. 133).

43. Conditional perfect tense: *formation*

Conditional tense of *avoir* or *être* + past participle (see 39, p. 192 and 45, below).

elle aurait mis, vous auriez sonné, ils seraient passés, tu te serais assis(e), nous nous serions vu(e)s, je me serais plu(e), etc.

Conditional perfect tense: *uses*

For 'unreal' condition in *si* sentences with pluperfect (*she would have respected it*) (see 60, *Condition*, p. 200).

Si elle avait compris sa fille, elle aurait respecté son indépendance (17 ex 2, p. 63, 21 ex 2, p. 81).

A judgement on what someone has done (*I'd have been annoyed*).

Moi, à ta place, je me serais indignée (21 ex 2, p. 81).

44. The passive: *formation*

The appropriate tense of *être* + past participle:

- present passive (*it is flooded*), — Le village est inondé.
- future passive (*they will be informed*), — Les autorités seront informées.
- conditional passive (*it would be surrounded*), — La banque serait entourée de militaires.
- imperfect passive (*it was cut off*), — La voie était coupée.
- *passé composé* passive (*they were carried away*), — Deux enfants ont été emportés par l'eau.
- *passé simple* passive (*it was evacuated*), — Le camping fut évacué.
- pluperfect passive (*they had been looted*). — Des magasins avaient été pillés.

(N.B. The past participle agrees with the subject of the auxiliary *être*).

The passive: *uses*

For emphasis on the consequences of an action for the person(s), thing(s) concerned (*a lorry was destroyed*); *par* for the agent (*by the fire*).

Un camion a été détruit par le feu (2 ex 2, p. 6, 14 ex 2, p. 52, 26 ex 5, p. 101).

An event in the past:

in informal language *passé composé* (*a helicopter was called*)

Un hélicoptère a été appelé (2 ex 2, p. 6).

in formal language *passé simple* (*buildings were submerged*).

Des bâtiments furent submergés (14 ex 2, p. 52).

On with a passive sense (*these things were discussed less*).

On discutait moins ces choses-là (26 ex 5, p. 101).

A reflexive verb with a passive sense.

Les valeurs se transmettaient au moyen du mariage (26 ex 5, p. 101).

Verbs constructed with *à* + noun (*dire, demander, permettre*, etc.) are not used passively as in *he was told, they were given*, etc. Use instead *on* + active.

On lui a dit d'attendre.
On a donné des conseils au couple.

The infinitive with a passive sense.

Il n'y aura pas de vaisselle à faire.

VERBS: *PARTICIPLES, IMPERATIVES, INFINITIVES*

45. Past participle: *formation, agreement, uses*

Infinitive in *-er* → *-é*. — demandé, allé.
Infinitive in *-ir* → *-i*. — rempli, dormi.
Infinitive in *-re* → *-u*. — répondu, battu.
Irregulars, see Verb tables, p. 217.

An *être* verb in a compound tense: agreement with the subject.	Elle est descendue en courant. Ils ne sont jamais repartis.
An *avoir* verb in a compound tense: agreement with the object if already mentioned, especially	
– with an object pronoun *la*, *les*, etc.,	Il les a incités (5 ex 1, p. 16).
– in questions,	Quelle émotion a-t-elle ressentie?
– after the relative pronoun *que*.	La machine qu'ils ont installée.
A reflexive verb in a compound tense: agreement with the reflexive pronoun.	Elle s'est brûlée.
A reflexive verb + direct object: no agreement	Elle s'est brûlé les mains.
En: no agreement.	J'en ai écouté (des discours).
An *être* verb + direct object: *être* replaced by *avoir*.	Elle a monté l'escalier. Ils ont sorti des pistolets.
In the passive: the participle which follows the auxiliary *être* agrees with the subject.	Trois cents hectares ont été réduits en cendres (2 ex 2, p. 6, 14 ex 2, p. 52).
A participle used as an adjective (+ *de* + noun).	Une ville saturée de touristes. Habillés de cuir noir.
A past participle equivalent to an English present participle (*sitting, kneeling, lying*).	Assis, agenouillés ou couchés par terre, ils écoutaient.

46. Present participle: *formation, uses*

Stem: as *nous* present tense.	nous écrivons ⟶ écrivant.
Ending: *-ant.*	
Irregular: *être, avoir, savoir.*	étant, ayant, sachant.
Used as an adjective, with agreement (*encouraging, running*).	Des résultats encourageants, de l'eau courante.
Equivalent to a relative *qui* + verb.	Patrick, attendant sur le trottoir.
Means, after *en* (*by doing night duty*).	Elle gagne de l'argent en faisant des gardes de nuit (32 ex 3, p. 129).
Manner, after *en* (*she runs down*).	Maryse descend l'escalier en courant.
Simultaneity, after (*tout*) *en* (*while removing my make-up*).	Je lisais (tout) en me démaquillant (25 ex 1, p. 92).
Successive actions, after *en*.	Je prends une douche en rentrant.
Explanation (*with the teams failing to attack*).	Le score était de 0–0, les deux équipes n'attaquant pas trop (37 ex 1, p. 150).
Opposition, after *tout en* (*whilst both being teachers*).	Nous ne travaillons plus ensemble, tout en étant tous les deux enseignants (26 ex 4, p. 100).

47. Imperatives: *formation* (rév 12)

Most verbs:	
tu present, without pronoun,	prends, mets, etc.
nous present, without pronoun, (*let's go, let's drive*),	allons, conduisons, etc.
vous present, without pronoun.	buvez, dites, etc.
Exceptions: *tu* imperative of *-er* verbs, *aller*.	cherche, écoute, va.
Reflexive verbs:	
positive, pronoun follows,	lève-toi, dépêchons-nous, lavez-vous,
negative, pronoun first.	ne te fatigue pas, ne nous réunissons pas, ne vous asseyez pas.
Before *y*, *en*: add *-s* to the *tu* imperative of an *-er* verb, *aller*.	manges-en, vas-y.
Avoir: *aie, ayons, ayez.*	Aie de la volonté.
Etre: *sois, soyons, soyez.*	Soyons persistants.
Savoir: *sache, sachons, sachez.*	Sachez qu'il y a du chômage.
Vouloir: *veuille, veuillons, veuillez.*	Veuillez m'envoyer le document.

S'en aller: *va-t'en, allons-nous-en, allez-vous-en.* (see also *Object pronouns*, 18, p. 185). — J'en ai assez, allons-nous-en!

48. Infinitive: *uses* (see boxes: **A compléter, à noter et à mémoriser**)

Verbs taking a simple infinitive: *aimer (mieux), aller, avoir beau, désirer, devoir, espérer, il faut, laisser, oser, penser, pouvoir, préférer, savoir, sembler, souhaiter, il vaut mieux, vouloir*, etc.	Je souhaitais la revoir. Il allait me répondre. Il aurait dû oublier mon retard. Il vaut mieux être réaliste. Elle a beau pleurer.
After verbs of seeing, hearing, feeling: a simple infinitive.	Ils voient passer un hélicoptère. Ils entendent des avalanches descendre de tous les côtés (14 ex 4, p. 54).
After verbs of movement, *aller*, *venir*, etc.: a simple infinitive.	Elle descendra manger au restaurant.
After *faire*: a simple infinitive.	Tu m'as fait attendre.
The simple infinitive for instructions.	S'adresser à la réception.
With a passive sense, after *à* (*no washing to be done*).	Pas de linge à faire.
After interrogative word (*what is to be done? why go?*).	Que faire? Pourquoi y aller?
For negatives, *ne pas* + infinitive (*she tries not to think*).	Elle essaie de ne pas penser à sa maison confortable.
After *pour*, purpose (*in order to sample the fresh air*).	Du camping pour goûter le plein air.
After *assez*, *trop* + *pour* (*too independent to, flexible enough to*).	Il est trop indépendant/assez souple pour s'intégrer (26 ex 3, p. 100).
After *sans* (*without losing*).	Sans perdre le maillot (38 ex 6, p. 159).
After *sans* with *de* + noun.	Sans faire d'effort.
Commencer, finir par (*in the end they get rid of it*).	Ils finissent par se débarrasser de leur appareil (14 ex 3, p. 53).
J'ai, etc., *failli, je faillis*, etc. (*they almost died*).	Ils ont failli/faillirent mourir de froid.
J'ai beau, etc. (*it was no use my thinking*).	J'avais beau réfléchir.
After adjectives + *à*, *de*.	Les vestiges sont faciles à distinguer. Il est facile de les distinguer, etc. (38 ex 3, p. 157).
The perfect infinitive: *avoir*, *être* + participle (*without having prepared anything*).	Sans avoir rien préparé.

The infinitive after a verb/expression + *à*/*de* (see boxes: *A compléter, à noter et à mémoriser*)

Check list:

s'accoutumer à	cesser de	être assis à
aider qqn à	chercher à	être content(e), ravi(e) de
apprendre à	commencer à (de)	être fâché(e), horrifié(e) de
apprendre à qqn de	consister à	il est question de
s'apprêter à	se contenter de	éviter de
s'arrêter de	continuer à	s'excuser de
arriver à	craindre de	faire semblant de
s'attendre à	décider de	feindre de
autoriser qqn à	décider qqn à	finir de
avoir à	se décider à	se forcer à
avoir l'air de	demander à	s'habituer à
avoir la chance de	se dépêcher de	hésiter à
avoir envie de	destiner qqc à	s'indigner de
avoir l'habitude de	s'efforcer de	inviter qqn à
avoir honte de	empêcher qqn de	menacer de
avoir du mal à	encourager qqn à	se mettre à
avoir l'occasion de	essayer de	obliger qqn à
avoir le temps de	s'étonner de	être obligé de

oublier de
parvenir à
passer du temps à
perdre son temps à
persister à
persuader qqn de
se plaire à
prendre plaisir à
prendre la peine de
se préparer à
prier qqn de
promettre de
refuser de
regretter de
renoncer à
rester à
réussir à
risquer de
servir à
se souvenir d'(avoir)
tarder à
il me tarde de
tenir à
tenter de
se vanter de.

The infinitive after a verb + *à* + person(s)/thing(s) + *de* (rév 4).

commander à qqn de
conseiller à qqn de
défendre à qqn de
demander à qqn de
dire à qqn de
interdire à qqn de
ordonner à qqn de
permettre à qqn de
promettre à qqn de
recommander à qqn de
reprocher à qqn de
c'est etc., à qqn de.

Elle a interdit à sa fille d'utiliser les produits.
Je te conseille de te méfier des garçons.
Elle reproche à sa fille d'être frivole.
C'est à toi de choisir.

Replacing imperative in reported speech (*she told her to go and play*).
Elle lui a dit d'aller jouer (20 ex 1, p. 74).

VERBS: *CONSTRUCTIONS*

49. Reflexive verbs (see also 45 **Past participle, *formation***, p. 193).

Normal verbs used with a reflexive sense (*I wash myself*).
Je me lave à l'eau froide.

Verbs always constructed reflexively (*he escaped*).
Il s'est évadé de la Santé.

For a mutual action (*from, to,* etc. *one another*).
Ils s'empruntent des ouvre-boîte, s'invitent ou s'engueulent.

An action involving a thing, when the agent is not stated (*the door opens, closes*).
La porte s'ouvre, se ferme.

S'asseoir (*sit down*) ≠ *être assis(e)* (*be seated*).
Ils s'asseyent/se couchent à l'ombre (*action*).

cp. *se coucher* ≠ *être couché*(e).
Ils sont assis/couchés à l'ombre (depuis quelque temps).

50. Prepositional constructions with nouns, pronouns (see boxes: **A compléter, a noter et à mémoriser**)

Verbs taking a simple direct object, notably:
attendre, chercher, demander, écouter, payer, regarder, vivre. (*she waits for, they listen to, I ask for, she lived through,* etc.)

Elle attend l'ascenseur.
Ils ne l'écoutent jamais.
Je demande une explication.
Elle a vécu une expérience passionnante.

Verbs and expressions followed by a preposition. Check list:

alimenter qqc/qqn en qqc
assister à qqc
s'attendre à qqc
changer de qqc
se charger de qqc
être content(e) de qqn/qqc
croire à qqc
être dégoûté(e) de qqn/qqc
dépendre de qqn/qqc
se diriger vers qqn/qqc
distinguer qqn/qqc de qqn/qqc
échapper à qqn/qqc
s'échapper de qqc
entrer dans/à qqc
exiger qqc de qqn
être fâché(e) contre qqn/qqc
se fier à qqn/qqc
être formé(e) en qqc
s'intéresser à qqn/qqc
jouer à qqc, jouer de qqc (38 ex 2, p. 156)
jouir de qqc
laisser (la place) à qqn/qqc
se méfier de qqn/qqc
se mettre en colère
se mettre en route
montrer qqc à qqn
se moquer de qqn/qqc

nuire à qqn/qqc
obéir à qqn/qqc
se pâmer de qqc
pardonner à qqn
participer à qqc
passer devant, à côté de qqn/qqc
passer un coup de fil à qqn
(re)penser à qqn/qqc
se plaindre de qqc à qqn
plaire à qqn
poser un lapin à qqn
prendre qqc sur, dans, sous, etc., qqc
promettre qqc à qqn
proposer qqc à qqn
ramasser qqc sur qqc
réduire qqc en qqc
répondre à qqn
remercier qqn de qqc
se remettre de qqc
ressembler à qqn/qqc
réfléchir à qqc
se servir de qqc
sortir de qqc
se souvenir de qqc
se tourner vers qqn/qqc
transformer qqc en qqc
en vouloir à qqn.

Exemples:
Elle alimentait la chaîne en boîtes.
Je m'attends à une intervention.
Nous avons changé de voiture.
Cela dépend de vous.
Ils ont échappé à leurs gardiens.
Il s'est échappé de la cellule.
Nous jouons au tennis, etc., (*jeux*).
Elle joue du piano, etc., (*instruments*).
Vous jouissez d'une bonne réputation.
Ils se pâment d'envie.
Tu l'as pris sur la table ou dans le placard?
Je lui en veux (de l'avoir fait).

Verbs followed by a noun + *à* + noun:
acheter, cacher, demander, emprunter, enlever, prendre, voler.

Ils empruntent toutes sortes de choses à leurs voisins, etc. (rév 23).

51. Faire

Expressions:
- *faire connaissance, faire une faveur à qqn, faire mal à qqn, faire partie de qqc, faire peur à qqn, faire plaisir à qqn, faire semblant de, faire signe à qqn.*

Nous avons fait connaissance.
Ils vont leur faire mal/peur.
La télévision fait partie de la vie.
Il faut faire plaisir au public.
Elle fait semblant d'écouter.

Constructions:
- *faire (réagir, pleurer,* etc.) *qqn (she made Josyane react),* — Elle a fait réagir Josyane.
- *faire (dessiner, comprendre,* etc.) *qqc à qqn (she made Josyane draw a tree),* — Elle a fait dessiner un arbre à Josyane.
- *faire (fabriquer, construire,* etc.) *qqc (he has the scenery painted),* — Il fait peindre le décor.
- *se faire (donner, expliquer,* etc.) *qqc (to have a beer brought to me).* — Je vais me faire apporter une bière.

52. Avoir

Expressions (rév 7):
- *avoir chaud, froid, faim, soif, raison, tort, honte, peur, sommeil, (be hot, cold, hungry, thirsty, right, wrong, ashamed, afraid, sleepy)* — La narratrice avait sommeil, etc.
- *avoir besoin de (need)* — Il a besoin d'un coup de pouce.
- *avoir du mal à (have difficulty in)* — Ils ont du mal à bien jouer.
- *avoir envie de (want to)* — On avait envie de gagner.
- *avoir l'air (look)* — Ils avaient l'air découragé(s).
- *avoir mal à (have an ache/pain)* — Il avait mal au genou.
- *avoir lieu (take place).* — Le match a eu lieu dimanche.

VERBS: *SUBJUNCTIVE*

53. Present subjunctive: *formation*

Stem: as *ils/elles* present tense indicative (21 ex 4, p. 82) — ils prennent ⟶ je prenne, etc.

Endings: -*e*, -*es*, -*e*
-*ions*, -*iez*, -*ent*. — je mette, tu partes, il/elle rie, nous vivions, vous ouvriez, ils boivent etc.

Nous, vous identical to imperfect forms (20 ex 4, p. 75). — nous tenions, allions, prenions, vous receviez, vouliez, deviez, etc.

Except: *avoir, être, pouvoir, faire, savoir.* — nous ayons, soyons, puissions, vous fassiez, sachiez.

Irregular singular, 3rd person plural:
aller, il faut, faire, pouvoir, savoir, il vaut, vouloir, — j'aille, il faille, tu fasses, je puisse, tu saches, il vaille, elles veuillent,
être, — je sois, tu sois, il(s)/elle(s) soi(en)t,
avoir. — j'aie, tu aies, il(s)/elle(s) ai(en)t.

Present subjunctive: *uses*

After verbs/expressions of necessity, obligation. — Il faut que vous téléphoniez chez le docteur (20 ex 4, p. 75, 38 ex 1, p. 156, 40 ex 4, p. 170).

After verbs/expressions of wishing, insisting or forbidding. — Je ne veux pas que tu te les mettes sur la peau (21 ex 4, p. 82).

After verbs/expressions of preference, etc. — Je souhaiterais qu'elle puisse me comprendre (26 ex 2, p. 99).

After verbs/expressions of fear, usually with *ne*. — Elle craint que les garçons (ne) soient dangereux (25 ex 2, p. 93).

After verbs/expressions of feeling. — Je m'étonne que l'usine n'ait aucun équipement de récréation (32 ex 2, p. 128).

After verbs/expressions of possibility. — Il est possible que j'aille tout de suite en faculté (33 ex 3, p. 134).

After verbs/expressions of doubt. — Je doute qu'ils soient capables de contrer les Brésiliens (37 ex 3, p. 151).

After *penser, croire, dire, espérer*, only in the negative or interrogative. — Je ne crois pas (Crois-tu . . .?) qu'il le sache (37 ex 3, p. 151).

After *bien que/quoique*. — Bien que la conseillère soit gentille, Josyane ne sait que répondre (28 ex 4, p. 112).

After *avant que*, sometimes with *ne*. — Les fautes sont corrigées avant que le 'bon à tirer' (ne) soit donné (29 ex 5, p. 119).

After *pourvu que*. — Cette idée me tente, pourvu que je puisse faire de la recherche (33 ex 4, p. 135).

After *pour que/afin que*. — Soyez à l'heure, pour que les autres n'attendent pas (37 ex 2, p. 150).

After *sans que*. — La grippe l'a affaibli, sans qu'il veuille pour autant abandonner la course (38 ex 6, p. 159).

After *jusqu'à ce que*. — Le travail continue jusqu'à ce qu'il soit terminé.

After a superlative. — Le plus joli camping que je connaisse

After a relative pronoun *qui, que*, etc., following an indefinite (*the sort of qualification that would enable her*). — Un diplôme qui lui permette de trouver du travail.

54. Perfect subjunctive: *formation*

Present subjunctive of *avoir, être* + past participle. — j'aie fait, elle ait couvert, tu sois parti(e), vous soyez entré(e)(s), nous nous soyons levé(e)s, ils se soient tus, etc.

Perfect subjunctive: *use*

Used, in the same contexts as present subjunctive, — La soirée la plus intéressante que j'aie vécue.

when the sense demands it (*the most interesting evening I have spent, I do not think she has left*). Je ne pense pas qu'elle soit partie.

55. Imperfect subjunctive: *formation*

Rare except *il/elle*; derive from *il/elle* of *passé simple*:

-a → *-ât* — il entrât, elle allât,
-it → *-ît* — elle fît, il craignît,
-ut → *-ût*. — il fût, elle reçût.

Imperfect subjunctive: *use*

Il/Elle may be used in formal style after a verb in the past. — Je m'étonnais que l'usine n'eût (n'ait) aucun équipement. Elle craignait qu'il ne fût (soit) dangereux.

In other persons, use present subjunctive. — Elle craignait qu'ils ne soient dangereux.

ADVERBS

56. Adverbs of manner: *formation* (rév 9)

From most adjectives: feminine + *-ment*. — lentement, rapidement, heureusement, quotidiennement.

From adjectives ending in a vowel: masculine + *-ment*. — vraiment, absolument.

From adjectives ending in *-ent*, *-ant*: *-emment*, *-amment*. — évidemment, constamment.

Irregulars from:
gentil, bref, gai, profond, précis, énorme, grave. — gentiment, brièvement, gaîment/gaiement, profondément, précisément, énormément, gravement/grièvement.

From *meilleur*: *mieux*. — Il joue mieux (cp. c'est un meilleur joueur) (rév 25).

Vite (adverb), distinguish from *rapide*. — C'est une voiture rapide. Elle roule vite.

Tout (*quite, really*): — Il est tout content de son succès.
becomes *toute(s)* before a feminine adjective, — Elle est toute fière de gagner.
but remains *tout* before a vowel sound. — Elle est tout heureuse (rév 26).

Comparatives. — Elle coûte plus/moins cher (*invariable*).

Superlatives. — Ils partent le plus loin possible. C'est elle qui travaille le mieux.

57. Position of adverbs

Normally after the main verb. — Elle habite toujours son appartement.

In compound tenses: generally before the participle. — Elle a beaucoup pleuré.

Indicating a particular time, place: after the participle (*ici, hier*, etc.). — Elle est venue ici hier.

Forms in *-ment*: generally after the participle. — Il s'est échappé miraculeusement.

Certainement: before the participle. — Elle a certainement beaucoup appris.

Bien, mal, mieux: before an infinitive. — Nous essayons de bien/mieux comprendre.

Même, surtout, certainement, quand même precede *pas*. — Ne le faites surtout/quand même pas. Ils ne s'arrêtent même pas.

Adverbs, especially of time, place, may introduce a sentence. — Partout on entend des voix, des rires.

NOTIONS: *GENERAL*

58. Cause, consequence

With emphasis on the cause: *vu, étant donné* (*in view of, considering*). — Vu, étant donné l'état du terrain.

Emphasis on the consequence: *ce qui fait que* (*which means that*). — Nous sommes enseignants, ce qui fait que les contacts restent réels.

Emphasis on the intensity of a cause: *si/tellement* + adjective + *que* (*so nervous that*).	Elle était si/tellement nerveuse qu'elle a trop parlé (23 act 3, p. 88).
Emphasis on the persistence of a cause: *à force de* (*by continuing* (*to*)).	A force de pleurer, à force de cris et de larmes.
Emphasis on the cause-effect relationship: *si . . . c'est que* (*if he did it, it was because*).	S'il l'a fait, c'est que cela lui semblait naturel (23 act 3, p. 88).
Expressing the realisation of a consequence: *de sorte que, si bien que* (*so that*).	Il a sprinté, de sorte qu'il est passé en première position (38 ex 6, p. 159).
Non-realisation of a consequence: *sans* + infinitive (*without taking*).	Il gagne l'étape sans prendre le maillot jaune (38 ex 6, p. 159).
Sans que + subjunctive (*without his wanting to give up*).	La grippe l'a affaibli, sans qu'il veuille cependant abandonner la course (38 ex 6, p. 159).

59. Comparison

Expressing superiority and inferiority:	
plus/moins + adjective + *que* (*more/less patient than*),	Elle est plus/moins patiente que son frère (20 ex 5, p. 76).
plus/moins + *de* + noun + *que* (*more, less patience than*),	Elle a plus/moins de patience que son frère (20 ex 5, p. 76).
pas (aus)si + adjective + *que* (*not as patient as*).	Elle n'est pas (aus)si patiente que lui (20 ex 5, p. 76).
Equality: *aussi* + adjective + *que* (*as tiring as*).	Cet emploi est aussi fatigant que les autres.
autant + *de* + noun + *que* (*as much tiredness as*).	Elle ressent autant de fatigue que nous.
Progression: *de plus en plus(de), de moins en moins (de)* (*more and more, less and less*).	Une situation de plus en plus précaire. De moins en moins de journaux.
More, less than + a number.	Plus, moins de 300 hectares.
How much more, less (*two kilometres farther/less far from . . . than*).	Plus/moins éloigné de Dinan de deux kilomètres (38 ex 4, p. 158).
Similarity: *tel(le)* (*like father, like son*),	Tel père, tel fils.
comme (*as hard as*).	Dur comme du fer.
Intensity: *un(e) tel(le)* (*such a noise that*).	Un tel bruit qu'on n'entend rien.
Difference: *alors que, tandis que* (*while/whereas*).	Ses weekends sont intéressants, alors que ceux de Sophie sont monotones (8 ex 2, p. 29).
Plus . . . plus (*the more . . . the more*)	Plus on est exigeant, plus on est solitaire.

60. Condition

Real condition: *si* + present + present (*if she is there, she feels alone*).	Si elle s'y trouve, elle se sent seule (7 act 3, p. 24).
Probable condition: *si* + present + future (*if they burn them, they will get rid of the Devil*).	S'ils les brûlent, ils chasseront le Malin (5 ex 5, p. 19).
Possible condition: *si* + imperfect + conditional (*if someone got close to her, she would be saved*).	Si quelqu'un s'approchait d'elle, elle serait sauvée (8 ex 5, p. 31).
Unreal condition: *si* + pluperfect + conditional perfect (*if she had understood*—but she didn't—*she would have respected her*).	Si elle avait compris, elle l'aurait respectée (21 ex 2, p. 81).
Au cas où + conditional (perfect) + conditional (perfect) (*in the event of*).	Au cas où il y aurait (eu) un pépin ils interviendraient (seraient intervenus).
Hypothesis: *en supposant que, supposons que* + subjunctive (*supposing that*).	En supposant que, supposons que tu aies le choix.
Necessary condition: *pourvu que* + subjunctive (*provided that*).	Pourvu que je puisse faire de la recherche (33 ex 4, p. 135).

61. Emphasis

Emphasis on one element of the sentence: *c'est . . . qui, que,* etc.	C'est le commissaire qui a dirigé l'enquête (11 ex 2, p. 41).
Ce qui/que . . . c'est, etc. (*What disgusted me was the exploitation*)	Ce qui me révoltait c'était l'exploitation (32 ex 1, p. 128).

62. Negation

Expressions of negation, *ne* + :	(8 ex 4, p. 30).
pas, more formally *point* (*not*)	On ne m'écoute pas (point).
plus (*no more, no longer*)	Elle n'a plus grand-chose à dire.
rien (*nothing*)	Elle ne fait rien.
jamais (*never*)	Ils ne l'écoutent jamais.
personne (*no one, nobody*)	Elle ne voit personne.
que (*only*)	Ce n'est qu'un rite.
guère (*hardly*)	Elle ne parle guère.
aucun(e), nul(le) (*no*)	Elle n'a aucun/nul espoir. Aucune de ses collègues ne la connaît.
ni . . . ni (*neither . . . nor*).	Ses weekends ne sont ni bons ni mauvais.
In compound tenses: negative (*pas, plus, jamais*, etc.) before the participle.	Ils ne l'ont jamais écoutée (8 ex 4, p. 30).
Personne after the participle.	Elle n'a vu personne (8 ex 4, p. 30).
A negative subject: *personne, rien, aucun(e)/nul(le) . . .* + *ne* + verb.	Personne, aucun ami ne l'attend (8 ex 4, p. 30).
Que, aucun(e), nul(le): before the appropriate noun.	Elle n'entend chez elle que le silence/aucun bruit (8 ex 4, p. 30).
A double negative, with a negative sense: *plus rien, guère personne, jamais rien*, etc. (*no longer . . . anything; hardly . . . anybody; never . . . anything*).	Elle ne veut plus rien. Elle ne connaît plus personne. Il ne se passe jamais rien.
. . . que non (*I thought not*).	Si j'aimais la ville? Je croyais que non.
. . . non plus (*I didn't like it either*).	Je n'aimais pas la campagne non plus.
Peu + adjective, with a negative sense (*unusual*).	Il est peu commun pour une fille d'être ingénieur.
Rien with *à* + infinitive (*nothing to lose*).	Ils n'avaient rien à perdre.
The negative infinitive: *ne pas* together before the infinitive (*not to think*).	Nous essayons de ne pas penser à l'addition.
Pas de, plus de, jamais de + noun (*no ambition, no more illusions, never any hope*).	Elle n'a pas d'ambition. Elle n'a plus d'illusions. Elle n'a jamais eu d'espoir.
Negative question with an affirmative answer: *si* (*yes*).	Tu n'aimes pas l'effort? Si, j'aime les entreprises difficiles. (4 act 2, p. 13).
After *savoir, pouvoir*, the omission of *pas* is optional.	Ils ne sauraient (pas) répondre.

63. Opposition (28 ex 4, p. 112).

Contrast between actions, states: *mais* at the beginning of a clause (*but*).	Autrefois je faisais du sport, mais maintenant je regarde la télévision (36 act 3, p. 146).
Cependant, pourtant, toutefois, commonly after the verb (*however*).	Le poste est un bien de consommation; ce n'est cependant pas un meuble ordinaire (36 act 3, p. 146).
Néanmoins, often at the beginning of a clause (*nevertheless*).	Ils regardent la télévision tous les soirs; néanmoins, ils n'admettent pas leur dépendance.
Stronger contrast: *en revanche, par contre* (*on the other hand*).	Le lave-vaisselle est simplement un élément de confort; le téléviseur en revanche s'est substitué au foyer (36 act 3, p. 146).
Contrast between actions, states existing together: *tandis que, alors que* (*while, whereas*).	Ils disent ne pas être dépendants de la télévision, alors qu'ils la regardent constamment.
Emphasis on both sides of an opposition: *d'un côté . . . d'un autre côté* (*on the one hand . . . on the other hand*).	D'un côté on ne va plus au cinéma, d'un autre côté les bons films font toujours recette.
An outcome different from that expected, concession: *bien que/quoique* + subjunctive (*although*).	Bien qu'ils la regardent 18 heures par semaine, ils ont une idée peu complète de l'actualité (28 ex 4, p. 112).
Quand même (*all the same*).	Ils n'en retiennent quand même que des images (36 act 3, p. 146).
Tout en + present participle (*whilst being addicted*).	Tout en étant des drogués du petit écran (26 ex 4, p. 100).
Malgré + noun (*in spite of*).	Malgré leur dépendance.
Sans + infinitive (*without admitting*).	Sans admettre leur dépendance.

Likely outcome replaced by another: *au lieu de* + infinitive (*instead of*).	Au lieu de regarder la télévision, ils s'endorment.
Pointlessness of an action: *avoir beau* + infinitive (*it was no good thinking*).	J'avais beau réfléchir, je ne trouvais pas de réponse.

64. Possession

See *Possessives* 5, p. 181,	Sa situation à elle.
Possessive pronouns 22, p. 187,	Votre caractère et le sien (8 ex 3, p. 29).
Describing someone 97, p. 209,	Ils ont les yeux bleu clair.
Colours 79, p. 205.	Elle a les yeux marron (25 ex 3, p. 93).

65. Questions, asking

Normal style: *est-ce que*.	Quand est-ce que l'incendie a eu lieu? (2 ex 3, p. 7).
Formal style, inversion.	Quand l'incendie a-t-il eu lieu? (2 ex 3, p. 7).
Informal style, without an interrogative structure.	L'incendie a eu lieu quand? (2 ex 3, p. 7).
Questions relating to the subject of a sentence:	
(*Qui est-ce*) *qui* for people,	Qui (est-ce qui) a allumé le feu?
Qu'est-ce qui for things.	Qu'est-ce qui a attisé les flammes? (2 ex 3, p. 7, 14 ex 5, p. 54).
Questions relating to the object:	
Qui est-ce que } for people	Qui est-ce que les pompiers ont sauvé?
Qui + inversion } for people	Qui les sauveteurs ont-ils évacué?
Qu'est-ce que } for things	Qu'est-ce qu'ils ont fait? (14 ex 5, p. 54).
Que + inversion } for things	Qu'ont-ils fait? (14 ex 5, p. 54).
Questions relating to particular notions: time, place, etc. (*when? where? how? why?*).	Quand est-ce que cela s'est passé? Où? Comment? Pourquoi? (16 act 4, p. 60).
No inversion with *je*.	(Est-ce que) je vous rappelle?
. . . *n'est-ce pas*? (*isn't there? aren't you?* etc.).	Il y a du soleil, n'est-ce pas? Vous êtes bronzé, n'est-ce pas?
Indirect questions with *ce qui, ce que* (*what*).	Il a demandé ce qui leur avait permis de tenir (14 ex 5, p. 54).
	Il a demandé ce qu'ils avaient fait pour tenir (14 ex 5, p. 54).

66. Purpose, intention

With the same subject in two clauses: *pour, afin de, de manière à, de façon à* + infinitive.	Portez des bagages légers afin de marcher plus facilement (41 act 3, p. 175).
Different subjects: *pour que, afin que, de sorte que, de façon à ce que* + subjunctive.	Portez des bagages légers afin qu'on vous prenne plus facilement (41 act 3, p. 175).
Various expressions: *dans l'intention de, en vue de,* etc. (*with a view to*).	Prenez une tente canadienne en vue de pouvoir vous arrêter n'importe où (41 act 4, p. 175).

67. Time: *o'clock*, *days, months, seasons, years*

Time on the clock: *heure(s)*.	Il est trois heures dix, à une heure moins le quart (rév 5).
Demi, demie (*half past*).	Quatre heures et demie, midi/minuit et demi.
Time of day: *du matin/soir, de l'après-midi* (*in the morning, evening, afternoon*).	A neuf heures du matin/du soir.
	A deux heures moins cinq de l'après-midi.
Time of day on a given date.	Le matin du 10 juin, le 10 juin au matin.
Approximate time: *vers* (*about*).	Vers sept heures et quart.
Adjectival use: *de* + time (*the eight o'clock news*).	Les informations de huit heures.
24 hour clock (*9.30 a.m., 7.55 p.m.*).	09 h 30, 19 h 55 (Neuf heures trente, dix-neuf heures cinquante-cinq).
A day of the week (*on Monday, on Thursday*).	Il arrive lundi, elle est venue jeudi.
Repetition (*on Wednesdays, every Wednesday*).	Elle le voit le mercredi, tous les mercredis (8 act 1, p. 32).
Dernier, prochain (*last, next*).	Lundi dernier, samedi prochain (rév 22, 27).
Le jour où (*the day when*).	Le jour où ils sont partis. (rév 5).
A month (*in October, in August*).	En octobre, au mois d'août (rév 8).
A date (*on the 1st March, on the 16th October*).	Le premier mars, le seize octobre (rév 8).

(N.B. *Le onze* no contraction.
Le onze juillet.)

Un jour de (*one day in*).
Un jour d'avril (rév 8).

A season (*in summer, autumn, winter; in spring*).
En été, automne, hiver; au printemps (rév 8).

A year (*in 1947*).
En 1947 (dix-neuf cent/mille (mil) neuf cent quarante-sept) (rév 8).

A century (*in the 19th century*).
Au 19e (dix-neuvième) siècle.

68. Time: *before (anteriority)*

Avant de + infinitive (*before becoming*).
Avant de devenir journaliste (29 ex 5, p. 119).

Avant que (+ *ne*) + subjunctive (*before you become*).
Avant que tu (ne) deviennes journaliste (29 ex 5, p. 119).

Before the present moment (*last year/week; yesterday morning/evening; the day before yesterday*).
L'année/la semaine dernière; hier matin/soir; avant-hier (rév 22).

Before a moment past or future (*the previous year; the day before, the morning/evening before, the afternoon before; two days before*).
L'année précédente; la veille, la veille au matin/soir, la veille dans l'après-midi; l'avant-veille (rév 22).

Il y a + time (*three years ago*)
Il y a trois ans (rév 5).

69. Time: *during (simultaneity)*

Pendant + noun (*during*).
Pendant son travail.

Pendant que (*while*).
Pendant qu'elle travaille.

(*Tout*) *en* + present participle.
Elle lit (tout) en se démaquillant (25 ex 1, p. 92).

Expressions *à la fois, en même temps, au fur et à mesure* (*at the same time, as one goes along*).
Elle est à la fois effrayée et fascinée.
Elle est effrayée, et en même temps elle est fascinée.
En travaillant elle acquiert de l'expérience au fur et à mesure.

70. Time: *after (posteriority)*

Après avoir/ayant, etc. + past participle (*after passing*).
Après avoir/ayant réussi ses examens (32 ex 4, p. 129).

(*Une fois* +) noun + past participle (*once she has passed*).
(Une fois) ses examens réussis (32 ex 4, p. 129).

After the present moment (*next month, year; tomorrow afternoon; the day after tomorrow*).
Le mois, l'an prochain/l'année prochaine; demain après-midi; après-demain (rév 22).

After a moment past or future (*the next week, the next evening, two days later*).
La semaine suivante, le lendemain soir, le surlendemain (rév 22).

Dans + indication of time (*in two minutes' time*).
Elle partira dans 2 minutes (rév 5).

71. Time: *recent, current and imminent actions* (rév 3).

Event(s) that have just happened: *venir de* + infinitive (*she has just eaten*).
Elle vient de prendre son petit déjeuner.

Event(s) happening now: *être en train de* + infinitive (*she is in the process of*).
Elle est en train de mettre son imperméable.

Event(s) about to happen: *aller, être sur le point de* + infinitive (*she is about to leave*).
Elle va partir, elle est sur le point de partir.

Event(s) that had just happened at a moment in the past (*she had just got up*).
Elle venait de se lever.

Event(s) in the course of happening at a moment in the past (*she was in the process of washing*).
Elle était en train de se laver.

Event(s) just about to happen at a moment in the past (*she was about to eat*).
Elle allait manger, elle était sur le point de manger.

Expressions (*now, at this moment*, etc.)
Il travaille maintenant, en ce moment.

(*at that moment*, etc.)
Il travaillait à ce moment-là.

72. Time: *frequency and repetition*

Expressions: *chaque jour/tous les jours, d'habitude, souvent, rarement*, etc.
Il vérifie chaque jour/tous les jours la condition de la lanterne, etc. (17 ex 4, p. 64).

Definite article + noun (*on Thursday, in the evenings*).
Le jeudi, le soir (8 act 1, p. 32).

73. Time: *duration*

Simple duration: *pendant (for a year).*
J'ai suivi des cours pendant un an (8 ex 1, p. 28).

Pre-arranged time: *pour.*
Je pars pour six mois.

Time taken: *en* + indication of time (*I learnt in 3 weeks*).
J'ai appris à taper à la machine en 3 semaines (rév 5).

Passer (du temps) à + infinitive (*we spent two hours cooking*).
Nous avons passé deux heures à préparer le déjeuner (40 ex 2, p. 168).

Mettre, il faut (du temps) pour + infinitive.
Il nous a fallu deux heures pour faire le trajet (40 ex 2, p. 168).

A time expression without a preposition (*for three hours*).
Elle a travaillé 3 heures.

Expressions (*from morning till night, for hours on end,* etc.).
Ils ont marché du matin au soir, plusieurs heures de suite.

For several mornings, evenings, days, years taken together: *matins, soirs, jours, ans.*
22 jours perdus dans la montagne (rev 16).

Emphasis on what happens during mornings, etc: *matinées, soirées, journées, années.*
10 journées entières enfermés dans leur tente (rév 16).

(N. B. After *quelques, plusieurs,* always *années,* not *ans.*
Quelques, plusieurs années plus tard) (cp. quelques jours).)

74. Time: *duration of an incomplete action, state*

In the present: present + *depuis (she has been alone for a long time).*
Elle est seule depuis longtemps (8 ex 1, p. 28).

Il y a/Ça fait . . . que + present.
Il y a/Ça fait longtemps qu'elle est seule (8 ex 1, p. 28).

In the past: imperfect + *depuis (they had been on his track for 48 hours).*
Ils étaient sur ses traces depuis 48 heures (11 ex 3, p. 42).

Il y avait/Ça faisait . . . que + imperfect.
Il y avait/ Ça faisait 48 heures qu'ils étaient sur ses traces.

Expression: *jusqu'à (until).*
Jusqu'à présent je n'ai eu que des emplois temporaires.

75. Time: *beginning and ending*

A partir de, dès (starting from).
A partir du 1er octobre, dès demain, dès son retour (rév 5).

Dès que, aussitôt que + future (perfect) (*as soon as*).
Dès qu'elle aura obtenu sa licence (cp. *quand/lorsque* 33 ex 2, p. 133).

Commencer par + infinitive (*they started by*).
Ils ont commencé par monter la tente (14 ex 3, p. 53).

Jusqu'à + noun (*until*).
Jusqu'à leur départ (rév 5).

Jusqu'à ce que + subjunctive (*until we lost sight of them*).
Jusqu'à ce que nous les perdions de vue.

Finir par + infinitive (*in the end they got rid of it*).
Ils ont fini par se débarrasser de leur appareil (14 ex 3, p. 53).

76. Time: *punctuality and lateness*

Early, late generally: *tôt, tard.*
Il se lève tôt et se couche tard.

Early, on time, late, for an appointed time: *de bonne heure, à l'heure, en retard* .
On lui a dit d'être à l'heure. Il a promis de venir de bonne heure. En fait il est arrivé en retard.

In time to do something: *à temps pour* + infinitive, noun.
Il est venu à temps pour manger (rév 5).

To be fast/slow of clock, etc.: *avancer, retarder.*
Ma montre avance, ou c'est peut-être la pendule qui retarde.

NOTIONS: *SPECIFIC*

77. Age

Age of person(s), thing(s).	Elle a 23 ans, une femme de 30 ans, il est âgé de 18 ans.
Order of birth (*eldest, younger, youngest*) (*cadet(te)* usu. = *2nd*).	C'est l'aîné(e), le/la cadet(te), le/la benjamin(e) de la famille.
Comparison of age (*older than*).	Il est plus âgé que son frère.

78. Approximation, imprecision

A number, quantity: *environ, à peu près (about).*	Environ dix kilomètres.
Collective numerals: *une/des dizaine(s), quinzaine(s), centaine(s),* etc., *un/des millier(s) (about ten, fifteen or so/a fortnight, hundreds, thousands).*	Une dizaine d'années, une quinzaine (de jours), des centaines de km^2, des milliers d'hectares.
Time (*about 10 o'clock*).	Vers dix heures.
Imprecision (*it is not exactly known*, etc.).	On ne le sait pas au juste, etc. (11 déc 2, p. 39).

79. Colour

Asking about colour.	De quelle couleur est sa motocyclette? Elle est bleue.
A noun as an adjective, no agreement (*chestnut brown, hazel*).	Ses yeux sont marron, des yeux noisette (25 ex 3, p. 93).
A compound adjective, no agreement (*clear blue, pale grey, dark brown*).	Un garçon aux yeux bleu clair, gris pâle, brun foncé (25 ex 3, p. 93).

80. Countries: nationality, language (rév 17, 19)

In or *to* a feminine country (ending in -*e*): *en (in France, to England).*	En France les débouchés sont limités, elle repart en Angleterre.
In or *to* a masculine country (not ending in. -*e*): *au (in Canada).*	Elle aimerait travailler au Canada.
But note: *au Mexique* (m).	Nous allons au Mexique.
In or *to* a country beginning with a vowel sound: *en*.	En Iran (m).
In or *to* a plural country: *aux*.	Elle a débarqué aux Etats-Unis.
In or *to* an island, usually: *à*	A Jersey, à Chypre.
From a feminine country: *de*.	Je reviens d'Espagne.
From a masculine country: *du*.	Vous repartez du Portugal?
From a plural country: *des*.	Il arrive des Pays-Bas.
A language: *le/l'*, no capital letter.	L'anglais est la langue principale de l'Amérique du Nord. Il parle parfaitement l'italien.
Le/l' omitted after *parler* used without an adverb.	Au Brésil on parle portugais.
An inhabitant, with a capital letter.	Un Marocain parlera arabe.

Names of frequently used countries, adjectives of nationality:

la France	français(e)	la Hongrie	hongrois(e)
l'Angleterre	anglais(e)	la Pologne	polonais(e)
l'Ecosse	écossais(e)	la Turquie	turc (turque)
l'Irlande	irlandais(e)	la Grèce	grec (grecque)
le Pays de Galles	gallois(e)	l'Union soviétique (l'URSS)	russe
la Grande-Bretagne	britannique	le Maroc	marocain(e)
l'Allemagne	allemand(e)	l'Inde	indien(ne)
la Belgique	belge	le Japon	japonais(e)
les Pays-Bas, la Hollande	néerlandais(e), hollandais(e)	le Pakistan	pakistanais(e)
la Norvège	norvégien(ne)	la Chine	chinois(e)
la Suède	suédois(e)	les Etats-Unis	américain(e)
l'Autriche	autrichien(ne)	le Canada	canadien(ne)
la Suisse	suisse	le Mexique	mexicain(e)
l'Espagne	espagnol(e)	les Antilles	antillais(e)
le Portugal	portugais(e)	le Brésil	brésilien(ne).
l'Italie	italien(ne)		

81. Degree, quantity (rév 14)

Common expressions + *de* + noun:	
beaucoup (much, many),	Beaucoup de contacts,
peu (few, little),	peu de difficultés,
un peu (a little),	un peu d'argent,
assez (enough),	pas assez de moyens de transport,
trop (too much, too many),	trop de bruit,
tant (so much, so many),	tant de déplacements,
autant (as much, as many).	pas autant de problèmes que nous.
Assez, trop + adjective + *pour* + infinitive (*too independent to fit in*).	Elle est trop indépendante pour s'intégrer (26 ex 3, p. 100).
Assez, trop de + noun + *pour* + infinitive (*enough flexibility to adapt*).	Elle a assez de souplesse pour s'adapter (26 ex 3, p. 100).
Encore du, de la, des (more cake).	Encore du gâteau (rév 14).
Bien des (many problems).	Elle a bien des ennuis (rév 14).
La plupart des followed by a plural verb (*most students*).	La plupart des étudiants travaillent (32 ex 5, p. 130).
Tellement/si + adjective (*such a deafening noise*).	Un bruit tellement/si assourdissant.
Tout(e), tous (toutes) + article + noun (*all*).	Tous les aspects du mariage (rév 26).
Tout (everything).	J'ignorais tout.
Tous, toutes, pronoun (*all*) (*I know them all*).	Je les connais tous (on prononce le *s*).
Quelques, plusieurs, chaque (see 6, *Indefinites,* p. 181).	
Quelques-un(e)s, plusieurs, chacun(e), (see 24, *Indefinite pronouns,* p. 187).	

82. Dimensions

Avoir . . . mètres, etc., *de haut(eur), de long(ueur), de large(ur) (to be . . . metres,* etc., *high, long, wide).*	La jetée a 4 mètres de haut(eur).
Etre haut(e), long(ue), large de . . . mètres, etc.	Elle est haute de 4 mètres.
Sur (20 metres long by 6 metres wide).	Elle a 20 mètres de long(ueur) sur 6 mètres de large(ur).

83. Distance, speed

Etre, se trouver à . . . kilomètres, etc., *de (the camp is 5 kms from the village).*	Le camp est à 5 km du village (25 ex 6, p. 95).
La distance de . . . à . . . est de . . . (the distance from P. to D. is 13 kms).	La distance de Pleslin à Dinan est de 13 km (38 ex 4, p. 158).
Eloigné de, près de (far from, near to).	Pleslin est plus éloigné de Dinan que de Ploubalay, etc. (38 ex 4, p. 158).
Parcourir (they went/covered 3 kms).	Ils ont parcouru (une distance de) 3 km (38 ex 5, p. 159).
Kilomètres (à l') heure, km/h. (kilometres per hour, kph).	Nous roulions à 80 kilomètres-heure (80 km/h).

84. Fractions

La moitié de, le tiers de, le quart/ les trois quarts de (a half, a third, a quarter/three quarters of).	La moitié des fils de patrons restent cadres supérieurs (32 ex 5, p. 130).
Le/un cinquième, les deux sixièmes (one fifth, two sixths, etc.).	Les deux cinquièmes des fils d'employés deviennent ouvriers (32 ex 5, p. 130).
Un quart de (a quarter litre).	Un quart de litre.
Demi- before a noun, no agreement.	Une demi-heure (rév 20).
Demi(e) after a noun, agreement.	Une bouteille et demie.
Moitié . . . moitié . . . (*half English half French).*	Il est moitié anglais moitié français (rév 20).
A moitié + adjective (*half dead*).	A moitié morts de fatigue (rév 20).
Mi-: expressions (*half time, mid July, half way*).	La première mi-temps, mi-juillet, à mi-chemin (rév 20).

85. Geographical terms (see also 80 **Countries: nationality, language**) (rév 17, 18).

To or *in* a town: *à, au, aux (in/to Strasbourg, le Havre, les Eyzies).*	A Strasbourg, au Havre, aux Eyzies.

To or *in* a department: *dans* + article, except those with *-et-: en.*
Dans la Gironde, dans le Gard.
En Seine-et-Marne.

To or *in* provinces of France: *en.*
En Bretagne, en Picardie, en Vendée.

To or *on* a coast: *sur.*
Sur la Côte d'Azur, sur les côtes de l'Atlantique.

From: *de, du, de la, des.*
J'arrive de Strasbourg, de Bretagne, du Gard, du Havre, de la Haye, de la Côte d'Azur, des Eyzies.

Geographical area, with a capital letter: *le Nord, le Sud, l'Est, l'Ouest.*
Il habite (dans) le Nord de la France.

Direction from a given point: *au nord/sud de, à l'est/l'ouest de.*
Le village se trouve à l'ouest de Rouen.

Compounds: *le Nord-Est, au sud-ouest de*, etc.
Ses vaçances dans le Sud-Ouest.

Le Midi (the South of France).
Elle a l'accent du Midi.

86. Itineraries: space and movement

Starting points and destinations.
On part de Dinan pour aller à Ploubalay, on se met en route, on arrive à destination, etc. (38 ex 5, p. 159).

Routes, direct and indirect.
La D2 mène de Dinan à Ploubalay.
Il faut passer par Ploubalay.
Nous nous sommes écartés du chemin, etc. (38 exs 4, 5, (pp. 158–9).

87. Measures: weight, price, etc.

Weight: *kilo(gramme)s, grammes (une livre = un demi-kilo).*
Ce melon pèse plus de 800g. Une livre/Un demi-kilo de raisin (singulier).

Containers: *une bouteille, un paquet, un verre, une boîte*, etc., *de.*
Une bouteille de vin contient 75 centilitres (75 cl).

Price (*5 francs a kilo/each*).
5 francs le kilo/la pièce, 4F50 le trajet (rév 15).

Area: *un centimètre carré* (cm^2), *des kilomètres carrés* (km^2).
Des centaines de kilomètres carrés de forêt.

Volume: *un mètre cube* (m^3), *des centimètres cubes* (cm^3).
La R14 a une cylindrée de 1218 cm^3.

Rate: *par jour, par semaine*, etc. (*per day, per week*).
Le téléphone sonne vingt fois par jour (rév 15).

Wages, salaries: *de l'heure, par jour/semaine.*
Elle gagne 25F de l'heure, soit 200F par jour. Son salaire est de 1000F par semaine (rév 15).

88. Numbers (rév 21)

1–20.
Un(e), deux, trois, quatre, cinq, six, sept, huit, neuf, dix, onze, douze, treize, quatorze, quinze, seize, dix-sept, dix-huit, dix-neuf, vingt.

30, 40, 50, 60, 70, 80, 90, 100.
Trente, quarante, cinquante, soixante, soixante-dix, quatre-vingts, quatre-vingt-dix, cent.

Formation: hyphen except before and after *et, cent, mille, million.*
Vingt-trois, quarante-huit, soixante-quinze, trois cent quatre-vingt-dix-neuf, mille cinq cent cinquante et un.

Et in *21, 31*, etc., and *71*, not in *81, 91.*
Trente et un(e), soixante et onze.
Quatre-vingt-un, quatre-vingt-onze.

-s on *quatre-vingt, cent*, only when no number follows.
Quatre-vingts, trois cents.
Sept cent cinquante.

Never *-s* on *mille.*
Trente mille.

De after *million(s).*
Cinq millions de vacanciers.

Note: *des milliers, quelques centaines*, etc., *de* (*thousands, hundreds of*).
Plusieurs milliers de tentes.

Ordinals (*first, second, third*, etc.).
Le premier reportage (cp. le premier juillet).
La deuxième/seconde rue à gauche.
La neuvième fois (cp. le neuf janvier).
Le vingt et unième incident.

Addition, subtraction.	Trois et quatre font sept, treize moins sept égale(nt) six.
Multiplication, division.	Deux fois deux font quatre, vingt-cinq divisé par cinq égale(nt) cinq.
Decimals.	7, 5 (sept virgule cinq).

89. Proportion

La plupart des, peu de, etc.	La plupart des étudiants travaillent, etc. (32 ex 5, p. 130).
Sur (out of).	Deux étudiants sur trois (32 ex 5, p. 130).

90. Substance, material

En métal, fer, acier, plastique, etc. (*en* emphasises substance).	Des piquets en acier, des assiettes en plastique.
De cuir, coton, bois, laine, etc. (adjectival).	Une robe de coton, un pullover de laine.

91. Transport

En autobus, avion, taxi, voiture, moto, etc.; *en/par le train, métro.*	Elle va à l'hôpital en autobus. Tu rentres en train/par le train?
A bicyclette, à pied; à/en vélo.	Rouler à/en vélo calme les nerfs.
Mail etc.: *par avion, par terre, par mer.*	Je l'ai expédié par avion.

92. Weather, temperature (13 acts 1–3, pp. 48–9).

Il fait beau, mauvais (temps).	Il fait beau (temps) partout en France.
Il fait + set range of adjectives (*chaud, lourd, frais, froid, tiède, doux*, etc.).	Il fait plus doux aujourd'hui malgré la neige.
Il fait un temps + (other) adjective.	Il fait un temps agréable, infect.
Il fait du vent, du brouillard, de l'orage, des éclairs.	Il fait du brouillard sur le Bassin Parisien.
(N.B. *Le temps est beau, agréable*, etc., not *fait.*	Le temps est magnifique sur la Côte d'Azur).
Il + a set range of verbs: *il pleut, neige, grêle, gèle* etc., (*it is raining, snowing, hailing, freezing*).	Il a neigé hier dans l'Est. Il gèlera pendant la nuit.
Par (in fine weather, etc.).	Par beau temps, par mauvais temps, par un temps merveilleux, par moins dix (degrés).
Dark and light.	Il fait jour, il fait nuit. Il fait noir dans la grotte.

FUNCTIONS

93. Advising

Essaie/Essayez de . . .
Efforce-toi/Efforcez-vous de . . .
Sois/Soyez sûr(e) de . . .
N'oublie pas/N'oubliez pas de . . .
Evite/Evitez de . . .
Il faut/Il ne faut pas . . . (5 act 2, p. 20)
Tu auras intérêt à . . .
Je te conseille de . . .
Tu ferais bien de . . .
Tu dois/Tu devrais . . .
Il est indispensable de . . .
Moi, à ta place, . . . (29 ex 4, p. 118)
Vous aurez besoin de . . . (40 ex 1, p. 166)
Préférez . . .
Il vaut mieux . . .
(Faites) . . . Ne (faites) pas . . . (*impératifs*)
Soyez sûr(e) de ne pas . . .
Evitez de . . .
Attention à . . . (41 act 4, p. 176)

94.	**Certainty**, expressing	Ce qui saute aux yeux, c'est que . . . Il est évident que . . . Il est clair que . . . (23 act 3, p. 88)
95.	**Comparing**	see *Notions, general* 59 (p. 200).
96.	**Contrasting**	see *Notions, general* 63 (p. 201).
97.	**Describing** someone	C'est un . . . aux (yeux bleus). Il/Elle a les (yeux bleus). Ses (yeux), sont (bleus). (25 ex 3, p. 93)
	Describing someone or something	C'est/C'était, etc. un(e) (jeune). Il/Elle est/était (jeune). (25 ex 4, p. 94)
98.	**Doubt/Uncertainty**, expressing	Je doute que . . . Il est peu probable que . . . Je ne crois pas que . . . Je ne pense pas que . . . } + *subjonctif* (37 ex 3, p. 151)
99.	**Emphasising**	see *Notions, general* 61 (p. 200).
100.	**Explanation**, asking for Explanation, giving	Qu'est-ce que le/la . . . ? (33 ex 1, p. 132) . . . , c'est tout ce qui concerne . . . (33 ex 1, p. 132) En effet . . . /Car . . . (36 act 3, p. 146) . . ., (faisant/ne faisant pas) . . . (37 ex 1, p. 198)
101.	**Feelings**, expressing	see *Verbs* 53 (p. 198).
102.	**Forbidding**	Il ne faut pas . . . Il est défendu de . . . Il est (formellement) interdit de . . . (1 act 3, p. 3) Je te défends de . . . Je ne t'autorise pas à . . . Tu ne (le feras) pas, c'est compris? (21 ex 3, p. 82) Il ne faut pas que vous . . . + *subjonctif* (40 ex 4, p. 170) Il est interdit de . . . Défense (formelle) de . . . (40 ex 5, p. 171)
103.	**Inability**, expressing	Je ne suis pas assez . . . pour . . . Je n'ai pas le/la . . . qu'il faut pour . . . Je manque de . . . (28 ex 3, p. 111)
104.	**Indifference**, expressing	Ça m'est égal que . . . Ça ne me fait rien que . . . J'accepterais que . . . } + *subjonctif* (26 ex 2, p. 99)
105.	**Information**, asking for	Vous connaissez (peut-être) . . . ? Vous avez entendu parler de . . . ? Vous avez des renseignements sur . . . (40 ex 3, p. 169)
106.	**Intentions**, asking about	Qu'est-ce que tu vas/as l'intention de (faire)? Qu'est-ce que tu comptes/penses (faire)? (33 ex 3, p. 134)
107.	**Judgement**, making (about an action)	Moi, j'aurais (fait) . . . Je n'aurais pas (fait) . . . (21 ex 2, p. 81) Son erreur a été de . . .

Il/Elle a eu tort de . . .
Il/Elle aurait dû . . .
On peut lui reprocher de . . . (23 act 3, p. 88)

108. Likes/Dislikes, asking about

Qu'est-ce que tu aimes (faire)?
Quelles sont tes préférences (en . . .)?
Qu'est-ce qui t'intéresse?
A quoi est-ce que tu es attaché(e)? (4 act 2, p. 13)

Likes/Dislikes, expressing

J'aime (bien/assez) . . .
J'adore . . .
Je n'aime pas du tout . . .
Je déteste . . . (4 act 2, p. 13)
. . . me plaît/ravit.
. . . me déplaît/dégoûte. (38 ex 2, p. 156)

109. Negating

see *Notions, general* 62 (p. 201).

110. Opinion, asking about someone

Quel caractère a . . . ?
Comment est-ce que tu vois . . . ?
Qu'est-ce que tu penses de . . . ? (4 act 2, p. 13)

Opinion, giving

A mon avis . . . /A mon sens . . .
Pour moi . . .
Personnellement, je . . .
Mon opinion, c'est que . . .
Je trouve/pense, moi, que . . .
J'ai l'impression que . . .
Il me semble (bien) que . . . (11 ex 6, p. 44)
A mon avis, c'est le/la . . . le/la plus . . . de . . .
(40 ex 3, p. 169)

Opinion, giving (about oneself)

Moi, je suis . . .
Je crois que je suis . . .
J'ai l'impression d'être . . . (4 act 2, p. 13)

111. Ordering

Tu ne (le feras) plus jamais. (20 ex 6, p. 76)

112. Permitted, finding out what is

On a le droit de . . . ?
Il est permis de . . . ?
Il n'est pas interdit de . . . ?
On peut . . . ? (40 ex 4, p. 170)

113. Predicting

(A l'avenir) tu (feras) . . . (5 act 2, p. 20)

114. Preferences, expressing (positive)

Je voudrais que . . .
Je préférerais que . . .
J'aimerais bien que . . .
Je souhaiterais que . . .
} + *subjonctif* (26 ex 2, p. 99)

Preferences, expressing (negative)

Je ne voudrais pas que . . .
Je n'aimerais pas du tout que . . .
Je détesterais que . . .
} + *subjonctif* (26 ex 2, p. 99)

115. Questions, asking

see *Notions, general* 65 (p. 202).

116. Recommending

Il faut que vous . . . + *subjonctif* (20 ex 4, p. 75)
(Il/Elle) doit (faire) . . .
Il faut qu'il/elle . . . + *subjonctif* (38 ex 1, p. 156)

117. Reporting questions — see *Notions, general* 65 (p. 202).

Reporting what one was required to do — J'ai dû . . .
On m'a demandé de . . . (28 ex 5, p. 112)

Reporting what was said — see *Verbs* 35, 37, 41 (pp. 190, 191, 192).

118. Requiring someone to do something

Il faut (absolument) . . .
Il est essentiel de . . .
Il est obligatoire de . . . (1 act 3, p. 3)
Il faut que . . . + *subjonctif* (40 ex 4, p. 170)
Prière de . . .
Respectez . . . s'il vous plaît.
Attention à . . .
. . . (est) obligatoire. (40 ex 5, p. 171).

119. Suggesting

Tu aimerais peut-être . . .
Ça te plairait de . . .
Tu n'as pas pensé à . . .
Pourquoi ne pas . . . (28 ex 3, p. 111)

120. Wishes, expressing

Je (ne) veux (pas) que . . . + *subjonctif* (21 ex 4, p. 82).
J'ai (assez) envie de . . .
Je voudrais (bien) . . .
J'aimerais (beaucoup) . . .
Je tiens (beaucoup) à . . . (33 ex 3, p. 134)
see also *Preferences* 114, *Indifference* 104.

INTONATION

121. Declarative intonation

Il y avait une espèce de digue
sur laquelle on pouvait poser
l'hélicoptère. (17 ex 1, p. 62)

Nous nous sommes mariés
après notre formation professionnelle
c'est-à-dire deux ans après. (26 ex 1, p. 98)

122. Interrogative intonation, with question word

Qu'est-ce que l'acoustique architecturale?

without question word

L'acoustique architecturale? (33 ex 1, p. 132)

INDEX

Note: Numerals in bold type refer to sections dealing specifically with the items listed.

TABLEAU DE VERBES

REGULAR VERBS

Infinitive	*Participles*	*Present Indicative*	*Passé Simple*	*Future*	*Present Subjunctive*
donner	donnant donné	donne -es -e donnons -ez -ent	donnai	donnerai	donne -es -e donnions -iez -ent
finir	finissant fini	finis -is -it finissons -ez -ent	finis	finirai	finisse -es -e finissions -iez -ent
vendre	vendant vendu	vends vends vend vendons -ez -ent	vendis	vendrai	vende -es -e vendions -iez -ent

IRREGULAR VERBS

acquérir	acquérant acquis	acquiers -s -t acquérons -ez acquièrent	acquis	acquerrai	acquière -es -e acquérions -iez acquièrent
aller	allant allé	vais vas va allons allez vont	allai	irai	aille -es -e allions -iez aillent
apercevoir: *like* recevoir					
s'asseoir	asseyant assis	assieds -s assied asseyons -ez -ent	assis	assiérai	asseye -es -e asseyions -iez -ent
atteindre: *like* craindre					
avoir	ayant eu	ai as a avons avez ont *Imperative:* aie ayons ayez	eus	aurai	aie aies ait ayons ayez aient
battre	battant battu	bats bats bat battons -ez -ent	battis	battrai	batte -es -e battions -iez -ent
boire	buvant bu	bois -s -t buvons -ez boivent	bus	boirai	boive -es -e buvions -iez boivent
concevoir: *like* recevoir					
conclure	concluant conclu	conclus -s -t concluons -ez -ent	conclus	conclurai	conclue -es -e concluions -iez -ent
conduire	conduisant conduit	conduis -s -t conduisons -ez -ent	conduisis	conduirai	conduise -es -e conduisions -iez -ent
connaître	connaissant connu	connais -s connaît connaissons -ez -ent	connus	connaîtrai	connaisse -es -e connaissions -iez -ent
construire: *like* conduire					
courir	courant couru	cours -s -t courons -ez -ent	courus	courrai	coure -es -e courions -iez -ent

couvrir: *like* ouvrir					
craindre	craignant craint	crains -s -t craignons -ez -ent	craignis	craindrai	craigne -es -e craignions -iez -ent
croire	croyant cru	crois -s -t croyons -ez croient	crus	croirai	croie -es -e croyions -iez croient
croître	croissant crû (*f* crue)	croîs croîs croît croissons -ez -ent	crûs	croîtrai	croisse -es -e croissions -iez -ent
cueillir	cueillant cueilli	cueille -es -e cueillons -ez -ent	cueillis	cueillerai	cueille -es -e cueillions -iez -ent
détruire: *like* conduire					
devoir	devant dû (*f* due)	dois -s -t devons -ez doivent	dus	devrai	doive -es -e devions -iez doivent
dire	disant dit	dis -s -t disons dites disent	dis	dirai	dise -es -e disions -iez -ent
dormir	dormant dormi	dors -s -t dormons -ez -ent	dormis	dormirai	dorme -es -e dormions -iez -ent
écrire	écrivant écrit	écris -s -t écrivons -ez -ent	écrivis	écrirai	écrive -es -e écrivions -iez -ent
envoyer	envoyant envoyé	envoie -es -e envoyons -es envoient	envoyai	enverrai	envoie -es -e envoyions -iez envoient
être	étant été	suis es est sommes êtes sont *Imperative:* sois soyons soyez	fus	serai	sois sois soit soyons soyez soient
faillir	faillant failli	—	faillis	faillirai	—
faire	faisant fait	fais -s -t faisons faites font	fis	ferai	fasse -es -e fassions -iez -ent
falloir	— fallu	il faut	il fallut	il faudra	il faille
fuir	fuyant fui	fuis -s -t fuyons -ez fuient	fuis	fuirai	fuie -es -e fuyions -iez fuient
haïr	haïssant haï	hais hais hait haïssons haïssez haïssent	haïs	haïrai	haïsse -es -e haïssions -iez -ent
lire	lisant lu	lis -s -t lisons -ez -ent	lus	lirai	lise -es -e lisions -iez -ent
mentir: *like* dormir					
mettre	mettant mis	mets -s met mettons -ez -ent	mis	mettrai	mette -es -e mettions -iez -ent
mourir	mourant mort	meurs -s -t mourons -ez meurent	mourus	mourrai	meure -es -e mourions -iez meurent
naître	naissant né	nais -s naît naissons -ez -ent	naquis	naîtrai	naisse -es -e naissions -iez -ent
nuire	nuisant nui	nuis -s -t nuisons -ez -ent	nuisis	nuirai	nuise -es -e nuisions -iez -ent
offrir: *like* ouvrir					
ouvrir	ouvrant ouvert	ouvre -es -e ouvrons -ez -ent	ouvris	ouvrirai	ouvre -es -e ouvrions -iez -ent
paraître: *like* connaître					
partir: *like* dormir					

plaire	plaisant plu	plais -s plaît plaisons -ez -ent	plus	plairai	plaise -es -e plaisions -iez -ent
plaindre: *like* craindre					
pleuvoir	pleuvant plu	il pleut	il plut	il pleuvra	il pleuve
pouvoir	pouvant pu	peux (puis) -x -t pouvons -ez peuvent	pus	pourrai	puisse -es -e puissions -iez -ent
prendre	prenant pris	prends -s prend prenons -ez prennent	pris	prendrai	prenne -es -e prenions -iez prennent
produire: *like* conduire					
recevoir	recevant reçu	reçois -s -t recevons -ez reçoivent	reçus	recevrai	reçoive -es -e recevions -iez reçoivent
réduire: *like* conduire					
résoudre	résolvant résolu	résous -s -t résolvons -ez -ent	résolus	résoudrai	résolve -es -e résolvions -iez -ent
rire	riant ri	ris ris rit rions riez rient	ris	rirai	rie -es -e riions riiez rient
savoir	sachant su	sais -s -t savons -ez -ent *Imperative:* sache sachons sachez	sus	saurai	sache -es -e sachions -iez -ent
sentir: *like* dormir servir: *like* dormir	sortir: *like* dormir souffrir: *like* ouvrir				
suffire	suffisant suffi	suffis -s -t suffisons -ez -ent	suffis	suffirai	suffise -es -e suffisions -iez -ent
suivre	suivant suivi	suis -s -t suivons -es -ent	suivis	suivrai	suive -es -e suivions -iez -ent
tenir	tenant tenu	tiens -s -t tenons -ez tiennent	tins -s -t tînmes tîntes tinrent	tiendrai	tienne -es -e tenions -iez tiennent
traduire: *like* conduire					
vaincre	vainquant vaincu	vaincs -s vainc vainquons -ez -ent	vainquis	vaincrai	vainque -es -e vainquions -iez -ent
valoir	valant valu	vaux -x -t valons -ez -ent	valus	vaudrai	vaille -es -e valions -iez vaillent
venir	venant venu	viens -s -t venons -ez viennent	vins -s -t vînmes vîntes vinrent	viendrai	vienne -es -e venions -iez viennent
vêtir	vêtant vêtu	vêts -s vêt vêtons -ez -ent	vêtis	vêtirai	vête -es -e vêtions -iez -ent
vivre	vivant vécu	vis -s -t vivons -ez -ent	vécus	vivrai	vive -es -e vivions -iez -ent
voir	voyant vu	vois -s -t voyons -ez voient	vis	verrai	voie -es -e voyions -iez voient
vouloir	voulant voulu	veux -x -t voulons -ez veulent *Imperative:* veuille veuillons veuillez	voulus	voudrai	veuille -es -e voulions -iez veuillent

PROGRAMME DE RÉVISION

This section gives you a chance to bring together what you know about some important grammatical categories. You will certainly have met examples of most of these, in the *dossiers* and in previous work, but maybe in a relatively random fashion. Now you can check them over systematically.

1. Démonstratifs et pronoms démonstratifs: ce(t)/cette/ces . . . -ci/là celui/celle/ceux/celles-ci/là

Quelles seraient, à votre avis, les préférences de Sophie et de Maryse en matière de vêtements, de boissons, etc.?

Les **démonstratifs** et les **pronoms démonstratifs** suivis de **-ci** ou **-là** permettent de distinguer des choses appartenant à une même catégorie. Sauriez-vous distinguer les préférences de Sophie de celles de Maryse?

Quelle boisson choisiraient-elles, l'une et l'autre?

Sophie choisirait cette boisson-ci.
Maryse choisirait celle-là.

Regardez les dessins à droite. En employant chaque fois d'abord **ce(t)/cette/ces . . . -ci/là** et ensuite **celui/celle/ceux/celles -ci/là**, dites, comme dans les phrases ci-dessus:

— quelle boisson elles choisiraient, l'une et l'autre,

— quelles chaussures elles achèteraient pour sortir le soir,

— quels disques elles écouteraient de préférence, en rentrant,

— quels livres elles liraient, avant de s'endormir,

— quel sac elles utiliseraient tous les jours,

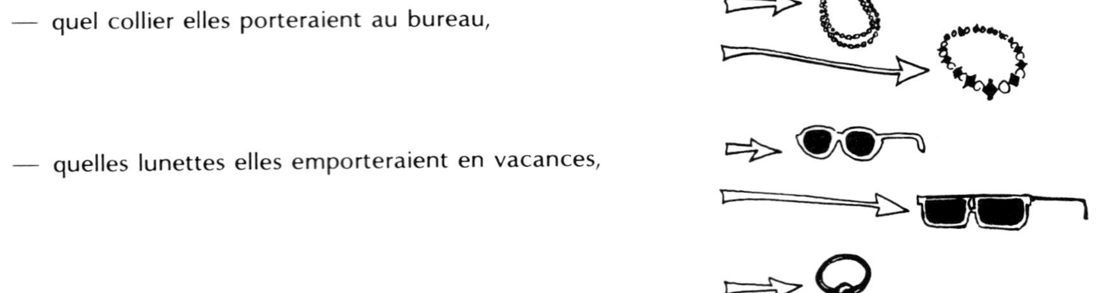

— quel collier elles porteraient au bureau,

— quelles lunettes elles emporteraient en vacances,

— quelle bague elles aimeraient recevoir en cadeau.

Voir: *Grammaire*, 4, p. 181, 23, p. 187.

2. Formes des adjectifs

Vous avez déjà rencontré de nombreux adjectifs irréguliers. Connaissez-vous parfaitement leur formation?

Donnez la forme indiquée:

Le féminin

dernier, fier →
curieux, amoureux →
personnel, actuel →
inoffensif, sauf →
secret, complet →
quotidien, ancien →

bas →
beau →
bon →
bref →
blanc →
chic →

doux →
épais →
faux →
favori →
fou →
frais →

gentil →
gras →
gros →
jumeau →
long →
mou →

nouveau →
public →
sec →
sot →
trompeur →
vieux →

Le masculin du pluriel

social, central →
beau, nouveau →
gris, heureux →

Le masculin du singulier, devant une voyelle/*h* muet

beau → un ___ homme
nouveau → son ___ amour
vieux → leur ___ ami
fou → ce ___ espoir

Voir: *Grammaire*, 11–13, p. 183.

3. Venir de + infinitif, être en train de + infinitif, aller + infinitif

Les parents d'Arthur **viennent d'entendre** (*passé récent*) leur fils appeler au secours. Ils se précipitent vers le bassin. Lorsqu'ils arrivent Arthur **est en train de faire** glou-glou (*action qui se déroule*). La maman pleure parce qu'elle croit que son fils **va se noyer** (*futur proche*).

Complétez la légende de chacun des croquis: employez chaque fois, dans l'ordre qui convient, **venir de + infinitif**, **être en train de + infinitif** et **aller + infinitif**.

1.

Arthur __________ pleurer. Il __________ dire à Maman qu'Hélène __________ lui serrer le cou avec la corde à sauter

2.

Hélène __________ pousser Arthur dans le bassin. Papa __________ enlever sa veste. Il __________ sauver Arthur qui se noie.

3.

Maman __________ mettre Arthur au lit. Elle __________ déshabiller le petit garçon et elle __________ le sécher avec une serviette.

4.

Papa __________ téléphoner chez le docteur. Il __________ dire à Maman que le docteur __________ arriver tout de suite.

5.

Le docteur __________ dire à Maman que tout va bien. Il __________ examiner Arthur.

6.

Hélène __________ demander à Maman de lui donner du gâteau. Maman __________ en donner à Arthur. Il __________ le manger.

Les événements décrits dans le texte se sont déroulés au passé. Si on veut exprimer **dans le passé** le *passé récent, une action qui se déroule* et le *futur proche* on emploie **venir de**, **être en train de, aller + infinitif** à l'**imparfait**

Regardez attentivement vos légendes complétées. Ensuite, mettez-les de côté, fermez votre livre, et décrivez—**au passé**—ce qui arrivait dans chaque image.

Exemple (croquis n° 1):

Arthur ***était en train de*** *pleurer. Il* ***allait dire*** *à Maman qu'Hélène* ***venait de*** *lui serrer le cou avec la corde à sauter.*

Voir: *Grammaire*, 71, p. 203.

4. Dire (etc.) à quelqu'un de faire quelque chose

« Je t'interdis de te mettre ces produits sur la peau », a dit Mme V. C'est-à-dire:

Mme V. a interdit **à** *sa fille Clarisse* **de** *se mettre ces produits sur la peau.*

Plusieurs autres verbes se construisent de la même manière: **à + nom + de + infinitif**.

Composez des phrases de la même manière. Employez sept verbes différents:

dire, demander, commander/ordonner, interdire/défendre, permettre, conseiller, ou *promettre*

«N'ouvre pas mes lettres s'il te plaît maman.» → *Clarisse a demandé à sa mère de ne pas . . .*

«D'accord. Mais tu me montreras toutes les lettres.» →*Sa mère . . .*

«Tu dois écrire seulement à des filles.» →

«Il faut se méfier des garçons, ma pauvre fille.» →

«Surtout ne sors pas avec ce voyou d'à côté.»→

«Tu rentreras tout de suite après l'école, c'est un ordre!»→

«Mais tu sais que je n'y resterai pas avec les garçons, c'est promis.»→

Voir: *Grammaire*, 48, pp. 195–196.

5. Expressions de temps

Clarisse va avoir seize ans **dans** quatre mois.
Savez-vous employer des **expressions de temps** telles que:
dans (voir *Grammaire*, 70), *en* (73), *il y a* (68), *dès* (75), *vers* (67), *être en train de* (71), *jusqu'à* (75), *le jour, etc., où* (67), *à temps pour* (76), *tout de suite*, *l'instant d'après*, *de nouveau*, *à l'avenir*, *d'abord . . . puis . . . enfin*?
Complétez cette déclaration de Clarisse. Employez une fois chacune des expressions ci-dessus:
«Véronique, cette fois-ci maman a vraiment dépassé toutes les bornes! Tu te rappelles Peter, ce garçon anglais que j'ai rencontré __ _ _ huit jours, le soir __ nous sommes allées dans cette nouvelle boîte? Il m'a dit qu'il rentrait en Angleterre ____ trois jours et qu'il m'écrirait ___ son retour. Eh bien, aujourd'hui j'attendais sa lettre; je suis rentrée du lycée __ cinq minutes, espérant être _ temps ____ devancer maman. Hélas, quand je suis arrivée ____ quatre heures et demie, j'ai ____ __ _____ vu que le courrier n'y était plus. L'instant _' _____ j'ai vu maman dans la cuisine. J'ai _' _____ pensé qu'elle avait tout lu, ____ j'ai vu qu'elle était __ ______' ouvrir une enveloppe qui portait un timbre anglais. _____, à force de protester, j'ai récupéré ma lettre. ______' _ présent je n'ai rien caché à maman. Mais vraiment elle exagère, n'est-ce pas? Peter va sans doute m'écrire __ _______. Je peux lui dire de m'écrire _ _' ______ chez toi?»

Refaites oralement cet exercice. Ne regardez pas les expressions ci-dessus.

Voir: *Grammaire*, 67–76, pp. 202–204.

6. Place de l'adjectif

Les motocyclistes avaient de **gros** dessins **colorés** sur leurs blousons.
Savez-vous quels adjectifs on place normalement **avant** le nom, et lesquels **après**? (**Rappel** *des* → ***de*** + adjectif + nom au pluriel: ***de*** *mauvais garçons*).

Combinez tour à tour **nom** + **adjectif** de la manière suivante:
un beau spectacle*, *un spectacle magnifique.

un spectacle: beau, magnifique, joli, formidable, excellent;
des garçons: mauvais, dangereux, vilain, jeune, gentil;
une impression: grand, effrayant, bon, vieux, meilleur.

Voir: *Grammaire*, 15, pp. 183–184.

7. Expressions avec 'avoir'

La narratrice a été effrayée, c'est-à-dire qu'elle **a eu peur.**

Connaissez-vous ces expressions avec le verbe **avoir**:
avoir chaud, froid, faim, soif, raison, tort, sommeil, honte; avoir mal à la tête, au ventre, etc.; avoir besoin de; avoir lieu?

Transformez ces phrases de la manière indiquée:
La narratrice a été effrayée. → *Elle a eu peur.*
Elle voulait dormir. →
Grégoire est affamé. →
Charlotte est frileuse. →
Sa tête lui fait mal. →
Jean-Claude rougit de sa première réaction. →
Il lui faut être rassuré. →
Alain aussi s'est trompé. →
Cet incident est arrivé le soir. →

Voir: *Grammaire*, 52, p. 197.

8. Jours, mois, saisons, années

Robert P. et sa femme ont commencé à enseigner **en** 1952, **au mois d**'octobre.
Connaissez-vous d'autres expressions de ce genre: **dates**, **saisons**, etc.

Complétez cette déclaration:

«Nous nous sommes connus, ma femme et moi, __ 1951 __ printemps. Je l'ai rencontrée, je m'en souviens, un matin __ mai. L'année suivante, nous avions cours ensemble tous les jours sauf __ jeudi, jour de congé. __ été, __ mois __ juin, nous avons passé le bac. Puis __ octobre 1952 nous avons commencé à enseigner. Enfin, deux ___ après, __ onze juillet 1954, nous nous sommes mariés.
Il faut que je vous présente ma femme. Venez manger s _____ prochain.»

Voir: *Grammaire*, 67, pp. 202–203.

9. La formation des adverbes

L'avis **personnel** de Robert P. c'est qu'il s'est marié trop jeune. Il le croit **personnellement**.
Savez-vous former ainsi un **adverbe** de manière, à partir d'un **adjectif**?

Trouvez les adverbes qui correspondent:

lent →
rapide →
heureux →
quotidien →
absolu →
évident →
gentil →
bref →
gai →
profond →
énorme →
grave →
meilleur →

Voir: *Grammaire*, 56, p. 199.

10. Les parties du corps: emploi des articles, etc.

« Je levai les épaules », raconte Josyane.
Connaissez-vous l'emploi des **articles** avec les **parties du corps**?

Complétez les phrases suivantes:

C'était une femme _ _' air gentil, __ regard tranquille.
Elle avait ___ cheveux roux. ___ yeux étaient bruns.
Elle était assise derrière la table, ___ bras croisés.
Elle leva __ tête, se frotta __ menton et me sourit.
Je ___ serrai __ main.

Voir: *Grammaire*, 1, p. 180, 25, p. 188.
Exercices, 3, p. 93.

11. Quelques formes de l'imparfait

Vous savez que l'**imparfait** peut être formé à partir de la première personne du pluriel (**nous**) du **présent**. Exceptions: **j'étais**, **il fallait**. Mais faites particulièrement attention aux formes demandées dans cet exercice.

« Je ne sais pas ce que je vais faire », a pensé Josyane. → *Josyane a pensé qu'elle ne* ***savait*** *pas ce qu'elle* ***allait*** *faire.*

Transformez de la même manière ces propos de Josyane:
« Elle est gentille, la conseillère », a pensé Josyane. → *Josyane a pensé que . . .*
« La femme m'interroge tout doucement », s'est-elle dit. →
« Je ne préfère ni la ville, ni la campagne », a-t-elle déclaré. →
« Voilà. Maintenant la conseillère commence à s'énerver », a-t-elle remarqué. →
« Selon la femme, il faut sans doute choisir », a-t-elle supposé. →
« Mais ça ne vaut pas la peine », a décidé Josyane. →

Voir: *Grammaire*, 35, pp. 190–191.

12. Quelques formes de l'impératif

Au lieu de dire: « Tu dois savoir qu'il y a des journalistes au chômage », la journaliste dit: « **Sache** qu'il y a des journalistes au chômage ».

Récrivez à l'impératif de la même manière:
« Tu dois *savoir* qu'il y a des journalistes au chômage ». → *Sache . . .*
« Tu dois *bosser* ton anglais ». →
« Tu peux *aller* à une école de journalisme, si tu veux ». →
« A toi de *choisir* la voie qui te tente ». →
« Il est essentiel pour toi d'*avoir* de la volonté ». →
« L'important c'est d'*être* persistant ». →
« Il vaut mieux *te méfier* des solutions faciles ». →
« Nous autres femmes, nous devons *faire* notre chemin nous-mêmes ». →
« Nous devons *nous secouer*, *avoir* confiance en nous ». →
« Alors les hommes, vous *serez* raisonnables, vous nous *ferez* place, n'est-ce pas? » →
« Il faut bien *vous rendre* à l'évidence, vous n'êtes plus les maîtres ». →
« Enfin, vous *voulez* donc nous écouter! » →

Voir: *Grammaire*, 47, pp. 194–195.

13. N'importe qui, n'importe quoi, etc.

La journaliste a appris à écrire sur tous les sujets possibles. Elle dit: « J'ai appris à écrire sur **n'importe quel** sujet ».
Connaissez-vous d'autres expressions avec **n'importe . . . ?**

Complétez la déclaration ci-dessous, à droite:

La journaliste a appris à écrire	Elle dit: « J'ai appris à écrire
— sur tous les sujets possibles,	sur n' _______ ____ _____,
— à toutes les heures possibles,	n' _______ _____,
— sur toutes les personnes possibles,	sur _' _______ ___,
— dans tous les endroits possibles,	et _' _______ __,
— mais pas de façon incohérente!	mais pas _' _______ _______! »

Voir: *Grammaire*, 24, pp. 187–188.

14. Expressions de degré et de quantité

Annick, a-t-elle dit, était **un peu** mieux traitée que les autres ouvrières.
Connaissez-vous les expressions de **degré** et de **quantité** telles que *assez, autant, bien (des), encore, peu, un peu, la plupart, le plus, ne . . . que, tant, tellement, très, trop* et leurs constructions?

Complétez ces paragraphes, en employant, une fois chacune, les expressions ci-dessus:

Ne disposant d'aucun revenu fixe pendant l'année, Annick n'a jamais _____ _' argent. Comme la _______ ___ étudiants elle est donc obligée de travailler pour avoir __ ___ _'argent pour le superflu. Elle aimerait surtout s'acheter une voiture, car ses allées et venues entre la faculté, la bibliothèque et l'hôpital sont ____ fatigantes. D'ailleurs, ____ __ déplacements lui laissent très ___ __ temps pour ses quelques loisirs. Bref, même si elle n'a pas ______ __ problèmes que les étudiants mariés, elle estime que le travail est un besoin vital.

Dans l'usine de conserves où elle a travaillé Annick a été _________ secouée par son expérience qu'elle _ 'est restée ___ trois semaines. Selon elle, le ____ pénible c'était le travail à la chaîne: au bout de 10 heures, elle rentrait ____ épuisée pour parler.

Etant partie avant la fin du mois, Annick a encore ____ ___ ennuis d'argent: elle devra trouver ______ __ travail avant la rentrée.

Refaites oralement cet exercice. Ne regardez pas les expressions ci-dessus.

Voir: *Grammaire*, 81, p. 206.

15. Quelques chiffres

Annick travaillait 50 heures **par** semaine.
Savez-vous employer une **préposition** (*par, de*, etc.), ou un **article défini** (*le, la, les*), pour exprimer la **distribution** d'un nombre ou d'une quantité?

Complétez ces phrases:

Annick faisait 50 heures __ semaine et elle gagnait 48 francs __ jour, soit 6 francs __ l'heure. Son salaire mensuel était donc __ 1000 francs seulement, et ses déplacements coûtaient cher: 4 F 50 __ trajet.

Voir: *Grammaire*, 87, p. 207.

16. An, année, jour, journée

Annick faisait dix heures par **jour**. Mais elle changeait de poste plusieurs fois dans la **journée**.
Savez-vous distinguer **jour**/**an** de **journée**/**année**?

Complétez ces phrases:

Annick a 24 _____.
Il y a quelques _____, en 1981, elle a décidé de devenir médecin.
Ses études durent au moins sept _____.
Elle passe la plupart de l' _____ soit en faculté, soit à l'hôpital.
A l'usine elle a fait des _____ de dix heures.
Elle n'y est restée qu'une vingtaine de _____.

Voir: *Grammaire*, 73, p. 204.

17. Prépositions + noms géographiques

En France, selon Chantal, les débouchés en acoustique sont limités.
Savez-vous quelle **préposition** il faut utiliser devant un **nom de pays**, de **région**, de **département**, etc?

Complétez ces paragraphes:

Chantal a déjà eu plusieurs emplois temporaires. En juillet–août 1978 elle a travaillé comme monitrice dans une colonie de vacances __ Vendée __ la côte atlantique.
L'année suivante elle a fait un mois dans une autre colonie __ Provence, __ __ Var, près de Draguignan.
Au cours de ses études __ Grande-Bretagne, __ Southampton elle a eu des postes temporaires comme assistante technique.
Revenue maintenant __ Angleterre elle cherche un emploi __ France, mais plus tard elle serait très intéressée par un poste __ Amérique du Nord: __ Canada ou __ Etats-Unis.

Faut-il employer **en** ou **au** en parlant de chacun de ces pays:

Belgique, Japon, Chine, Inde, Mexique, Argentine, Tchad, URSS, Portugal, Iran, Zambie?

Voir: *Grammaire*, 80, p. 205, 85, pp. 206–207.

18. Préposition + nom de ville

Chantal poursuit ses études **à** Southampton. Elle veut être ingénieur comme son oncle.
Savez-vous employer une **préposition** (à, *de*, etc.) avec un **nom de ville?**

Voici quelques détails sur l'oncle de Chantal:

Age: 52 ans.
Lieu de naissance: le Mans.
Domicile: les Andelys.
Métier: ingénieur.
Lieu de travail: le Havre.

A partir de ces détails, complétez les phrases suivantes:

Chantal vient __ St Quentin. Elle fait des études __ Southampton, pour être ingénieur comme son oncle. Celui-ci est né __ Mans, mais il a grandi __ St Quentin. Il vit depuis un an maintenant __ Andelys. Tous les jours il fait le trajet __ Andelys __ Havre où il travaille.

Voir: *Grammaire*, 85, pp. 206–207.

19. Pays, langues, nationalités

Le jeu que l'on pratique à Guingamp est, selon le joueur interrogé, typique de **la France**: c'est un jeu typiquement **français**.
Savez-vous parler des **pays**, des **langues**, des **nationalités**?

Trouvez les adjectifs, puis les noms demandés:

Une coutume typique de la Grande-Bretagne est typiquement ________.
Et une coutume typique de l'Irlande, de l'Allemagne, de la Belgique, de la Norvège, de l'Autriche, de l'Espagne, de la Hongrie, de la Turquie, de la Grèce, du Maroc, de l'Inde, du Canada, des Antilles?
Un plat typiquement écossais est typique de l' ________.
Et un plat typiquement gallois, néerlandais, suédois, portugais, polonais, russe, pakistanais, américain, mexicain?

Complétez ces phrases avec des noms, indiquant chacun une **langue**, ou une **personne** d'une certaine **nationalité**: (*le*) *français*, *Français*, etc.

Un Français parlera français; un ________ parlera italien.
Au Maroc, on parle ________. ________ est la langue principale de l'Amérique du Nord. En

Suisse, on peut parler ________, ________ ou ________. ________ se parle très largement en Amérique latine mais au Brésil on parle ________.
(*Et vous?*) Je parle parfaitement ________. Je parle assez bien ________. Je parle un peu ________.

Voir: *Grammaire*, 80, p. 205.

20. La moitié, demi(e), etc.

En deuxième **mi-temps**, selon le Quéré, *En Avant* a pris plus de risques.
Savez-vous employer **moitié**, **demi(e)**, **mi**-?

Complétez ce paragraphe:

Le match a commencé à sept heures et _____ du soir, et la première _____ -heure a passé sans incidents. A la _____ -temps, le score était de 0–0. Quelques minutes plus tard, un _____, le Goff, a marqué. Le deuxième but a été marqué par le capitaine qui est _____ français _____ italien. La _____ du temps les adversaires ont défendu sans enthousiasme: les arrières avaient l'air à _____ endormis. A une _____ - minute de la fin, le Quéré a marqué une dernière fois.

Voir: *Grammaire*, 84, p. 206.

21. Les nombres

En Bretagne les amis ont fait **deux fois deux** heures de route. **Deux fois deux font quatre** ($2 \times 2 = 4$).
Savez-vous exprimer les nombres, l'addition, la soustraction, etc.?

Ecrivez en toutes lettres:

13, 54, 75, 80, 91, 799;
300 bicyclettes, 5 000 voitures, 2 000 000 de vacanciers;
$7 \times 3 = 21$ $\quad 90 \div 4, 5 = 20$ $\quad 25 + 46 = 71$ $\quad 16 - 1 = 15$.

Voir: *Grammaire*, 88, pp. 207–208.

22. Antériorité et postériorité: dernier, prochain, etc.

Isabelle a fait une randonnée en Bretagne **l'an dernier (l'année dernière)** avec ses amis.
L'an dernier/l'année dernière font partie d'une série d'expressions qui indiquent l'**antériorité**/la **postériorité**.

Complétez ce schéma:

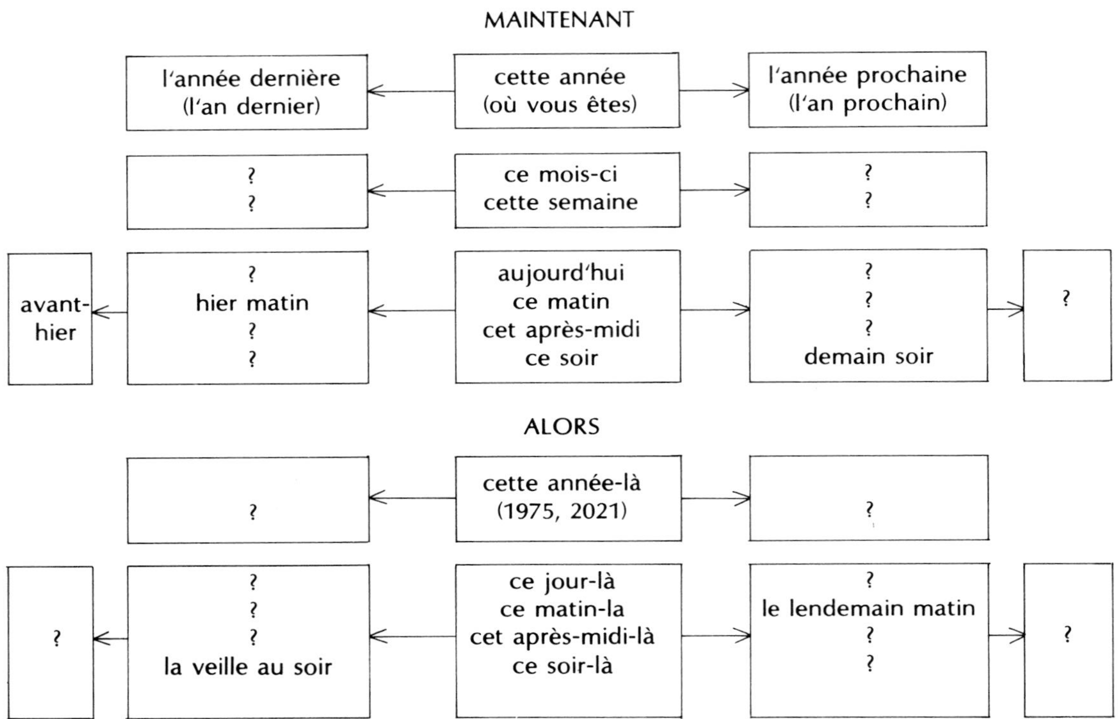

Voir: *Grammaire*, 68, p. 203, 70, p. 203.

23. Construction verbale: verbe + nom + à + nom

Les campeurs **empruntent** toutes sortes de choses **à** leurs voisins.
Connaissez-vous d'autres verbes qui ont cette même construction?

Imaginez d'abord qui parle à qui dans ces propos entendus dans un camping; puis composez, avec la construction indiquée ci-dessus, une phrase avec chacun de ces verbes respectivement: *emprunter, acheter, enlever, demander, cacher, voler.*

> « Vous auriez un ouvre-boîte à me prêter? » → (*Un campeur à son voisin. Il veut lui emprunter un ouvre-boîte.*)

« Qu'est-ce que tu veux, papa, des Gauloises ou des Gitanes? » →
« Viens ici, Jean-Paul. Il ne faut jamais mettre de sac en plastique sur ta tête! » →
« Maman, tu pourrais nous donner notre argent de poche? » →
« Marc, petit vaurien, où est-ce que tu as mis mon Pernod? » →
« Ça alors! Mon portefeuille n'y est plus! 3 000 francs au moins! » →

Voir: *Grammaire*, 50, pp. 196–197

24. Le pluriel des noms composés

« Ils s'empruntent **des ouvre-boîte(s)** et **des tire-bouchons.** »
La plupart des noms qui se composent de **verbe + nom** sont invariables au pluriel. On écrit cependant **un tire-bouchon, des tire-bouchons. Ouvre-boîte** s'écrit avec ou sans **-s** au singulier comme au pluriel.

Trouvez le pluriel de chacun de ces noms:
Un essuie-glace, un lave-vaisselle →
Un timbre-poste, un centre-ville →
Une pomme de terre, un chemin de fer →
Un avant-centre, un sous-vêtement →

Voir: *Grammaire*, 8, p. 182.

25. Mots comparatifs

Les campeurs se connaissent jusque dans les **moindres** détails.
Savez-vous employer les mots comparatifs: **meilleur**, **mieux**, **moindre**, **moins**, **pire**?

Complétez ce paragraphe en employant chaque fois un des mots indiqués ci-dessus:
Pendant onze mois de l'année, le campeur mène une vie bien ________ que celle en camping: chez lui il vit ________, il se dépense ________. Sa maison est cent fois ________ équipée que celle du Français d'il y a cent ans. Mais pendant un mois il choisit de vivre dans les ________ conditions, sans le ________ confort, sans la ________ vie privée. Le Français campeur est beaucoup ________ individualiste qu'il ne le croit.

Voir: *Grammaire*, 16, p. 184.

26. Indéfinis: déterminants, pronoms, adjectifs, adverbes

Tous ceux qui ont répondu au questionnaire de *L'Express* sont d'accord sur l'importance des vacances; mais **quelques-uns** de leurs commentaires sont peu flatteurs.
Connaissez-vous les indéfinis suivants:
quelque(*s*), *plusieurs*, *chaque* (déterminants),
quelques-un(e)(*s*), *plusieurs*, *chacun*(e) (pronoms),
tout (*toute*, *tous*, *toutes*) (adjectif),
tout (*toute*(*s*)) (adverbe)?

Complétez les phrases suivantes en employant chaque fois un **indéfini** qui convienne:
L'année dernière Michelle a passé ________ temps dans le Massif central avec sa famille.
Il a plu ________ le temps et les Dutronc sont rentrés trempés ________ les quatre.
Comme ________ détente était impossible en vacances, elle a été ________ contente de rentrer.
Cette année elle passera ________ jours à l'hôtel.

Sa collègue Chantal va ________ année à Bandol; cette fois-ci elle y va avec ________ de ses amies.
Heureusement ________ d'entre elles adore le camping, mais ________ ne connaissent pas la région.
Elle sera ________ heureuse de la leur montrer.

Voir: *Grammaire*, 6, p. 181, 24, pp. 187–188, 56, p. 199.

27. Sens de l'adjectif, selon sa place

En période de vacances, on trouve dans le Midi des hôtels et des restaurants **chers** (d'un prix élevé). C'est pourquoi une habitante de Nîmes, interrogée par *L'Express*, préfère quitter sa **chère** ville natale (sa ville bien aimée) au mois d'août.
Connaissez-vous d'autres adjectifs qui changent de sens selon leur place?

Dans chacune de ces phrases employez, comme dans l'exemple ci-dessus, **deux fois** le **même** adjectif, respectivement: *dernier, cher, ancien, certain, propre, même, prochain*. Mettez chaque fois l'adjectif à la place qui convient.

Lundi Nathalie a reçu la *nouvelle* de sa famille dans le Midi.
Son *frère* vient d'acheter un grand *appartement* au centre d'Aix-en-Provence.
Elle adore les *monuments* de cette ville qu'elle a visitée autrefois avec une *amie*.
Une *nostalgie* l'a envahie devant la *perspective* de revoir Aix.
Emue par ses *réflexions*, elle a dû chercher un *mouchoir* pour essuyer quelques larmes.
En rentrant, son mari a eue la *réaction* qu'a eu Nathalie, ses propos ont exprimé les *sentiments* de sa femme.
Dimanche ils téléphoneront au frère de Nathalie pour lui dire qu'ils aimeraient passer leurs *vacances* avec lui à Aix.

Voir: *Grammaire*, 15, pp. 183–184.

VOCABULAIRE

Whilst this vocabulary contains over 3 000 entries

- it lists only those meanings of words which occur in the book
- it tends to present only root words, so that students who do not know, for example, *dérangement* will need to deduce its meaning from *déranger*.

French abbreviations used:

adj adjectif **adv** adverbe **f** féminin
fam familier **inv** invariable **m** masculin
pl pluriel **qqc** quelque chose
qqn quelqu'un **subj** subjonctif
usu usuellement.

abandon, à l'— in a state of neglect
abandonner give up; withdraw from (race)
abattre bring down, knock down; shoot down
abbaye (f) abbey
abonnement (m) subscription, season ticket
d'**abord** first of all
aborder approach; deal with; start on, set about, tackle
aboutir à end up at
abri (m) shelter
(s') **abriter** shelter
abruti(e) de besotted with
absorber absorb, devour
abuser de abuse, misuse
— de ses forces overdo it
accablant(e) oppressive
accalmie (f) lull
accaparer monopolise
accéder à reach; gain access to
accent, mettre l'— sur emphasise
accès (m) access
difficultés (f pl) **d'—** problems of getting there
accessoirement secondarily; if necessary
accomplir carry out
accord (m) agreement
d'— (that's) right, OK
être d'— agree
accorder grant, give; make agree
s'— go together
accourir rush up
accoutré(e) de got up in, decked with
s'**accoutumer à** get used to
accrocher hook on
accroissement (m) growth
accroître increase
accueil (m) reception
accueillir greet, welcome, accept
acharné(e) relentless
achat (m) purchase
achever complete
acompte (m) deposit
acoustique (f) acoustics
acquérir acquire
âcre pungent
actualité (f) current events
d'— topical
actuel(le) present
à l'heure — at the present time
addition (f) bill
adepte (m/f) enthusiast
adhérer à join, be a member of
adhésion (f) membership
— à support for
adjoint(e) (m, f) deputy, assistant
s'**adonner à** devote oneself to, take up; indulge in
adresse (f) skill
adresser send (letter)
s'— à speak to, consult; apply to; be intended for
advenir de become of
adversaire (m/f) opponent
adverse opposing
aéroglisseur (m) hovercraft
s'**affaiblir** become weaker
affaire (f) matter, business
avoir — à have to deal with
la belle —! what a song and dance!
faire l'— do nicely
affaires (f pl) business; belongings
homme d'— businessman
faire de bonnes — pull in the money
s'**affaler** slump
affamé(e) starving
affecter post
affectif(-ive) emotional
affectueux(-euse) affectionate
affiche (f) poster
d'**affilée** in a row
affirmation (f) assertion
affirmer assert
affoler terrify, throw into a panic
affreux(-euse) awful, horrible
affronter face
afin de in order to, so as to
afin que (+*subj*) in order that, so that
agacer annoy, irritate
agence (f) agency, office
— d'intérim agency for temporary work
agenda (m) diary
agent (m) helper (in children's holiday camp)
agglomération (f) city, built-up area
aggravation (f) deterioration
aggraver increase (score)
agir act, behave
il s'agit de it is about/a question of; there has been a . . .
agité(e) troubled
agiter wave
agréable pleasant
agréer accept; approve
agrément (m) attractiveness; approval
agrémenter make pleasurable
agresser attack; be aggressive towards
agricole agricultural
agrippé(e) à clinging to
s'**aider de** make use of
aigu(ë) acute; high-pitched
aiguille (f) needle
ailier (m) winger
ailleurs elsewhere
d'— besides, what is more, in fact
aimable nice, friendly
aîné(e) (m, f) elder, eldest (child)
ainsi in this way
— que as well as
air (m) manner, look; tune
avoir l'— (de) look (as if/like); seem (to)
aire (f) area
— d'atterrissage landing pad
aisance (f) affluence
aise (f) ease
à l'— at ease, comfortable
mal à l'— ill at ease
aisé(e) well-off
AJ (auberge (f) **de jeunesse)** youth hostel
ajiste (m/f) youth-hosteller
ajouter add
alcootest (m) breathalyser
alentours, aux — de around
alimentation (f) diet; grocery (store)
alimenter (en) supply (with)
allée (f) path
s'en **aller** go off
allier combine
allocation (f) allowance
allonger lengthen
allumer light
allusion, faire — à refer to
alors then; in that case; so, well
—? well then?
— que while, when; whereas
alpage (m) mountain pasture
alpestre alpine
alpinisme (m) climbing, mountaineering
amabilité (f) politeness, courtesy
amant (m) lover
amarré(e) anchored, secured
ambiance (f) atmosphere
(s') **améliorer** improve
aménager equip; put in; lay out
amener bring
ami(e) (m, f), **petit(e) —** boyfriend, girlfriend
amical(e) friendly
amitié (f) friendship
s'**amonceler** pile up
amoureux(-euse) (m, f) sweetheart
— (adj) de in love (with)
ampleur (f) breadth; widespread effect
ampoule (f) light bulb
s'**amuser** have a good time, have fun
an (m) year
bon — mal — taking one year with another
analogue (à) similar (to)
ancien(ne) ancient, old; former (before noun)
ancrer anchor, fix firmly
Angevin(e) (m, f) person from Anjou
anglophile (m/f) anglophile, lover of the English/British
angoisse (f) fear
animation (f) liveliness; organised activities
animer organise
s'— liven up
année (f) (whole) year
les — s cinquante the fifties
annonce (f) advertisement
s' **annoncer mal** look unpromising/dodgy
annuler cancel out
anodin(e) harmless
anonymat (m) anonymity
anormal(e) abnormal, unusual
antérieur(e) previous, earlier
Antilles (f pl) West Indies
apercevoir notice, catch sight of
s'— de notice
apéro (= apéritif) (m) (*fam*) pre-meal drink
s'**aplatir** flatten oneself
apparaître appear
appareil (m) appliance; (piece of) apparatus; aircraft
—-photo camera
apparence (f) appearance
apparent(e) exposed (beam)
s'**apparenter à** resemble
apparition (f) appearance
appartenir à belong to
appel (m) call; appeal
— téléphonique phone call
faire — à call in; appeal to
appeler call (for)
appliquer apply
s'— à be applied to
apporter bring; provide (explanation)
appréciation (f) appraisal, assessment
apprécier enjoy
appréhender catch (criminal)
apprendre inform; learn (to cope with); teach
apprenti(e) (m, f) apprentice
apprentissage (m) learning; apprenticeship
s'**apprêter à** get ready to
approbation (f) approval
approfondie, d'une manière — in depth
s'**approprier** make one's own
appuyer sur press
s'— sur lean on
d'**après** according to, from
après-demain the day after tomorrow
aquilin(e) aquiline (nose)
araignée (f) spider
arbitre (m) referee
ardu(e) difficult
argotique slang (expression)
argumentation (f) line of argument
arme (f) weapon
armement (m) arms, weapons
— s terrestres ground weapons
armoire (f) cupboard
arnaquer (*fam*) rip off
s'**arranger** work out (all right)
arrêt (m) (coach) stop
à l'— when stationary
sans — continually
s'**arrêter de** stop
arrière (m) back (of car); full-back
en — backwards
arrière-plan (m) background
arrivant(e) (m, f) newcomer
arrivée (f) arrival; finishing-line
arriver happen

— **à** be able to, manage to
arrondissement (m) district
artichaut (m) artichoke
artisanat (m) arts and crafts
ascendant (m) upper hand
ascenseur (m) lift
aspect (m) appearance
asséché(e) dried up
assez (de) enough; quite
en avoir — have had enough of it
assidu(e) painstaking
assistant(e) (m, f) personnel officer
— **social(e)** social worker
assister à attend, be present at, see
assommant(e) (*fam*) deadly
assouplir make more supple/flexible, relax
assourdissant(e) deafening
assumer take on
assurance (f) self-confidence; insurance
assurer assert; ensure; be responsible for
s' — **de** make sure of, check
astres (m pl) stars
astrologue (m) astrologer
astuce (f) trick
atelier (m) workshop, shop (in factory)
athlétisme (m) athletics
atroce ghastly
s'**attarder** linger
atteindre reach; catch; affect (health), wound
attendre wait (for), expect; look forward to
s' — **à** expect
— **que** (+*subj*) wait until
attente (f) wait(ing); expectation
attention (à) watch out (for)
faire — **(à)** pay attention (to); be careful (with)
attentivement carefully
atterrage (m) dinghy-park (on land)
attirance (f) attraction
attirer attract, draw
attiser fan (flames)
attrait (m) attraction, appeal
attraper catch, get
attribuer assign
aube (f) dawn
auberge (f) **de jeunesse** youth hostel
aucun(e) (. . . ne) no, not one
ne . . . — no, not any
audace (f) boldness, daring
audacieux(-ieuse) bold, daring
auditeur(-trice) (m, f) listener
audition (f) (sense of) hearing
augmentation (f) increase
augmenter increase (in price)
auparavant earlier
auprès de close to, by, with; from; in connection with, based on
auquel (à laquelle) at which, to which

aussi too, also
— **. . . que** as . . . as
— **bien que** as well as
aussitôt immediately
autant as much/many
— **de . . . que** as much/ many . . . as
d' — **(plus) que** all the more so because
auteur (m) author; person responsible for
authentique genuine
(auto)car (m) coach
autodéfense (f) self-defence
automatiser automate
autonomie (f) self-sufficiency
autoriser permit, allow
autoroute (f) motorway
(auto-)stop (m) hitch-hiking
autour de around; about
autrefois in the past
autrement otherwise
en **aval de** downstream from
avaler swallow
avance (f) advance; lead
à l' — in advance
d' — in advance
avant before; in front
— **de** before
— **que** (+*subj*) before
avant-centre (m) centre-forward
avant-hier the day before yesterday
avantagé(e) favoured, with advantages
avenir (m) future
s'**aventurer** venture (out)
averse (f) shower
avertir warn, alert
aviron (m) rowing
avis (m) opinion; reference; message
à votre — in your opinion
aviser inform
avocat(e) (m, f) lawyer
avoir à have to
avouer admit to, confess; state

babyfoot (m) bar football
bac (m) sink
bac (= baccalauréat) (m) (*fam*) school-leaving examination
bâché(e) covered with a tarpaulin
badigeonner paint
bagarre (f) brawl
bagnole (f) (*fam*) banger (car)
bague (f) ring
baguette (f) twig, rod (of water-diviner)
baignade (f) bathing
baigner dans be steeped in
bâiller yawn
bain, prendre un — have a bath; bathe
en **baisse** declining, getting lower
baisser slump, get lower; turn down (volume)
bal (m) dance, disco

balade (f) (*fam*) trip
se **balader** (*fam*) go around
balai (m) broom
Balance (f) Libra
balayer sweep
balle (f) bullet
ballotter toss about
balnéaire sea-side (resort)
baluchon (m) bundle, pack
balustrade (f) **d'appui** handrail
banal(e) common place, humdrum
banalisé(e) unmarked (car)
banc (m) seat
bande (f) strip; tape; group
banlieue (f) suburbs
barbouillé(e) dirty, smeared (with dirt)
barbu(e) bearded
bardé(e) de clad in
barque (f) rowing boat
faire de la — go boating
barrage (m) road block; dam
barreau (m) bar
barrer cross out, delete
barrière (f) gate
bas(se) low
plus — below
bas (m) bottom
en — at the bottom; downstairs
basculer topple over
base (f) basis, foundation
de — basic
basilique (f) basilica, church
baskets (m pl) sneakers
bassin (m) pond, pool; length (of pool); dock; pelvis
bataille (f) battle
bâtiment (m) building
bâtir build
battant (m) one side of double door
batterie (f) (playing the) drums
battre beat, defeat
se — fight
bavarder chat
bavure (f) mistake, slip-up
beau, j'avais — **(faire)** it was no good me (doing)
belge Belgian
Bélier (m) Aries
belote (f) belote (card game)
ben (*fam*) well
— **oui/si** (*fam*) yes, that's right
bon — (*fam*) right
bénéfice (m) benefit
bénévole (m/f) volunteer
bénir bless
benjamin(e) (m, f) youngest child
berger(-ère) (m, f) shepherd, shepherdess
besoin (m) need
au — if need be
avoir — **de** need
bêtement stupidly
bêtise (f) stupid remark
faire une — do sg stupid
béton (m) concrete
bibliothèque (f) library
biche (f) (hind) deer

bien well
ou — or else
— **des** a lot of
— **que** (+*subj*) although
bien (m) good; property
— **de consommation** consumer durable
penser du — **de** think well of
bienfait (m) advantage, benefit; godsend
bientôt soon
à — see you soon!
bilan (m) toll, consequences
bio-jardinage (m) organic gardening
bis, 2 — (etc.) 2a (etc.)
blanc (m) blank, gap
blême pale
blesser injure, hurt
blessure (f) injury; sore place
bleu (m) **de travail** workman's overalls
bloc (m) **sanitaire** washrooms and toilets
bloquer block, trap
blouse (f) overall
blouson (m) (bomber) jacket
bobineuse (f) bobbin-winder
bohème bohemian, unconventional
bois (m) wood (golf club)
boisson (f) drink
boîte (f) box, tin; (*fam*) club, disco
— **de nuit** (night) club
bombardement (m) bombing raid
bombe (f) aerosol
bon right, OK
ah — **?** really?
bon (m) **à tirer** go-ahead for printing
bondé(e) crammed
bonheur (m) happiness
bonne (f) **(à tout faire)** maid
bord (m) edge; side (of road); bank (of river); shore (of sea)
au — **de** beside
border line
bornes, dépasser les — go too far
borné(e) narrow-minded
bosse (f) bump
bosser (*fam*) swot up
bouder sulk
boue (f) mud
bouée (f) buoy
boueux(-euse) muddy
bouffe (f) (*fam*) nosh (food)
bouger move
bouillir boil, be boiling
bouleau (m) birch
boules (f pl) bowls
bouleversé(e) astounded, shattered
boulot (m) (*fam*) job; work
boum (f) (*fam*) party
bouquin (m) (*fam*) book
bourg (m) country town
bourgade (f) (large) village
bousculer jostle; knock off; put off one's stride
se — jostle each other

bout (m) end, tip; bit
au — de after, at the end of
à — de fatigue all in
à — portant point blank
boutiquier(-ière) (m, f) shopkeeper
boxe (f) boxing
branché(e) sur (*fam*) turned on by
brandir brandish
braquer point (gun)
en **bras de chemise** in shirt sleeves
brèche (f) breach
bref (brève) short
bref in short
breton(ne) from Brittany
bricolage (m) do-it-yourself
brièvement briefly
brigade (f) **antigang** gang-busting squad
brigadier (m) (police) sergeant
brillant (m) gloss
briller sparkle
se **bronzer** sunbathe, get a tan
brosse, tailliés en — crew-cut (hair)
brouillard (m) fog
se **brouiller avec** fall out with
bruit (m) noise; rumour
brûler burn
brûlure (f) burn
brusquement suddenly
bruyant(e) loud, noisy
BTS (Brevet (m) **de technicien supérieur)** higher certificate of technical education
buisson (m) bush
bulle (f) bubble
bulletin (m) **d'inscription** enrolment form
bureau (m) office; desk
but (m) goal, aim, intention
dans le — de with the intention of
butane (m) bottled gas
se **buter** dig one's heels in
butin (m) loot
buvette (f) refreshment bar

ça alors well I never!
ça y est that's it, there you are
cabinet (m) **de toilette** washing facilities (in hotel room)
se **cabrer** rear up
cache (f) hiding place
cacher cover up
cachet (m) tablet
cachette (f) hideout
cadence (f) pace (of work)
cadet(te) (m, f) younger, youngest (child)
cadre (m) box, frame, strait jacket; framework, setting; executive
— supérieur top executive
— moyen executive in middle management
caisse (f) crate; cashdesk
— de résonance sounding board
caissier(-ière) (m, f) cashier
calciné(e) burnt to a cinder
calcul (m) calculation
calmer ease (pain)
camaraderie (f) companionship
cambrioleur (m) burglar
camionnette (f) van
camping (m) campsite
canadienne, tente (f) **—** ridge tent
canard (m) duck
candidature (f) application (for job)
canicule (f) midsummer heat
canne (f) walking-stick; club (golf)
canot (m) rowing boat
canotage (m) boating
canotier (m) boater
caoutchouc (m) rubber
capacité (f) ability
capot (m) bonnet (of car)
car for
car (m) coach
carabine (f) rifle
en **caractères gras** in bold type
caravane (f) (climbing) party
carnet (m) notebook; (school) report book
carré (m) square
carreau (m) (window) pane
carrément frankly
carrière (f) career
carrosserie (f) bodywork (of car)
carrousel (m) display
carte (f) map
cartomancien(ne) (m, f) fortune-teller
carton (m) (cardboard) box; piece of card
cartouche (f) canister (of gas)
cas (m) case
en tout — in any case, at any rate
selon les — as appropriate
casanier(-ière) stay-at-home
case (f) box, space
casque (m) helmet; headphones
casse (f) damage, mishap
se **casser** break
se — la figure (*fam*) smash oneself up
se — la tête (*fam*) rack one's brains
casquette (f) cap
cataclysme (m) eruption
cauchemar (m) nightmare
à **cause de** because of
cause, mettre en — call into question
causer chat
cavale (f) (*fam*) escape; period on the run
cavalier(-ière) (m, f) rider (of a horse)
cave (f) cellar
ce à quoi that (to) which, what
ceci this
— posé having said that
céder (à) give way (to)
ceinture (f) belt
célèbre famous
célibataire unmarried
cellule (f) cell
celui (celle) the one, that
—-ci this one; the latter
—-là that one; the former
— qui the person who
cendres (f pl) ashes
cendrier (m) ashtray
centaine (f) hundred (or so)
cependant however
certain(e) certain; sure (after noun)
— s some
d'un — âge middle-aged
c'est — that's for sure
certes admittedly
certificat (m) **d'études** elementary leaving certificate
certitude (f) certainty
avoir la — que . . . be certain that . . .
CES (collège (m) **d'enseignement secondaire)** secondary school
cesse, sans — endlessly
cesser (de) stop
c'est-à-dire (que) that is to say (that)
chacun(e) each (one)
— d'entre vous each of you
chaîne (f) production line
chaleur (f) heat
chaleureux(-euse) warm(-hearted)
chambre (f) **à air** inner tube
champ (m) field
— de foire fairground
en pleins — s surrounded by fields
champignon (m) mushroom; edible fungus
championnat (m) championship
chance (f) (good) luck
avoir de fortes — s de be very likely to
changeant(e) changeable, fickle
changer (de) change
ça va me — it'll be a change for me
chantier (m) work-camp
chaque each, every
charge (f) load, burden
être à la — de qqn be sb's responsibility
prendre en — be responsible for
chargé(e) loaded; busy
— de loaded with; in charge of
se **charger** load oneself up
se — de take on, take charge of
chasselas (m) chasselas grape
chasse-neige (m) snowplough
chasser hunt (for); drive away
châtain (inv au f) brown(-haired), chestnut-coloured
chaudière (f) boiler
chauffer heat
chaussée (f) road (surface)
chef (m) head, leader
— de clinique senior hospital consultant
— d'entreprise company manager
— d'équipe shift supervisor
chemin (m) lane; way; route
— de fer railway
— de traverse minor country road
à mi- — halfway
chemisette (f) short-sleeved shirt
chêne (m) oak
cher (chère) dear; expensive (after noun)
chercher à seek to
chercheur(-euse) (m, f) research worker
cheval (m) **d'arcons** vaulting horse
cheville (f) ankle
chevronné(e) seasoned, experienced
chez with, for
— leurs amis in/among their friends
chic (inv) smart
— (*fam*) nice
chiffon (m) rag
chiffre (m) figure
chimie (f) chemistry
chips (m pl) crisps
chirurgien(ne) (m, f) surgeon
choix (m) choice
chômage (m) unemployment
au — out of work, on the dole
chômeur(-euse) (m, f) unemployed person
chou (m) cabbage
choucroute (f) sauerkraut, pickled cabbage
choyer make a fuss of
chuchoter whisper
chute (f) fall
cicatrice (f) scar
ci-contre opposite
ci-dessous below
ci-dessus above
ci-joint(e) enclosed
ciment (m) cement
cimetière (m) cemetery
cinéaste (m/f) film-maker
en **cinquième** in the second form
cintré(e) waisted
circulation (f) traffic; running (of bus)
circuler go about
citadin(e) (m, f) city dweller
cité (f) (housing) estate
citer quote
clair(e) clear; light, pale; fair (complexion)
le plus — de most of
clair (m) **de lune** moonlight
clamer shout
claqué(e) (*fam*) knackered
claquer bang (door)
classement (m) classification; league table
— général overall placings (in race)
classer classify
clavier (m) keyboard
— de commande instrument panel

claviste (m/f) keyboard operator
clef, clé (f) key
 — multiple multiple spanner
client(e) (m, f) customer; guest (in hotel)
clochard(e) (m, f) (*fam*) tramp
cloche (f) bell
clocher (m) bell tower, steeple
clos(e) enclosed
cocher tick
coéquipier(-ière) (m, f) team mate
coeur (m) heart; love-life
 avoir du — be good-hearted
 faire qqc avec du — put one's heart into sg
 si le — vous en dit if you feel so inclined
se **cogner (contre qqc)** bang oneself (on sg)
coiffé(e), être mal — have untidy hair
 — à l'afro with an afro hair-style
coiffeur(-euse) (m, f) hairdresser
coin (m) corner; spot, place
coincé(e) stuck
col (m) (mountain) pass
colère (f) anger
 se mettre en — get angry
collectif(-ive) (relating to the) community
collectivité (f) group; community
collège (m) **d'enseignement technique (CET)** (secondary) technical school
collégien(ne) (m, f) secondary school pupil
coller stick, cling
collier (m) collar; necklace
colline (f) hill
colombage, à — half-timbered
colonie (f) **de vacances** holiday camp (for children)
colonne (f) column
coloré(e) (highly) coloured, florid
coloris (m) shade
combattre prevent
comble (m) height
comédien(ne) (m, f) actor, actress
commander order
commandes (f pl) controls (of plane)
comme as, like; as well as; as if (+*adj*); in the way of
comment faire pour how to set about
commentaire (m) comment, commentary
commerçant(e) (m, f) shopkeeper
commettre cause (damage)
commissaire (m) (police) superintendent
commissariat (m) police station
commission (f) working group
commode convenient
commodité (f) convenience
commun, en — in common
 mise (f) **en —** pooling activity
 transports (m pl) **en —** public transport
 vie (f) **en —** conjugal life; communal life
communauté (f) community
 vie (f) **en —** communal living
commune (f) district
communiqué (m) official announcement
compagne (f) girlfriend
 — de jeux playmate
compatriote (m, f) compatriot, fellow-countryman/countrywoman
compétence (f) skilled advice
complet (m) suit
comportement (m) behaviour
comporter consist of; include
 se — behave
composante (f) component
composé(e) compound (adjective, tense)
composer set (type)
compositeur(-trice) (m, f) composer, compositor (printing)
compréhension (f) understanding
comprendre understand; include, comprise
compresser push down
compromis (m) compromise
comptabilité (f) accountancy
comptable (m/f) accountant
compte (m) account
 — rendu account, report
 en fin de — in the final analysis
 rendre — de describe, give an account of
 se rendre — de realise
 tenir — de take into account
compter count; matter; plan to
comptoir (m) counter
concentration (f) get-together
concentrationnaire like a concentration camp
concepteur (m) designer
conception (f) idea, way of seeing; design
concevoir conceive (of), view; devise
concierge (m/f) caretaker
concours (m) competition; competitive exam
conçu(e) pour designed to/for
condescendance, avec — condescendingly
conducteur(-trice) (m, f) driver
conduire lead, take; drive (car)
 se — behave
conduit (m) **d'aération** air duct
conduite (f) conduct, behaviour
confection, usine (f) **de —** clothing factory
conférence (f) lecture
confiance (f) confidence, trust
 avoir — en have confidence in
 faire — à have confidence in
confiant(e) confident
confidence (f) (personal) secret
confier confide, share (thoughts)
 — qqc à qqn entrust sg to sb
 se — à confide in
confondre confuse, mix up
en **conformité avec** in accordance with
confort (m) comfort
 — s amenities
 (avec) tout le — (with) all mod cons
confrère (m) colleague
confus(e) muddled
congé, jour (m) **de —** day off
conjoint(e) (m, f) marriage partner
conjugaison (f) conjugation (of verb)
conjugal(e) marital
connaissance (f) knowledge; acquaintance
 faire — get to know one another
 porter à la — de draw to the attention of
 prendre — de find out about
connaître know; get to know, meet
 se — meet, (get to) know each other
 — ses limites reach its limits
connu(e) well-known
consacrer à devote to
conscience (f) awareness; consciousness
 avoir — de be aware of
 prendre — de become aware of
conscient(e) conscious
conseil (m) (piece of) advice; council
conseiller advise, give advice (to)
conseiller(-ère) (m, f) adviser
 — d'orientation careers adviser
consentement (m) consent
consentir grant (a reduction)
conséquence (f) result
par **conséquent** as a result
conserves (f pl) tinned food
consigne (f) instruction
constatation (f) statement
constater state, note, notice
consterné(e) dismayed
constitutif(-ive) constituent
construire construct; build up
 se — avec be constructed with
contenu (m) content
contestataire anti-establishment
contester protest (about)
se **contracter** get tensed up
contraindre force, compel
contrainte (f) constraint, restriction
au **contraire** on the other hand
contrarié(e) put out
contrat (m) contract
contre against
 par — on the other hand
 — (f) **la montre** time trial
contremaître (m) foreman
contrer counter
contribution, mettre à — make use of
contributions, inspecteur(-trice) (m, f) **des —** tax inspector
contrôler inspect, supervise
contrôleur (m) ticket collector
(se) **convaincre** convince (oneself)
convenable suitable, acceptable
convenir be suitable/appropriate
convoi (m) convoy
copain(-pine) (m, f) (*fam*) mate, friend
corde (f) rope
 — à sauter skipping rope
 — de tente guy-rope
cordée (f) (roped) climbing party
 être en — be roped together
corporel(le) physical
corps (m) body
 les jambes lui rentrent dans le — her legs are killing her
correspondant(e) appropriate (box in questionnaire)
correspondant(e) (m, f) penfriend
corriger correct
corvée (f) chore, fatigue (duty)
costaud (m) tough
costume (m) **marin** sailor suit
côte (f) coast; hill
 — d'Azur French Riviera
 — à — side by side
côté (m) side
 à — nearby
 à — de next to
 aux — s de alongside
 de — aside, on one side
 d'à — (from) next door
 de ce — -là in that respect; down there
 d'un — . . . d'un autre — on the one hand . . . on the other hand
 de tous les — s on all sides
coteau (m) hill
cotisation (f) contribution, subscription
 — s sociales national insurance contributions
couchage, sac (m) **de —** sleeping bag
couche (f) layer
coude (m) elbow
coudre sew
 machine (f) **à —** sewing-machine
coulée (f) **de neige** snowslide
couler flow; pour (molten lead)
couloir (m) corridor
coup (m) blow; stroke; shot; job (crime)
 — s et blessures grievous bodily harm
 — franc free kick
 — de chance stroke of luck
 — de feu shot
 — d'œil glance; eye (sport)
 — de pied kick
 — de pouce push in the right direction
 — s de sifflet whistling
 — de soleil sunburn
 — de téléphone/(*fam*) **fil** phone

call
après — afterwards
sur le — outright
tout à — suddenly
tout d'un — suddenly
coupable guilty
coupe-feu (m) firebreak
couper interrupt
cour (f) (farm) yard; (school) playground
courant(e) everyday, common; standard; running (water)
courant (m) current (of river); course (of day)
être au — know (about), be informed
mettre au — tell, inform
tenir au — keep up to date
courbatures (f pl) aches and pains
courbe (f) curve
coureur(-euse) (m, f) runner; rider (cycle-race)
courir spread (rumour); ride (bike)
courrier (m) mail
— du coeur agony column
cours (m) avenue; course; class, lecture
— d'eau stream, river
au — de in the course of
course (f) running; racing; race; climb
— s shopping
— de fond long-distance running
voiture (f) **de —** racing car
coûter cher be expensive
coûteux(-euse) expensive, costly
coutume (f) custom
couture (f) sewing; seam
couturier (m) dress-designer
couvert(e) overcast, clouded over
couverture (f) cover
craindre (de) fear
crainte (f) fear
craquer give way
créateur(-trice) creative
créer create
se — be created
crème (f) **solaire** sun-tan cream
crépiter rattle, crackle
creusé(e) sagging
creuser dig (into)
creux (creuse) hollow; empty; sunken (lane)
crevaison (f) puncture
crevant(e) (*fam*) killing (exhausting)
crevé(e) (*fam*) worn out, knackered
crever burst, puncture (tyre)
criblé(e) de riddled with
crier à . . . bandy words like . . . about
crique (f) creek
critère (m) criterion
critique (f) criticism; review
critiquer criticise, be critical of
croire think; believe
à en — . . . if we are to believe . . .
croissant(e) growing
croix (f) cross
— à volutes cross with spiral decoration
croquis (m) sketch
crosse (f) butt (of gun)
croyant(e) religious
être — be a believer
cueillette (f) (fruit-) picking
cuir (m) leather
cuire, faire — cook
cuisine (f) cooking
cuivre (m) **(jaune)** brass
cuivré(e) coppery
cultivateur(-trice) (m, f) farmer
culture (f) cultivation
curé (m) priest
curiosité (f) interesting feature, sight
CV (curriculum (m) **vitae)** account of career to date
cycle (m) level (of studies)
cyclotourisme (m) cycle-touring
cygne (m) swan

dactylo (f) typist
dalle (f) slab
dans les . . . about . . . , in the region of . . . (age, etc.)
davantage more, more fully
débarquer land
se **débarrasser de** get rid of
débat (m) discussion
déborder burst its banks (river), overflow; run over the edge
débouché (m) job opportunity; outlet
débrouillard(e) (*fam*) resourceful
se **débrouiller** manage, get by, cope
début (m) beginning
en — de at the beginning of
débuter (par) begin (with)
décapiter cut the head off
déception (f) disappointment
décès (m) death
décevant(e) disappointing
déchets (m pl) refuse
déchiffrer decipher
déchirer tear, split
décidé(e) à resolved to
déclaratif (-ve), intonation (f) **— ve** intonation for statements
déclaration (f) statement
se **déclarer** break out (fire)
déclencher arouse
déclic, le — est venu something clicked
décoller take off
se **décontracter** relax
décor (m) scenery, set (theatre)
découper cut, cut out
décourager put off, discourage
se — lose heart
découverte (f) discovery
décrire describe
se **décrocher** fall off
déçu(e) disappointed
défaite (f) defeat
défaut (m) fault
à — de for want of
défavorisé(e) underprivileged
défendre forbid
se — stand up, be defensible (argument); get on, manage
défense (formelle) de . . . no . . .; . . . (strictly) forbidden
défense (f), **légitime —** self-defence
définitivement for good
déformer distort
défrayer la chronique hit the headlines
dégager free, clear; single out, pick out
se — free oneself
dégainer draw (gun)
dégâts (m pl) damage
dégotter (*fam*) come up with
dégoupiller pull the pin out of (grenade)
dégoût (m) disgust, distaste
dégoûté(e) put off
déguisement (m) disguise
(au) **dehors** outside
en — de apart from
délacer unlace
délégué(e) (m, f) delegate, representative
délimiter mark off
délirant(e) amazing, fantastic
délivré(e) par issued by
demande (f) request
— d'emploi job application
demander apply for (job)
se — wonder
se **démaquiller** take off one's make-up
démarrer move off (car)
déménager move house
demeurer remain
demi (m) half-back
démodé(e) dated
démolir demolish, wreck
démonte-pneu (m) tyre lever
démonter take to pieces, take off
au **départ** to start with; at the start (race)
départementale (f) departmental road
dépasser exceed; overtake
dépaysement (m) change of scenery
se **dépêcher** hurry
dépendre de be dependent upon
dépense (f) expense
dépenser spend
se — exert oneself
en **dépit de** in spite of
déplacements (m pl) travel, travelling
déplacer move
se — travel
déplaire à displease, not appeal to; annoy
dépliant (m) leaflet
déposer set down, drop, leave (object)
dépôt (m) store
déprimé(e) depressed
depuis (que) since
— 10 ans for (the last) 10 years
député (m) deputy (member of parliament)
dérailleur (m) gears (of bike)
déranger disturb, trouble
se — turn out
déraper skid
dériver drift
dériveur (m) dinghy
en **dernier** in last place
dernier(-ière) last, latest (before noun)
ce(tte) — the latter
déroulement (m) development, unfolding (of story, incident), what happened (in match)
se **dérouler** take place
dès as early as, (right) from
— son retour as soon as he's back
désaccord (m) disagreement
désaffecté(e) disused
descendre dans put up at (hotel)
déséquilibrer unbalance, knock off balance
(se) **déshabiller** undress
désigner indicate
se **désintéresser de** lose interest in
désœuvré(e) at a loose end
désormais from now/then on
dessin (m) drawing
se **dessiner** become apparent
dessous underneath
au-/en — de below
dessus on top
au- — de above
prendre le — get the upper hand
destiné(e) à addressed to; intended for
se **destiner à** intend to go in for
détendu(e) relaxed
détente (f) relaxation
détenu(e) (m, f) prisoner
déterminant (m) determinant
déterminer work out
détonation (f) explosion, bang
se **détourner de** turn away from
détruire destroy
à **deux** as a couple; in pairs
être à — live with sb else
deuxième (f) fifth year (at school)
dévaler hurtle down
devancer lead, be in front of, arrive before
devant against (team)
dévaster destroy
devenir become
deviner guess
devoir (m) obligation
dévouement (m) devotion
diable (m) devil
dialoguer hold a conversation
dieu (m) god
différence, à la — de unlike

différend (m) disagreement
diffuser broadcast, make public
digérer digest
digne (de) worthy (of)
digue (f) sea wall, dyke
diminution (f) drop
diplôme (m) qualification
directeur(-trice) (m,f) headmaster, headmistress; director
direction (f) management (section); senior staff
diriger direct; organise; edit (magazine)
se — vers head for
discours (m) speech
discuter talk (about)
— le coup (*fam*) natter
disparition (f) disappearance
disparu(e) missing
être porté(e) — be reported missing
dispenser qqn de excuse sb from
disponible available, free
disposer de qqc have sg (at one's disposal)
dispositif (m) device
disposition (f) disposal; arrangement, lay-out
mise (f) **à — de** provision of
disputer play (match)
se — argue, quarrel; take place (race)
disque (m) record; discus
dissimuler conceal
dissolution (f) rubber solution
distinguer pick out; see clearly
distraction (f) leisure activity
distrayant(e) entertaining
dit-on so they say
divers(es) various
divertissement (m) relaxation
dizaine (f) ten (or so)
documentation (f) information
dodo (m) sleep (child language)
domaine (m) property; area, field (of study)
domanial(e) state-run
domicile (m) place of residence
à — at home
dominer predominate; overlook
don (m) gift, talent
donc so, thus; then
dis — so then
donné, à un moment — at a certain moment
donnée (f) (piece of) information
base (f) **de — s** data base
donner sur overlook
dont whose; of which; including
la manière — the way in which
dortoir (m) dormitory
dossier (m) back (of chair); file, collection of documents
doté(e) de equipped with
douceur (f) gentleness
douche (f) shower
doué(e) (de) gifted; endowed (with)
douleur (f) pain

doute (m) doubt
en — in doubt
sans — no doubt
douter que (+*subj*) doubt whether
se — que suspect that
doux (douce) mild, gentle; soft
draguer (*fam*) chat up
drame (m) drama; tragedy
ça a été le — there was a big fuss
drap (m) sheet
drapeau (m) flag
dresser draw up; put up (tent)
se — stand
drogue (f) drug
droit, tout — straight on/from
droit(e) straight; upright
droit (m) law; right; fee
— des affaires commercial law
— de la concurrence trade regulations
— de la consommation consumer law
— constitutionnel constitutional law
drôle (de) amusing; funny (sort of)
dru, neiger — snow heavily
dû (due) à due to
ducasse (f) public holiday (festivities)
duper deceive
duquel (de laquelle) of which
dur(e) harsh, tough
durable lasting
durée (f) length, duration
durer go on, last
duvets (m pl) down

éboueur (m) dustman
éboulement (m) landslide
écart (m) difference
écarter ward off
s' — de leave, get away from
échange (m) exchange
échanger (contre) exchange (for)
échantillon (m) sample
échappement (m) (car) exhaust
échapper à escape (from), elude
s' — de escape from
échauffement (m) warming-up (sport)
s'**échauffer** hot up
échauffourée (f) clash
échec (m) failure
tenir en — keep covered
— s chess
échelle (f) ladder
éclair (m) flash of lightning
éclaircie (f) bright period
éclaircir solve (mystery)
éclairer light
éclat (m) fragment; flash; dazzle
— de rire roar of laughter
éclatement (m) breaking down
éclater break out; splinter, shatter
— de rire burst out laughing
— en sanglots burst into tears
école (f) school

— maternelle nursery school
— normale training college
grande — institution of higher education for high-fliers
économie (f) economics
— s savings
faire des — s economise
écourter cut short
écoute (f) hearing (of recording)
écran (m) screen
petit — television (screen)
écraser crush; overshadow
s' — (sur) be dashed to the ground; smash (against)
par **écrit** in writing
écriture (f) (style of) writing
écrivain (m) writer
écrou (m) **de serrage** adjusting nut
s' **écrouler** collapse
écurie (f) stable
édifice (m) building
éducateur(-trice) (m, f) therapist
effacement (m) elimination
s'**effacer** disappear
effectivement actually, in fact, indeed
effectuer carry out
s' — take place
effet (m) effect, purpose
en — indeed, actually, in fact
efficace effective
s'**effondrer** collapse, be devastated
s'**efforcer de** try hard to
effrayant(e) frightening
s'**effrayer** be frightened
égal(e) equal
ça m'est — (que) I don't mind (whether)
également equally, also
égaler match
s'**égarer** get lost
égoïsme (m) selfishness
égratignure (f) scratch
élaborer prepare
élancé(e) slender
élargissement (m) broadening
électroménager, appareil (m) — household electrical appliance
électronicien(-ienne) (m, f) electronics engineer
électrophone (m) record player
élevé(e) high
élever bring up
s' — à total, amount to
éloigné(e) far away
éloigner remove
s' — go off
embarquement, une heure d' — an hour afloat
embarquer load (on to ship)
embauche (f) employment
de grande — which takes on a lot of people
embaucher take on, employ
embellir make (more) attractive
s'**embêter** (*fam*) get fed up
embouchure (f) mouth (of river)
embouteillage (m) traffic jam

embrasé(e) ablaze
embrasser kiss
embruns (m pl) spray
embuscade (f) ambush
émission (f) broadcast, programme
— à ligne ouverte phone-in programme
emmener take (away)
— en voiture drive away
émouvant(e) touching
s'**emparer de** grab
empêcher prevent
s' — de stop oneself
empêtré(e) constricted
emplacement (m) space, plot (in campsite)
emploi (m) use; job; employment
— du temps timetable
employer use
s' — (avec) be used (with)
emporter take away; carry away
empreinte (f) print, impression
emprunter borrow; take (road)
ému(e) moved
encapuchonner put the cover on
encaustique (f) polish
passer l' — polish
enchaîner link up, join
enchevêtrement (m) tangle
encombré(e) de packed/congested with
encore still; again; yet; what is more
— (de) more
— une fois once again
endommager damage
s'**endormir** go to sleep
endroit (m) place
— de rêve dream location
énerver irritate, annoy
s' — get cross
enfance (f) childhood
enfantin(e) childish
enfer (m) hell
enfermer shut up
s' — shut oneself up
enfiler thread
enfin finally; in short; so, well
enfoncer knock (well) in
enfourcher sit astride
s'**enfuir** flee, run off
engin (m) machine
s'**engueuler** (*fam*) yell at each other
enlever remove
ennui (m) boredom; trouble, worry
ennuyer bore; irritate
s' — be/get bored
ennuyeux(-euse) boring
énormément de a terrific lot of
enquête (f) investigation, enquiry; survey
enquêteur(-trice) (m, f) investigator; officer involved (in an investigation)
enregistrement (m) recording
enrichissement (m) increase in wealth
ensablé(e) silted up

enseignant(e) (m, f) teacher
enseignement (m) **supérieur** higher education
enseigner teach
ensemble (m) whole
— **stéréo** stereo (system)
dans l' — on the whole
ensevelir bury
ensorcelé(e) bewitched
ensuite next, then, after that
entasser cram together
s' — **sur** cram on to
entendre hear; intend
— **parler de** hear of
s' — **(bien) avec** get on (well) with
entendu, bien — of course
entente (f) understanding
enterrer bury; lay to rest, dispose of
en **entier** right through
entourer surround
entrain (m) drive
entraînement (m) training
entraîner take away; lead to, bring about; train
— **à l'écart** take to one side
entraîneur(-euse) (m, f) (sports) coach
entre between; amongst
— **les mains de** in the hands of
l'un d' — **vous** one of you
entrée (f) entrance
entreprendre undertake
entrepreneur (m) businessman; industrialist
entreprise (f) undertaking; business, firm
entrer en jeu come into play
entretenir keep in good condition
entretien (m) maintenance, upkeep; conversation
entrevue (f) interview
énumérer list
envahir overcome; sweep through
envers towards
envie (f) desire
avoir — **de** want to
mourir d' — **de** be dying to
environ about
environs (m pl) surroundings
aux — **de** about
envisager (de) think of, consider
s'**envoler** vanish
envoyé(e) (m, f) correspondent
épais(se) thick
s'**épaissir** get thicker
épargner spare
épaule (f) shoulder
lever les — **s** shrug (one's shoulders)
épeler spell
épicé(e) spicy
épilogue (m) end
épingle (f) pin
— **de nourrice** safety pin
éplucher peel, prepare (vegetables)
époque (f) time
épouvante (f) horror
épouvanter frighten away
épreuve (f) test, ordeal; proof (printing); trial (motorcycling)
éprouver feel, experience
épuisé(e) exhausted
épuration, station (f) **d'** — sewage works
équilibre (m) balance
équipage (m) crew
équipe (f) team
équipement (m) facilities
équitation (f) (horse-)riding
éreintant(e) (*fam*) exhausting
s'**ériger** be set up
errer wander about
escalader climb
escargot (m) snail
escrime (f) fencing
espace (m) space
espadrille (f) rope-soled sandal
espèce (f) kind, sort
— **s** cash
espérer hope
espoir (m) hope
esprit (m) mind, spirit; outlook
essai (m) try, trial
mariage (m) **à l'** — trial marriage
essence (f) petrol
essentiel (m) basic points, main thing
essor (m) expansion
essuie-glace (m inv) windscreen wiper
essuyer wipe, dry
estafette (f) van
esthéticien(ne) (m, f) beautician
(s') **estimer** think, consider (oneself)
estival(e) summer (weather)
estivant(e) (m, f) summer visitor
estuaire (m) estuary
établir establish, set up (camp); draw up (list)
s' — settle in; be established; amount (to)
établissement (m) establishment; school
étage (m) floor
étang (m) pond
étant donné (que) given (the fact that)
étape (f) stage
état (m) state
— **civil** status
— **d'esprit** frame of mind
homme d' — statesman
éteindre put out, extinguish (fire); switch off (radio)
étendre hang out (washing)
s' — stretch out, extend
étendue (f) extent
étoffe (f) material
étoile (f) star
étonnamment astonishingly
s'**étonner que** (+*subj*) be amazed that
étouffer suffocate
étourdi(e) scatterbrained
étourdir stun
étranger(-ère) foreign
étranger, à l' — abroad
être (m) being
étroit(e) narrow; close
études (f pl) studies
faire des — study (for a degree)
étudier study; work out
eux (elles) they; them
beaucoup d'entre — many of them
évacuer evacuate
s'**évader** escape
s'**évanouir** pass out
évasion (f) escape
s'**éveiller** wake up
événement (m) event
éventualité (f) possibility
éventuel(le) would-be
éventuellement possibly, should the occasion arise
évidence, mettre en — bring out
évidence, se rendre à l' — face the facts
évident(e) obvious
évier (m) sink
éviter avoid
— **de** avoid the need to
évoluer develop
évolution (f) development
être en (pleine) — be developing (rapidly)
évoquer describe; suggest; recall
exactitude (f) correctness
exaltant(e) exhilarating
exception faite de except for, apart from
exclure exclude, rule out
en **exclusivité** as an exclusive story
s'**excuser** apologize
exécrer loathe
exécuter carry out
exemplaire (m) copy
exercer exercise, practise; get into, be in (profession)
exigence (f) demand, requirement
exiger demand, require
exonéré(e) de exempt from
expéditeur(-trice) (m, f) sender
expérience (f), **faire l'** — **de** experience
expérimenté(e) experienced
explication (f) explanation
expliquer explain
s' — have it out
(s') **exprimer** express (oneself)
exténuant(e) exhausting
en **externat** non-resident
extincteur (m) extinguisher
extrait (m) extract

fabriquer make, produce
fac (= **faculté**) (f) (*fam*) university (department)
face (f) face, side
— **à** — opposing each other
en — to one's face
en — **(de)** opposite, faced with
faire — **à** confront
fâché(e) annoyed
façon (f) way
de la — **suivante** in the following way
de toute — anyway
de — **à** so as to, in such a way as to
de — **(à ce) que** (+*subj*) so that, in such a way that
fade tasteless
faiblesse (f) weakness
faiblir weaken, get weaker
faille (f) loophole
faillir faire qqc almost do sg
faim (f) hunger
faire non shake one's head
se **faire à qqc** get used to sg
fait (m) fact; event
— **divers** news item
de — in fact
en — in (actual) fact
tout à — quite, really
falaise (f) cliff
falloir be necessary to
il faut it is necessary to, one must
il faut que (+*subj*) it is necessary to, one must
familial(e) family
familier(-ière) colloquial
fantasme (m) fantasy
fatalité (f) (bad) luck
se **fatiguer** get tired, tire oneself out
faubourg (m) suburb
faute (f) mistake; foul (football)
— **de** for want of
faux (fausse) false; wrong
favori(te) favourite
félicitations (f pl) congratulations
fêlure (f) hairline fracture
fer (m) iron (golf club)
ferme firm, confident
fessée (f) spanking
fesses (f pl) bottom
fête (f) name day; celebration
faire une — have a party
fêter celebrate
feu (m) fire
prendre — catch fire
— **d'artifice** firework display
feuille (f) leaf; sheet (of paper, etc.)
feuilleter leaf through
fiancé(e) engaged
fibrociment (m) fibrocement, 'asbestos'
fiche (f) information sheet; card
— **diagnostique** aptitude test
— **de paie** pay slip
ficher la paix à (*fam*) give a bit of peace to
se **ficher de** (*fam*) not be bothered about
ficus (m) fig tree
fidèle faithful
fierté (f) pride
figé(e) struck motionless

figurer feature
fil (m) thread
au — de . . . as. . .go(es) by
passer un coup de — à qqn (*fam*) ring sb up
filer tail
filin (m) cable
filtrer filter (through)
fin (f) end
en — de at the end of
en — de compte when it comes down to it
prendre — come to an end
financier(-ière) financial
fixer stare at
flatter flatter
fléau (m) calamity
flèche, remonter en — shoot up
se **flétrir** wither
fleuri(e) flower-filled
flingue (m) (*fam*) shooter (gun)
flotte (f) fleet
flou(e) blurred, vague
zone (f) **— e** grey area
foi (f) faith
foie (m) liver
foire (f) fair
champ (m) **de —** fairground
fois (f) time
une — once
des — sometimes
à la — at once, at the same time
folie (f) extravagance
foncé, gris — (inv) dark grey
foncer (*fam*) go flat out
en **fonction de** because of; in relation to, according to
fonctions (f pl) duties
fonctionnaire (m/f) civil servant
fonctionnement (m) functioning, working
fond (m) bottom; far end
— sonore background noise
— de teint foundation cream
fonder found, base
se — sur rely on
fonderie (f) foundry, metal works
fondre melt
fonte (f) molten metal; cast-iron
force (f) strength, power, energy
—s de l'ordre police
à — de by continuing (to), by dint of
reprendre — recover
forcément necessarily
forfait (m) fixed sum (to be paid)
formation (f) (course of) training
formellement strictly
former train
formidable (*fam*) terrific, tremendous
formule (f) expression; programme
formuler formulate, put into words
fort very (much); loudly (play music); heavily (rain, hail)
de **fortune** improvised
fossé (m) gap

fou (folle) mad, wild; out of control
perdre un temps — waste a lot of time
fouetter lash
fouiller search
foule (f) crowd
fournir provide
fourrer stuff
foyer (m) centre (of fire); focal point (of room); housework
fracasser smash
frais (fraîche) fresh
frais (m pl) expenses
fraiseur (m) milling machine operator
franchement frankly
franchir go through; go over
francophone French-speaking
frappé(e) par struck by; stricken by
se **frayer un passage** push one's way; make one's own way
fredonner hum
freiner brake, slow down
frêle frail
fréquentation (f) popularity
— s company one keeps
fréquenter go around with
fric (m) (*fam*) lolly (money)
frileux(-euse) sensitive to cold
fresque (f) fresco
frisé(e) curly (hair)
frissonner shudder, shiver
froissé(e) offended
front (m) forehead
frotter rub
fuel (m) oil (for heating)
fuir flee
fuite (f) flight, escape
prendre la — escape
fumée (f) smoke
fur, au — et à mesure as (one) goes along; as and when appropriate
fusil (m) rifle
fusillade (f) gunfire
fût-ce . . . even . . .
fuyant(e) receding (chin)
fuyard(e) (m,f) fugitive

gagner win; earn; get; reach
Galles, Pays (m) **de —** Wales
gamin(e) (m, f) (*fam*) youngster
garagiste (m) garage owner
garant (m) guarantee
garde (f) guard, duty
— à vue police custody
— de nuit night duty
de — on duty
gardien (m) warder, warden; security man; (lighthouse) keeper; goalkeeper
— de la paix policeman
(se) **garer** park, pull in (car); moor (boat)
garni(e) garnished
choucroute (f) **—** sauerkraut with bacon, sausage, etc.
garnir cover, fit with
garrigue (f) scrubland

gars (m) (*fam*) lad, bloke
gaspiller waste
se **gâter** get worse
gauche awkward
gazon (m) grass
gelé(e) frostbitten
gelure (f) frostbite
Gémeaux (m pl) Gemini
gêner embarrass, make feel awkward; bother; hinder
généraliste (m) GP, general practitioner
génial(e) brilliant, inspired
génie (m) engineering
genou (m) knee
genre (m) sort, type; gender
gens (usu m pl) people
gentil(le) kind, nice
gentiment in a nice way
géologue (m/f) geologist
gérant(e) (m, f) manager, manageress
gérer manage
germer germinate, take shape
geste (m) gesture, movement; act
gestion (f) management
gifle (f) slap
gitan(e) (m, f) gipsy
glace (f) ice; mirror
glacé(e) frozen
glisser slide, slip; skate
glou-glou, faire — gurgle
se **goinfrer** (*fam*) stuff oneself
golfe (m) bay
gonfler pump up, inflate
gosse (m/f) (*fam*) kid
goulet (m) narrows
gourmand(e) greedy
goût (m) taste
goûter enjoy, savour
grâce à thanks to
grain (m) **de beauté** mole, beauty spot
graine (f) seed
graisser oil
pas **grand-chose** not much
grandir grow up
grappin (m) grapnel hook
gras(se) greasy, sticky
gratter scratch; strum
gratuit(e) free (of charge)
gratuitement for its own sake, with no money involved
gravats (m pl) rubble
grave serious
gré, de mauvais — reluctantly
grégaire gregarious, fond of company
grêle (f) hail
grêlon (m) hailstone
grève (f) strike
grièvement seriously
grillagé(e) covered with wire netting
grille (f) **d'aération** air vent
grimper climb (up)
grippe (f) flu
grisant(e) intoxicating

griserie (f) (feeling of) intoxication
grogner grunt, grumble
gronder roar
gros, jouer — play for high stakes
grossir exaggerate
grotte (f) cave
grouper collect (together)
guère, ne . . . — scarcely, hardly
guérir heal
guérisseur(-euse) (m, f) healer
guerre (f) war
guetteur (m) look-out
gueule (f), **grande —** (*fam*) big-mouth
guidon (m) handlebars
gymnase (m) gymnasium

habileté (f) skilfulness, cleverness
habilité(e) authorised, entitled (to do sg)
habillement (m) dress, clothing
s'**habiller** get dressed; buy clothes
habitant(e) (m, f) inhabitant
habits (m pl) clothes
habitude (f) habit, custom
d' — usually
avoir l' — de be in the habit of
s'**habituer à** get used to
hacher break up
haïr hate
hameau (m) small village, hamlet
hanche (f) hip
handicapé(e) (m, f) disabled person
hangar (m) shed; boat-house
hanter haunt
hasard (m) chance
au — at random
hâte (f) haste
à la — hurriedly
hausse (f) rise, increase
haut (m) top
en — upstairs
en — de at the top of
hauteur (f) height
à la — de equal to; level with
hebdo (= hebdomadaire) (m) (*fam*) weekly magazine
hebdomadaire weekly (magazine, etc.)
héberger lodge, give shelter to
hein? eh? isn't it? can't you? etc.
hélas alas
herbeux(-euse) grassy
herbier (m) plant collection
hériter inherit
hétéroclite assorted
heure (f) hour; time, moment
— s supplémentaires overtime
à l' — on time
à l' — actuelle at the present time
de bonne — early
tout à l' — shortly (future); a few moments ago (past)
heureusement (que) fortunately
hibou (m) owl
hirsute dishevelled
histoire (f) story

sans — s without a hitch
hivernal(e) wintry
HLM (m) **(habitation** (f) **à loyer modéré)** council block (of flats)
homard (m) lobster
homme-grenouille (m) frogman
homologuer approve
honneur, avoir l' — de beg to
honte (f) shame
horaire (m) work schedule; daily routine
— à la carte flexi-time, flexible schedule
horizons, de tous les — from all walks of life
horloge (f) clock
horreur, avoir — de detest
hors de out of
hôtel (m) **de ville** town hall
houle (f) swell
humeur, de mauvaise — bad-tempered
humide damp
hurler shout, yell; howl

idéal (idéaux) (m) ideal(s)
idée (f) idea
se faire des — s get ideas
IFOP (Institut (m) **français d'opinion publique)** polling organisation
ignorer not to know, be unaware
île (f) island
— s Anglo-Normandes Channel Islands
illusions, se faire des — delude oneself
il y a (deux ans) (two years) ago
immeuble (m) block of flats
immigré(e) immigrant
s'**impatienter** get impatient
imper (= imperméable) (m) (*fam*) mac
impliquer imply
important(e) large, considerable
importer matter, be important
n'importe comment anyhow
n'importe où anywhere
n'importe quel(le) any
n'importe qui anybody
n'importe quoi anything
peu importait no matter who . . . was
importun(e) a nuisance
imposer inflict
en — à impress
s'— be essential
impression (f) printing; imprint
imprimer print
imprimerie (f) **(de presse)** (newspaper) printing
impropre unsuited
imprudence (f) carelessness, foolishness
impuissant(e) powerless
inachevé(e) uncompleted
inadapté(e) (à) unsuitable (for); maladjusted
inanimé(e) lifeless
inattendu(e) unexpected
incapacité (f) inability; unsuitability
incendiaire fire-raising
incendie (m) fire
incertitude (f) uncertainty
inciter encourage
incompréhension (f) lack of understanding
inconcevable unimaginable
inconnu(e) unknown, strange
inconsciemment unconsciously, without realising it
inconscience (f) thoughtlessness
inconscient(e) unconscious
inconsidéré(e) rash
inconvénient (m) disadvantage
incriminer blame
incroyable unbelievable, incredible
inculper accuse, charge
indéfini(e) indefinite
indemne unharmed
indicateur(-trice) (m,f) informer
indication (f) instruction, direction; (piece of) information
indigner make indignant
s' — de be indignant at
indiquer show, indicate, mark (on map)
indispensable essential
inébranlable unshakeable
inefficace ineffectual
inégalement unevenly
inéluctable inescapable
infect(e) vile, filthy
infirmer invalidate
infirmier(-ière) (m, f) nurse
infliger inflict
informaticien(ne) (m, f) computer scientist
information (f) (piece of) news/ information; news item; news industry
informatique (f) computer science
s'**informer (auprès de)** seek information (from); find out
ingénieur (m) engineer
— acousticien acoustic engineer
— mécanicien mechanical engineer
ingrat(e) unpleasant, thankless
initiation (f) beginners' course
inoccupé(e) idle
inonder flood
inoubliable unforgettable
inquiet(-iète) anxious
(s') **inquiéter** worry
inscription (f) enrolment, registration (on course of study)
inscrire write (in); notch up (goal)
s'— dans be in keeping with
s'— à l'université enrol at university
INSEE (Institut (m) **national de la statistique et des études économiques)** institute for statistical and economic research
insensibilité (f) insensitivity
s'**insérer dans** get into, be taken on by
insertion (f) induction
insolite unexpected, out of the ordinary
inspecteur(-trice) (m, f) detective
s'**inspirer de** base oneself on, take as one's model
installation (f) putting up (tent)
— s facilities
installer pitch, put up (tent)
s'— set oneself up; settle in, sit down; take a hold
instaurer set up
instituteur(-trice) (m, f) primary teacher
instruction (f) education
instruire instruct, teach
insu, à l'— de without the knowledge of
insuffisant(e) insufficient; infrequent
insupportable unbearable
intégrer integrate
s'— dans fit in with
intendance (f) responsibility for supplies
intention (f) intention, purpose
à l'— de for
avoir l'— de intend to
interdiction (f) forbidding
interdire forbid
intéressé(e) self-seeking
les — s those concerned
s'**intéresser à** be interested in
intérêt (m) interest; importance
avoir — à be well advised to
intérieur (m) inside, interior
à l'— inland
interlocuteur(-trice) (m, f) speaker, partner in conversation
internat (m) boarding school; hospital training
interne (m/f) **des hôpitaux** houseman (junior hospital doctor)
interrogation (f) questioning; test
interroger question
intervenir intervene, play a part in
intitulé(e) entitled
intrus(e) (m, f) intruder
inutile of no use, useless, pointless
invention (f) inventiveness
inverse (m) opposite
investir invest
invité(e) (m,f) guest
irréel(le) unreal
irruption, faire — dans burst into
isolation (f) insulation; sound-proofing
isolé(e) isolated, remote; alone
isolement (m) isolation
en **italique** in italics
itinéraire (m) route, journey
— de fuite escape route
ivre drunk

se **jalouser** be jealous of each other
jalousie (f) jealousy
jardinage (m) gardening
jaunir become yellow
javelot (m) javelin
jetée (f) jetty
jeu (m) game, sport; gambling
— x d'enfants children's playground
jeunesse (f) youth
joindre add
joint(e) (à) attached (to); enclosed (with)
joue (f) cheek
jouer act
joueur(-euse) (m, f) player
joufflu(e) chubby (face)
jour (m) day
le — by day
au — le — each day as it comes
au grand — out in the open
de nos — at the present time
mettre à — bring to light, solve
journal (m) **intime** personal diary
journalier(-ière) daily; everyday
journée (f) (whole) day
juge (m) **d'instruction** examining magistrate
jugement, porter un — sur pass judgement on
juger, à en — par to judge from
jumeaux(-elles) (m, f pl) twins
jumelles (f pl) binoculars
juridique legal
juriste (m) lawyer
jusqu'à, jusqu'en until; to, as far as
juste fair; right; tight (shoes)
au — exactly
justement in fact, precisely

kimono (m) judo tunic

là there
— -bas (over/down) there
— où at the point where
labyrinthe (m) maze
lac (m) lake
lâche cowardly
lâcher prise let go
laid(e) ugly
laisse (f) leash
laisser leave; let, allow
— le passage à qqn let sb pass
laissez-passer (m inv) pass
lait (m) **démaquillant** cleansing lotion
lame (f) blade
— de rasoir razor blade
lancée, continuer sur sa — keep going
lancement (m) throwing
lancer call out; publish
se — launch/throw oneself; start off
lande (f) heath
langue (f) language
laqué(e) lacquered
lard (m) bacon
large broad, wide
— d'épaules broad-shouldered

large (m) open sea
au — de off (i.e. out at sea)
largement easily
larguer release
larme (f) tear
crise (f) **de — s** fit of crying
las(se) tired
latte (f) slat
lauriers, se reposer sur ses — rest on one's laurels
lavabo (m) washbasin
lavage (m) washing
laverie (f) launderette
lave-vaisselle (m inv) dishwasher
lavoir (m) sink (for washing clothes)
lecteur(-trice) (m, f) reader
lectures (f pl) reading matter
légende (f) caption
léger(-ère) light
légèrement slightly
légume (m) vegetable
le **lendemain** the next day, the day after
lentement slowly
lépreux(-euse) (m, f) leper
lequel (laquelle) which (one)
lessive (f) washing
le/la **leur** theirs
rever le camp strike camp
lèvre (f) lip
liaison (f) link
(se) **libérer** free (oneself)
libre free
licence (f) degree; registration (sport)
— de lettres arts degree
licencié(e) (m, f) graduate
— ès lettres arts graduate
lié(e) à attached to; associated with
lien (m) bond
— de parenté family relationship
lieu (m) place
sur les — x at the scene (of accident)
au — de instead of
avoir — take place
donner — à give rise to
lieu-dit (m) place known locally as . . .
ligne (f) line
— droite straight stretch (of road)
les grandes — s the outline (of story, etc.)
lillois(e) of Lille
limite, à la — almost, in the final analysis
linge (m) laundry, linen
linguistique (f) linguistics
lisse smooth
litigieux(-ieuse) contentious
littoral (m) coast
livrer deliver
local (locaux) (m) place; meeting-place, premises
location (f) hire; rented accommodation

logement (m) lodgings
loi (f) law
loin (de) far away (from)
de — from a distance
plus — further away, further on
lointain(e) distant
loisirs (m pl) leisure, free time; leisure activities
le **long de** along
à **longueur de . . .** all . . . long (time)
lors de at the time of, during
lorsque when
louche suspicious, shady
louer hire; rent
lourd(e) heavy; sultry (weather)
loyauté (f) loyalty, faithfulness
loyer (m) rent
lucarne (f) skylight
lustré(e) shiny
lutte (f) struggle, fight(ing)
luxe (m) luxury
lycéen(ne) (m, f) high-school pupil

machine (f) **à écrire** typewriter
mâchoire (f) jaw
maçon (m) builder
magie (f) magic
magnétoscope (m) video recorder
maillet (m) mallet
maillot (m) (sports) jersey
— (de bain) swimsuit
— jaune (jersey worn by) race leader (cycling)
main-d'œuvre (f) work force
maintien (m) maintenance
maire (m) mayor
mairie (f) town hall
maison (f) **des jeunes** youth club
maître (m) teacher, supervisor
— nageur swimming instructor
maîtresse (f) mistress; teacher
maîtrise (f) control
— de soi self-control
maîtriser master; bring under control; overpower, overcome
se — control oneself
mal badly
— en point in bad shape
pas — (de) (*fam*) quite a lot (of)
quelque chose de pas — (*fam*) quite something
mal (m) evil; pain, ache; difficulty
avoir du — à have difficulty in, have a job to
faire — à hurt
se faire — hurt oneself
malade (m/f) patient
maladie (f) illness
maladroit(e) clumsy
malaise (m) feeling of sickness
malchance (f) bad luck
malencontreusement unfortunately
malentendu (m) misunderstanding
malfaiteur(-trice) (m, f) criminal
malfrat (m) crook
malgré in spite of
malheur (m) misfortune

malheureux(-euse) unfortunate
malin(-igne) evil; cunning
le M — the Devil
manche (m) shaft (of golf club)
manège (m) roundabout
manière (f) manner, way
à la — de in the style of
de la — suivante in the following way
de — à so as to, in such a way as to
manifestant(e) (m, f) demonstrator
manifestation (f) expression; demonstration
manifester show
manque (m) lack
manquer run out
— à be missing from/for
— de lack
manteau (m) **de fourrure** fur coat
manuscrit(e) handwritten
maquette (f) sketch
maquettiste (m/f) lay-out designer
se **maquiller** wear make-up
marais (m) marsh
marche (f) walk
marché, bon — cheap
marché (m) **du travail** job market
marcher work, run smoothly
marée (f) tide
centre (m) **de —** fish market
mari (m) husband
se **marier** get married
Maroc (m) Morocco
marquant(e) outstanding (incident)
marque (f) brand
marquer note, mark; score (goal)
marrant(e) (*fam*) funny, a great laugh
marron (inv) brown
marteau (m) hammer
massif (m) massif, mountain area
mât (m) mast
match nul, faire — — draw (game)
matelas (m) mattress
— pneumatique airbed
matériel (m) equipment; (computer) hardware
matière (f) subject
en — de . . . as far as . . . is concerned
matinée (f) (whole) morning
maton(-onne) (m, f) (*fam*) screw (prison warder)
mécanicien(-ienne) (m, f) (motor) mechanic; engineer (in aircraft)
mécanique (f) mechanism; engine
méchant(e) fierce (dog)
méchoui (m) barbecue
mécontent(e) discontented
médicaments (m pl) medical supplies
méfiance (f) mistrust, suspicion
se **méfier de** mistrust, be suspicious of
mégot (m) (*fam*) cigarette end
(le/la) **meilleur(e)** better; best
mélanger mix (up)

mêler mingle, mix (together)
se — de meddle in
mélodique tuneful
même same (before noun); very (after noun); even
de — likewise, the same thing
tout de — nevertheless
moi- — myself
à — le plat straight from the dish
de **mémoire** from memory
mémoire (m) dissertation
ménage (m) housework, clearing up
ménagère (f) housewife
mener lead; take; carry out (interview)
— à bien carry through successfully
menhir (m) menhir, standing stone
mensuel(le) monthly
mensuel (m) monthly magazine
mention (f) **inutile** item which is not applicable/relevant
mentir lie
menton (m) chin
mentonnière (f) chin strap
menuisier (m) joiner, carpenter
mer, la basse — low tide
mère poule (f) mother hen
mériter deserve
merveille (f) marvel
merveilleux(-euse) marvellous, fantastic
le — the supernatural
messe (f) mass
mesure (f) measurement
à — que as
dans la — où insofar as
dans quelle — how far, to what extent
en — de in a position to
météo (f) weather forecasting; weather forecast
méticulosité (f) attention to detail, meticulousness
métier (m) trade, profession, job
métro (m) tube, underground
metteur (m) **en scène** producer/director (of play)
mettre put; put on, wear
— un certain temps à spend some time in
se — à begin to
meuble (m) item of furniture
meurtre (m) murder
micro(phone) (m) mike
Midi (m) south of France
le/la **mien(ne)** mine
(le) **mieux** better; best
— vaut it is better to
le — possible as well as possible
aimer — prefer
faire — de do better to
faire de son — do one's best
milice (f) militia
milieu (m) middle; (social) background; underworld
— naturel environment
militaire (m) soldier

millier (m) thousand (or so)
mince slim; narrow
miner undermine
mineur (m) miner
minutieux(-ieuse) detailed; finicky
mise (f) putting
— **en boîtes** canning
— **en commun** pooling, sharing
— **en page** layout
— **en place** setting up
— **en relief** emphasis, stress
— **en scène** staging
mi-temps (f inv) half (of game); half-time
mixte mixed
mobylette (f) moped
moche (*fam*) awful, ghastly
modalité (f) mode, procedure
mode (f) fashion
à la — in fashion
mode (m) **de vie** way of life
mœurs (f pl) customs, habits
(le/la) **moindre** less, lesser; least, slightest
(le/la) **moins** less; least; minus
— **(de) . . . que** less . . . than
de — en — fewer and fewer
le — possible as little/few as possible
(tout) au — at least
du — at least
moite sticky, humid
moitié (f) half
moment (m) time, point
au — de at the time of
au — donné at the time in question
au — où as, when
à ce — là at that time
du **monde** (a lot of) people
moniteur(-trice) (m, f) instructor
mono (= moniteur, -trice) (m/f) (*fam*) supervisor (in children's holiday camp)
montagnard(e) (m, f) mountain dweller
montant (m) total (sum); upright (of goal)
monter put up (tent)
montrer show
se — show oneself to be
se **moquer de** make fun of, laugh at; not take to heart
moquette (f) (wall-to-wall) carpet
moral(e) mental
au **moral** mentally
morale (f) morality
mort(e) (m, f) dead man/woman, person killed
mortel(le) fatal
mot (m) word; note
— **-clef** keyword
prendre qqn au — take sb at his word
motard (m) motorcycle policeman
moteur (m) engine
motif (m) motive
moto (= motocyclette) (f) (*fam*) (motor) bike
mou (molle) soft; limp
mouillage (m) mooring
mouiller wet, soak; drop anchor
moule (m) mould
moulin (m) (wind-)mill
moustique (m) mosquito
mouvementé(e) eventful
moyen(ne) average; fair
moyen (m) means
au — de by means of
par ses propres — s on his own
moyenne (f) average
— **horaire** average number of hours
en — on average
muet(te) mute, dumb
se **munir de** equip oneself with, be in possession of
mur, faire le — go over the wall
mutuellement mutually, each other
se détester — detest each other
mythomane (m/f) self-publicist

naissance (f) birth
naître be born
faire — create
nappe (f) tablecloth; sheet (of snow)
narguer thumb one's nose at
natation (f) swimming
naufragé(e) (m, f) castaway
nausée (f) feeling of sickness
nautique, ski (m) — water-skiing
néanmoins nevertheless
nécessiteux(-euse) needy, poor
néerlandais(e) Dutch
nervosité (f) nervousness
net(te) neat, tidy; clear (majority)
nettoyage (m) clearing (of undergrowth)
nettoyer clean
neuf (neuve) new, fresh, original
neutre neutral (i.e. neither formal nor slang)
névrosé(e) neurotic
ni, (ne . . .) — . . . — . . . neither . . . nor . . .
niveau (m) level
au — de level with; as far as . . . is concerned
de haut — high-level
passage (m) **à** — level crossing
nœud (m) knot; bow
— **papillon** bow tie
noisette (inv) hazel (-coloured)
nom (m) noun
nombre (m) number
nombreux(-euse) numerous, large (in number)
nommer name; appoint
normalien(ne) (m, f) student teacher
norme (f) standard
notamment especially
note (f) mark (at school); bill
noté(e), être mal — get bad marks
notice (f) handbill (for play)
notions, de bonnes — en a good knowledge of
le/la **nôtre** ours
nouilles (f pl) noodles
nourrir feed
nourriture (f) food
à/de **nouveau** again
nouvelle (f) (piece of) news
prendre des — s de . . . see how . . . is getting on
(se) **noyer** drown
nu(e) bare
nuageux(-euse) cloudy
nuisances (f pl) (environmental) nuisance
nul(le) (. . . **ne)** no, not one
ne . . . — no, not any
numéroté(e) numbered

objectif (m) purpose
obligatoire compulsory
obliger compel, require
obscurcir darken
obsédé(e) obsessed
observation (f) remark, comment
faire des — s make remarks, criticise
observer watch; remark
obstétrique (f) obstetrics, midwifery
s' **obstiner à** persist in
obtenir obtain, get
occasion (f) opportunity
d' — second-hand
occasionner cause
occupé(e) busy; engaged
s'**occuper de** attend to, deal with; take an interest in
odieux(-euse) hateful, obnoxious
œil, jeter un — sur glance at
œuvre (f) work
offensif(-ive) attacking
offrir offer; give (present); suggest
s' — be available, come up
ombrage (m) shade
ombre (f) shadow, shade
— **à paupières** eye-shadow
omettre omit; neglect, fail (to do sg)
ondulé(e) wavy (hair)
onéreux(-euse) costly
s'**opposer** be in opposition
or now
or (m) gold
orage (m) storm, thunderstorm
ordinateur (m) computer
ordonnance (f) **des sièges** seating arrangements
ordonner order
oreiller (m) pillow
organisme (m) organisation
orientation (f) careers guidance; careers office
originaire, être — de come from
d'**origine** original
orteil (m) toe
OS (ouvrier (m) **spécialisé)** unskilled worker
oser dare
otage (m) hostage
ôter take away
où l'on en est where things stand
outil (m) tool
outillage (m) equipment; tools
outrepasser exceed
ouvert(e) on (radio, television)
ouverture (f) opening
ouvrage (m) (piece of) work
ouvre-boîte(s) (m inv) tin-opener
ouvrier(-ière) (m, f) worker
— **spécialisé** unskilled worker
— **(adj)** working-class

pacte (m) pact, agreement
pagaïe (f) mess, shambles
paille (f) straw
au **pair, être au** — work in exchange for board and lodging
paisible quiet
paître graze
palace (m) luxury hotel
palais (m) palace
palmarès (m) (top) ratings
se **pâmer de** be overcome with
pancarte (f) notice
panne (f) breakdown
être en — be out of order
tomber en — break down
panneau (m) notice
panorama (m) view
pantagruélique gigantic
paon (m) peacock
pape (m) pope
Pâques (m) Easter
par through; per
paraître appear; seem; be published
parcellisation (f) division, splitting up
parcourir cover (distance); spread through
parcours (m) distance; journey
pardessus (m) overcoat
pare-brise (m inv) windscreen
pareil(le) similar, such a
parent(e) (m, f) parent; relative
parenthèses (f pl) brackets
pare-soleil (m inv) sun visor
paresseux(-euse) lazy
parfois sometimes
parloir (m) visiting-room
parmi (from) amongst
paroi (f) rock face
parole (f) word; speech
adresser la — à address
la — est à . . . it is . . . 's turn to speak
parquet (m) public prosecutor's department
part (f) share; role
à — apart from
à — entière full (member)
de la — de on behalf of
d'autre — moreover
faire — à qqn de inform sb of
partage (m) sharing
partager share

partial(e) biased
participe (m) participle
participer à join in, take part in
partie (f) part; game
en — partly
faire — (intégrante) de be (an integral) part of
à **partir de** (starting) from
partisan(e) (m, f) supporter, devotee
être — de be in favour of
partout everywhere
un peu — more or less everywhere
paru(e) (which) appeared
parvenir à reach; succeed in
faire — qqc à qqn send sg to sb
pas (m) step
faire un — take a step (forward)
revenir sur ses — retrace one's steps
passablement quite
passage (m) spell
passant(e) (m, f) passer-by
en **passe de** on the way to
passé (m) past
passer pass; spend (time); go in for (test)
— en revue review
se — happen, turn out
se — de do without
passe-temps (m inv) leisure activity
passionnant(e) exciting, fascinating
pastis (m) pastis (alcoholic drink)
patauger splash about
patin (m) skate
— à roulettes roller-skating
— de frein brake block
patinoire (f) skating rink
pâtissier(-ière) (m, f) confectioner, pastrycook
patrie (f) homeland
patrimoine (m) heritage
patron(ne) (m, f) (hotel/café) owner, boss
patrouiller patrol
pauvre poor, unfortunate (before noun); poor, needy (after noun)
pavé (m) cobblestones
se **payer** treat oneself/one another to
pays (m) country; area
travail (m) **au —** home-based work
paysage (m) landscape, countryside; scenery
paysan(ne) (m, f) small farmer, farm worker
Pays-Bas (m pl) Netherlands
péage (m) tollgate (on motorway)
peau (f) skin
— de chamois (piece of) chamois leather
mal dans sa — at odds with oneself
se sentir bien dans sa — feel good
pêche (f) fishing
pédestre on foot

peinard(e) (*fam*) nice and easy
peindre paint
peine (f) trouble; difficulty
prendre la — de take the trouble to
ce n'est pas la — there's no point
à — hardly, scarcely
peinture (f) painting
pelouse (f) grass, lawn
pendant during; for
— que while
pénétrer dans enter; get into; break into
pénible disagreeable, unpleasant, hard
pénitentiaire prison (authorities)
pensée (f) thought
pension (f) board and lodging
— complète full board
demi- — half board
pente (f) slope
pépin (m) (*fam*) hitch
percevoir sense, perceive; receive (money)
perfectionnement (m) proficiency (course)
perfectionner improve
se — en anglais improve one's English
perforé(e) pierced
périr perish, die
perle (f) bead
de **permanence** on duty
en **permanence** permanently
permettre à qqn de allow/enable sb to
permis (m) licence
pernicieux(-euse) harmful
perplexe confused
perruque (f) wig
persévérant(e) persevering, dogged
personnage (m) character (in play, etc.)
personne (. . . ne) no one, nobody
ne . . . — no one, nobody
perspective (f) viewpoint; prospect, outcome
perte (f) loss
peser weigh (up)
pétanque (f) bowls
pétarade (f) noise of revving engines; backfire
P et T (Postes (f pl) **et télécommunications)** Post Office
peu little, not much; not very . . .
— à — gradually
— après shortly after
— de few; little
à — près more or less
de — just
peur (f) fear
faire — à qqn make sb afraid
peut-être perhaps
phare (m) lighthouse
philatélie (f) stamp-collecting
photocomposeuse (f) phototypesetter

photographe (m/f) photographer
phrase (f) sentence; clause
physique (m) physical appearance
au — physically
physique (f) physics
— des matériaux materials science
pie (f) magpie
pièce (f) room; patch; play
— d'identité means of identification
au **pied levé** at a moment's notice
piéger trap; booby-trap
piétiner trample
piéton (m) pedestrian
pige (f) piece-work (journalism)
pilier (m) pillar
pillard(e) (m, f) looter
pilote (m) pilot; driver
— de chasse fighter pilot
— de ligne airline pilot
pince(s) (f ou f pl) (pair of) pliers
pinède (f) pine wood
piolet (m) ice axe
pipelet(te) (m, f) (*fam*) gossip
piqué (m) nose-dive
piquet (m) tent-peg
piquer stitch
— une colère fly into a rage
(le/la) **pire** worse; worst
pis, tant — too bad
piscine (f) swimming-pool
piste (f) track, trail
pitié (f) pity
pittoresque (m) picturesque quality
place (f) place; square; seat
sur — there, on the spot
faire — à make way for
laisser la — à give way to
mettre en — set up
plage (f) beach; resort
se **plaindre** complain
plainte (f) lament (of wind); complaint
porter — lodge a complaint
plaire à please, appeal to
plaisanterie (f) joke
plaisir (m) pleasure
faire — à please
plan (m) plane, level
sur le — humain from the human point of view
sur le — psychologique psychologically
planche (f) **à voile** windsurfing; windsurfer (board)
planque (f) (*fam*) hideout
plantation (f) (flower) bed
planté(e) hanging about
plaque (f) plate; (baking) tray
— de métal sheet of metal
se **plaquer** flatten oneself
plat (m) flat part; dish
le pied à — with one's foot flat on the ground
plate-forme (f) bay (for caravan)
plein(e) full

à — at maximum revs
en — air in the open
en — hiver in the depths of winter
en — e mer out at sea
en — e tempête at the height of the storm
pleurer cry
pli (m) crease
plier fold
plomb (m) lead; type
plonger dive
plume (f) feather
la **plupart (de)** most (of)
pour la — mostly
(le/la) **plus** more; most
— (de) . . . que more . . . than
de — additional; moreover
de — en — more and more
en — (de) in addition (to)
le — possible as much/many as possible
ne . . . — not . . . any more
non — neither, not either
plusieurs several
à — several people together
plus-que-parfait (m) pluperfect (tense)
plutôt rather; instead; more or less
— que rather than
pneu (m) tyre
poche (f) pocket
pochette (f) **brodée** embroidered pocket handkerchief
poids (m) weight; shot (athletics)
— lourd truck
poignarder stab
poil (m) hair, bristle
au **poing** in hand (weapon)
poireau, faire le — (*fam*) be left kicking one's heels
Poisson (m) Pisces
poitrine (f) chest
poivre (m) pepper
poli(e) polite
Police (f) **judiciaire (PJ)** Criminal Investigation Department (CID)
policier (m) policeman
politique political
homme/femme — politician
— (f) politics; policy
polluer pollute
pompe (f) pump
pompier (m) fireman
pont (m) bridge
port (m) wearing
porte-bagages (m inv) luggage-carrier
portée (f) reach
à notre — within our reach
se mettre à la — de get on the wavelength of
portefeuille (m) wallet
porte-monnaie (m inv) purse
porte-parole (m inv) spokesman, spokeswoman
porter sur relate to, concern
se **porter mal** be unwell

portique (m) set of ropes, swings, etc. (in children's playground)
poser put (question); fit, replace (windscreen); land (helicopter)
— sa candidature apply (for job)
— un lapin à qqn (*fam*) stand sb up
— un regard sur look at
posséder possess
possibilité (f) opportunity
poste (m) job; (radio or TV) set; item (of budget)
postérieur(e) later, subsequent
pot, boire un — (*fam*) have a jar (drink)
potager (m) kitchen garden
poteau (m) (telegraph) pole
potelé (e) plump
poubelle (f) dustbin
pouce (m) thumb; 'I give up' (in game)
poulet (m) chicken
poulette (f) (*fam*) chick (girl)
poumons (m pl) lungs
poupée (f) doll
pour, le — et le contre the pros and cons
pour que (+ *subj*) in order that, so that
pour peu que (+ *subj*) however little
(se) **poursuivre** continue
— ses études be studying
pourtant yet, nevertheless
pourvu que (+ *subj*) provided that
pousser push; press; grow, spring up
— ferme work hard
poutre (f) beam
pouvoir (m) power, authority
prairie (f) meadow
praticable usable
pratique (f) practice, practising
mettre en — practise
pratiquer play, go in for (sport); carry out (test)
— la défensive play defensively
préau (m) covered area (in school playground)
précaire precarious
précédent(e) preceding
se **précipiter** rush; be (too) keen
se — contre smash into
préciser specify, clarify
précision (f) accuracy; detail; explanation
préconçu(e) preconceived
préconiser advocate
prédire foretell, predict
préfecture (f) administrative headquarters (of *département*)
préféré(e) favourite
première (f) lower sixth
— supérieure scholarship sixth
prendre take, seize
— à part take aside
se — dans get caught in
s'en — à put the blame on
préoccupant(e) causing concern
préparatifs (m pl) preparations
près near
— de near (to); nearly
à peu — about, more or less
prescription (f) instruction
presque almost
pressé(e) (de) in a hurry (to)
prestations, société (f) **de — de services** consultancy firm
présupposé (m) what is taken for granted
prêt(e) (à) ready (for/to), prepared (to)
prétendre claim
prétention (f) claim
— s expected salary
prêter lend
prêtre (m) priest
preuve (f) proof
faire — de show
prévenir prevent; inform, tip off
prévision (f) **météorologique** weather forecast
prévoir foresee, forecast; plan, work out; allow, provide
— de plan to
prier ask, request
prière (f) prayer
— de . . . you are requested to . . .
prime (f) bonus
principale (f) main clause
en **principe** in theory
prise (f) taking; hold (judo)
— de contact meeting
— de courant (electricity supply) point
privé(e) private
priver de deprive of
être — vé(e) de have to go without
prix, à tout — at all costs
procédé (m) process; procedure
procéder à conduct, carry out
prochain(e) next; following (before noun); coming (after noun)
un jour — one day soon
prochainement soon
proche near; immediate (future)
proches (m pl), **vos —** those close to you
se **procurer** acquire, get hold of
se **produire** occur, take place
produit (m) product
profil (m) profile, background
se **profiler** stand out
profiter de take advantage of
profondeur (f) depth
progressivement gradually
projection (f) film show
projet (m) plan
projeter throw
promenade (f) walk, trip
se **promener** ride/drive around
promesse (f) promise
promettre promise
promotion (f) year group (of students); publicity, plugging
pronom (m) pronoun
pronominal(e) pronominal
verbe (m) **—** reflexive verb
propice favourable
propos (m) remark
proposer (de) suggest, propose, offer (to)
propre own (before noun); clean (after noun)
propreté (f) cleanliness
propriété (f) property
prostré(e) slumped
protège-patin (m) skate-guard
(se) **protéger** protect (oneself)
protocole (m) rules and regulations
proviseur (m) head (of *lycée*)
provisoire provisional
provoquer cause, bring about
à proximité nearby
prudent(e) careful
psychologue (m/f) psychologist
pub (publicité) (f) (*fam*) advertising; advert
public (m) audience, crowd
publicitaire commercial (artist)
publier publish
puisque since
puissance (f) power
en — potential
puissant(e) powerful
puits (m) well
pulmonaire lung (disease)
punir punish
pyromane (m/f) arsonist

QG (quartier (m) **général)** HQ, headquarters
qualifier (avec) qualify (with)
— de describe as
quand même all the same, nevertheless; well, really; even so
quant à as for
quart (m) quarter
quartier (m) district; block (prison)
— latin area around the Sorbonne in Paris
que . . . (+ *subj*) whether
que faire (de) what's to be done (with)
que, ne . . . — only
quel(le) que (+ *subj*) whoever; whatever; whichever
quelconque some . . . or other
quelque some; a few (plural)
quelquefois sometimes
quelque part somewhere
quelqu'un somebody
— de remarquable somebody remarkable, a remarkable person
quelques-un(e)s (de) some/a few (of)
qu'en dira-t-on (m inv) gossip
en **quête de** in search of
quoi what; you know
en — ? in what way?
quoi que (+ *subj*) whatever
quoique (+ *subj*) although
quotidien(ne) daily
quotidien (m) daily newspaper

raccourcir shorten
racine (f) root
raconter tell; describe; give (statement)
radeau (m) raft
radio (f) X-ray
radiophonique radio (broadcast)
rafale (f) gust
raffiné(e) refined
rafraîchir cool, chill
rage (f) mania
raid (m) expedition (on windsurfer)
raide stiff; straight (hair); steep
se **raidir** tense up
raison (f) reason; proportion
à — de at the rate of
en — de because of
avoir — (de) be right (to)
raisonnable sensible
raisonné(e) well thought out
ralentir slow down
râler (*fam*) moan
ramasser pick up, collect, gather
rameau (m) bough, branch
ramener bring back; take back
rancune (f) grudge
rancunier(-ière) resentful
randonnée (f) ramble, hike
— à bicyclette/à vélo bike trip
rang (m) rank, order
rangé(e) settled, steady
bien — tidy
ranger tidy (up), set up
ranimer bring round
râpe (f) file
rapiécé(e) patched
rappel (m) reminder
rappeler phone back
se — remember
— qqc à qqn remind sb of sg
rapport (m) relationship; report
par — à in relation to
avoir de bons — s avec get on well with
rapportages (m pl) tale-telling
rapporter take back; report, tell (about); bring in (money), work well for
se — à relate to
rapprocher move closer
se — de get closer to
rares few and far between
ras(e) short (grass)
rassemblement (m) meeting(-place)
rassembler collect; bring together
rassurer reassure
raté(e) ruined
râteau (m) rake
se **rattacher à** relate to
rattraper catch up (with)
ravir delight
ravissant(e) beautiful
ravitaillement (m) food supplies

rayon (m) ray; radius
rayonnant(e) radiant
rayonner radiate
réagir react
réalisation (f) carrying out; production (theatre, etc.)
réaliser carry out (plan, etc.); bring off; make
se — come true, come about; be carried out
reboisement (m) new plantation
reboiser replant
rebrousser chemin retrace one's steps
récapituler sum up
récemment recently
recette, faire — do good business
de **rechange** spare, replacement
réchaud (m) stove
réchauffer heat up
recherche (f) research
à la — de in search of
recherché(e) sought-after
rechercher look for; seek the company of
récif (m) reef
récit (m) account, story
réclame (f) advertisement
réclamer ask for; demand
récolte (f) crop, harvest
recommander recommend, advise
reconnaissant(e) grateful
reconnaître recognise; admit
reconstituer reconstruct
recours (m) recourse
recouvert(e) (de) covered (with)
récréation (f) break
recrutement (m) recruiting
reçu(e), être mal — receive a poor welcome
recueillir gather, collect
— les fruits de reap the benefits of
reculer draw back
récupérer recover
rédacteur(-trice) (m, f) member of editorial staff; editor
— en chef editor
rédaction (f) composition; editorial staff
rédiger compose, draft, write out
redoublement (m) **de passe** passing move
redouter fear
redoux (m) thaw
redresseur (m) **de torts** righter of wrongs
(se) **réduire** reduce; be reduced
réfectoire (m) dining hall
se **référer à** refer to
réfléchi(e) carefully considered, well thought out
réfléchir (à) think (of/about), consider
reflet (m) reflection
réflexion (f) thought, observation
refuge (m) mountain hut
se **réfugier** take refuge in

regagner get back to
regard (m) look, expression (in one's eye)
régime (m) regulations
réglage (m) adjustment
règle (f) rule
régler settle (a bill); adjust
régner reign, rule (the roost)
regroupé(e) massed
rejeter reject
rejoindre get back to; go and meet, meet up with
réjouissant(e) heartening
relâche, sans — without letting up
relâcher release
relais (m) relay
prendre le — take over
relations (f pl) relationship
relayer take over from, relieve
relève (f) relief, change-over
relever pick out; record; relieve
relier connect, join
remanier reshape
remarquer notice, note
faire — point out
se faire — be noticed
rembourser reimburse
remède (m) remedy
remédier à put right (situation)
se **remémorer** recollect
remercier thank
remettre put back; sort out; hand over
se — (de) recover (from)
remis(e) recovered
mal — not yet recovered
remonter vers drive back towards
rempart (m) rampart
rempiler fill the gap
remplaçant(e) (m, f) replacement; reserve
remplacer replace
remplir fill
rémunération (f) earnings, salary
rencontre (f) meeting, encounter
— à deux meeting of two people
aller à la — de go out and meet
faire des — s meet people
rendement (m) productivity
rendez-vous (m) date; appointment
rendre give back, return; make
— visite à visit
se — à go to
se — sur les lieux go to the scene (of accident)
renforcer strengthen
renom (m) fame
renommé(e) famous
renommée (f) fame
renouveler renew
renseignement (m) (piece of) information
se **renseigner sur** make inquiries about, find out about
rentrée (f) start of the academic year
renverser run over
se faire — get run over

répartir distribute, share out
repas (m) meal
repasser replay
repère, point (m) **de —** reference point, landmark
repérer spot, locate
répit (m) let-up, rest
réplique (f) reply; statement
répondre à respond to (attack), retaliate; correspond to, fit
en **réponse à** in reply to
reportage (m) news report
se **reporter à** refer to
repos (m) rest
(se) **reposer** rest; stay
se — sur be based on
repousser grow again
reprendre get back; start again, go through again; continue (with)
— contact get back into contact
— qqn take sb back (into job)
représentant(e) (m, f) representative
— de commerce sales rep
reprise (f) repetition; resumption
à plusieurs — s on several occasions
reprocher à qqn de criticise sb for
— qqc à qqn reproach sb for sg
réputé(e) reputable
requis(e) required
rescapé(e) (m, f) survivor
réseau (m) network
résidence (f) **secondaire** weekend cottage
résolu(e) resolute, determined
résoudre solve
respectueux(-euse) respectful
responsable (m/f) official, person in charge
ressembler à resemble, be like
ressentiment (m) resentment
ressentir feel, experience
ressortir (de) emerge (from)
faire — bring out
ressusciter come back to life
restant (m) rest
restaurer restore
reste (m) remnant
rester stay; remain, be left
restituer reconstruct
restreindre restrict, cut down
se — decrease
restreint(e) limited (in number); skimpy
résultat (m) result
résumer summarise
rétablir re-establish
retaper (*fam*) buck up
retard (m) delay; lateness
avoir une minute de — be one minute behind
retenir hold back; remember; accept
se — à hold on to
retirer pull out; take away from, withdraw
retour (m) return (journey)

de — en classe/à la maison back in class/at home
se **retourner** turn round
en **retrait** standing back
retrancher take away
retransmission (f) **en direct** live broadcast
rétrécir narrow
rétribuer pay
retroussé(e) turned-up (nose)
retrouver find; reproduce
se — find onself; meet up
rétro(viseur) (m) rear-view mirror
réunion (f) meeting
se **réunir** gather together, meet (up)
réussir (à) succeed (in); pass (exam)
— un coup pull off a job
tout lui — ssit everything goes right for him/her
réussite (f) success; good fortune
en **revanche** on the other hand
rêve (m) dream
révélateur (m) indicator
se **révéler** show oneself, turn out to be
revendiquer claim (responsibility for)
revenir à fall to the lot of
revenu (m) income
rêver (de) dream (about)
— à daydream about
rêveur (-euse) dreamy
réviser check over
révision (f) checking
revivre, faire — bring back to life
revoir review
révolté(e) outraged
se **révolter** rebel
revue (f) magazine
richesses (f pl) riches, treasures
rigoler (*fam*) have a laugh
rigoureusement hard
rigoureux(-euse) tough-minded
rigueur, à la — at a pinch
rire (m) laughter
le fou— the giggles
risquer de be likely to
rite (m) ritual
rivé(e) à riveted to, glued to
RN (route (f) **nationale)** main road
robinet (m) tap
robotiser use robots
robustesse (f) strength, toughness
roche (f) rock
rogner sur cut down on
roman (m) novel
— noir horror story
romancier(-ière) (m, f) novelist
rond(e) round, plump
rond, tourner en — go round in circles
ronfler snore; rumble
rosé(e) pinkish
rotation (f) round trip
rotative (f) rotary press
roue (f) wheel
arbre (m) **de —** main shaft

rouge (m) **à lèvres** lipstick
rougir blush
rouleau (m) roller (wave)
roulement (m) rotation
faire des —s work on a rota basis
rouler drive, ride; do (speed); keep moving
roulettes, comme sur des — (*fam*) a real doddle
roupiller (*fam*) kip down
route (f) road
deux heures de — a two-hour ride
grande — main road
se mettre en — start out
routier(-ière) road (tunnel); transport (café)
routier (m) truck driver
roux (rousse) ginger
rubrique (f) column; heading
ruche (f) hive
ruelle (f) alley
ruissellement (m) washing away
rustine (f) (rubber) patch
rutilant(e) gleaming, sparkling

sable (m) sand
sablonneux(-euse) sandy
sac (m) **à dos** rucksack
saccager create havoc in
sacoche (f) panier bag
sacré(e) sacred; (*fam*) bloody
sage well-behaved
sage-femme (f) midwife
sain(e) healthy, wholesome
— et sauf (sauve) safe and sound
saisi(e) de gripped by
saisissant(e) eye-catching
salarié(e) (m, f) employee
salir (make) dirty; make a mess in
se — get dirty
salle (f) **de séjour** living room
salon (m) **de lecture** reading room
sang (m) blood
sang-froid (m) cool-headedness; calm
sanglier (m) boar
sanitaires (m pl) washing and toilet facilities
sans without
— que (+*subj*) without
— quoi otherwise
santé (f) health
sapin (m) fir
saucisse (f) sausage
sauf (sauve) unharmed, unhurt
sauf (que) except (that)
saut (m) jump
— à la perche pole vault
— de puce short hop
— en hauteur high jump
— en longueur long jump
sauter jump; go up in smoke
— aux yeux be obvious
sauvage natural, wild; rough (camping)
sauvegarder preserve
sauver save, rescue
sauvetage (m) rescue
sauveteur (m) rescue-worker; firefighter
savant (m) scientist
savoir (m) knowledge
savoir know (how to), be able to
faire — inform
ne — que faire not know what to do
savoir-faire (m) know-how
scélérat(e) (m, f) villain
sceller seal
schéma (m) outline; diagram
scie (f) saw
scientifique (m/f) scientist
scintillant(e) glistening
sciure (f) sawdust
scolaire (performance) at school
scolarité (f) schooling
séance (f) session
seau (m) bucket
sec(sèche) dry; lean
sécher dry (up); (*fam*) sweat, be stuck; (*fam*) cut (classes)
sécheresse (f) drought
secoué(e) bumpy (trip in boat)
secouer shake
se — shake oneself up
secours (m) help
— (pl) rescue (services, team)
poste (m) **de —** first-aid post
premiers — first aid
secrétariat, école (f) **de —** secretarial college
secteur (m) sector, area
sécurité (f) safety
au **sein de** within
séjour (m) stay, spell
séjourner stay
selle (f) saddle
selon according to
semblable like, similar
— (m) fellow man
semblant, faire — de pretend to
sembler seem
semelle, ne pas lâcher qqn d'une — not give sb an inch
séminaire (m) seminar
sens (m) meaning
à mon — in my opinion
en ce — in that sense
sensation (f) feeling
sensibilisation (f) introductory course
sensible sensitive
sensoriel(le) sensory
sentier (m) path
sentiment (m) feeling
sentir smell; feel
se — feel
faire — bring out
se faire — be felt
ne **serait-ce que** even if only
ne — qu'un mot even a single word
ne — que par if only because of
serein(e) easy-going
série (f) series
sérieux, prendre qqn au — take sb seriously
serre (f) greenhouse
serrer shake (hands)
— le cou à throttle
serrure, trou (m) **de la —** keyhole
service (m) service, favour; section, department
de/en — on duty
rendre — à do a favour for
serviette (f) towel
servir serve, be used
— à be used for/to
— de be used as
se — de use
se faire — be waited on
seul(e) alone, by oneself; only, single (before noun)
siècle (m) century
siège (m) seat; headquarters
en — à based in
le/la **sien(ne)** his, hers, its
sieste (f) siesta (afternoon sleep)
siffler whistle (for)
signalement (m) description
signaler indicate, point out; report
signe (m) sign
— de tête nod
faire — de indicate that (one should)
signification (f) meaning
signifier mean
simili-cuir (m) imitation leather
simultanéité (f) simultaneousness
sinistré(e) (m, f) (disaster) victim
sinon if not, or else; otherwise
site (m) beauty spot
sitôt as soon as (he was. . .)
se **situer** be situated
slip (m) pants
SMIC (Salaire (m) **minimum interprofessionnel de croissance)** index-linked minimum wage
SNCF (Société (f) **nationale des chemins de fer français)** French Railways
SNS (Service (m) **national de sauvetage)** rescue service
sobriété, avec — simply, plainly (of dress)
société (f) company
jeux (m pl) **de —** parlour games
sociologue (m/f) sociologist
soi one(self)
—-même oneself
—-disant (inv) so-called
soie (f) silk
soif (f) thirst
soigné(e) careful
soigner look after, care for; treat
soigneusement carefully
soins (m pl) aid, treatment
être aux petits — pour qqn go out of one's way to look after sb
soirée (f) (whole) evening; party
soit . . . that is . . .
— . . . — . . . either . . . or . . .
sol (m) soil, ground
soldat (m) soldier
solfège (m) music theory
solide sturdy
solitaire lonely
sommation (f) warning
somme, en — all in all
sommeil (m) sleep
sommet (m) top
somnoler doze
son (m) sound
sondage (m) survey, opinion poll
songer (à) think (about)
sonnette (f) bell
sonore sound
sonorisation (f) public address system
sorcellerie (f) witchcraft
sorcier(-ière) (m, f) witch
sort (m) fate; spell
jeter un — cast a spell
sorte (f) sort, kind
de la — in this way
en quelque — in a way, as it were
de (telle) — que (+*subj*) so that, in such a way that
sortie (f) exit; day/evening out
sortilège (m) spell
se **sortir de** get out of
sot(te) silly, foolish
souci (m) care
se **soucier de** care about
soucieux(-euse) de concerned about
soudeur (m) welder
souffle (m) breath
souffler blow; carry off
à **soufflets** extendible (bag)
souffrance (f) suffering, torment; deprivation
souffrir (de) suffer (from)
souhaiter wish
souiller defile, litter
soulager relieve
soulever arouse
souligner underline; emphasise
soumis(e) obedient
être — à be submitted to, have to put up with
souple supple; manageable, flexible
source (f) spring
sourcier (m) water diviner
souriant(e) cheerful
sourire smile
sous-bois (m) undergrowth
dans/sous les — in the woods
sous-entendre imply
sous-multiple (m) sub-multiple
sous-vêtement (m) undergarment
souvenir m) memory
se **souvenir de** remember
souvent often
spectacle (m) show
sportif(-ive) (m, f) sportsman, sportswoman
stade (m) stadium

stage (m) (training) course; work experience
stagiaire (m/f) trainee; participant (in course)
station (f) (holiday) resort
statut (m) status
sténodactylo (f) shorthand typist
studio (m) flatlet
subir undergo, have to put up with, be subjected to
subordonné(e) (m, f) subordinate
substantif (m) noun
subvention (f) grant
succéder à succeed, take the place of
se — follow one another
successivement in turn
succursale (f) branch (of bank)
sueur sweat
se faire — (*fam*) get cheesed off
suer (f) sweat
suffire (de) be enough (to)
suffisant(e) sufficient, satisfactory, adequate
suffoquer suffocate
suggérer suggest
suicidé(e) (m, f) suicide victim
suinter ooze
suite (f) result, consequence; continuation
à la — de following, as a consequence of
ainsi de — and so on
de — on end
par la — afterwards, from then on
tout de — straight away
suivant, au —! next please!
suivant according to
suivre follow
sujet (m) subject
au — de concerning, about
super(carburant) (m) four-star petrol
superficie (f) area
superflu(e) unwanted
superflu (m) extras, luxuries
supérieur(e) upper
supplément (m) extra (charge)
supporter bear, put up with
— très mal hardly be able to bear
supprimer prevent; remove; do away with
sur, un — dix one out of ten
sûr, bien — of course
surchauffé(e) overheated
surdité (f) deafness
surdoué(e) highly gifted
surgir (de) spring (out of)
surmenage (m) strain
surmonter overcome
surnaturel (m) supernatural
surpeuplement (m) overcrowding
surprendre surprise
surtout (que) especially (as)
surveillant(e) (m, f) warder; supervisor
surveiller keep an eye on, keep watch on, supervise
se — look after oneself
survenir arise
survivance (f) relic
survivant(e) (m, f) survivor
susceptible touchy
— de likely to
sympa(= sympathique) (inv) (*fam*) nice
sympathie (f) warmth of feeling
sympathique nice
syndicat (m) (trade) union

tabac (m) tobacco
table (f) **de toilette** dressing table
table (f) **lumineuse** light table
tableau (m) (league) table; (black)board
— de bord dashboard
— de conduite instrument panel
tache (f) mark, stain, blot
—s de rousseur freckles
tâche (f) task
—s ménagères household tasks
taché(e) stained
taille (f) height; size
se **taire** keep silent
talon (m) heel; stub (of cheque)
— aiguille stiletto heel
tandis que whilst, on the other hand
tant so much
— . . . que . . . both . . . and . . .
en — que fille as a girl
tantôt . . . tantôt . . . sometimes . . . sometimes
taper (à la machine) type
— sur hammer
tapis (m) mat, carpet
tarder delay
— à be a long time in
il me — dait de I was longing to
tarir dry up
tas (m) heap, pile
(tout) un — de (*fam*) a (whole) load of
sur le — on the job
taux (m) rate
— de natalité birthrate
teint(e) dyed
teint (m) complexion
teinte (f) colour
teinturier(-ière) (m, f) dry cleaner
tel(le) such, like
— ou — such and such
— que (such) as
— quel(le) as it stands
télémécanique (f) (production of) automation equipment
téléspectateur(-trice) (m, f) television viewer
téléviseur (m) TV set
tellement so (much)
— de so many
témoignage (m) (personal) account, statement
témoigner de bear witness to, be evidence of
témoin (m) witness; speaker; participant in survey
tempête (f) storm
temps (m) time; tense; weather
à — in time
à — partiel part-time
de — en — from time to time
de son — in his/her day
en même — at the same time
rapports (m pl) **de —** sequence of tenses
tenace dogged, persistent
tendance (f) tendency
avoir — à tend to
tendre affectionate, gentle, sentimental
tendre hold out; tighten
tendu(e) tense; stretched
mal — not pulled tight
tenir hold (out); keep; manage
— à value; be keen to; insist on
— compte de take into account
— le coup keep going, last out
se — stand
ne pas — longtemps not stick it for long
qui me tient à cœur which is close to my heart
tentative (f) attempt
tenter tempt
— de try to
tenue (f) dress; (good) behaviour
— de plongée diving gear
terminale (f) upper sixth
(se) **terminer** end
terne dull
ternir tarnish
terrain (m) (piece of) ground; airfield; (football) pitch; campsite
terre (f) ground
— battue clay (tennis court)
par — on the ground
tiède warm
le/la **tien(ne)** yours
tiens! look!
tiers (m) third
tir (m) shot
tire-bouchon (m) corkscrew
tirer take/draw (from); run off (proofs); shoot
— ré(e) à quatre épingles smartly dressed
— sur snipe at
les jambes — rent pas mal (you) certainly feel it in the legs
tireur (m) marksman, gunman
tiroir (m) drawer
tisser weave
tissu (m) (piece of) cloth, material
titre (m) heading, title
à ce — on this score/account
à divers — s on several accounts
à un — ou à un autre for one reason or another
au même — que in the same way as
titulaire (m/f) holder
toboggan (m) slide
toile (f) canvas
grosse — heavy canvas
toit (m) roof
tombée (f) **de la nuit** nightfall
ton (m) tone (of voice, etc.)
sur un — agressif in an aggressive way
tonnerre (m) thunder
tort, avoir — (de) be wrong (to)
tôt early
toucher get (money)
toujours always, still
tour (f) tower
tour (m) turn; trip; trick
— à — in turn
à — de rôle in turn
à votre — in your turn
mauvais — dirty trick
faire le — go round
faire un — go for a stroll
tourbillonnant(e) swirling
tournée (f) round (of drinks)
en — on tour
tourner turn (against)
mal — turn out badly
tourneur (m) (metal-/wood-) turner
tournevis (m) screwdriver
tourniquet (m) roundabout (on playground)
tout(e) all, every; very, quite (adverb)
— le monde everyone
tout en (étant) whilst (being)
tout (m) everything, all
du — at all
en — in all
pas/plus du — not at all
toutefois however; nevertheless
toux (f) cough
traces (f pl) trail, track(s)
tract (m) leaflet
traduction (f) translation
traduire translate
se — par lead to
trahir betray
train (m) **de vie** style of living
en **train de** in the process of
traîner drag along/around; hang around
trait (m) feature; line; dash
— de caractère characteristic
d'un — in one go
traitement (m) treatment
traiter treat; talk about
— de deal with
traiteur (m) caterer
trajet (m) journey
trancher cut short (discussion)
— net bring to a sudden end
tranquille quiet, peaceful
transbordement (m) transfer
transi(e) numb with cold
transmettre transmit, pass on
transpercé(e) de pierced by
traqué(e) hunted
à **travers** through
au — de through

traverser cross
traversin (m) bolster
trébucher trip, stumble
treillis (m) boiler suit
trempé(e) soaked
trentaine (f) thirty (or so)
trépidation (f) shuddering
tri (m) sorting
  centre (m) **de —** sorting office
tricheur(-euse) (m, f) cheat
tricoter knit
trier sort
troisième, le — âge the years of retirement, senior citizens
se **tromper** be wrong, make a mistake
trompeur(-euse) deceitful
trop (de) too much/many
trottoir (m) pavement
trou (m) hole, gap
  à — s gapped
se **trouver** be, be situated
truand (m) crook
truc (m) (*fam*) tip; whatsit
truffe (f) truffle
truite (f) trout
tuer kill
tueur(-euse) (m, f) killer
tuyau (m) (*fam*) tip
type (inv) typical
typographe (m/f) typographer
tyran (m) tyrant

unique only (child)
  à sens — one-way
uniquement only, merely
urbain(e) urban, city (life)
en **urgence** as a matter of urgency
usage (m) use
  faire — de make use of
s'**user** wear out; deteriorate
usine (f) factory
usure (f) wearing out; wear and tear; ageing
utile useful
utiliser use

vacancier(-ière) (m, f) holiday-maker
vacarme (m) din
vague (f) wave
vaincre defeat, overcome
vainqueur (m) winner
vaisselle (f) washing-up
valable worthwhile; valid
valeur (f) value
  mettre en — show off
  objets (m pl) **de —** valuables
valoir be worth
  — la peine be worth the trouble
  — qqc à qqn earn sb sg
  il vaut mieux it is better to
vaniteux(-euse) vain
vanter praise, speak highly of
  se — de pride oneself on
varier vary
vaurien(ne) (m, f) little devil
vécu(e) real-life, lived
vedette (f) star, personality; launch
veille (f) watch, tour of duty; day before
veiller keep watch
veilleur (m) **de nuit** night porter
vélomoteur (m) moped
vendanges (f pl) grape harvest
vendéen(ne) of the Vendée
venir de have just
vente (f) sale
ventre (m) stomach
  porter sur son — carry along
venue (f) coming, arrival
verdure (f) greenery
verger (m) orchard
verglas (m) (black) ice
vérifier check
véritable true, real, genuine
vérité (f) truth
verni(e) patent leather (shoe)
vernis (m) **à ongles** nail varnish
vers towards; about (time)
Verseau (m) Aquarius
verser pour; pay (out)
vertige (m) dizzy spell
veste (f) jacket
vestiaire (m) changing-room; locker-room (in factory)
vestige (m) vestige, remains
veston (m) jacket
vêtements (m pl) clothes
vêtu(e) de dressed in
vidange (f) oil change
vide (m) emptiness; empty space
se **vider** empty, go empty
vieillard (m) old person
vieillesse (f) old age
vieillir age, grow old
Vierge (f) Virgo
vif (vive) lively
vilain(e) ugly(-looking); nasty
villa (f) house
vingtaine (f) twenty (or so)
virage (m) bend
vis-à-vis de about
viser aim
  — juste aim accurately
vitesse (f) speed
  à toute — at full speed
  à trois — s three-speed (bike)
viticulteur (m) wine grower
vitré(e) glass-panelled
vivacité (f) liveliness
vivant(e) alive; lively
vivement deeply, keenly
vivre live; experience
vivres (m pl) supplies, food
voie (f) route, road; way; channel (of communication)
  — ferrée (railway) track
voilà trente ans thirty years ago
voile (f) sailing
voilé(e) misty
voisin(e) (m, f) neighbour
voix, appeler à haute — shout to
vol (m) flight; theft
volant (m) (steering) wheel
voler fly; steal
volet (m) section, page (of leaflet)
volontaire (m/f) volunteer
volontairement deliberately
volonté (f) willpower
  de bonne — of goodwill
volontiers willingly
le/la **vôtre** yours
vouloir want; like
  — dire mean
  bien — be kind enough (to)
  en — à have it in for
à **vous de . . .** it's your job to . . .
voyant(e) (m, f) clairvoyant
voyelle (f) vowel
voyons come on now!
voyou (m) lout
vrai(e) true (after noun); real (before noun)
  à — dire to tell the truth
vraisemblablement in all likelihood
vrombissement (m) throbbing sound
vu (que) in view of (the fact that)
vue (f) sight; view
  de — by sight
  en — de with a view to
  à première — at first sight
  perdre de — lose sight of
  très en — in the public eye

yeux, sous les — in front of one
y compris(e) including